KU-355-330

KLN

VÁCLAV HAVEL
DO RŮZNÝCH STRAN

Knihovna Lidových novin sv. 1

Vyšlo ve spolupráci s Čs. střediskem nezávislé literatury,
Scheinfeld-Schwarzenberg

VÁCLAV HAVEL
DO RŮZNÝCH STRAN

ESEJE A ČLÁNKY
Z LET 1983—1989
USPOŘÁDAL VILÉM PREČAN

LIDOVÉ NOVINY PRAHA

HAVEL, DO RŮZNÝCH STRAN

ISBN 80-7106-000-3

ÚVODEM

S radostí předkládáme českým čtenářům první svazek Knihovny Lidových novin, s radostí o to větší, že je jím právě kniha Václava Havla Do různých stran. Vždyť je-li hlavním posláním naší edice vést s přemýšlivými čtenáři dialog o problematice našeho společenského života a zaplňovat bílá místa v dřívější oficiální interpretaci této problematiky, pak bychom k tomu účelu nemohli najít autora vhodnějšího.

Soubor Havlových esejů a článků z let 1983—1989 totiž přesně dokumentuje způsob myšlení člověka, jenž se stal pro občany naší země symbolem života v pravdě. Tento způsob imponuje svou důsledností; právě tak důsledné je i spojení domýšlených závěrů a řešení s vlastním životem. Stačí pozorně číst a spojovat jednotlivé Havlovy názory s fakty jeho biografie, a pak si nelze nepovšimnout, že rozhodně nejde o odtažité komentování problémů života v totalitní společnosti; Václav Havel svým čtenářům nikdy nedoporučoval něco, za co by se sám nebyl ochoten i se všemi riziky zasadit. Tento osobní vklad je základním znakem sepětí jeho myšlení s požadavky života v pravdě.

Právě proto nalezlo jeho dlouholeté „volání do různých stran" nakonec takovou odezvu, právě proto se stalo jeho jméno v závěru minulého roku symbolem.

Určitým symbolem se stala i tato kniha — vznikla v domácí samizdatové řadě Edice Expedice a exilové řadě Acta creationis Čs. dokumentačního střediska nezávislé literatury. Spolupráce samizdatu a exilu tak stála u zrodu díla, jež spolu se sborníkem textů z let 1979—1982 O lidskou identitu shrnuje publicistickou a esejistickou tvorbu Václava Havla.

Byla-li řeč o symbolech, pak je třeba připomenout ještě jeden. Není náhodou, že první svazek edice Knihovna Lidových novin tvoří právě samizdatový text. Vydávání toho nejlepšího, co se v naší nezávislé literatuře v minulých letech objevilo, pokládáme totiž za jeden ze svých základních úkolů.

Ve snaze zprostředkovat co největší čtenářské obci v co nejkratší době a maximálním rozsahu bohatství myšlenek Václava Havla využila redakce nabídky vydat v novém, tentokrát už domácím vydání sborník, který vyšel na podzim 1989 v zahraničí. Tento sborník byl připravován v jiné situaci a nepočítal s tak masovým nákladem. Editor vycházel také z toho, že Havlovy eseje a články z předcházejícího období, z let 1969—1979, byly samostatně vydány — rovněž v zahraničí — už před několika lety a že kniha Do různých stran bude na předcházející sborník organicky navazovat. Čeští čtenáři by na počátku roku 1990 možná potřebovali soubor mnohem úplnější, v němž by nechyběly takové eseje či studie, jako je dopis Gustávu Husákovi z dubna 1975, Moc bezmocných z října 1978 či rozhovor s Jiřím Ledererem z knihy České rozhovory.

Redakce se rozhodla jednat podle zásady „kdo rychle dává, dvakrát dává". Protože byla hotová kompletní sazba knihy Do různých stran, stačilo ji dopravit do Prahy, provést několik technických úprav a dát ji do tiskárny. Na znovuvydání Havlovy esejistické tvorby ze 70. let brzy také dojde, stejně jako bude třeba vydat jeho texty z doby od května 1989 do dnů, kdy se stal prezidentem.

K několika málo technickým úpravám, jež odlišují toto pražské vydání od zahraničního, patří kromě odlišného stránkování i okolnost, že úvodní poznámka sestavovatele je přesunuta na závěr knihy. Čtenářům však doporučujeme seznámit se s ní na počátku četby, protože je v jistém smyslu klíčem ke genezi knihy, informuje o tom, jak jednotlivé články vznikaly, jak je sborník uspořádán a proč se jmenuje Do různých stran.

Leden 1990

I. ROZHOVORY Z ROKU 1983

ROZHOVOR S VÁCLAVEM HAVLEM

Nedávno vás, téměř po čtyřech letech, propustili z vězení. Jaké je vlastně vaše současné právní postavení?

Mám takzvané soudní (to znamená časově nelimitované) přerušení trestu ze zdravotních důvodů. Teoreticky mohu od okamžiku, kdy budu lékařem uznán za vyléčeného, najít kdykoli ve schránce obsílku, že mám tehdy a tehdy nastoupit k výkonu zbytku svého trestu (zbývá mi ještě 10 měsíců). Ve skutečnosti však nemyslím, že mají československé úřady v úmyslu, abych se – aspoň v dohledné době – do vězení vracel. V dlouhodobější perspektivě závisí vše, jako obvykle, víc na obecné politické situaci než na mně. Já se sice snažím chovat opatrně, do vězení se dobrovolně nehrnu, ale svých názorů a postojů se vzdát přirozeně nemíním.

Vaši státní činitelé tvrdí, že za názory se ve vaší zemi nezavírá.

Za názory ne, jen za jejich projev. Co to je ale názor, který není projeven? Což teprve svým projevením se nestává názor názorem?

Byl jste necelý měsíc v civilní nemocnici, teď už jste skoro měsíc doma. Jak se k vám policie chová?

Řekl bych, že zatím je jakýsi „klid zbraní“. Kromě běžných šikan, prováděných prostřednictvím jiných úřadů, jako je například úsilí zbavit mne pražského bytu pod záminkou, že jsem si svou venkovskou chalupu zařídil tak, že se vlastně stala druhým bytem (podle československých zákonů nesmí občan vlastnit dva byty), mám od policie pokoj, nijak viditelně mi aspoň nedává o sobě vědět (že jsem odposloucháván, je ovšem pravděpodobné). Trochu se asi čeká, co budu dělat a jak se budu vyvíjet, trochu to asi vyplývá z celkového poněkud zmírněného policejního tlaku proti Chartě 77, souvisejícího s obecnou politickou situací v naší zemi, kterou dnes charakterizují známky určitého vyčkávání a nejistoty. To zmírnění je ovšem jen relativní a omezené, svědčí o tom například nedávný zásah proti františkánskému řádu.

Jistě jste se už seznámil s velikým ohlasem, který měl ve světě v roce 1979 pražský proces s Výborem na obranu nespravedlivě stíhaných (VONS), tedy s vámi a vašimi přáteli, a s širokou solidaritou, které se vám dostalo.

Něco málo jsem se o tom dozvídal už ve vězení, s kompletnější dokumentací, pokud přežila několik domovních prohlídek, se postupně seznamuji. Jsem při tom znovu a znovu překvapen a hluboce dojat šíří a hloubkou podpory, které se nám dostávalo nejen v době našeho procesu, ale po celou dobu našeho věznění. Těší mne a považuji za velmi důležitý – nejen pro nás, ale obecně – zájem a podporu různých vládních činitelů, stran, politických organizací atd. Přiznávám se však, že největší radost mám z těch nesčíslných projevů solidarity, které nelze ani vzdáleně podezírat z toho, že se jim náš případ hodil do jejich vlastní politické hry, tj. těch, které vyrůstaly spontánně a „zdola" nejen z prostého humánního zájmu o osud bližních, ale i z hlubokého pochopení zásadní nedělitelnosti duchovních a občanských svobod, z pochopení, že je-li ohrožena svoboda a důstojnost kdekoli na světě, je tím ohrožována všude a je tím útočeno na samo lidství člověka a tím i na snesitelnou budoucnost nás všech. Vím, že mnozí z těch, kteří veřejně na naši podporu vystupovali, by se sami chovali – dostat se do takových situací jako my – stejně jako my a že my bychom se za ně stavěli s touž intenzitou, s jakou se stavěli oni za nás. Vědomí tohoto širokého a přesného porozumění skutečnému smyslu našeho pobytu ve vězení (většině z nás byla nabídnuta možnost se mu vyhnout – například emigrací) mne přirozeně po léta věznění významně posilovalo; škoda jen, že jsem nemohl vědět vše, co vím teď.

Když mluvíte o tomto druhu podpory, máte na mysli nějaké konkrétní osoby nebo společenství?

Mám na mysli různé nezávislé mezinárodní organizace (jako je například Amnesty International) a četné specializovanější výbory a občanské iniciativy (jako je například ve Francii založená A.I.D.A.), mnoho prostých občanů v různých zemích i mnoho intelektuálů; obzvláštní radost mně osobně dělá přirozeně hlas různých mých vynikajících kolegů spisovatelů, divadelníků a vůbec umělců, jako je Samuel Beckett, Kurt Vonnegut, Yves Montand, Arthur Miller, Friedrich Dürrenmatt, Tom Stoppard, Siegfried Lenz, Harold Pinter, Simone Signoretová, Günter Grass, Joseph Papp, Bernt Engelmann, Saul Bellow, Heinrich Böll, Leonard Bernstein a další a další. Nesmírně na mne zapůsobily zprávy o inscenacích dramatické rekonstrukce našeho procesu, o večeru solidarity se mnou, pořádaném v rámci divadelního festivalu v Avignonu, a o četných dalších akcích. Nemohu tu jmenovat pochopitelně všechny, kteří nás veřejně podpořili, nemohu se však nezmínit ještě aspoň o jednom konkrétním projevu: totiž o statečně vyjádřené solidaritě našich přátel z polského KOR , kteří jsou dnes v podobné situaci, v jaké jsme byli my tehdy, a na něž musím trvale myslet, tím spíš, že jsem sám poznal, co to vězení je. To všechno musím ovšem doplnit důležitou poznámkou: stěží si dovedu představit, že by se našemu případu mohlo dostat tak rozsáhlé pozornosti v zahraničí, kdyby nebylo obětavé, rychlé a nesmírně nebezpečné práce našich přátel doma, signatářů Charty 77, a mezi nimi především těch, kteří ihned po našem zatčení nastoupili na naše místa v Chartě 77 i Výboru na obranu nespravedlivě stíhaných (VONS), dokumentovali náš případ, informovali o něm svět a mnohdy za to museli i tvrdě platit.

Co byste mohl říct o vězení a svém pobytu v něm?

To by bylo téma na knihu, přičemž ani ta kniha by nemohla vysvětlit celou věc kompletně: jde o zážitek ve své nejhlubší podstatě zřejmě nesdělitelný. Proto jen stručně: léta jsem musel žít v atmosféře systematického lámání charakterů, strachu, udavačství, výchovy k sobectví, v atmosféře intrik a nejrozmanitějších přímých i různě zbyrokratizovaných svinstev, tupé disciplíny i svévolného šikanování, ponižování a urážek, připraven přitom o možnost jakéhokoli i nejprimitivnějšího pozitivního psychického, emotivního či smyslového zážitku, jako je třeba chápavý stisk něčí ruky, pohled na hezký obraz nebo vlídné slovo. Znovu a znovu jsem si uvědomoval, že smyslem vězení není jen vzít člověku několik let života a připravit mu několik let trápení, ale něco víc: doživotně ho poznamenat, destruovat jeho osobnost, vrýt mu do srdce rýhu, která se asi nikdy nemůže úplně zahojit. Vězení mi připadá trochu jako taková „futurologická laboratoř totality“: všechny pestře skryté, nepřímé, nedokonalé a jemné způsoby manipulace člověka systémem a jeho kontroly nad ním jsou tam nejen přítomny ve své nahé kostře, venku těžko tak jasně viditelné, ale jsou tam navíc rozvinuty k dokonalosti, o níž může náš systém ve sféře „vnějšího světa“ zatím leda snít. Zvláštní dramatismus tomu dává okolnost, že zkušebním objektem této laboratoře není pochopitelně onen poddajný stádní a dávno už nepřímo zmanipulovaný „sídlištní“ člověk, kterým by systém chtěl každého z nás udělat, ale právě naopak: vězení je prazvláštním shromaždištěm svérázných lidí, lidí tak či onak vyčnívajících či se vymykajících, ať už tím, že zabíjejí ze žárlivosti své ženy, nebo tím, že bojují za lidská práva. Nejvíc je ovšem těch – jde hlavně o mladé lidi – kteří se dostali do vězení prostě jen proto, že se nedokázali správně přizpůsobit, že je tížilo dusno doby, rozčiloval pokrytecký svět a někde nějak se – podivně, hloupě, scestně – vzbouřili nebo ani nevzbouřili, ale zůstali prostě „jiní“. Na jedné cele s dvanácti či pětadvaceti vězni se lze setkat s více zajímavými, zvláštními, dramatickými, tragickými, zcela jedinečnými a zároveň hluboké rozpory soudobého světa a soudobého lidství bezděky demonstrujícími lidskými osudy a příběhy než na mnohatisícovém sídlišti.

Takže tu jde vlastně o jakousi tvrdou konfrontaci minulosti (tj. světa individuálních osudů) s kýženou budoucností (tj. světem totální uniformity). Svého času jsem četl v *Rudém právu* stať československého ministra vnitra dr. Obziny, v níž rozvíjel myšlenku, že kriminalita v socialismu pramení z ještě nedostatečné sociální homogenity obyvatelstva. Škrtněte slovo „sociální", a máte klíč k pochopení věci: až budeme všichni stejní, nebude třeba soudů a věznic. Plevel bude odstraněn – zrušením pole. Opravdu: kde je popřen život, jehož podstatou je přece rozrůzněnost a nikoli homogenita, tam nemůže bujet kriminalita, nejen ta domnělá, ale ani skutečná. Abych byl ale spravedlivý: tohle všechno není žádnou zvláštní specialitou právě československých věznic: hluboká Foucaultova analýza moderního vězeňství (*Střežit a trestat*) ukazuje, že to je vlastně všude stejné: stále míň jde o bezprostřednost trestu jako bezprostřední odpovědi na zločin a stále víc jde naopak o cílevědomou deprivaci a destrukci lidské individuality a identity. U nás to je všechno jen asi zřetelnější a vyznačuje se to četnými zvláštnostmi, vyplývajícími z rozdílné povahy našeho systému. (Mimo jiné: z údajů přímo načerpaných nebo nepřímo vyvozených z každodenní podrobné četby *Rudého práva*, mého jediného pramene informací ve vězení, jsem vypočítal, že v Československu je v přepočtu na počet obyvatel čtyřikrát víc vězňů než v USA). Velmi zjednodušeně řečeno: současné vězení není už dávno založeno na přímém fyzickém strádání (i když se občas i v něm pochopitelně bije a hlad bývá občas i v něm), ale na něčem horším: je souvislým, každodenním, celodenním a neustávajícím útokem na psychiku, nervy a mravní integritu člověka.

Jaké je dnes v československých věznicích postavení politických vězňů?

Navenek se předstírá, že političtí vězňové u nás nejsou, že jde o běžné „narušitele zákona", jakými jsou i všichni ostatní, a pojem „politický vězeň" se v oficiální mluvě nesmí vůbec užívat (v běžné řeči ho ovšem všichni, včetně žalářníků, užívají). Zdálo by se tedy, že v zájmu podepření této teze budou mít političtí vězňové stejné podmínky jako všichni ostatní. Ve skutečnosti tomu ovšem tak není:

jejich postavení je mnohonásobně horší: jsou většinou zbaveni četných práv a jinak běžně dosažitelných výhod (jako jsou například mimořádné návštěvy či balíčky za odměnu, možnost práce v administrativě, funkce v tom, čemu se říká „samospráva", skromné možnosti kulturní seberealizace apod.), jsou obklopeni konfidenty, ostře sledováni, každé záminky je využíváno k jejich trestání, nemají naději na podmínečné propuštění, postihován je dokonce i styk s nimi (v tomto veskrze kolektivním zařízení!), jsou vymýšleny různé způsoby, jak jim ztěžovat život (například pracovní zařazení neumožňující jim plnit normy a otevírající tak dveře možnosti jejich dalšího trestání), na vlastní kůži jsem se dokonce setkal s případy tajného podplácení jiných vězňů za to, že mi budou škodit (například krást cigarety nebo vitamíny). Mezi ostatními vězni – aspoň jak já to poznal – se však těší političtí vězňové obecnému respektu, na čemž nic nemění fakt, že se vždy najde dost těch, kteří jsou ochotni za drobné výhody na ně donášet nebo proti nim osnovat intriky. Většina vězňů, ať už se k tomu propůjčí nebo nikoliv, hledí na politické zcela samozřejmě jako na nevinné, kteří byli odsouzeni – jak vězňové lapidárně říkají – „za pravdu". Z toho ovšem vyplývá, že se o nich automaticky předpokládá, že nejen všechno vědí, všemu rozumějí, ale že znají i sám smysl života, který jsou schopni kdykoli komukoli nezištně sdělit. Musel jsem tedy – stejně jako moji kolegové – po léta a bez ohledu na to, že jsme to měli přísně zakázáno (protože to je prý pokračování v trestné činnosti, za niž jsme odsouzeni), sloužit svým spoluvězňům jako právník, psycholog, zpovědník (jedině u politických je obecná jistota, že neudávají), vracet jim chuť do života v depresích, řešit jejich rozvody, psát milostné dopisy, rozmlouvat jim zamýšlené sebevraždy, rozsuzovat nejrozmanitější spory atd. atd. Taková důvěra samozřejmě těší, dělali jsme to rádi, ale pobyt ve vězení nám to přirozeně příliš neusnadňovalo: nejen pro nenávist, kterou to vyvolávalo u žalářníků, ale především proto, že role, do které se tím člověk dostával, přímo vylučovala možnost, že by i on mohl mít své deprese, problémy, nejistoty a že i on by občas potřeboval pomoc nebo radu. Něco takového dát najevo nebylo prostě možné.

Domníváte se, že vaše předčasné propuštění dává naději, že i jiní političtí vězňové budou propuštěni dříve?

Nevím, zatím se obávám, že spíš asi nikoli. Tím víc na ně ovšem musím myslet; myslíme na ně samozřejmě všichni, ale u těch z nás, kteří tam sami byli, jsou ty myšlenky z pochopitelných důvodů ještě živější a bolestnější. Musím myslet na přítele Petra Uhla, odsouzeného spolu se mnou, který má velmi těžké podmínky v izolaci na Mírově; myslím na přítele Ivana Jirouse, tohoto dnes mezi naší mládeží už téměř legendárního vůdce českého hudebního undergroundu, už počtvrté zavřeného, intelektuála i plebejce zároveň, kultivovaného, jemného a vnitřně plachého teoretika umění a básníka a villonovského věčného rebela zároveň, který si odpykává trest za účast na přípravě neoficiálního časopisu „Vokno" ve Valdicích (asi jen ten, kdo prošel československými věznicemi, tuší, co to znamená, když se řekne „Valdice" – jde o nejhorší věznici v ČSSR); myslím na Rudolfa Battěka, bývalého poslance, přemýšlivého sociologa, navíc vážně nemocného, který si odpykává trest v Opavě; myslím na Jiřího Gruntoráda, vězněného v Minkovicích (jeho případ je obludný: jde o dělníka, který se provinil tím, že opisoval na psacím stroji texty českých spisovatelů); myslím na Ladislava Lise, mluvčího Charty 77, který je ve vazbě v Litoměřicích; myslím na kolegu spisovatele Jaromíra Šavrdu (odsouzeného už podruhé za opisování svých i cizích textů!), myslím na všechny ostatní. A vždy se mne zmocňuje zvláštní lítostivost (pro „post-vězeňský psychický stav" ostatně příznačná), když si vzpomenu na zavřené kněze, kteří mne v určitých dobách dokázali pevností svého postoje a svou dobrotou tak skvěle posilovat. Co mohu pro ně všechny udělat víc, než že na ně myslím? V tuto chvíli asi jen to, že budu apelovat na mezinárodní veřejnost a všechny lidi dobré vůle, aby se za každého z nich zasazovali tak, jako se zasazovali za mne.

Mohl jste ve vězení psát?

To mi bylo přísně zakázáno, nesměl jsem mít ani papír, ani zápisník, natož si dělat nějaké poznámky. Byl jsem dokonce trestán i za takovou hloupost, že byly u mne nalezeny nějaké koncepty dopisů legálně odeslaných domů. Jediné, co mi nebylo a nemohlo být zakázáno, byly legální (tj. cenzurované) dopisy mé ženě, na jejichž psaní jsem měl ze zákona právo: jeden týdně, na čtyři strany standardního dopisního papíru, čitelným písmem psaný, dodržující předepsané okraje atd. Těch dopisů tu leží 165, jejich psaní bylo ve vězení mou největší radostí, osmyslňovalo mi pobyt v něm a pokoušel jsem se v nich – za podmínek, jejichž obtížnost lze těžko popsat – rozvíjet různé obecnější úvahy o tématech, o nichž jsem ve vězení musel často uvažovat, jako je téma lidské identity, odpovědnosti, horizontů, k nimž se vztahujeme, apod. (I to mi bylo dlouho zakazováno, mnoho dopisů mi bylo zadrženo – mají se totiž správně týkat jen „rodinných věcí" – ale nakonec si na to nějak zvykli.)

Pociťoval jste někdy ke svým věznitelům nenávist?

Nenávidět neumím a jsem tomu rád. Když pro nic jiného, tak už proto, že nenávist kalí zrak a tím znemožňuje hledat pravdu.

Zavřeli vás na jaře roku 1979 a teď jste se octl náhle – jakoby skokem – v roce 1983. Máte tedy ostré srovnání, ostřejší než ti, kteří ta leta venku kontinuálně prožívali. Jak se vám situace ve vaší zemi jeví?

Na jakékoli obecné hodnocení či soudy si zatím vůbec netroufám, mohu mluvit jen o svých prvních a veskrze subjektivních dojmech a pocitech, které – nutno hned na začátku říct – ve všech směrech předstihují má očekávání: Charta 77 přežila šest let a Výbor na obranu nespravedlivě stíhaných (VONS) pět let pronásledování a normálně dál pracují (i když jejich dokumenty nemají z mnoha důvodů už zdaleka tu publicitu, kterou měly dříve); jsem velmi překvapen šíří a hlubokým záběrem nejrozmanitějších neoficiálních kulturních aktivit; počtem, vytrvalostí a úrovní soukromých filozofických seminářů, množstvím samizdatové literatury (nejen beletrie, ale ještě víc esejistiky), strojopisných časopisů atd. atd. I když způsoby práce se změnily, strachu jako by bylo sice méně, ale opatrnosti daleko více, překvapuje mne její rozsah (nevím, jak to všechno dohoním) a hlavně neumdlévající energie do ní investovaná. Zdá se mi, jako by dnes byl ve společnosti vůbec větší hlad po kulturních hodnotách a pravdivém slově, ať už přicházejí (zatím sporadicky) ze sféry „oficiální" (tj. povolené) kultury, nebo (nepoměrně víc) ze sféry kultury „neoficiální", té „druhé", jak to nazval Ivan Jirous. Mám dojem, že texty existující jen v několika kopiích by mohly vycházet v desetitisícových nákladech a byly by ihned rozebrány. Mnoho lidí jako by bylo už definitivně unaveno ze své únavy, jako by už nebylo s to potlačovat v sobě svou touhu po pravdivé a svobodné tvorbě. Překvapuje mne, že ve sféře „oficiální" kultury znají výsledky kultury „neoficiální" mnohdy lépe, než my známe výsledky jejich; kdysi tak ostrá a nepřekročitelná hranice mezi oběma kulturami jako by se už trochu rozostřovala, v povolené kultuře se objevují častěji – byť stále spíš jen na jejích okrajích – zajímavé věci, mnohdy tak či onak inspirované kulturou „neoficiální", k ní se vztahující, s ní se měřící nebo od ní dokonce co do své vnitřní svobody téměř neodlišitelné. Tlak politického aparátu proti povolené kultuře, té, kterou měl ještě nedávno tak dobře zmanipulovánu, jako by sílil, což je neklamnou známkou, že v ní tu a tam začíná opět o něco jít, občas to na mne dokonce působí tak, že se mu v některých svých okrscích tato zdánlivě „jeho" kultura téměř vymyká z rukou: zakazují hry, divadla a v této chvíli především četné – donedávna oficiálně chválené – rockové a jazzové kapely; mnozí už nevědí, zda patří do kultury „oficiální" či do té „druhé"; ti ještě povolení vystupují – kdesi na pomezí povoleného a nepovoleného – společně s těmi nepovolenými; všechno se to zkrátka nějak podivně zamíchalo nebo propletlo – nebo aspoň mně se to tak zatím jeví. Občas mám dokonce pocit, jako by se trochu změnil i vztah některých oficiálních (arci, že jen některých!) umělců k nám – už se nás tolik nebojí, možná cítí, že se kdykoli mohou ocitnout mezi námi a že už vlastně nemá cenu moc toho předstírat, když to na jejich osud beztak nemá vliv. Znovu ovšem zdůrazňuji, že to jsou jen mé první a naprosto osobní dojmy a že bych byl velmi nerad, kdyby to kdokoli chápal jako nějaké kompetentní hodnocení situace. V něčem mi to všechno trochu připomíná počátek šedesátých let, kdy proces sebeuvědomování a duchovního sebeosvobozování společnosti rovněž začínal kdesi na pomezí oficiální a neoficiální kultury, v onom zvláštním prostoru, kde se vždy něco zakáže, aby se vzápětí o několik metrů dál objevilo něco jiného, co zakazovatelům uniklo. Tenhle proces vyvrcholil nakonec rokem 1968, kdy politická moc musela vzít na vědomí a už nemohla na vědomí nevzít skutečný stav společnosti a její duše. Pokud jde o sféru politickou, zdá se mi, že současná moc stojí před společenskými rozpory, jež by měla řešit, rozpačitěji, než jak se mi to jevilo ve vězení: jako by to byla naopak ona, kdo už začíná být trochu unaven (uvědomme si, že tu už 14 let vládne táž nezměněná garnitura). Občas se ještě projeví – ať už tím či oním nesmyslným zásahem – téměř zběsilý strach moci z každého závanu čerstvého vzduchu, občas se naopak zdá, jako by i moc sama se pokoušela trochu vážněji zamýšlet o tom, jak tento zatuchlý prostor vyvětrat (aniž by ji ovšem vzniklý průvan jakkoli ohrozil). K tomu ovšem přistupuje pravděpodobně i určitá nejistota o tom, zda současný stav v centru našeho bloku je spíš jen nějakým provizóriem, nebo zda znamená naopak začátek něčeho nového – a hlavně čeho. Poslední pocit, o kterém bych se v této souvislosti měl snad zmínit, je pocit, že za dobu, po kterou jsem tu nebyl, povážlivě vzrostla rozmařilost zkorumpované smetánky. Ne snad, že by to připomínalo přímo život římské aristokracie před pádem Říše římské, na to jsou české poměry příliš malé, spíš by se to mohlo snad srovnat s životem Gierkova vedení v posledních letech jeho vlády – i proto, jak tato rozmařilost kontrastuje s reálnou hospodářskou situací země a triviálními spotřebitelskými starostmi obyvatelstva.

Jste dnes považován za předního československého disidenta či opozičního činitele. Co si o tom myslíte?

Nejsem, nikdy jsem nebyl a ani nemám ctižádost stát se politikem, profesionálním revolucionářem nebo profesionálním „disidentem“. Jsem spisovatel, píšu to, co chci, a ne to, co by na mně chtěli jiní, a angažuji-li se i jinak než jen svou literární tvorbou, dělám to prostě proto, že to cítím jako svou přirozenou lidskou a občanskou povinnost a jako povinnost vyplývající koneckonců i z mého postavení spisovatele, tj. člověka veřejně známého, kterého tato známost zavazuje k tomu, aby se k některým věcem vyjadřoval hlasitěji než ti, kteří známí nejsou: nikoli proto, že by byl důležitější nebo chytřejší než jiní, ale prostě proto, že je – ať už se mu to líbí nebo ne – přeci jen v jiné situaci, zakládající jiný typ odpovědnosti. I když mám přirozeně na mnoho věcí své vyhraněné názory, nehlásím se k žádné konkrétní ideologii, doktríně nebo dokonce politické straně či sektě, nesloužím nikomu, a tím méně nějaké mocnosti, sloužím-li něčemu, tak jen svému svědomí. Nejsem komunista ani antikomunista a kritizuji-li svou vládu, pak nikoli proto, že je komunistická, ale proto, že je špatná. Kdyby tu byla vláda sociálně demokratická nebo křesťansko-sociální nebo jakákoli jiná a kdyby vládla špatně, kritizoval bych ji stejně jako tuto. Nejsem na straně žádného establishmentu a nejsem profesionálním bojovníkem proti nějakému jinému establishmentu, jsem prostě na straně pravdy proti lži, na straně smyslu proti nesmyslu, na straně spravedlnosti proti nespravedlnosti.

Co soudíte o současném západním mírovém hnutí?

Zatím ještě nemám dost objektivních informací, abych se k tomu mohl nějak zasvěceněji vyjádřit. Mohu jen říct, že ty mladé dlouhovlasaté lidi, kteří demonstrují v různých západních městech za mír a které jsem měl možnost vidět ve vězení téměř denně v povinných televizních novinách, chápu jako své bratry a sestry: není jim lhostejný osud světa a přijímají na sebe dobrovolně odpovědnost překračující rámec starosti o vlastní dobré bydlo, a to vlastně – byť v těžších podmínkách – děláme i my zde. Že jejich aktivity jsou asi mnohdy povrchní, jen heslovité, příliš uvězněné do lokální perspektivy a málo ochotné promýšlet hlouběji otázku, co to vlastně mír je, co znamená a co předpokládá, co ho skutečně umožňuje a co mír naopak ohrožuje – je věc druhá. Ale i to je koneckonců pochopitelné: když ti lidé vidí, jak se za jejich vesničkou buduje nějaká odpalovací rampa, zdá se jim být přirozeně boj proti této rampě důležitější než nějaké odtažité zkoumání a promýšlení hlubších souvislostí problému světového míru.

Lze se jim divit? Když jsem byl ve vězení, taky se mne víc dotýkala otázka, zda se mi podaří nějakým úskokem získat ze skladu několik kožených tkaniček do bot navíc pro své přátele katolíky, aby si z nich mohli udělat své dobře ukrývané růžence, než otázka, kolik pershingů 2 je schopno čelit kolika raketám SS 20. K pochopení širších problémů se vždycky probíjíme cestou konfrontace s problémy lokálními, konkrétně a existenciálně se nás dotýkajícími. Jde jen o to, abychom se touto cestou skutečně probíjeli někam dál a neuvízli – dík pohodlnosti svého ducha – na samém startu. Ale abych byl konkrétnější: o otázce míru a války se v prostředí Charty 77 hodně uvažuje a leccos chytrého už tu bylo na toto téma napsáno; až se trochu lépe zorientuji, rád bych se k tomu také vyjádřil; to téma mne zajímalo už ve vězení a tím víc mne zajímá teď.

Nemáte dojem, že SSSR západního mírového hnutí využívá ve svůj prospěch?

Když někdo na Západě bojuje proti západním zbraním, bylo by od sovětského vedení přinejmenším pošetilé, kdyby mu nefandilo. Mně se ovšem zdá, že důležitější, než kdo mi právě fandí, je, zda mám pravdu. Já osobně se aspoň touhle zásadou řídím.

Jaké máte plány?

Návrat z vězení není vůbec lehká věc, někteří dokonce říkají, že to je těžší než vstup do vězení. Musím se nejprve zorientovat, trochu se zadaptovat, pochopit lépe svět, do něhož jsem přišel, což znamená se mimo mnoho jiného setkat se spoustou lidí, přečíst mnoho důležitých textů, poslechnout si desítky desek a magnetofonových pásků, vidět různá představení a koncerty, naučit se zkrátka zase dýchat vzduch své doby; bez toho se psát nedá. No a pak bych rád začal psát konečně už zase nějakou hru, asi šest let jsem žádnou nenapsal.

Ovlivní váš pobyt ve vězení nějak vaše další psaní?

Nepochybně. Ale zatím nevím jak.

Myslíte, že bude tenhle náš rozhovor mít pro vás nějaké nedobré následky?

Nevím. Opravdu nevím.

(duben 1983)

NECHCI EMIGROVAT

Pane Havle, vy jste byl v roce 1979 uvězněn kvůli svým názorům.

V roce 1979 jsem byl společně s pěti přáteli odsouzen k trestu čtyř a půl let vězení. Byli jsme odsouzeni za svou práci ve VONS (Výboru na obranu nespravedlivě stíhaných), který dokumentoval a zveřejňoval různé případy policejní a justiční nespravedlnosti. Trvali jsme všichni a dodnes trváme na tom, že na této naší práci nebylo nic trestného a že nám její trestnost nebyla nijak soudem prokázána. VONS – mimo jiné – existuje dodnes a ve své práci pokračuje (nebyli zavřeni všichni jeho členové a na místa zavřených nastoupili ihned po jejich zatčení další). Jde o práci velmi důležitou, neboť to je jeden z mála pokusů v naší zemi podrobit práci Bezpečnosti a justice opravdu svobodné veřejné kontrole.

Ve vězení jste musel pracovat manuálně. Co jste dělal? Byl byste to mohl odmítnout?

Pracoval jsem jako dělník v železárnách, určitý čas v prádelně a na konci opět jako dělník v podniku Kovošrot, který má svá pracoviště v mnoha věznicích. I ve vězení existují velmi omezené možnosti práce v administrativě, ale ta u politických vězňů nepřipadá v úvahu. Odmítat přidělenou práci – například ze zdravotních důvodů – znamená okamžitě být kázeňsky trestán (pobytem v korekci apod.). Někteří vězni tuto cestu volí, ale jen velmi zřídka tím něčeho dosáhnou. V mém případě by takové odmítání nemělo žádný efekt, jen by mi způsobilo další utrpení. A také jsem k němu neměl dostatek pádných důvodů: byť s obtížemi, přesto jsem byl zdravotně schopen svou práci vykonávat.

Mohl jste na cele psát? Byla vám intelektuální činnost posilou?

Psát cokoli a vlastnit například poznámkový blok jsem měl přísně zakázáno. Má jediná „literární" seberealizace byly dopisy mé ženě. Směl jsem jí psát jednou týdně jeden dopis předepsaného rozsahu. Ve svých dopisech jsem se snažil zamýšlet nad různými obecnějšími otázkami, ale to bylo spojeno – aspoň v prvních letech – s mnoha komplikacemi s vězeňskou cenzurou. Vždy znovu a znovu mi bylo nakazováno držet se pouze „rodinných věcí" a mé „úvahové" dopisy byly zadržovány. Později se má situace po této stránce trochu zlepšila. V českém samizdatu existuje a koluje asi čtyřsetstránkový výbor z mých dopisů, nazvaný *Dopisy Olze*. Ještě před svým zavřením jsem napsal hru *Protest* a Pavel Kohout *Atest*, s tím, že tyto hry budou uvedeny spolu, což se také stalo. Já ve vězení samozřejmě žádné hry psát nemohl, ale při návštěvách (jedna hodina za čtvrt roku) jsem se leccos mohl dozvědět, např. i o tom, že Pavel Kohout napsal a mně věnoval hru *Marast*, navazující na naše předchozí hry, podobně jako Pavel Landovský hru *Arest*. Tyto zprávy – jako vůbec všechny zprávy o projevech solidarity se mnou a mými přáteli – mne přirozeně ve vězení posilovaly.

V únoru jste byl pro nemoc propuštěn. Jak se vám daří nyní?

Trest mi byl přerušen pro těžký zápal plic spojený s nějakými dalšími komplikacemi (zánět pohrudnice apod.). Teď se už cítím po této stránce zdráv; mám potíže pouze s lokty (jde o tzv. „tenisové lokty", což je určitá nemoc) a tato okolnost by mi teď dost ztěžovala, ne-li úplně znemožňovala, manuální práci. Tyto komplikace vznikly v době, kdy jsem pracoval ve vězení v železárnách.

Na začátku vám nabízeli místo vězení emigraci. Byla tato nabídka opakována?

Před procesem mi byl ve vazbě nabízen studijní pobyt v USA, který by ale znamenal ve skutečnosti emigraci (nepochybně bych byl zbaven při tomto pobytu čs. občanství podobně jako Pavel Kohout – není ostatně náhoda, že mi tato nabídka byla oficiálně tlumočena asi týden nebo 14 dní před tím, než Pavlu Kohoutovi znemožnili návrat). Odmítl jsem ji z mnoha důvodů: ze solidarity se svými přáteli; proto, že když jsme si jisti svou pravdou, nezdá se mi být chlapské utíkat od následků toho, že ji zastáváme; ale i prostě proto, že se nechci stát emigrantem. Během trestu mi bylo – neoficiálně – víckrát naznačeno, že možnost vystěhování stále trvá – a tím spíš trvá nepochybně i dnes.

Chcete cestovat na Západ?

Z předchozího je snad zřejmé, že si nemohu dovolit ani sebekratší cestu za hranice: buď by mi nebyla povolena, anebo – když by mi povolena byla – bych mohl téměř napevno předpokládat, že se nebudu moci vrátit. A to riskovat nechci.

Brecht napsal hru Švejk v 2. světové válce. Dalo by se dnes napsat pokračování Švejk za normalizace?

Myslím, že na toto téma napsal moc hezký fejeton Ludvík Vaculík – doporučuji vám jeho četbu!

Co teď můžete literárně dělat? Máte zde publikum?

Psát mi nikdo zakázat nemůže, psát chci – jediná otázka je, zda se mi bude práce dařit (nikdy jsem nepsal lehce a snadno). Mé hry samozřejmě žádné divadlo v ČSSR neuvede, ale možnosti neoficiálních představení nebo nahrávek existují, byť jsou spojeny s obtížemi, které si Rakušan asi těžko umí představit. Mým „publikem“ v mé zemi zůstávají tudíž hlavně čtenáři „samizdatu“.

Kdysi jste napsal esej o dvou kulturách ve vaší zemi, o oficiální a o té „druhé“, opoziční. Tu opoziční však vytváří jen velmi malý počet lidí. Myslíte, že může přežít?

První, kdo začal užívat termínu „druhá kultura", byl Ivan Jirous. Myslím, že tato „druhá kultura" – totiž ta nepovolená nebo neoficiální – v naší zemi existuje a že je daleko rozvinutější než v sedmdesátých letech. Tato kultura se přirozeně neomezuje na prostředí Charty 77. Existuje mnoho časopisů, stovky samizdatových titulů, stovky nevystavujících malířů, desítky hudebních skupin, které nemohou veřejně vystupovat. Hranice mezi oficiální a neoficiální kulturou přitom už nejsou zdaleka tak ostré a nepřekročitelné, jak byly před několika lety. Jsou stále častěji překračovány – a to v obou směrech, byť zatím větší frekvence je na cestě z kultury oficiální do té „druhé" než na cestě opačné. Je také mnoho kulturních fenoménů, u nichž není jasné, kam je zařadit, zda k „první kultuře" či k té „druhé". Jsou prostě kdesi na pomezí.

Budete se politicky angažovat jako kdysi, když jste byl mluvčím Charty 77?

Svou aktivitu jsem nikdy nepovažoval za práci v pravém slova smyslu politickou. Bylo to prostě určité občanské angažmá. Své postoje jsem samozřejmě po pobytu ve vězení nijak nezměnil; mám-li příležitost, přispívám i dnes k práci Charty 77; v nejbližších měsících bych se však rád soustředil především na psaní nové hry.

Pane Havle, vy bydlíte v severních Čechách, kde je devastace životního prostředí velmi silná. Co cítíte, když vidíte umírat české lesy?

Myslím, že ekologická situace v ČSSR je opravdu alarmující. Nejhůř jsou na tom severní Čechy (lesy v celém Krušnohoří jsou už téměř zničené), nedávno ostatně věnovala Charta 77 sociologicko-ekologické problematice severních Čech jeden ze svých dokumentů. Já se zdržuji převážně na své venkovské chalupě v Podkrkonoší. I tam už začíná být situace povážlivá, i když katastrofického stavu, jaký je v severních Čechách, zatím nedosahuje.

Často se říká, že mírové hnutí na Západě mají v hrsti Rusové a že nezávislé mírové skupiny na Východě jsou Reaganovými stoupenci. Jak vy vidíte budoucnost?

Situace v zemích sovětského bloku je radikálně jiná než situace na Západě. Právě proto považuji za nesmírně důležité, aby západní mírové hnutí bylo otevřeno dialogu s nezávislými občanskými iniciativami na Východě – a ovšem i naopak. Charta 77 už určitý dialog navázala, sešli jsme se například s mnoha delegáty nedávného mírového kongresu v Praze a zjistili jsme k oboustranné radosti, že naše stanoviska, motivy a cíle si jsou ve skutečnosti daleko bližší, než jak se to možná zatím leckomu jeví.

(srpen 1983)

ODPOVĚDI NA OTÁZKY SKANDINÁVSKÉHO NOVINÁŘE

Z čeho vycházíte při psaní?

Při psaní her nevycházím z žádného hotového estetického systému, názoru nebo dokonce ideologie. Píši prostě tak, jak to umím a jak mne to baví. To ovšem neznamená, že v mých hrách nelze vystopovat určitou jim vlastní poetiku – to je však úkol spíš pro kritiky než pro mne a je to spíš důsledek toho, jaký jsem a jak píši, než nějakého předzjednaného programu. Já sám jsem se pokusil tuto svou poetiku reflektovat – aspoň obrysovitě – v jedné sérii svých dopisů z vězení.

Je etnická základna v Československu zničena, anebo je možno ji opět vzkřísit?

Etnická základna rozhodně zničena není. Vážně rozrušena je však mravní konsistence československé společnosti, tedy základna etická. Obnovit ji nebude jistě lehké, ale věřím, že to možné je.

Představuje Charta 77 správný způsob boje za lidskou důstojnost a demokracii?

Pokud vím, lepší způsob u nás zatím vymyšlen nebyl; Charta 77 se mi zdá být způsobem přiměřeným dnešním poměrům v naší zemi.

Co je nejdůležitější problém dnešního Československa?

Záleží na tom, z jakého hlediska se na to díváme. Problémů je v naší zemi mnoho, od duchovních a politických až po hospodářské a ekologické. Já osobně bych za největší problém, z něhož ty ostatní tak či onak vyplývají, považoval hlubokou rezignaci naší společnosti na možnost cokoliv zlepšovat.

Je československý dramatik srozumitelný západoevropskému obecenstvu?

To je věc, kterou nedokážu – aspoň ve svém případě – nikdy předem odhadnout, ukáže to vždycky až praxe. Nejednou se stalo, že hra, u níž jsem předpokládal, že bude všude srozumitelná a že osloví publikum i na Západě, se nesetkala se zájmem a porozuměním, a že naopak hra, u níž bych to byl nepředpokládal, se hrála všude. Mimo těžko stopovatelného proudění v senzibilitě různých společností tu hrají roli často i docela vnější a nahodilé věci, například jak se podaří hru přeložit, jaké divadlo a který režisér se jí poprvé ujmou apod. Ať už je tomu ale jakkoli, rozhodně nelze předem se zájmy toho či onoho publika kalkulovat a snažit se mu vyjít vstříc; člověk může psát jen o tom a tak, o čem a jak cítí potřebu psát – a pak už mu nezbývá než jenom doufat, že to, co považoval za podstatné on, budou za podstatné považovat i jiní.

Co mají dělat lidé na Západě, aby pomohli vaší věci?

Myslím, že je důležité, aby nejen menšina, ale co nejvíc lidí na Západě chápalo, že v dnešním světě problémy kterékoli země se týkají všech a že nejlepší cestou k vlastnímu neštěstí je zakrývat si oči před neštěstím jiných.

(říjen 1983)

Mám-li příležitost něco pro Chartu 77 udělat, udělám to, nicméně hlavně bych se teď rád soustředil na svou literární práci. Měl jsem příliš dlouhou pauzu.

Ale mluvčím Charty 77 už nechcete být? To jste už 1977 slíbil úřadům.

V roce 1977 jsem funkci mluvčího složil do rukou signatářů Charty 77, kteří mne jí pověřili, a nikoli do rukou úřadů. Měl jsem k tomu tehdy vážné důvody, úřadům jsem ale, pokud vím, nic v tomto směru nesliboval. Už v roce 1978 jsem byl ostatně mluvčím znovu. V této funkci se střídají různí signatáři, myslím, že to je tak dobré, a nevím, proč bych měl tuto funkci zastávat potřetí. Nejde jen o to, co jsem říkal – že se chci věnovat teď hlavně psaní – ale i o to, že Charta 77 není mým osobním podnikem a střídání mluvčích je jen k jejímu prospěchu (dodnes se v této funkci vystřídalo už dvacet signatářů).

Dovolte, abychom se vás zeptali přímo: jaký smysl vidíte ještě v roce 1983 v činnosti Charty 77? Velká část těch 1000 bývalých signatářů je vyřazena, někteří z vedoucích jsou mrtvi, sedm /?/ sedí ve vězení, asi 100 /?/ se vystěhovalo, o stovkách dalších se už nic neslyší, hnutí se zmenšilo.

Kdyby se Charta 77 řídila výhradně okamžitým vnějším efektem své práce a jím vše měřila, pak by bývala nemusela vůbec vzniknout: věděli jsme přirozeně od začátku, že bezprostředně toho mnoho nezměníme. Smysl Charty 77 je hlubší a skrytější, její účinek se střádá kdesi dost hluboko ve společenském vědomí a rozhodně si těžko umím představit okamžik, kdy Charta 77 ztratí smysl. Dokonce i kdyby v naší zemi existoval docela jiný a lepší společenský pořádek, než jaký v ní existuje, její smysl by vyčerpán nebyl: dokud bude člověk člověkem, nebude na zemi takový ráj, v němž by už nikdo žádná lidská práva neporušoval. Pokud jde o počet signatářů, ten se mi rovněž nezdá být rozhodující: Charta 77 není politickou stranou, která měří svůj význam počtem svých členů a voličů. Nevím, jak moc je v zahraničí o Chartě 77 slyšet, vím ale, že pracuje jako kdykoliv dosud: v uplynulém roce vydala například téměř čtyřicet dokumentů různé povahy, z nichž některé měly u našich spoluobčanů značný ohlas.

K tomu přistupuje, že chartisté měli malý úspěch v boji proti zvůli a přehmatům režimu. Ještě jsou stále pronásledovány policejně i soudně názory odchylné od linie strany, stále je potlačována svoboda vyznání; proti tomu protestovalo jen několik málo lidí, i na Západě se mlčí k hřbitovnímu tichu v ČSSR. Stála ta námaha Charty 77 za ty oběti?

Jan Patočka napsal, že jsou věci, které stojí za to, aby člověk pro ně trpěl.

Proč nachází Charta 77 na rozdíl od opozice v Polsku tak málo podpory u obyvatelstva? Je to nedostatek civilní odvahy, je to oportunismus nebo jsou myšlenky Charty 77 v lidu tak málo chápány?

Situace v naší zemi je dost jiná než v Polsku a Charta 77 je také něco jiného než Solidarita. Její společenské působení není přímé, působí spíš jen jako určitá výzva, apel, jako něco, s čím se mnoho lidí trvale – ať chce či nechce – musí vnitřně konfrontovat. Sympatií má hodně, jsou to ale sympatie více či méně skryté. Jinak tomu zatím ani být nemůže, tlak moci na společnost je příliš silný a tradice otevřeného, byť nenásilného vzdoru je příliš slabá. Podpisem Charty 77 mohou lidé ztratit existenci, relativní klid, možnost studia, působení ve svém oboru atd. atd. Obecně a ihned následovatelný model chování Charty 77 nenabízí a také jí o to, myslím, nejde. Říká prostě jen pravdy, které jiní říci nemohou, nebo se neodváží, a tím pomáhá jaksi „pročišťovat vzduch". Je to málo, když se někdo rozhodne zvolat, že král je nahý? A je rozhodující, kolik lidí to zvolá?

I tzv. pevné jádro Charty 77, jak se zdá, je dnes rozděleno, někteří myslí, že provokace v současné situaci nevede k ničemu pozitivnímu, jen k dalšímu zavírání či snad i k smrti lidí; dnes jde o to, nějak přezimovat, nějak přežít jako zárodky budoucího hnutí. Co si o tom myslíte?

Především se mi nezdá, že by Charta 77 měla nějaké „pevné jádro" a „nepevný obal". Její signatáři jsou prostě jen velmi různí lidé a každý dělá právě jen to, co ho baví, co umí a na co má sílu. Charta 77 také nikdy „neprovokuje": tón jejích dokumentů je klidný, věcný, střízlivý a tak říkajíc lidský (v kontrapozici k anonymně neosobnímu tónu různých dokumentů moci); jde jí o hodnoty života a nikoli o samoúčelnou konfrontaci s režimem. Různé koncepční diskuse se v prostředí Charty 77 samozřejmě od začátku vedou a bylo by smutné, kdyby tomu tak nebylo: je to přece také – poněkud nadneseně řečeno – pospolitost svobodných. To ale neznamená, že Charta 77 je „rozdělena". Je-li rozdělena, pak pouze na těch tisíc svých signatářů, kteří ji všichni podepsali sami za sebe, nikoli proto, aby v ní ztratili svou individualitu, ale naopak proto, aby ji v ní mohli lépe či šířeji uplatnit. Své signatáře Charta 77 nevybírá, nekádruje, nekontroluje ani jim nic nepřikazuje; může ji podepsat kdokoliv; každý ji podepisuje jen sám sobě a svému svědomí, nikoli tedy ostatním signatářům nebo dokonce úřadům, a je věcí každého signatáře, jak svůj podpis pochopí, co si z něho pro sebe vyvodí, jaký úkol z něho vyčte a jakou disciplínu sám sobě uloží. Charta mu neukládá žádnou. Nepracují-li signatáři víc a lépe, pak prostě proto, že jsou takoví, jací jsou: žádní nadlidé či nějaký vybraný sbor hrdinů, ale normální občané, jejichž síly mají své meze, jejichž nervy nejsou z lepšího materiálu než nervy kohokoliv jiného a kteří znají strach tak jako kdokoliv jiný. Nikdo také na nich nežádá a nemá právo žádat, aby ještě víc času po zaměstnání domovníků, topičů a hlídačů věnovali věcem, které jim přinášejí jen další strádání, a aby se vězení báli ještě míň, než se ho bojí. V určitém smyslu by se dalo říct, že Charta 77 je obrazem možností této společnosti v této chvíli, nebo ještě lapidárněji: národ má takovou Chartu, jakou je v danou chvíli schopen mít.

V maďarské, ale i v polské opozici se ozývají hlasy, jež radí k omezené spolupráci s režimem. Tím chtějí zjednat víc prostoru a vlivu idejím postupné demokratizace. Co soudíte o takovém „dlouhém pochodu institucemi"?

Ani v této věci neexistuje žádný obecně přijatelný a jediný správný model chování. V každé zemi a v každé oblasti jsou poměry poněkud jiné a každý člověk je v trochu jiné situaci, má jiné možnosti a jinou povahu. Jako kdekoliv jinde i u nás je společenský život charakterizován pestrou paletou rozmanitých postojů a postupů.

V poslední době došlo – i mimo opozici – k opatrným protestům proti dalšímu zbrojení. Občané, ale i členové parlamentu a novináři uváděli veřejně v pochybnost smysl umísťování nových sovětských raket na čs. území. Není strach před atomovou válkou odrazovým bodem pro novou strategii Charty 77?

Nesmyslné zbrojení není něčím „o sobě", co spadlo z nebe. Je to jen jeden z projevů – byť obzvlášť nebezpečný – dnešního stavu světa, tj. světa v krizi. Usiluje-li Charta 77 – nejobecněji vzato – o lepší svět, pak přemýšlení o míru a starost o něj je jen přirozenou a neoddělitelnou součástí její práce, ba vyplývá přímo z jejího poslání. Její signatáři přitom, myslím, vědí, že následek se stěží natrvalo a důkladně odstraní, nebudou-li odstraňovány jeho příčiny. Snad je z toho jasné, že starost o mír, ať už se projevuje či projeví jakkoli, není a nemůže být pro Chartu 77 jen věcí nějaké „strategie" či „taktiky".

Právě vzniku čs. mírového hnutí chce státní moc za všech okolností zabránit. Hrozí obviněním z „podkopávání obranyschopnosti". Měli by to kritikové režimu riskovat?

Je pravda, že kritiku zbrojení naše vláda uznává a podporuje, jen týká-li se Západu. Překročit tento rámec znamená pochopitelně riskovat. S rizikem je však práce Charty 77 spojena od začátku, ani v tomto případě nejde tedy o nic nového.

Charta 77 má dobré styky s podobně smýšlejícími v téměř všech socialistických sousedních zemích. Jen o vztazích k sovětským disidentům se nic neslyší. Nemusila by společenská reforma, jež by měla socialismus alespoň humanizovat, začít v SSSR?

Já myslím, že s nápravou poměrů musí začít každý u vlastního prahu. Čekat na to, až začnou jinde, by bylo sice pohodlnější, ale valný smysl by to nemělo.

Chartě 77 se vede zle. Naproti tomu tzv. „druhá kultura", tj. nedovolená nebo alespoň neoficiální kultura, se slibně rozvíjí. Je stále víc samizdatové literatury, stále víc „podzemních" časopisů, stále víc divadelních představení v soukromých bytech atd. Znamená to, že se kulturní klima v ČSSR liberalizuje?

Pokud jde o vztah moci k ní, vedlo se Chartě 77 vždycky zle a já nemyslím, že je to dnes horší než kdykoliv jindy. Rozvoj nezávislé kultury v posledních letech je přirozeně věc výborná a důležitá – ostatně u nás společenské změny k lepšímu vždycky začínají původně v kultuře – a já osobně jsem přesvědčen, že na tomto rozvoji má Charta 77 značnou zásluhu. Není to přirozeně jen její zásluha, ale nelze přehlédnout, že se jejím působením otevřel prostor k mnohému, co před ní nebylo. Že by se ale celkové poměry nějak výrazněji liberalizovaly – to se mi bohužel nezdá.

Vy sám sedíte osamocen se svou paní v Krkonoších, stranou dokonce od vesničky, k níž patří váš dům, a chcete povzbuzovat svou literární prací síly duchovního odporu. Víte po čtyřech létech vězení a půl roce dobrovolné izolace vůbec ještě, co si myslí obyvatelstvo?

Osamocen se určitě necítím a jezdím-li na svou chalupu, pak naopak hlavně proto, že v Praze jsem obklopen ruchem, který mi téměř znemožňuje psát. Zda jsem či nejsem izolován od společnosti, mi nepřísluší posuzovat; posuzovat to lze jen podle toho, co píšu, a podle toho, jaký to má ohlas. Rozhodně to ale nijak přímo nesouvisí s tím, zda jsem na venkově nebo v Praze, ve vězení nebo na svobodě. (Ostatně – jen tak na okraj – upozorňuji, že kdo se zajímá o společenské problémy své doby a je nadán schopností do nich pronikat, může pochopit celou jejich šíři, hloubku a povahu velmi dobře právě ve vězení, které je – zvlášť v našich podmínkách – jen jakýmsi vypouklým zrcadlem společnosti).

Na čem konkrétně pracujete? Jde tu o vaše osobní zážitky ve vězení? O dnešní problémy?

Vždycky jsem psal dlouho a těžce, takže i s hrou, kterou jsem nedávno začal psát, příliš daleko nejsem. Ve vězení se odehrávat nebude.

Má tato divadelní hra šanci dostat se na jeviště v ČSSR nebo alespoň vyjít v nějakém nakladatelství v ČSSR, tedy nějak se dostat k svému primárnímu publiku?

Nemá.

Přesto se nechcete vystěhovat?

Ne.

(prosinec 1983)

II. ESEJE A STATI

POLITIKA A SVĚDOMÍ

/1/

Jako malý chlapec jsem žil určitý čas na venkově a vzpomínám si jasně na jeden svůj tehdejší zážitek: chodil jsem do školy polní cestou do nedaleké vsi a při tom jsem vídal na obzoru veliký komín jakési narychlo vybudované továrny, sloužící s největší pravděpodobností válce. Z toho komína vycházel hustý hnědý kouř a rozptyloval se po modré obloze. A já měl vždycky, když jsem to viděl, intenzívní pocit, že v tom je něco hluboce nepatřičného, protože tím lidé špiní nebe. Nevím, zda v té době už existovala ekologie jako vědecká disciplína, pokud však existovala, rozhodně jsem o ní nic nevěděl. Přesto jsem byl tím „špiněním nebe" spontánně dotčen a uražen; zdálo se mi, že se tu člověk nějak provinuje, že něco důležitého ničí, že svévolně porušuje přirozený řád věcí a že se mu takové podnikání musí vymstít. Můj odpor k té věci byl ovšem hlavně estetický; o škodlivých emisích, které budou jednou zabíjet lesy, hubit zvěř a ohrožovat lidské zdraví, jsem pochopitelně v té době nic netušil.

Kdyby něco takového spatřil náhle na obzoru – řekněme při lovu – středověký člověk, nejspíš by to považoval za dílo Ďáblovo, padl by na kolena a modlil se za spásu svou i svých bližních.

Co je vlastně společného světu středověkého člověka a světu malého chlapce? Myslím, že jedna podstatná věc: oba jsou silněji než většina moderních lidí zakotveni v tom, čemu filozofové říkají „přirozený svět“ nebo „svět života“. Neodcizili se ještě světu své skutečné a osobní zkušenosti; světu, který má své ráno a svůj večer, své „dole“ (země) a své „nahoře“ (nebe), v němž slunce každodenně vychází na východě, putuje po obloze a zapadá na západě a v němž ještě cosi velmi živého a určitého znamenají pojmy domova a cizoty, dobra a zla, krásy a ošklivosti, blízkosti a dálavy, povinnosti a práva; světu, který zná hranici mezi tím, co je nám důvěrně známé a o co nám přísluší se starat, a tím, co je za jeho horizontem a před čím se máme jen pokorně sklánět, protože to má povahu tajemství. Tento přirozený svět je světem bezprostředně evidovaným naším „já“ a tímto „já“ osobně zaručovaným; je to onen ještě neindeferentní svět našeho prožívání, s nímž jsme zcela osobně spojeni svou láskou, nenávistí, úctou, pohrdáním, tradicí, svými zájmy i nereflektovaným kulturotvorným cítěním. Je to terén naší neopakovatelné, nepřenosné a nezcizitelné radosti i bolesti; svět, v němž, skrze nějž a za nějž nějak odpovídáme; svět naší osobní odpovědnosti. Takové kategorie, jako je například spravedlnost, čest, zrada, přátelství, nevěra, statečnost či soucit mají v tomto světě zcela konkrétní, s konkrétními lidmi spojovaný a pro konkrétní život velmi důsažný obsah; něco zkrátka ještě váží. Půdorysem tohoto světa jsou hodnoty, které tu jsou jakoby odvždycky a pořád, dřív, než o nich mluvíme, než je zkoumáme a činíme předmětem svého tázání. Vnitřní koherenci mu dává přitom jakýsi „před-spekulativně“ daný předpoklad, že funguje a je vůbec možný jen proto, že existuje cosi za jeho horizontem, že je něco za ním či nad ním, něco, co se sice vymyká našemu chápání a manipulaci, co však právě proto dává tomuto světu pevné pozadí, řád a míru a co je skrytým zdrojem všech pravidel, zvyklostí, příkazů, zákazů a norem, jež v něm závazně platí. Přirozený svět v sobě tedy ze samé své podstaty skrývá předpoklad absolutna, které ho zakládá i ohraničuje, produševňuje i řídí, bez něhož by byl nemyslitelný, absurdní a zbytečný a které nám nezbývá než tiše respektovat; každý pokus jím pohrdnout, podmanit si jej nebo dokonce nahradit něčím jiným je v dimenzích tohoto světa chápán jako projev pýchy, na který musí člověk vždy tvrdě doplatit – jako na něj doplatili Don Juan a Faust.

Komín špinící nebe není pro mne osobně jen nějaký politováníhodný lapsus techniky, která do svých počtů zapomněla započítat „ekologický faktor" a která tento svůj omyl může snadno napravit příslušným filtrem, zbavujícím kouř škodlivých látek. Je to pro mne víc: symbol epochy, která se snaží překročit hranice přirozeného světa a jeho norem a udělat z něho pouhé lidské privatisimum, věc subjektivního mínění, soukromých pocitů, iluzí, předsudků a rozmarů „pouhého" jednotlivce. Epochy, která popírá závazný význam osobní zkušenosti – včetně zkušenosti tajemství a absolutna – a na místo absolutna osobně zakoušeného jako míra světa staví absolutno nové, lidmi stvořené a už nikterak tajemné, absolutno osvobozené od „rozmarů" subjektivity a tudíž neosobní a nelidské, totiž absolutno takzvané objektivity, objektivního rozumového poznání, vědeckého rozvrhu světa.

Novověká věda, konstruujíc svůj obecný a obecně platný obraz světa, proráží tedy hranice přirozeného světa, který chápe jen jako vězení předsudků, z něhož je třeba se probít na světlo objektivně verifikované pravdy a který je pro ni pouze neblahým dědictvím našich zaostalých předků a fantazie jejich dětské nedozrálosti. Tím ruší ovšem – jakožto pouhou fikci – i nejvlastnější základ tohoto přirozeného světa: zabíjí Boha a usedá na jeho uprázdněný trůn, aby to nyní byla ona, kdo má v rukách řád bytí a je jeho jediným legitimním správcem; aby to byla ona, kdo bude nadále jedinou oprávněnou majitelkou veškeré relevantní pravdy, protože jen ona to přece je, kdo se povznáší nad všechny subjektivní pravdy jednotlivých lidí a nahrazuje je pravdou lepší: nadsubjektivní a nadosobní, vskutku objektivní a univerzální.

Novověký racionalismus a novověká věda, jakkoli jsou dílem lidí a rozvinuly se – jako všechno lidské – v prostoru přirozeného světa, tento přirozený svět tedy programově opouštějí, popírají, degradují a difamují – a zároveň ovšem kolonizují: modernímu člověku, jehož přirozený svět věda a technika už náležitě ovládla, vadí kouř z komína jen potud, pokud mu jeho smrad proniká do bytu, rozhodně jím však není – metafyzicky – pohoršen: ví přece, že továrna, k níž komín patří, vyrábí věci, které jsou zapotřebí. Jako člověk technické éry uvažuje o eventuální nápravě jen v dimenzích techniky, totiž filtru, kterým by měl být komín vybaven.

Aby mi bylo dobře rozuměno: nenavrhuji lidstvu ani zrušení komínů, ani zákaz vědy, ani obecný návrat do středověku. (Ostatně není náhoda, že některé nejhlubší objevy soudobé moderní vědy kupodivu právě mýtus Objektivity problematizují a pozoruhodnou oklikou se vracejí k lidskému subjektu a jeho světu.) Zamýšlím se pouze – v nejobecnějších a zajisté velmi schematických obrysech – nad tím, co zakládá duchovní strukturu moderní civilizace a v čem je tudíž třeba hledat i nejvlastnější příčiny její krize. A i když mi v této úvaze půjde spíš o politické než ekologické aspekty této krize, mohl bych snad to, z čeho ve svém zamyšlení vycházím, přiblížit ještě jedním ekologickým příkladem: po staletí byl základní buňkou evropského zemědělství statek. U nás se mu říkalo „grunt", což není z etymologického hlediska bez zajímavosti: to slovo, převzaté z němčiny, znamená vlastně „základ" a v češtině má zvláštní sémantické zabarvení: jako hovorové synonymum českého slova základ (i statek) zdůrazňuje „základnost základu", jeho nepochybnou, tradiční a před-spekulativně danou poctivost a věrohodnost. Pravda, statky byly zdrojem bezpočtu rozmanitých sociálních rozporů, a časem zřejmě stále hlubších, nicméně jedno jim opravdu upřít nelze: že k nim vždycky patřila jakási přiměřená, harmonická a staletou tradicí osobně (generacemi sedláků) vyzkoušená a osobně (výsledky jejich hospodaření) zaručovaná zakotvenost v povaze místa, kde statek stál, a jakási optimální vzájemná proporcionalita – jak co do rozsahu, tak co do druhu – všeho, co k němu patřilo: polí, luk, mezí, lesa, dobytka, domácího zvířectva, vody, cest atd. atd. To všechno tvořilo – aniž se tím po staletí kterýkoli sedlák vědecky zabýval – celkem uspokojivě fungující ekonomický a ekologický systém, v němž bylo vše provázáno tisícerými nitkami vzájemných souvislostí a smysluplných vazeb, zajišťujících jeho stabilitu i stabilitu výsledků sedlákova hospodaření. (Mimo jiné: tradiční grunt byl – na rozdíl od dnešní „zemědělské velkovýroby" – energeticky soběstačný.) Pokud trpělo dřívější zemědělství nějakými obecnými pohromami, nemohlo za ně: nepříznivé počasí, nemoci dobytka, války a jiné katastrofy byly mimo dosah sedlákova vlivu. Uplatněním moderní zemědělské i společenské vědy může jistě tisíce věcí fungovat v zemědělství lépe: jeho produktivitu lze zvýšit, lidskou dřinu zmenšit, nejhorší sociální rozpory odstranit. Za předpokladu ovšem, že se i modernizace bude vyznačovat jistou úctou a pokorou před tajemným řádem přírody a z toho pramenící přiměřenosti, vlastní přirozenému světu osobní lidské zkušenosti a odpovědnosti, a že tedy nebude jen zpupně gigantomanickým a veskrze brutálním vpádem neosobně objektivní Vědy v podobě právě dostudovavšího agronoma nebo „vědeckému světovému názoru" sloužícího byrokrata. Nuže: přesně toto druhé naše země zažila: říkali tomu „kolektivizace". Byla to smršť, která se před třiceti lety přehnala československým venkovem, aby tam nenechala kámen na kameni. Jejím následkem byly na jedné straně desítky tisíc kriminály zničených životů, obětí položených na oltář vědecké utopie o světlejších zítřcích; na druhé straně fakt, že sociálních rozporů a dřiny na venkově skutečně ubylo a zemědělská produkce skutečně kvantitativně stoupla. Proto však o tom nemluvím. Mluvím o tom teď z jiného důvodu: třicet let po této smršti, která smetla z povrchu zemského i instituci tradičního gruntu, věda s úžasem zjišťuje to, co věděl už tehdy i pologramotný sedlák: že každý pokus takto radikálně, jednou provždy a beze zbytku zrušit onu pokorně respektovanou hranici přirozeného světa s jeho tradicí opatrné osobní evidence, vzít tak říkajíc přírodu beze zbytku do lidských rukou a vysmát se jejím tajemstvím, zrušit zkrátka Boha a zahrát si na něj – že každý takový pokus se musí člověku vymstít. Což se opravdu stalo: dík rozoraným mezím a zrušeným remízkám uhynulo polní ptactvo a v něm i přirozený a zdarma pracující ochránce úrody proti jejím škůdcům; ohromné scelené lány zaviňují nezadržitelné každoroční odplavování miliónů kubických metrů ornice, která se tvořila po staletí; umělé hnojení a chemická likvidace škůdců katastrofálně otravuje všechny rostlinné produkty, půdu i vodstvo; těžké stroje systematicky stlačují půdu, čímž ji činí neprodyšnou, a tudíž neplodnou; krávy v gigantických kravínech trpí neurózami a ztrácejí mléko; zemědělství odčerpává stále víc energie z průmyslu (výroba strojů, umělých hnojiv, stoupající náklady na dopravu v situaci rostoucí lokální specializace); atd. atd.

Zkrátka a dobře: prognózy jsou děsivé a nikdo neví, jaká další překvapení nám připraví nadcházející léta a desítiletí.

Je to paradoxní: člověk éry vědy a techniky se domnívá, že zlepší život, protože je schopen pochopit a využít komplexnost přírody a obecné zákony jejího fungování – a právě touto komplexností a těmito zákony je nakonec tragicky zaskočen a přelstěn. Myslel si, že vysvětlí přírodu a ovládne ji – a výsledkem je, že ji zničil a že se z ní vydělil. Co však čeká „člověka mimo přírodu"? Vždyť to je koneckonců právě nejmodernější věda, která zjišťuje, že lidské tělo je vlastně jen takovou obzvlášť frekventovanou křižovatkou miliard organických mikrotělísek a jejich nepředstavitelně komplikovaných vzájemných kontaktů a vlivů, tvořících dohromady onen neuvěřitelný megaorganismus, kterému se říká „biosféra" a kterým je obalena naše planeta.

Vinna není věda jako taková, ale pýcha člověka vědecké éry. Člověk prostě není Bůh a hra na něj se mu krutě mstí. Zrušil absolutní horizont svého vztahování, odmítl svou osobní „před-objektivní" zkušenost světa a své osobní vědomí a svědomí zahnal kamsi do koupelny svého bytu jako pouhé intimno, do kterého nikomu nic není; zbavil se své odpovědnosti jako „přeludu subjektivity" – a na místě toho všeho instaloval přelud – jak se dnes ukazuje – ze všech dosavadních nejnebezpečnější: fikci od konkrétního lidství osvobozené objektivity, konstrukt racionálního pochopení všehomíra, abstraktní schéma údajné „dějinné nutnosti" a jako vrchol všeho vizi čistě vědecky vypočitatelného a čistě technicky dosažitelného „blaha všech", které stačí ve výzkumných ústavech vymyslet a v průmyslových továrnách i v továrnách byrokracie proměnit ve skutek. Že tomuhle přeludu padnou za oběť milióny lidí ve vědecky řízených koncentračních táborech – to tohoto „moderního člověka" (pokud se tam náhodou sám neocitne a toto prostředí ho drasticky neuvrhne zpět do jeho přirozeného světa) netrápí: fenomén osobního soucitu s bližním patří přece do onoho zrušeného světa osobních předsudků, který musel ustoupit Vědě, Objektivitě, Dějinné nutnosti, Technice, Systému a Aparátu, a ty se trápit nemohou, protože prostě nejsou osobní. Jsou abstraktní a anonymní, vždy účelné a vždy proto apriorně nevinné.

A pokud jde o budoucnost? Kdo by se o ni osobně zajímal nebo se jí dokonce osobně trápil, když do oné koupelny intimna, respektive přímo do říše pohádek, bylo odtransportováno i nahlížení věcí *sub specie aeternitatis!* Pokud myslí dnešní vědec na to, co bude za dvě stě let, pak pouze jako osobně nezainteresovaný pozorovatel, kterému je v podstatě jedno, zda zkoumá metabolismus štěnice, rádiové signály pulsarů nebo planetární zásoby zemního plynu. A moderní politik? Ten už přece vůbec nemá žádný osobní důvod se takovou věcí zabývat, zvlášť kdyby to mělo ohrozit – pokud působí v zemi, kde existují volby – jeho šance v nich!

/2/

Český filozof Václav Bělohradský sugestivně rozvedl myšlenku, že racionalistický duch novověké vědy, založené na abstraktním rozumu a předpokladu neosobní objektivity, má vedle svého otce v přírodě – Galilea – i svého otce v politice: je jím Machiavelli, který první formuloval (byť s přídechem zlomyslné ironie) teorii politiky jako racionální technologie moci. Lze říct, že – přes všechny spletité historické peripetie – lze prapůvod moderního státu a moderní politické moci hledat právě zde, tedy opět v okamžiku, kdy se začíná lidský rozum „osvobozovat" od člověka, jeho osobní zkušenosti, osobního svědomí i osobní odpovědnosti, a tudíž i od toho, k čemu se v dimenzích přirozeného světa každá odpovědnost jedině vztahuje, totiž od jejího absolutního horizontu. A jako dal novověký přírodovědec do závorky konkrétního člověka jako subjekt prožitku světa, dává ho stále zřetelněji do závorky i moderní stát a moderní politika.

Tento proces anonymizace a zneosobnění moci a její redukce na pouhou techniku řízení a manipulace má přirozeně tisíce podob, variant a projevů; jednou je skrytý a nenápadný a podruhé naopak zcela zjevný, jednou je plíživý a jeho cesty jsou rafinovaně křivolaké, podruhé je naopak až brutálně přímý. V podstatě je to však pohyb jediný a univerzální. Je bytostnou dimenzí celé moderní civilizace, vyrůstá přímo z její duchovní struktury, je do ní tisícerými spletitými kořeny vrostlý a od její technické povahy, stádnosti a konzumní orientace už vlastně neodmyslitelný.

Panovníky a vůdce jako se sebou samými identické osobnosti s konkrétní lidskou tváří, odpovědné vždy ještě nějak osobně za své dobré činy i zločiny – ať už je instalovala dynastická tradice, vůle lidu nebo vítězná bitva či intrika – střídá v moderní době manažer, byrokrat, aparátčík, profesionál na řízení, manipulaci a frázi, odosobněný průsečík mocenských a funkčních vztahů, součástka státního mechanismu internovaná do své předem dané role, „nevinný" nástroj „nevinné" anonymní moci, legitimované vědou, kybernetikou, ideologií, zákonem, abstrakcí a objektivitou – tedy vším jiným než osobní odpovědností k lidem jako osobám a jako bližním. Moderní politik je „transparentní": za jeho rozšafnou maskou a umělým jazykem nezahlédáme člověka tkvícího svou láskou, vášní, zálibou, osobním míněním, nenávistí, odvahou či krutostí v řádu přirozeného světa; to vše i on ponechává jako privatisimum ve své koupelně; zahlédáme-li tam něco, pak jen zdatnějšího či méně zdatného technologa moci. Systém, ideologie a aparát vyvlastnily člověku – vládnoucímu i ovládanému – jeho svědomí, přirozený rozum a přirozenou řeč, a tím i jeho konkrétní lidství; státy se připodobňují strojům; lidé se mění ve statistické soubory voličů, producentů, konzumentů, pacientů, turistů či vojáků; dobro a zlo – jako kategorie z přirozeného světa, a tudíž přežitky minulosti – ztrácejí v politice reálný smysl; její jedinou metodou se stává účel a jedinou mírou objektivně verifikovatelný a tak říkajíc matematizovatelný úspěch. Moc je apriorně nevinná, protože nevyrůstá ze světa, v němž mají ještě slova vina a nevina nějaký obsah.

Svého zatím nejdokonalejšího výrazu dosahuje tato neosobní moc v totalitních systémech. A i když zneosobnění moci a její kolonizace lidského vědomí a řeči tu začasté – jak upozorňuje Bělohradský – úspěšně navazuje na mimoevropské tradice „kosmologického" chápání říše (identifikujícího říši – jakožto jediný pravý střed světa – s celým světem a pojímajícího člověka jako její bezvýhradný majetek), neznamená to, že moderní neosobní moc, jak ji tyto systémy vyhroceně demonstrují, je jakousi mimoevropskou záležitostí. Pravý opak je pravdou: byly to právě Evropa a evropský Západ, které daly a mnohdy přímo vnutily světu vše to, na čem tato moc dnes stojí: od novověké vědy, racionalismu, scientismu, průmyslové revoluce a vůbec revoluce jako fanatismu abstrakce, přes internaci přirozeného světa do koupelny až po kult konzumu, atomovou bombu a marxismus. A je to Evropa – demokratická západní Evropa – která dnes stojí bezradná tváří v tvář výsledkům tohoto svého dvojsmyslného exportu. Svědčí o tom například její současné dilema, zda se má zpětné expanzi těchto výsledků své vlastní expanze vzepřít či zda má před ní ustoupit. Zda totiž raketám, které vývozem svého duchovního a technologického potenciálu umožnila sama na sebe namířit, má čelit instalací podobných a ještě lepších raket a demonstrovat tím sice své odhodlání bránit hodnoty, jež jí zbývají, ale zároveň tím přistoupit na vnucenou a veskrze nemravnou hru, či zda má ustoupit a doufat, že takto předvedená odpovědnost za osud planety nakazí svou magickou silou i ostatní svět.

Myslím, že pokud jde o vztah západní Evropy k totalitním systémům, ze všech chyb, kterých se může dopustit, by byla největší ta, která jí zřejmě nejvíc hrozí: že totalitní systémy nepochopí jako to, čím v poslední instanci jsou, totiž jako vypouklé zrcadlo celé moderní civilizace a tvrdou – a možná poslední – výzvu této civilizaci ke generální revizi svého sebepochopení. Z tohoto hlediska není už tak podstatné, jakou formou by západní Evropa tuto chybu udělala: zda tím, že v duchu své vlastní racionalistické tradice přijme totalitní systémy jako jakési lokálně svérázné pokusy zjednat „obecné blaho", kterým jen zlovolní lidé přisuzují expanzívní povahu, anebo tím, že je – v duchu téže racionalistické tradice (tentokrát v podobě machiavelistického pojetí politiky jako technologie hry o moc) – pochopí naopak jen jako své vnější ohrožení rozpínavými sousedy, které lze zahnat do patřičných mezí patřičnou demonstrací vlastní síly, aniž by bylo nutné se jimi hlouběji zabývat. První z těchto alternativ je alternativou člověka, který se smiřuje s kouřem komína, protože ví, že i když ten kouř je ošklivý a smrdí, slouží koneckonců dobré věci: výrobě obecně potřebného zboží. Druhá z nich je naopak alternativou toho, kdo se domnívá, že jde prostě o technickou závadu, kterou lze tudíž i technicky odstranit: nějakým filtrem nebo čističem exhalací.

Skutečnost je podle mého názoru bohužel vážnější: tak, jako komín „špinící nebe" není jen technicky napravitelným technickým nedostatkem, respektive daní, kterou je třeba platit za lepší konzumní zítřek, ale je symbolem civilizace, která rezignuje na absolutno, ignoruje přirozený svět a pohrdá jeho imperativy, tak i totalitní systémy jsou něčím daleko varovnějším, než si je ochoten přiznat západní racionalismus. Jsou skutečně především vypouklým zrcadlem jeho zákonitých důsledků. Groteskně zveličeným obrazem jeho vlastního hlubinného směřování. Extrémním výhonkem jeho vlastního vývoje a varovným produktem jeho expanze; hluboce poučnou informací o jeho vlastní krizi. Nejsou to tedy pouzí nebezpeční sousedé a tím méně nějaký předvoj světového pokroku. Bohužel právě naopak: jsou předvojem globální krize této civilizace (původně evropské, pak euroamerické a posléze planetární). Jsou jednou z možných futurologických studií západního světa. Nikoli v tom smyslu, že ho jednou přepadnou a že si ho podmaní, ale ve smyslu hlubším: že názorně předvádějí, kam až může vyústit to, co Bělohradský nazývá „eschatologií neosobnosti“.

Je to totální vláda zduřelé anonymně byrokratické neosobní moci, nikoli ještě nesvědomité, ale operující už vně každého svědomí; je to moc opřená o všudypřítomnost ideologické fikce, která zdůvodní cokoliv, aniž se kdy musí dotknout pravdy; moc jako univerzum kontroly, represe a strachu; moc zestátňující, a tudíž znelidšťující myšlení, morálku i soukromí; moc, která už dávno není záležitostí skupiny svévolných vládců, ale která okupuje a pohlcuje každého, aby na ní nakonec každý nějak participoval, byť třeba jen svým mlčením; moc, kterou už vlastně nikdo nemá, protože ona má naopak všechny; je to monstrum, které neřídí lidé, ale které naopak lidi vleče svým vlastním „objektivním“ (tj. od všech lidských měřítek včetně lidského rozumu emancipovaným, a tudíž zcela iracionálním) samopohybem do děsivého neznáma.

Opakuji: je to velké memento soudobé civilizaci. Možná si někde nějací generálové myslí, že nejlepší by bylo sprovodit takové systémy ze světa a že pak by byl klid. Jenomže to je totéž, jako když se chce ošklivé děvče zbavit své ošklivosti tím, že rozbije zrcadlo, které jí její ošklivost připomíná. Takové „konečné řešení“ jako jeden z typických snů neosobního rozumu schopného – jak nám právě pojem „konečné řešení“ názorně připomíná – až úděsně snadno své sny proměňovat ve skutečnost a tím skutečnost v temný sen, by totiž krizi dnešního světa, pokud by to ovšem přežil, nejen nevyřešilo, ale naopak dalekosáhle prohloubilo: zatížíc už tak dost zatížené konto této civilizace položkou dalších miliónů mrtvých, její bytostné konvergenci k totalitě by nezabránilo, ale spíš ji jen akcelerovalo: bylo by to vítězství Pyrrhovo, protože vítězové by z takového střetnutí vzešli zákonitě podobnější poraženým odpůrcům, než si je dnes kdokoliv ochoten připustit a schopen představit. (Jen malý příklad: jak ohromné souostroví Gulag by muselo být v zájmu vlasti, demokracie, pokroku a válečné kázně zřízeno na Západě pro všechny, kdo by se odmítli – ať už z naivity, ze zásady, ze strachu či z lenosti – takového podniku účastnit!)

Žádné zlo se ještě nepodařilo odstranit tím, že byly odstraněny jeho symptomy. Je třeba odstranit jeho kauzu.

/3/

Čas od času mám příležitost hovořit s různými západními intelektuály, kteří zavítají do naší země a odhodlají se přitom navštívit nějakého disidenta – jednou z upřímného zájmu, snahy po porozumění a úmyslu vyjádřit svou solidaritu, podruhé prostě jen ze zvědavosti: mimo gotických a barokních památek jsou disidenti zřejmě pro zahraničního turistu v tomto veskrze šedivém prostředí jedinou zajímavostí. Ty hovory bývají obvykle poučné a člověk se při nich mnohé dozví a mnohé si uvědomí. Nejčastěji mi bývají kladeny otázky tohoto typu: Domníváte se, že něco změníte, když vás je tak málo a nemáte žádný vliv? Jste odpůrcem socialismu nebo ho chcete jen zlepšit? Odsuzujete nebo schvalujete instalaci pershingů 2 a křižujících raket v západní Evropě? Co pro vás můžeme udělat? Co vás nutí dělat to, co děláte, když vám to vynáší jen perzekuci a věznění a žádné viditelné výsledky to nemá? Chtěl byste, aby ve vaší zemi byl obnoven kapitalismus?

Ty otázky jsou dobře míněny, vyrůstají z vůle porozumět a prozrazují, že těm, kdo je kladou, není jedno, jak to na tomto světě vypadá a jak to s ním dopadne.

Přesto mi právě takové a podobné otázky vždy znovu odkrývají, jak hluboce mnozí západní intelektuálové nerozumějí (a v jistém ohledu ani nemohou rozumět) tomu, co se zde děje, oč nám – tím myslím takzvané „disidenty“ – jde, a především obecnému smyslu toho všeho. Vezměme například otázku „Co pro vás můžeme udělat?“ Zajisté mohou udělat mnoho: čím větší podpoře, zájmu a solidaritě svobodomyslných lidí ve světě se těšíme, tím menší je nebezpečí, že nás zavřou, a tím větší je i naděje, že naše volání nebude znít do prázdna. A přece je kdesi v hloubi té otázky zakleto nedorozumění: v poslední instanci přece nejde vůbec o to pomoci nám, několika „disidentům“, aby nás míň zavírali! Nejde dokonce ani o to, pomoci tomuto národu, Čechům a Slovákům, a nějak to zařídit, aby se jim žilo lépe a svobodněji: pomoct si musí především sami; na pomoc jiných čekali až příliš často, až příliš se k ní upínali a až příliš často se se špatnou potázali: buď jim byla slíbená pomoc v poslední chvíli odřeknuta, nebo se proměnila v pravý opak toho, co od ní bylo očekáváno. V nejhlubším smyslu jde přece o něco jiného: o záchranu všech, tedy ve stejné míře mou i toho, kdo se mne ptá. Anebo tu snad nejde o společnou věc? Nejsou snad mé špatné vyhlídky či naopak naděje i jeho špatnými vyhlídkami či nadějemi? Což mé zavření není útokem proti němu a jeho obelhání útokem proti mně? Což není ničení člověka v Praze ničením všech? Což lhostejnost ke zdejším věcem nebo dokonce iluze o nich není přípravou pro tutéž mizérii jinde? Což není jejich mizérie předpokladem mizérie naší? Vždyť tu přece nejde vůbec o nějakého českého disidenta jako osobu v tísni, která potřebuje pomoc (od tísně bych si přece nejlépe mohl odpomoct sám: tím, že bych prostě přestal být „disidentem“), ale o to, co jeho nedokonalé snažení a jeho osud říkají a znamenají, co vypovídají o stavu, osudu, šancích a bídě světa, v čem jsou či mohly by být důvodem k zamyšlení pro jiné i z hlediska jejich a tedy našeho společného osudu, v čem jsou i pro ty, kteří nás navštěvují, varováním, výzvou, nebezpečím či poučením.

Anebo otázka po socialismu a kapitalismu! Přiznám se, že při ní mívám pocit, jako by ke mně doléhala z hlubin minulého století. Zdá se mi, že už dávno nejde o tyhle veskrze ideologické a mnohonásobně sémanticky znejasněné kategorie, ale o otázku docela jinou, hlubší a všech stejně se dotýkající, totiž otázku, zda se podaří opět nějakým způsobem rekonstituovat přirozený svět jako pravý terén politiky, rehabilitovat osobní zkušenost člověka jako výchozí míru věcí, nadřadit mravnost politice a odpovědnost účelu, dát opět smysl lidské pospolitosti a obsah lidské řeči, učinit ohniskem společenského dění svéprávné, integrální a důstojné lidské „já", ručící samo za sebe, protože vztažené k něčemu nad sebou, a schopné obětovat něco nebo v krajním případě vše ze svého všedně prosperujícího privátního života – této „vlády dne", jak říkával Jan Patočka – tomu, aby měl život smysl. Zda nás při tomto velice skromném a zároveň vždy znovu světodějném zápase se samopohybem neosobní moci náhoda našeho bydliště nutí konfrontovat se se západním manažerem nebo s východním byrokratem – to přece opravdu není tak důležité! Bude-li obhájen člověk, pak je – snad – jakás takás naděje (i když jistě nikterak automatická), že si nalezne i nějaké smysluplnější způsoby, jak vyvážit svůj přirozený nárok na hospodářské spolurozhodování o své práci a sociálně důstojný statut s osvědčeným motorem každé práce, kterým je lidská podnikavost a vstup jejích výsledků do nefiktivních tržních vztahů. Dokud však člověk obhájen není, nezachrání ho žádný technický či organizační trik lepšího hospodářského fungování, podobně jako žádný filtr na továrním komíně nezabrání obecné dehumanizaci. Důležitější je přece, proč systém funguje, než jak funguje; anebo nemůže snad docela dobře fungovat na díle totální zkázy?

Proč ale o tom všem na tomto místě mluvím: při pohledu na svět z toho stanoviště, které mi osud přisoudil, se nemohu zbavit dojmu, že mnozí západní lidé stále ještě málo chápou, oč v tuto chvíli ve skutečnosti běží.

Dívám-li se například znovu na obě základní politické alternativy, mezi nimiž dnes západní vzdělanec osciluje, zdá se mi, že nejsou ničím jiným než jen dvěma různými způsoby přijetí hry, kterou neosobní moc člověku nabízí, a tudíž jen dvěma různými způsoby putování k obecné totalizaci. Jednou variantou „přijetí hry" je další zahrávání si neosobního Rozumu s tajemstvím hmoty – tato „hra na Boha" – tedy další a další vynalézání a rozmisťování vše-ničících zbraní, určených „k obraně demokracie" a pomáhajících jen dál degradovat demokracii na onu „neobyvatelnou fikci", kterou se na naší straně Evropy už dávno stal socialismus. Druhou variantu přijetí téže hry představuje naopak onen svůdný trychtýř, který do sebe strhává tolik upřímných a dobrých lidí a který se nazývá „bojem za mír“. Zajisté to neplatí všeobecně, nicméně mnohdy to na mne působí tak, jako by tento trychtýř vybudovala a jako jakýsi poetičtější způsob kolonizace jeho vědomí člověku nastražila opět ona zákeřná a vše prostupující neosobní moc (pozor: myslím neosobní moc jako princip, tedy obecně a všechnu, nikoli pouze Moskvu, která věru nemá prostředky na to, aby tak rozsáhlou věc, jako je soudobé mírové hnutí, zorganizovala!). Jak lépe totiž ve světě racionalistické tradice a ideologických konceptů zneškodnit poctivého a svobodomyslného člověka (tuto základní hrozbu každé neosobní moci), než mu nabídnout pokud možno jednoduchou Tezi, která má všechny jevové znaky bohulibého cíle? Lze si představit něco, co by spravedlivou mysl mohlo účinněji nadchnout, zaměstnat, okupovat, a tím posléze intelektuálně zneškodnit, než možnost bojovat proti válce? A lze této pacifikace mysli dosáhnout šikovněji než obelháním člověka iluzí, že válce zabrání, když bude mařit instalaci zbraní, které budou beztak instalovány? Stěží si lze představit snazší způsob, jak ztotalizovat lidské myšlení: vždyť čím zřejmější je, že zbraně přeci jen instalovány budou, tím rychleji se radikalizuje, fanatizuje a nakonec sobě samé zcela zcizuje mysl toho, kdo se beze zbytku identifikoval s cílem této instalaci zabránit! A tak člověk vyslaný na svou cestu tím nejušlechtilejším úmyslem se ocitá na jejím konci přesně tam, kde ho neosobní moc potřebuje mít: v kolejích totalitního myšlení, kde už nepatří sám sobě a vzdává se vlastního rozumu a svědomí ve prospěch další „neobyvatelné fikce“! Je-li tohoto cíle dosaženo, je už vedlejší, jak se ta fikce jmenuje, zda „blaho lidstva“, „socialismus“ nebo „mír“. Zajisté: z hlediska obrany a zájmů západního světa není zrovna moc dobré, když někdo říká „raději rudý než mrtvý“; nicméně z hlediska globální (tak říkajíc „nadblokové“, respektive planetární) neosobní moci – jako pokušení svou všudypřítomností vpravdě ďábelského – si nelze přát nic lepšího: takové heslo je totiž neklamným signálem, že ten, kdo ho volá, rezignoval na své lidství jako na schopnost osobně zaručovat něco, co ho přesahuje, a tedy obětovat v mezním případě i život jeho smyslu. Patočka kdysi psal, že život, který není ochoten sám sebe obětovat svému smyslu, nestojí za to, aby byl žit. Jenomže ve světě takového života a takového „míru" (tj. „vlády dne") nejsnadněji vznikají války: chybí v něm totiž ta jediná a skutečná – totiž odvahou k nejvyšší oběti zaručovaná – mravní hráz proti nim. Dveře iracionálnímu „zajišťování zájmů" jsou otevřeny dokořán. Nepřítomnost hrdinů vědoucích, proč umírají, je prvním krokem k hromadám mrtvol těch, kteří byli poraženi už jen jako dobytek. Jinými slovy: heslo „raději rudý než mrtvý" mne neirituje jako projev kapitulace před Sovětským svazem. Děsí mne jako výraz rezignace západního člověka na smysl života a jeho přihláška k neosobní moci jako takové. To heslo totiž ve skutečnosti říká: nic nestojí za oběť života. Jenomže bez horizontu nejvyšší oběti ztrácí smysl oběť jakákoli. Čili: nic nestojí za nic. Nic nemá smysl. Je to filozofie čiré negace lidství. Sovětské totalitě taková filozofie pouze politicky pomáhá. Západní totalitu však bezprostředně tvoří.

Nemohu se zkrátka zbavit dojmu, že západní kulturu daleko víc než rakety SS 20 ohrožuje západní kultura sama. A když mi jeden francouzský levicový student s upřímným zápalem v očích řekl, že Gulag byla daň ideálům socialismu a že Solženicyn je jen osobně zatrpklý muž, zmocnila se mne hluboká nostalgie. Což se Evropa opravdu není schopna poučit ze své vlastní historie? Což opravdu tento milý chlapec nepochopí, že i ten nejsugestivnější projekt „obecného blaha" sám sebe usvědčí z nelidskosti v okamžiku, kdy si vyžádá jedinou nedobrovolnou smrt (nikoli tedy tu, která je vědomou obětí života za jeho smysl), což to opravdu nepochopí dřív, než ho zakatrují v nějaké katorze poblíž Toulouse? Což newspeak dnešního světa už tak dokonale potlačil přirozenou lidskou řeč, že si ani tu nejprostší zkušenost nemohou dva lidé navzájem sdělit?

/4/

Zajisté je po těchto všech přísných kritikách očekáváno, že řeknu, co je tedy vlastně podle mne smysluplnou alternativou pro západoevropského člověka, stojícího tváří v tvář politickým dilematům dnešního světa.

Jak snad vyplývá ze všeho, co jsem už řekl, zdá se mi, že všichni – ať žijeme na Západě či na Východě – máme před sebou jeden základní úkol, z něhož by mělo vše ostatní vyrůstat. Tímto úkolem je bděle, rozmyslně, pozorně, ale zároveň s plným sebenasazením čelit na každém kroku a všude iracionálnímu samopohybu anonymní, neosobní a nelidské moci Ideologií, Systémů, Aparátů, Byrokracií, Umělých jazyků a Politických hesel; bránit se jejímu komplexnímu a všestranně zcizujícímu tlaku – ať už má podobu konzumu, reklamy, represe, techniky či fráze (této rodné sestry fanatismu a studny totalitního myšlení); čerpat bez ohledu na všechen výsměch svá měřítka ze svého přirozeného světa a reklamovat mu jeho upíranou směrodatnost; ctít s pokorou moudrých jeho hranice i tajemství, jež je za nimi; přiznat si, že je v řádu bytí něco, co zjevně přesahuje všechny naše kompetence; vztahovat se vždy znovu k tomu absolutnímu horizontu našeho bytí, který – pokud jen trochu chceme – tímto svým bytím vždy znovu objevujeme a zakoušíme; vycházet ve svém jednání ze svých osobně zaručovaných, nepředpojatě reflektovaných a ideologicky necenzurovaných zkušeností, měřítek a imperativů; věřit hlasu svého svědomí víc než všem abstraktním spekulacím a nekonstruovat si jinou odpovědnost, než je ta, k níž nás tento hlas volá; nestydět se za to, že jsme schopni lásky, přátelství, solidarity, soucitu a tolerance, ale naopak vysvobodit tyto základní rozměry svého lidství z jejich vyhnanství do sektoru privátního a přijmout je jako jediná pravá východiska k smysluplné lidské pospolitosti; řídit se vlastním rozumem a sloužit za všech okolností pravdě jako své bytostné zkušenosti.

Vím, že to všechno zní velmi všeobecně, velmi neurčitě a velmi nereálně, ujišťuji však, že tato zdánlivě naivní slova pramení z velmi konkrétní a ne vždy lehké zkušenosti se světem a že – je-li mi dovoleno se tak vyjádřit – vím, co říkám.

Předvojem neosobní moci, vlekoucí svět po své iracionální dráze, lemované devastovanou přírodou a odpalovacími rampami, jsou soudobé totalitní systémy. Nelze je ani nevidět, ani omlouvat, ani před nimi ustupovat, ani přijímat jejich způsob hry, a tím se jim připodobňovat. Jsem přesvědčen, že nejlépe jim lze čelit tím, že je nepředpojatě studujeme, poučujeme se na nich a odporujeme jim svou radikální „jinakostí", jak vzchází z trvalého boje s tím zlem, které ony sice tak názorně ztělesňují, které však přebývá všude a tedy i v každém z nás. Nejnebezpečnější pro toto zlo nejsou rakety zacílené na ten či onen stát, ale jeho fundamentální negace v samotné struktuře soudobého lidství: návrat člověka k sobě samému a ke své odpovědnosti za svět; nové pochopení lidských práv a jejich vytrvalá reklamace; odpor proti každému projevu neosobní a mimo dobro a zlo postavené moci kdekoli a všude, byť by své triky a manipulace zaštiťovala jakkoli, třeba i nutností obrany před totalitními systémy. Nejlepším odporem proti totalitě je prostě vypudit ji z vlastní duše, z vlastního prostředí, z vlastní země, vypudit ji ze soudobého člověka. Nejlepší pomocí těm, kteří trpí v totalitním státě, je všude na světě čelit tomu zlu, které totalitní systém konstituuje, z kterého čerpá svou sílu, z něhož vyrůstá jako jeho „předvoj". Nebude-li tu nic, čeho by byl předvojem či extrémním výhonkem, ztratí půdu pod nohama. Obnovená lidská odpovědnost je tou nejpřirozenější hrází každé neodpovědnosti; bude-li například opravdu odpovědně – tedy nikoli pouze pod tlakem sobeckého zájmu o zisk – šířen duchovní a technologický potenciál vyspělého světa, bude tím zabráněno i jeho neodpovědné proměně v ničivé zbraně: rozhodně je mnohonásobně smysluplnější operovat ve sféře příčin, než pouze reagovat na následky: to nejde obvykle už jinak než prostředky stejného řádu, tedy stejně nemravnými. Jít touto cestou znamená jen dál ve světě šířit zlo neodpovědnosti a produkovat tak přesně ten jed, z něhož je totalitarianismus živ.

Jsem příznivcem „antipolitické politiky". Totiž politiky nikoli jako technologie moci a manipulace s ní nebo jako kybernetického řízení lidí nebo jako umění účelovosti, praktik a intrik, ale politiky jako jednoho ze způsobů, jak hledat a dobývat v životě smysl; jak ho chránit a jak mu sloužit; politiky jako praktikované mravnosti; jako služby pravdě; jako bytostně lidské a lidskými měřítky se řídící starosti o bližní. Je to asi způsob v dnešním světě krajně nepraktický a velmi těžko v každodenním životě aplikovatelný. Přesto nevím o žádné lepší alternativě.

/5/

Když jsem byl souzen a potom si odpykával trest, poznal jsem na vlastní kůži význam a blahodárnou sílu mezinárodní solidarity. Nikdy za všechny její projevy nepřestanu být vděčen. Přesto si však nemyslím, že se my, kteří se ve zdejších podmínkách pokoušíme říkat nahlas pravdu, ocitáme v jakési asymetrické situaci a že bychom to měli být jen my, kdo bude trvale žádat a očekávat pomoc, aniž bude schopen směrem, odkud tato pomoc přichází, sám také pomoci.

Jsem přesvědčen, že to, co se nazývá „disentem" v sovětském bloku, podstupuje určitou specifickou moderní zkušenost, totiž zkušenost života na samé krajní výspě moderní odlidštěné moci. Jako takový má tento „disent" šanci a přímo povinnost tuto zkušenost reflektovat, svědčit o ní a předávat ji těm, kteří mají to štěstí, že ji nemusí podstupovat. I my tedy máme možnost pomoci určitým způsobem těm, kteří pomáhají nám, pomoci jim v našem hluboce společném zájmu, v zájmu člověka.

Základní takovou zkušeností je, že to, co jsem nazval „antipolitickou politikou", je možné a že to může mít svůj efekt, i když to ze samé své podstaty nemůže s jakýmkoliv efektem předem kalkulovat. Ten efekt má přirozeně docela jinou povahu než to, co se rozumí politickým úspěchem na Západě. Je skrytý, nepřímý, dlouhodobý a těžko měřitelný; mnohdy působí jen v neviditelné sféře společenského vědomí, svědomí a podvědomí, přičemž může být téměř nezjistitelné, jak se v ní zhodnocuje a do jaké míry participuje na eventuálním společenském pohybu. Ukazuje se však – a to je, myslím, zkušenost zásadní a obecné důležitosti – že jediný zdánlivě bezmocný člověk, který se odváží nahlas zvolat pravdivé slovo a který celou svou osobou a celým svým životem za ním stojí a je připraven za ně tvrdě zaplatit, má kupodivu větší moc, byť by byl formálně jakkoli bezprávný, než v jiných podmínkách tisíce anonymních voličů. Ukazuje se, že i v dnešním světě – a dokonce právě na té jeho výspě, kde fičí nejostřejší vítr – lze postavit osobní zkušenost a přirozený svět proti „nevinné" moci a odhalit její vinu – tak, jak to udělal autor *Souostroví Gulag*. Ukazuje se, že pravda a mravnost mohou zakládat nové východisko politiky a mohou mít i dnes svou nespornou politickou sílu: varovný hlas jediného statečného vědce, obklíčeného kdesi v provincii a terorizovaného poštvaným okolím, je slyšet přes hranice kontinentů a oslovuje svědomí nejmocnějších tohoto světa víc, než jsou celé brigády námezdných propagandistů s to oslovit samy sebe. Ukazuje se, že tak veskrze osobní kategorie, jako je dobro a zlo, mají stále svůj jednoznačný obsah a za jistých okolností jsou schopny otřást zdánlivě neotřesitelnou mocí s celou její armádou vojáků, policistů a byrokratů. Ukazuje se, že politika zdaleka nemusí už navždy zůstat záležitostí profesionálů na techniku moci a že jeden prostý elektrikář, který má srdce na pravém místě, ctí cosi nad sebou a nebojí se, může ovlivnit dějiny svého národa.

Ano, „antipolitická politika" je možná. Politika „zdola". Politika člověka, nikoli aparátu. Politika rostoucí ze srdce, nikoli z teze. Není náhodou, že tato nadějeplná zkušenost musí být činěna právě zde, na oné pochmurné výspě. Za „vlády dne" je třeba sestoupit až na dno studny, aby člověk spatřil hvězdy.

Když psal Jan Patočka o Chartě 77, užil pojmu „solidarita otřesených". Měl na mysli ty, kteří se odvážili vzepřít neosobní moci a postavit proti ní to jediné, čím disponovali: své vlastní lidství. Netkví perspektiva lepší budoucnosti tohoto světa v jakémsi mezinárodním společenství otřesených, které nedbajíc hranic států, politických systémů a mocenských bloků, vně vysoké hry tradiční politiky, neaspirujíc na funkce a sekretariáty, pokusí se učinit reálnou politickou sílu z fenoménu dnes technology moci tak vysmívaného, jakým je lidské svědomí?

(únor 1984)

THRILLER

Přede mnou leží slavná *Okkultní filosofie* Jindřicha Kornelia Agrippy z Nettesheymu a já čtu, že požití živého (pokud možno ještě tlukoucího) srdce dudka, vlaštovky, lasičky nebo krtka dává člověku dar věšteckých schopností. Je devět hodin večer a pouštím rádio. Hlasatelka čte suchým, věcným hlasem zprávy: Paní Indíru Gándhíovou zastřelili dva sikhové z její osobní stráže. Z vodní nádrže na Visle byla vylovena mrtvola pátera Popieluszka, uneseného důstojníky polské policie. Je organizována mezinárodní pomoc Etiopii, kde hladomor ohrožuje milióny lidí, zatímco tamější režim investuje téměř čtvrt miliardy dolarů do oslav svého desetiletého trvání. Američtí vědci vypracovali projekt stálé observatoře na Měsíci a lidské výpravy na Mars. V Kalifornii bylo jednomu děvčátku úspěšně transplantováno srdce paviána, proti čemuž vznesly protesty různé spolky na ochranu zvířat.

•

Dávné mýty nejsou zajisté jen realizací archetypálních obrazů kolektivního lidského nevědomí. Jsou však nepochybně i tím. Mnoho tajemství bytí i člověka, mnoho jeho temných vidin, obsesí, tužeb, tušení, nejasného „před-vědeckého" nebo „mimo-vědeckého" vědění a možná mnoho důležitých metafyzických jistot je zřejmě ve starých mýtech zašifrováno. Ty mýty přirozeně přesahují své tvůrce: skrze jejich tvůrce promlouvalo cosi vyššího, cosi mimo ně, cosi, co oni sami nedokázali asi plně pochopit a pojmenovat. Autorita, kterou měly mýty u lidí starých kultur, svědčí o tom, že tato vyšší moc, ať už je jí cokoliv, byla kdysi pociťována a uznávána obecně. Zůstaneme-li u jungovské interpretace mýtů, pak je zřejmé, že mýty vnášely i jakýsi částečný nebo prozatímní „pořádek" do složitého světa nevědomých tušení, neprokazatelných jistot, skrytých instinktů vášní a tužeb, patřících bytostně k lidské duši. A že autorita mýtů vykonávala nad těmito silami lidského nevědomí cosi jako „kontrolu" či „dozor".

Novověká civilizace zbavila staré mýty jejich autority. Vsadila na chladný, deskriptivní karteziánský rozum a uznává jen myšlení v pojmech.

Nechce se mi věřit, že by celá tato civilizace byla jen bludným ramenem dějin a osudným omylem lidského ducha. Spíš asi představuje jen nějakou nutnou fázi, kterou musí člověk a lidstvo projít a kterou člověk – pakliže ji přežije – posléze na nějaké vyšší úrovni, bez současné fáze ovšem nemyslitelné, překoná.

Ať už je tomu ale jakkoliv, jisté je, že celá tato racionalistická orientace nové doby, rezignujíc na autoritu mýtů, podléhá velkému a nebezpečnému klamu: zdá se jí, že není ani oněch vyšších a temných mocností, ať už v lidském nevědomí nebo v záhadném vesmíru, kterých se mýty jakýmsi způsobem dotýkaly, o nichž svědčily a jejichž relativní „kontrolu" zajišťovaly. Dnes převládá názor, že vše lze takzvaně „rozumně vysvětlit" logickým popisem bdělého rozumu. Nic temného není – a pokud něco temného je, pak je třeba na to vrhnout paprsek vědeckého poznání a přestane to být temné.

Je to ovšem opravdu jen grandiózní sebeklam moderního ducha. Tisíckrát totiž může toto tvrdit, tisíckrát může popírat onu „odvrácenou tvář" světa a lidské duše, nikdy ji tím však nezruší. Zažene ji pouze ještě hlouběji do stínu. Dosáhne maximálně toho, že celý ten složitý svět skrytého si nalezne své zástupné, zamaskované a ještě víc matoucí způsoby projevu. Že „pořádek", který do tohoto světa vnášel kdysi mýtus a dík kterému měl člověk aspoň mírný přehled o jeho mocnostech a aspoň omezenou kontrolu nad nimi, zmizí spolu s mýtem a že ony „noční síly" budou působit nadále už zcela chaoticky a nekontrolovaně a že budou vždy znovu konsternovat člověka svou – pro něho už zcela nevysvětlitelnou – přítomností, prosvítající moderním rouchem, do něhož se skryly. Ale nejen to: s temnými mocnostmi byly pohřbeny – jako vlastně taky temné – i mocnosti dobré: Olymp byl zrušen jako celek – se svými potměšilci i svými spravedlivými. Takže už není ani nikoho, kdo by zlo trestal a strašidla odháněl. Dobro má ve své zdvořilosti tendenci vzít tenhle velký pohřeb vážně a vymizet; zlo naopak cítí, že nadešla jeho chvíle: lidé na ně totiž přestali věřit.

Dodnes nechápeme, jak mohl velký a civilizovaný evropský národ – nebo aspoň jeho značná část – podlehnout ve 20. století podivné fascinaci jedním směšným a zakomplexovaným maloměšťákem, uvěřit jeho pseudovědeckým teoriím a jeho jménem hubit národy, dobývat kontinenty a dopouštět se neuvěřitelných krutostí. Pozitivistická věda, včetně marxismu, nabízí rozmanitá vědecká vysvětlení tohoto záhadného úkazu. Tato vysvětlení však jeho nevysvětlitelnost spíš zdůrazňují, než odstraňují. Neboť „objektivní" chladný rozum, který k nám z těchto vysvětlení promlouvá, vlastně jen podtrhuje podivný nepoměr mezi sebou samým – jako mocností pro tuto civilizaci údajně rozhodující – a oním davovým šílenstvím, nemajícím s žádným rozumem nic společného.

Ano, s tradičním mýtem byl pohřben i jakýs takýs „pořádek" v temné oblasti našeho bytí. A to, čím se novodobý rozum pokouší tento pořádek nahradit, respektive to, v čem nalézá tato temná oblast (nebo aspoň některé její síly) svůj „náhradní pořádek" a „moderní výraz", se ukazuje stále znovu jako scestné, falešné a zhoubné, protože vždy jaksi pokoutní, náhražkovité, bez kořenů, bez ontologie i bez morálky, ba dokonce až směšné tak, jako kult Nejvyšší Bytosti za Francouzské revoluce, kolektivistický folklór totalitních systémů nebo jejich oslavně realistické umění.

Připadá mi to tak, jako by pohřbením mýtu bylo rezignováno na osvědčenou stáj, v níž byla po tisíciletí držena záhadná zvířata lidského nevědomí, tato zvířata jako by byla puštěna na svobodu – v tragicky mylném přesvědčení, že jde pouze o přeludy – a nyní tedy pustoší krajinu. Pustoší ji a zároveň si vytvářejí své „náhradní stáje" v místech, kde bychom to nejméně očekávali, například v sekretariátech moderních politických stran. Tyto svatostánky moderního rozumu jim přitom propůjčují svou výbavu a autoritu, takže pusté plenění je posléze zaštítěno nejvědečtějším názorem na svět. Lidé tuto hrůzu začínají chápat obvykle až ve chvíli, kdy je už pozdě: totiž v okamžiku, kdy zjišťují, že tisíce jejich bližních bylo vyvražděno z důvodů naprosto iracionálních. Iracionalita v převleku střízlivého rozumu a vědeckého výkladu o nevyhnutelném chodu dějin, který si žádá milióny obětí v zájmu šťastné budoucnosti miliard, se zdá být podstatně iracionálnější, a tudíž nebezpečnější než iracionalita přiznávající se mýtem k sobě samé, přizpůsobující se v něm imperativu „kladných mocností" a obětující převážně aspoň zvířata. Démoni si prostě dělají, co chtějí, zatímco bohové se plaše skrývají v posledním útulku, který jim byl vykázán a který se nazývá „lidské svědomí". A tak nakonec krvelačnost, převlečená za nejvědečtější světový názor (učící ostatně, že svědomí je třeba podřídit dějinné nutnosti), vrhá do Visly Jana Nepomuckého dvacátého století. A jeho národ svého mučedníka okamžitě ve své duši kanonizuje.

●

Zprávy, které náhoda svedla do jediného zpravodajství a další náhoda propojila s Agrippou, se mi náhle stávají čímsi víc než jen běžným zpravodajstvím ze světa: vnímám je jako rafinovanou koláž, která nabývá dimenzí symbolu, obrazu, šifry. Nevím, jaké skryté poselství je obsaženo v tomto bezděčném artefaktu, který by se mohl jmenovat *Thriller* podle slavné Jacksonovy písničky. Cítím jen, že tu náhoda – tento velký básník – koktá cosi nejasného o zoufalství dnešního světa.

Marxističtí démonologové nejprve píší v polských novinách, že Popieluszko je černý mág, pořádající za asistence Ďábla v kostele svatého Stanislava Kostky ve Varšavě černé mše antikomunismu; jiní vědečtí marxisté ho v noci přepadají, bijí, vraždí a vrhají do Visly; další „vědci" na ploše šestiny světa pak tvrdí, že se za tím činem skrývá přestrojený Ďábel, totiž CIA. Je to celé ryze středověká historie. Jenomže jejími aktéry jsou scientisté, lidé zaštiťující se vědou a vlastnící údajně vědecký světový názor. O to je ta věc ovšem šílenější. Démoni jsou vypuštěni ze stáje mýtů a pitvorně se převlékají za počestné muže dvacátého století, kteří nevěří na strašidla. Sikhové se už ani nepotřebují převlékat za vědce. Cítí se být – tváří v tvář tomuto modernímu světu a s moderními samopaly v rukách – nástrojem Prozřetelnosti: trestají přece jen v souladu s dávnou věštbou znesvětitelku svého Zlatého chrámu. Hinduisté vzápětí vyvražďují a zaživa upalují sikhy, jako by se na vraždě paní Indíry podíleli všichni do jednoho. Jak je to všechno možné ve století vědy a rozumu? Jak to věda a rozum vysvětlí? Jak to jde dohromady s kolonizací Měsíce a přípravou cesty na Mars? Jak to souvisí s věkem schopným transplantovat lidem srdce paviána? Nechystáme se na Mars s tajnou nadějí, že své démony necháme na Zemi a tím se jich zbavíme? A kdo má vlastně srdce paviána: to malé děvčátko v Kalifornii – nebo etiopská marxistická vláda, stavějící svá mauzolea v době hladomoru, důstojníci polské policie či sikhové z osobní stráže indické ministerské předsedkyně, která hyne – dík jejich víře v sílu dávných věšteb – jako starověký císař rukou svých služebníků?

Zdá se mi, že člověk má to, čemu říkáme lidské srdce, ale že má v sobě i cosi z paviána. Moderní doba ruší tato podobenství, ze srdce dělá pumpu a přítomnost paviána v nás prostě popírá. A tak se znovu a znovu stává, že tento oficiálně neexistující pavián řádí nepozorován, ať už v převleku za osobní stráž političky, nebo v uniformě nejvědečtější policie dějin.

Moderní člověk, tento spořádaný úředník světového Veleúřadu, lehce frustrován krachem svého způsobu poznání světa, vypíná posléze videorekordér s Mikem Jacksonem, hrajícím upíra na nejprodávanější videokazetě v dějinách světa (*Thriller*), a jde do kuchyně, aby vyjmul z termosky – za zády všech spolků na ochranu zvířat – ještě teplé srdce dudka a pojedl ho ve snaze být obdařen darem věštby.

(listopad 1984)

ANATOMIE JEDNÉ ZDRŽENLIVOSTI

/1/

Zdá se, že stále víc západních mírových organizací se obrací jako na své přirozené partnery ve východní části Evropy nikoli na zdejší státní mírové výbory, ale na občany, kteří uvažují v tomto prostoru o problémech dnešního světa nezávisle na svých vládách, totiž na takzvané disidenty. Jsme zváni na mírové kongresy (že se jich nemůžeme účastnit, je jiná věc), navštěvují nás zástupci různých mírových skupin, jsme vybízeni k dialogu a spolupráci. To ovšem ještě neznamená, že takový postoj je v západním mírovém hnutí všeobecný a spontánní. Spíš je tomu naopak: převládá tam zřejmě – pokud jde o vztah k východoevropským disidentům – určitá zdrženlivost, opatrnost, ne-li přímo nedůvěra a nevole. Důvody takové rezervovanosti si lze snadno domyslet: kontakty s námi nesou nelibě naše vlády, které mají na osudy světa koneckonců přeci jen větší vliv než my a s nimiž by tedy hlavně mělo být komunikováno; navíc se východoevropští disidenti jeví západním bojovníkům za mír pravděpodobně jako lidé podivně utopení ve svých lokálních starostech, přemrštěně zdůrazňující lidská práva (jako by důležitější než lidská práva nebylo lidské přežití!), podezřele zaujatí proti socialistickým realitám, ne-li přímo proti socialistickým ideálům, jako lidé pramálo kritičtí k západní demokracii a možná dokonce sympatizující – tajně

– s nenáviděnými západními zbraněmi. Zkrátka jako nějaká východní rezidentura západních establishmentů.

Zdrženlivost je ovšem obousměrná: lze ji pozorovat i na vztahu východoevropských disidentů k západnímu mírovému hnutí. Čteme-li jejich texty mírové tematiky se dotýkající, obvykle v nich nějaký odstín a nějakou míru zdrženlivosti také nalézáme.

Pomohu-li tím k lepšímu vzájemnému pochopení, nevím, spíš jsem v této věci skeptický. Přesto se pokusím popsat některé důvody jedné z těchto dvou zdrženlivostí, totiž té naší.

Při vnějškovém pohledu se disidenti jeví jako jakási mikroskopická a dost kuriózní – totiž kuriózně radikální – enkláva uprostřed jednolité a docela jinak se projevující společnosti. V určitém smyslu opravdu takovou enklávou jsou: je jich málo, státní moc se snaží vyhloubit mezi nimi a společností příkop, skutečně se od většiny občanů čímsi odlišují. Totiž tím, že své názory říkají nahlas a bez ohledu na následky. To ovšem není tak důležité. Důležitější je, zda jsou jejich názory vskutku tak odlišné od mínění ostatních. Myslím, že nikoliv. Naopak: téměř denně mám povzbudivou příležitost se přesvědčovat, že disidenti neříkají vlastně nic jiného, než co si myslí drtivá většina jejich spoluobčanů. A srovnáme-li to, co píší ve svých statích, s tím, co lze slyšet od jejich spoluobčanů (arciže jen v soukromí, nanejvýš v hospodách), neubráníme se dokonce paradoxnímu zjištění, že disidenti patří spíš k té méně radikální, loajálnější a mírumilovnější vrstvě obyvatelstva. Proč ale o tom teď píšu: chci-li se zamyslet nad určitou zdrženlivostí disidentů ve věci míru, musím se nejprve zamyslet nad společenským pozadím jejich působení, respektive nad těmi obecnými zkušenostmi, náhledy a pocity, které oni reflektují, veřejně artikulují či po svém domýšlejí.

/2/

Především je třeba si uvědomit, že slovo „mír“ bylo v naší části světa zbaveno obsahu. V Československu už třicet sedm let visí na všech možných i nemožných místech hesla jako „Buduj vlast, posílíš mír“, „SSSR – záruka světového míru“, „Za další rozvoj mírové práce našeho lidu“ atd. atd.; už třicet sedm let jsou noviny i všechny ostatní sdělovací prostředky přeplněny týmiž frázemi o míru; už třicet sedm let musí občané povinně nosit v průvodech tytéž mírové transparenty; už třicet sedm let provozují státem placenou turistiku po různých mírových kongresech někteří zvlášť snaživí opakovači oficiálních tezí, kteří se vtipně profesionalizovali jakožto zdejší „bojovníci za mír". Už třicet sedm let je zkrátka „boj za mír" neodmyslitelnou součástí ideologické fasády systému, v němž žijeme. Z tisíceré každodenní a zcela osobní zkušenosti přitom každý občan ví, že za touhle oficiální fasádou se skrývá úplně jiná a stále tristnější skutečnost: pustota života v totalitním státě, všemoc mocenského centra a bezmoc obyvatelstva. Slovo „mír" – podobně jako slova „socialismus", „vlast" nebo „lid" – je už jen jednou z příček žebříku, po němž se šikovní lidé šplhají nahoru, a zároveň jedním z pendreků, jimiž jsou biti ti, kdo se „vyčleňují". Patří mezi rituální zaříkadla, která vláda neustále mumlá, dělajíc si přitom, co chce (respektive co má nařízeno dělat), a která musí spolu s ní mumlat i obyvatelstvo, chce-li mít aspoň relativní klid.

Lze se za těchto okolností divit, že to slovo budí u zdejších lidí nedůvěru, skepsi, posměch a odpor? Není to odpor k míru jako takovému. Je to odpor k té pyramidě lží, jejíž tradiční součástí to slovo je.

Jak daleko tenhle odpor jde – a jak vážně ho je tudíž třeba jakožto sociální fenomén brát – lze ilustrovat například tímhle: když se zdejší disidenti pokusí občas vyjádřit veřejně své stanovisko k mírové problematice, byť jakkoli odlišné od stanoviska vládního, stávají se už jen tím, že se vůbec mírem vážně zabývají, veřejnosti lehce podezřelí. A jestliže například jiné dokumenty Charty 77 lidé se zájmem poslouchají z cizího rádia, pídí se po nich a opisují je, pak její „mírové" dokumenty, bez ohledu na jejich obsah, se už předem těší obecnému nezájmu. Slyší-li zkrátka občan našeho státu slovo „mír", začíná zívat.

Naprosté vyprázdnění a znehodnocení toho slova oficiální propagandou je ovšem jenom jedním – a to ještě spíš jen vnějškovým – důvodem rezervovaného vztahu zdejších lidí (a tudíž do jisté míry i disidentů, kteří nežijí přece v jiném podnebí než všichni ostatní) k boji za mír a mírovému hnutí.

/3/

Proti komu je vlastně veden u nás onen oficiální „boj za mír"? Samozřejmě proti západním imperialistům a jejich zbraním. Slovo „mír" tudíž u nás neznamená nic jiného než bezvýhradný souhlas s politikou sovětského bloku a jednoznačně odmítavý vztah k Západu. „Západní imperialisté" není totiž v našem newspeaku označení pro nějaké vidinou dobytí světa posedlé jedince, ale pro víceméně demokraticky zvolené západní vlády a pro víceméně demokratický západní politický systém.

Přičtěme k tomu další okolnost: naše sdělovací prostředky se už po desítiletí systematicky snaží ve svém zahraničním zpravodajství vyvolat dojem, že na Západě se neděje téměř nic jiného, než bojuje za mír – přirozeně ve zdejším slova smyslu. Čili: mírové hnutí je prezentováno jako výraz skutečnosti, že se západní lidé už nemohou dočkat komunismu sovětského typu.

Co si za tohoto stavu věcí asi tak může normální zdejší občan myslet? Že by západní bojovníky za mír měl komunismus už brzy potkat, aby je vytrestal za jejich naivitu a nepoučitelnost.

Pokusme si představit, co by se stalo, kdyby některý z mladých, nadšených a upřímných západních bojovníků za mír navštívil místo známého disidenta běžného československého občana a požádal ho o podpis – řekněme – na petici proti dozbrojení NATO. Myslím, že by nastaly v jádře dvě možnosti: buď by navštívený svého návštěvníka zdvořile vyhodil, anebo by ho považoval – což je asi pravděpodobnější – za agenta tajné policie a okamžitě by mu jeho papír podepsal, tak, jak podepisuje desítky podobných papírů, když mu je v zaměstnání k podpisu předkládají: aniž si je pořádně přečte a jen proto, aby neměl popotahování. (Pohotovější občan by se celé události – ať už by se postavil k dozbrojení jakkoli – pokusil možná využít k získání nějakého pozvání na Západ. Košile je koneckonců bližší než kabát: podívat se poprvé v životě do Paříže by se dalo stihnout dřív, než Evropu spálí atomový požár.)

Pokusím se to ještě zvýraznit: představme si, že by si vybral náš západní návštěvník nešťastnou náhodou staršího občana, který bydlí celý život v Praze na Letné a kterého mají v nejbližší době – spolu se stovkami jiných – přestěhovat proti jeho vůli do nějakého sídliště za Prahu, čímž bude nejen zbaven svého celoživotního domova, ale navíc donucen platit (bůhví z čeho) možná dvakrát vyšší činži – a to všechno jen proto, že Letnou si usmyslili obývat sovětští důstojníci. Tedy ti nejbojovnější bojovníci za mír. Mohl by se divit západní nadšenec svému chladnému přijetí v takovéto domácnosti?

Vím, že někteří lidé na Západě si myslí, že celé západní mírové hnutí je dílem sovětské špionáže. Jiní je chápou jako sbor naivních snílků, jejichž velkého zápalu a malé informovanosti Sověti šikovně využívají.

Nesdílím takové názory. Nicméně mám dojem, že kdyby bylo možné nějak zjistit, co si skutečně myslí obyvatelé východní Evropy, ukázalo by se, že tyto názory mají mezi nimi víc stoupenců než na samotném Západě.

Myslím, že prvním předpokladem jakéhokoli smysluplnějšího evropského sbližování je nemilosrdná vzájemná výměna všech takovýchto tvrdých informací.

/4/

Osvícenější ze západních mírových bojovníků nežádají jen odzbrojení svých vlastních zemí, ale souběžné odzbrojení všech. A spíš než boj proti pershingům očekávají proto od lidí z východní Evropy boj proti různým druhům raket SS.

To je samozřejmě rozumné; nechť každý začne zametat u vlastního prahu.

Je-li však mým dnešním tématem „mírová zdrženlivost“ v naší části Evropy, pak musím upozornit na něco, na co se občas trochu zapomíná: že jakýkoli – i docela plachý – projev nesouhlasu s vládní politikou v tak citlivém bodě, jakým je obrana, je u nás nekonečně nebezpečnější než na Západě. Vždyť zatímco západní tisk zveřejňuje mapy, na nichž jsou vyznačeny plánované nebo už vybudované raketové základny, u nás je lokalizace veškerých zbraní považována za státní tajemství a za pouhé veřejné prozrazení místa nějaké základny by člověk zcela bezpečně putoval na léta do vězení. A když si představím, že by se tu někdo odvážil přiblížit k raketové základně s protiválečným transparentem v ruce nebo se dokonce pokusil mařit její výstavbu, vyvstává mi na čele studený pot a vlasy mi vstávají hrůzou. Nebylo by z toho totiž čtrnáct dní vězení s návštěvami a balíčky jako v Anglii, ale čtrnáct krutých let ve Valdicích, tomto českém Sing Singu! Když jsem na to svého času upozornil při výslechu (týkal se nějakého mého setkání se západními mírovými aktivisty) jednoho ze svých vyšetřovatelů, zcela mne svou odpovědí odzbrojil. Řekl: „Jiná země, jiný mrav."

Ano, jiná země, jiný mrav. Směrem domů jsem vždycky zdůrazňoval, že se nemáme vylhávat ze své vlastní odpovědnosti a všechno svádět na obecné poměry, velmoci a celkově zlý svět. Směrem ven bych však rád přeci jen upozornil, že žijeme v zemi s „jiným mravem". Vyslovit se proti zdejším raketám znamená de facto stát se disidentem. Čili: úplně změnit svůj život. Počítat s kriminálem jako se samozřejmou životní eventualitou. Připravit se naráz o mnohé z těch mála možností, které zdejší občan má. Octnout se ze dne na den v neurotizujícím světě věčného strachu z domovního zvonku. Stát se příslušníkem oné mikroskopické enklávy „sebevrahů", které obklopují sice tiché sympatie veřejnosti, ale zároveň její tichý údiv nad tím, že se někdo rozhodl tolik riskovat pro tak beznadějnou věc, jako je změna nezměnitelného.

Západní mírové hnutí má reálný vliv na jednání parlamentů a vlád. A vězení neriskuje. Zde se vězení riskuje. A vliv na rozhodování vlády je – aspoň v tomto bodě – nulový.

Netvrdím, že nemá smysl se zde angažovat. Chci jen vysvětlit, proč to dělá tak málo lidí. Nemyslím si, že jsme o tolik zbabělejší národ. V západních zemích – být tam tytéž poměry jako u nás – by to nedělalo asi o mnoho víc lidí než dneska zde.

Jsou to – doufám – samozřejmosti. Ale přesto je důležité je znovu a znovu opakovat: mimo jiné i proto, aby se v evropských myslích nenápadně neusazoval veskrze mylný dojem, že jediné vskutku nebezpečné zbraně jsou ty, kolem nichž táboří demonstranti.

/5/

Neodvažuji se mluvit o poměrech v celém sovětském bloku. Myslím však, že aspoň o československém občanovi mohu říct, že jeho svět je charakterizován trvalým napětím mezi „jejich" všemocí a jeho bezmocí.

Tento občan totiž ví, že „oni“ mohou cokoliv: zbavit ho pasu, vyhodit z práce, nařídit mu, aby se přestěhoval, pověřit ho sbíráním podpisů proti pershingům, nedovolit mu studovat, vzít mu řidičský průkaz, poslouchat jeho telefon a číst jeho korespondenci, vystavět mu pod okny fabriku, jejímž hlavním produktem je kysličník siřičitý, neuvěřitelně mu chemicky zasvinit mléko, zavřít ho jen proto, že byl na nějakém rockovém koncertě, zdražit mu libovolně a kdykoliv cokoliv, odmítnout mu bez vysvětlení kteroukoli jeho pokornou žádost, předepsat mu, co musí přednostně číst, za co musí demonstrovat, co má podepsat, kolik může mít jeho byt čtverečních metrů, s kým se smí stýkat a s kým nikoliv. V trvalém strachu z „nich“ proplouvá tedy občan životem, věda dobře, že i možnost pracovat evidentně ve prospěch společnosti je jen darem, kterým ho „oni“ podmíněně obdařili. (Jednu mou přítelkyni, odbornici v jisté speciální lékařské disciplíně, odmítl její všemocný šéf – samozřejmě představitel úředníků a nikoli lékařů – pustit do sousední NDR na vědecký kongres o její speciální disciplíně, kam byla zvána a svou vědeckou společností vysílána, protože – jak dal jasně najevo – seznámení s metodami zahraničních vědců není v této zemi přirozeným zájmem vědeckého rozvoje a péče o pacienty, ale milostí, kterou lékařům uděluje byrokratická vrchnost.) Běžný občan, žijící v této dusné atmosféře všeobecné nevrlosti, poníženosti, ostražitosti, donašečství, nervozity a věčně doutnající kompenzační agresivity, samozřejmě dobře ví – aniž kdy musel číst jakoukoli disidentskou literaturu – že „oni“ můžou všechno a on nemůže nic. (Že neexistuje žádná ostrá hranice mezi těmi „dole“ a těmi „nahoře“, že se tedy vlastně neví, kdo to jsou „oni“, a že vlastně všichni jsme – jsouce vtaženi do společné hry – tak trochu „jimi“ a všichni „oni“ jsou zároveň tak trochu „námi“, totiž na nějaké jiné „je“ odkázanými podobčany – to je už otázka jiná, jejíž analýza by do této souvislosti nepatřila.)

Představ si nyní, západní mírový aktivisto, že za tímhle poloueštvaným občanem přijdeš s otázkou, co je ochoten udělat pro světový mír! Divíš se, že na tebe bude nechápavě zírat a v duchu se tázat, co to je zase za léčku?

Daleko prostší věci totiž, než je otázka míru a války, jsou – nebo aspoň se mu za dané situace zdají být – mimo dosah jakékoli jeho pravomoci. Nemá-li například sebemenší vliv na to, zda velký kus jeho domoviny bude či nebude proměněn v poušť kvůli troše méněcenného uhlí, které potřebuje bůhví jaký průmysl bůhví na co; nemůže-li zabránit ani tomu, aby se vinou znečištěného životního prostředí kazily jeho dětem zuby; nemůže-li dokonce dosáhnout ani toho, aby se s ohledem na zuby a duše svých dětí směl přestěhovat ze severních Čech do jižních; jak by mohl ovlivnit takovou věc, jako jsou jakési „hvězdné války" mezi dvěma supervelmocemi! To všechno se mu jeví jako příšerně odtažitá věc (vzdálená jeho zásahu opravdu asi tak jako hvězdy na obloze), kterou jsou schopni se zabývat jen lidé bez jakýchkoli „normálních" starostí a nevědoucí nudou co dělat.

Paní Thatcherová je okouzlena šarmem pana Gorbačova. V tomto veskrze zracionalizovaném světě počítačů, schopných prý odstartovat i nukleární válku, je celý civilizovaný svět zcela iracionálně fascinován faktem, že pan G. pije whisky a umí hrát golf, dík čemuž – prý – není lidstvo tak úplně bez šance na přežití. Co v tom asi spatří náš uondaný československý človíček? Jen nový důkaz toho, co ví už dávno: že věc míru a války je záležitostí pánů G. a R. Co on k tomu může dodat? Jak on může vstoupit do jejich myšlenek? Má snad možnost pít s nimi whisky a hrát golf? Vždyť on přece nemůže vstoupit do myšlenek ani toho posledního úředníka pasového úřadu, který s definitivní platností rozhodne o tom, zda si smí či nesmí dopřát dva týdny dovolené v Jugoslávii, na něž si celý rok šetřil! A lze se mu divit, když nějakou tajemnou hvězdnou dohodu mezi pány R. a G. nebude vnímat jako „významný krok k míru", ale jen jako nějaké nové spiknutí proti sobě?

Co chci říct: obecná rezervovanost k otázkám války a míru není – aspoň v mé vlasti – důsledkem jakési geneticky dané ignorance k problémům světa, ale docela srozumitelným důsledkem společenské atmosféry, v níž je nám dáno žít.

Opakuji znovu: netvrdím, že nemůžeme nic dělat. Říkám jen, že naprosto chápu, proč si tolik lidí kolem mne myslí, že nic dělat nemohou. A prosím naše přátele – západní bojovníky za mír – aby se pokusili vžít do jejich situace. Aby se o to pokusili ve společném zájmu nás všech.

/6/

Občas se objevují na světě lidé, kteří se už nemohou dál dívat na ten skandální chaos života a jeho tajemného bujení. Jsou to lidé tragicky sužovaní hrůzou z nicoty a ze sebe samých a potřebou zjednat si vnitřní klid tím, že vnesou pořádek („klid") do neklidného světa a do jistoty tohoto pořádku jaksi odloží celou svou nepevnou existenci, čímž se definitivně zbaví svých běsů. Zoufalá netrpělivost těchto lidí zoufale tíhne k vymýšlení a zavádění různých racionálních projektů obecného blaha, určených k tomu, aby byl konečně přehled, aby bylo konečně všemu rozumět, aby svět konečně někam spěl a bylo tak definitivně zúčtováno se vší tou provokativní nahodilostí dějin. Sotva ovšem s tímhle začnou – má-li svět tu smůlu, že jim k tomu dal příležitost – narazí na obtíže: mnoho jejich bližních si chce žít i nadále po svém, předestřený projekt je navzdory své dokonalosti nezajímá, činí mu naschvály a kladou mu do cesty, ať už programově nebo prostě povahou své přirozenosti, nejrůznější překážky. Fanatik abstraktního projektu, tento utopista v praxi, je ovšem neschopen takové věci tolerovat, nejen proto, že problematizují samo těžiště jeho bytí, ale i proto, že už dávno ztratil schopnost vnímat svébytnost všeho jsoucího a místo ní vidí jen svůj vlastní sen o tom, jaké by mělo vše jsoucí být a kam by mělo směřovat. Proto se rozhodne svůj projekt světu – samozřejmě v jeho zájmu – násilně vnutit. Tím to začíná. Pokračuje to pak onou zvláštní „aritmetikou obecného štěstí", která dovozuje, že je správné spokojenosti miliónů obětovat pár tisíc vzpurných, respektive spokojenosti miliard obětovat pár miliónů. Čím to musí skončit, je zřejmé: neštěstím všech.

Je to tragický příběh jakéhosi „krátkého spojení mysli": nač se trápit nekončícím a vlastně beznadějným hledáním pravdy, když ji lze snadno získat všechnu a najednou – v podobě ideologie či doktríny? Jak je pak náhle všechno prosté! Kolik těžkých otázek je už napřed zodpovězeno! Od kolika namáhavých existenciálních úkonů je duše provždy osvobozena! Podstatou tohoto „krátkého spojení" je osudný omyl, že nějaký důmyslný a obecně použitelný výrobek – a co jiného je doktrína nebo ideologie než pouhý lidský výrobek? – může sejmout z lidských beder břímě neustálých, vždy jedinečných a bytostně nepřenosných otázek, ba přímo proměnit člověka z „bytí v otázce" v jakési „jsoucno odpovědi"; že může drásavý, nekončící a nenaplánovatelný dialog se svědomím či Bohem nahradit přehledností brožury; že je prostě schopen – na způsob nějakého kladkostroje, zbavujícího nás fyzické námahy – zbavit člověka tíhy jeho osobní odpovědnosti a jeho odvěkého hoře.

Rozmanité extrémní příklady tohoto „krátkého spojení mysli" – jednou spíš smutné, jednou dost tragické a někdy jen a jen obludné – známe z historie: Marat, Robespierre, Lenin, Baader, Pol Pot. Mně tu však nejde o tyto proslulé hvězdy fanatismu, ale o to nenápadné pokušení, v jehož podobě je zárodek utopismu (a tím i totalitarianismu) přítomen snad v každém člověku, kterému není ještě všechno úplně jedno. Ideály lepšího světa a sny o něm jsou totiž neodmyslitelnou dimenzí každého skutečného lidství; bez nich a bez transcendence „daného", kterou představují, ztrácí lidský život smysl, důstojnost i samu svou lidskost. Jaký pak div, že i ono ďábelské pokušení je všudypřítomné? Vždyť nějaký jeho atom se skrývá v každém hezkém snu!

Takže běží jen o „maličkost": zavčas rozpoznat onen osudný první okamžik zkázy, kdy idea přestává vyjadřovat transcendentní rozměr lidství a zvrací se v jeho náhražku; kdy lidský výrobek – projekt lepšího světa – přestává být projevem odpovědné identity člověka a začíná naopak člověku jeho odpovědnost a identitu vyvlastňovat; kdy abstrakce přestává patřit člověku, aby on začínal patřit jí.

Myslím, že k duchovnímu, kulturnímu a mentálnímu fenoménu, kterým je střední Evropa – jak ho zformovaly a neustále formují určité specifické historické zkušenosti, včetně těch, které dnes dřímají už jen někde v našem kolektivním nevědomí – neodmyslitelně patří i zvláštní středoevropská skepse. Má málo společného například s anglickým skepticismem; je vůbec dost podivná: trochu tajemná, trochu nostalgická, často tragická a někdy až heroická, občas trochu nesrozumitelná ve své mírné těžkopádnosti, něžné krutosti a ve své schopnosti kombinovat provinciálnost vzezření se světodějnou předvídavostí. Někdy to působí téměř tak, jako by tu byl člověk vybaven nějakým vnitřním radarem schopným rozpoznat blížící se nebezpečí dávno před tím, než je ho možno vidět a jeho nebezpečnost dokázat.

Mezi nebezpečí, na něž má zdejší duch takto zesílený čich, patří i to, o němž jsem mluvil – utopismus. Nebo přesněji: nebezpečí, že živá idea jako dílo a znak smysluplného lidství zkamení v utopii jako technický návod ke znásilnění života a prohloubení jeho bolesti. (Možná tuto skepsi zesiluje i okolnost, že musí ve zdejším prostoru trvale koexistovat s leccíms, co je utopistické mentalitě dost blízké. Mám na mysli například provinciální nadšenectví, občasný sklon k iluzím, důvěřivost a někdy až servilitu k tomu, co přichází z okolního prostoru, velkohubost a zároveň krátkodechost odvahy, sklon k náhlé euforii, zákonitě se měnící po prvním otřesu ve frustraci, rezignaci a apatii, atd. atd.)

Jednou jedinkrát propadla v tomto století část Čechů a Slováků (z důvodů navíc historicky srozumitelných: bylo to v atmosféře zhnusení z mravního krachu předchozích pořádků) jednoznačně utopismu: když uvěřila, že nemilosrdným zavedením leninsko-stalinského socialismu (samozřejmě s pomocí jeho světového centra) budou zajištěny „zářné zítřky", a když to také – bez ohledu na vůli zbytku obyvatelstva – učinila. (Po mnoha tragických zkušenostech a dlouhém procesu sebeosvobozování jedněch a prozírání druhých byl podniknut pokus o jakousi revizi maléru, který se stal: o „socialismus s lidskou tváří". Leč i on byl – žel – zabarven utopismem, přežívajícím u mnohých jako bytostný návyk, trvanlivější než jednotlivé iluze, k nimž se upíná. Utopičnost tohoto pokusu nebyla ani tak ve víře, že lze pod moskevskou nadvládou budovat demokratické poměry, jako spíš ve víře, že k tomu lze dostat souhlas shora, že to totiž Kreml – když se mu to všechno náležitě vysvětlí – musí pochopit a schválit. Ukázalo se, že tato víra nebyla moc pevným fundamentem pro pokus tohoto druhu. Na volání po pochopení bylo reagováno vysláním tankových divizí.)

Poválečný pád do utopismu se naší zemi krutě nevyplatil. Pomohl nás uvrhnout – bůhví na jak dlouho – do područí, v němž jsme původně vůbec nemuseli být.

Důsledek téhle historie je jasný: nové a dalekosáhlé prohloubení naší středoevropské skepse k utopismu všech barev a odstínů, ke každému jeho nepatrnému náznaku. Dnes je tu dokonce této skepse víc, než je zdrávo: od utopismu se obrací k samotné vůli čelit zlu. Takže nakonec i docela plachý, zdrženlivý, ohleduplný, nikoho k ničemu nenabádající, trvale individuálním rozmyslem i svědomím kontrolovaný a celou svou mravní podstatou bytostně antiutopický pokus dovolat se práva, dokonce práva oficiálně deklarovaného, je tu podezírán z utopismu (o čemž by právě disidenti mohli mnoho vyprávět).

Mluvím tu o tom všem tak obšírně, protože mám pocit, že rezervovaný vztah zdejších lidí k západnímu mírovému hnutí daleko víc než z banálního podezření, že jde o komunistický podnik, pramení ze zdejší bytostné skepse k utopismu; ať už právem či neprávem kladou si tu – a nelze se tomu divit – lidé otázku, zda západní bojovníci za mír nejsou zase jen dalšími utopisty. Zabořen do své unavující a enervující každodennosti, drcen jménem svého údajného blaha byrokratickou mocí, ptá se československý občan: kdo nám to tu zase navrhuje nějaké „zářné zítřky“? Kdo nás to zase zneklidňuje nějakou utopií? Jaké další katastrofy nám tu jsou zase – v tom nejlepším úmyslu – připravovány? Proč si mám pálit prsty nějakými pokusy zachránit svět, když nevím, jakou neblahou a neodvolatelnou novinu – samozřejmě ve jménu lepšího světa – mi zítra ráno oznámí v práci můj šéf? A vůbec: copak nemám už tak dost starostí? Mám si přidělávat další nějakými sny o mírové, odzbrojené, demokratické Evropě nezávislých národů, když jen pouhou zmínkou o takovém snu si můžu přivodit trápení na celý zbytek života a když pan G. si beztak bude hrát svůj golf, jak bude chtít? Není lepší docela skromně zkoušet i v téhle mizérii důstojně žít – tak, abych se nemusel styděl před svými dětmi – než se plést do nějakého platonického organizování budoucí Evropy? Západní bojovníci za mír mě do něčeho namočí a odjedou si pak bezstarostně demonstrovat někam do Hannoveru a já tu zůstanu napospas nejbližší odbočce tajné policie, která mě za můj zájem o obecnou budoucnost světa připraví o zaměstnání, jež mě jakž takž baví, a navíc za to zaplatí svou konkrétní budoucností mé děti! (Pro přesnost nutno říct, že tahle nedůvěra se týká každého utopismu, nikoli tedy jen toho levicového: militantní antikomunismus, v němž je rozmysl vytlačen posedlostí a realita snem, vyvolává zde, myslím, tytéž pocity. Aspoň u rozumnějších lidí.)

Ruku v ruce se skepsí k utopismu kráčí pochopitelně i skepse k různým druhům a projevům ideologičnosti. Absolvoval jsem za život dost politologických debat, takže bych měl být v tomto směru na leccos zvyklý. Přesto i já – přiznám se – bývám vždy znovu zaražen tím, jak hluboce jsou mnozí západní lidé propadlí ideologii, oč víc než my, kteří žijeme v tomto skrz naskrz proideologizovaném systému. Ty jejich věčné úvahy o tom, komu ten či onen názor slouží či přihrává, jakou politickou tendenci posiluje či oslabuje! Kterou myšlenku může či nemůže někdo zneužít! To věčné a unavující zkoumání, jestli ten či onen postoj, názor nebo člověk je pravicový nebo levicový, nalevo od středu či napravo od něj, napravo odleva či nalevo odprava! Víc než o obsah názoru jako by běželo o šuplík, do něhož má být strčen. Chápu, že ve světě otevřené hry politických sil se nelze asi tomuhle všemu úplně ubránit. Byl bych ale rád, kdyby bylo pochopeno, jak se nám to zde – na pozadí naší zkušenosti, v poměrech, kde ideologie zcela zterorizovala pravdu – jeví malicherné, scestné a vzdálené tomu, oč opravdu jde.

Možná to všechno líčím přehnaně nebo zjednodušeně. Ale zdá se mi, že každý, kdo má skutečně vážnou starost o budoucnost Evropy a světa, by měl být – ve vlastním zájmu a pro jejich obecnou poučnost – co nejnázorněji seznámen s různými aspekty skepse, kterou zde – v samém středu Evropy – mají lidé k projektování „zářných zítřků". Málokdo by asi byl šťastnější než Polák, Čechoslovák nebo Maďar, kdyby se Evropa brzy stala svobodným společenstvím nezávislých zemí, kde by žádné velmoci neměly své armády a své rakety. A málokdo je asi zároveň tak skeptický k naději, že toho lze dosáhnout apelem na něčí dobrou vůli, pokud se vůbec k takovému apelu někdo odhodlá. Nezapomínejme, že málokdo měl tak dobrou možnost se na vlastní kůži přesvědčit o účelu přítomnosti velmocenských armád a raket v některých evropských zemích: daleko spíš než k obraně proti předpokládanému nepříteli jsou tam k dozoru nad podmaněným teritoriem!

/7/

Před časem přijely do Prahy dvě sympatické mladé Italky a přivezly prohlášení žen, v němž byly požadovány samé dobré věci: respekt k lidským právům, odzbrojení, odmilitarizování výchovy dětí, úcta k člověku. Sbíraly pod to ženské podpisy z obou polovin rozdělené Evropy. Dojímaly mne: vždyť se mohly klidně projíždět po Středozemním moři na jachtách nějakých bohatých manželů (určitě by je našly) – a místo toho se trmácejí po Evropě, aby udělaly svět lepším. Bylo mi jich líto tím spíš, že jim to téměř žádná ze známých pražských disidentek nechtěla podepsat (na nedisidentky se pochopitelně ani nezkoušely obrátit). Ne snad proto, že by pražské disidentky nesouhlasily s obsahem toho manifestu. Aniž se navzájem domluvily, měly shodně jiný důvod: připadalo jim směšné, že mají něco podepsat „jako ženy". U pánů, kteří nic podepisovat nemuseli, se snoubila galantní pozornost s tichým úsměvem nad touto ženskou akcí, u dam převládala dosti energická nechuť k celé věci, nechuť o to energičtější, že nebyly zbaveny volby, zda podepsat či nikoliv, a že necítily potřebu galantnosti. (Pro pořádek uvádím, že jich to nakonec asi pět podepsalo.)

Přemýšlel jsem o tom, kde se u mých přítelkyň náhle vzala tahle spontánní nechuť spolčovat se na bázi pohlaví. Překvapilo mě to totiž.

Až po čase jsem si pro sebe nalezl vysvětlení: k tradicím onoho středoevropského klimatu, o němž jsem už mluvil, patří přece zesílený smysl pro ironii a sebeironii, patří k ní přece humor a černý humor, patří k ní přece – to je asi v tomto případě nejdůležitější – zesílený strach z přemrštěné a proto bezděky komické vážnosti, z patosu a sentimentality, z emfatismu a z toho, co Kundera nazývá lyrickým vztahem ke světu. Ano, mých přítelkyň se najednou zmocnila obava, že – účastníce se mezinárodního ženského podniku – stanou se směšnými. Byla to obava, že budou – abych užil termínu českého uměleckého teoretika Karla Teigeho – „dada". Totiž bezděčně legrační pro vážnost, s níž své občanské mínění zesilují důrazem na své bezbranné ženství. Zřejmě se jim najednou vynořila vzpomínka na odpudivost srdceryvného tlachání viceprezidentky Československé televize paní Balášové, když ve svých televizních promluvách s prolhanou sentimentalitou prokládala vládní „mírové" teze neustálými odkazy na ženy a děti. O smutném postavení žen v naší zemi vědí mé přítelkyně-disidentky nepochybně své. Přesto se jim jaksi vnitřně příčí i ten nepatrný náznak feminismu, který bylo možno tušit v okolnosti, že zmíněný manifest má být striktně ženský. Nechci se feminismu vysmívat, málo o něm vím a jsem připraven věřit, že zdaleka není jen vynálezem nějakých hysterek, znuděných paniček nebo zhrzených milenek. Musím však konstatovat, že v našem prostředí – jakkoli tu jsou ženy na tom mnohonásobně hůř než na Západě – se jeví feminismus prostě jako „dada".

V této souvislosti mi ovšem nejde o feminismus. Chtěl jsem pouze ilustrovat onu zvláštní, až trochu tajemnou hrůzu ze všeho emfatického, nadšeneckého, lyrického, patetického a příliš vážně se beroucího, která je od našeho duchovního klimatu neodmyslitelná. Je téhož rodu a má podobné kořeny jako zdejší skepse k utopismu, s níž se ostatně často překrývá: nadšenecké emoce a racionalistický utopismus jsou mnohdy jen dvěma stranami téže mince.

Mohu uvést jiný příklad: nehodí se přirozeně, aby Charta 77 ve svých dokumentech žertovala. Nedávno mne však v určité souvislosti napadlo, že některé lidi začíná Charta 77 možná poněkud nudit proto, že – jak se jim zdá – bere sama sebe příliš vážně. Znajíce pouze její dokumenty, nikoli jejich autory, mohou mít snadno dojem, že se Charta (nucena po léta opakovat stále totéž) jaksi zasekla do své vážnosti, do svého mučednictví, do svého věhlasu; že postrádá nadhled, odstup od sebe samé, schopnost sebeznevážení – a že právě tato její strnule vážná tvář ji může nakonec udělat bezděčně směšnou. Nevím, zda takový dojem skutečně existuje, a existuje-li, jak je rozšířený, a tím méně jsem schopen posoudit, nakolik by byl – pokud by existoval – spravedlivý či nakolik by nám křivdil. V každém případě mne však tento spekulativní nápad provokuje k zamyšlení.

Zdá se, že v tomto našem středoevropském prostředí se určitým vypjatým způsobem snoubí vždycky to nejvážnější s tím nejkomičtějším; že to je právě dimenze odstupu, nadhledu a sebezesměšnění, která dává zdejším tématům i činům teprve tu správně otřásající vážnost. Což není Franz Kafka, jeden z nejvážnějších a nejtragičtějších autorů tohoto století, vlastně zároveň humoristou? Myslím, že kdo se jeho románům nesměje (tak, jak se jim smál prý Kafka sám, když je předčítal svým přátelům), nerozumí jim. Což český Hašek nebo rakouský Musil nejsou mistry tragické ironie či ironické tragiky? Což Vaculíkův *Český snář*, abych jmenoval něco současného a „disidentního", není knihou tísnivou ve svém humoru a veselou ve své beznadějnosti?

Disidentský život není v Československu věru něčím obzvlášť veselým, a tím méně pobyt v československých věznicích. Že o těchto věcech často žertujeme, není v rozporu s touto vážností, ale naopak jejím nevyhnutelným důsledkem. Možná by to ani nešlo vydržet, kdyby člověk zároveň neviděl, jak je to všechno absurdní a tudíž komické. Způsob toho zdejšího žertování by přitom možná lecjaký náš zahraniční sympatizant nepochopil – anebo by ho chápal jako cynismus. (Nejednou jsem si všiml, že při setkáních s cizinci leccos z toho, co říkáme, pro jistotu nepřekládáme.) A když jeden můj přítel disident, ochutnávaje na americkém vyslanectví rozmanité pro nás zcela neznámé lahůdky, zvolal na jejich adresu slavnou Patočkovu větu, že „jsou věci, pro které stojí za to trpět", všichni jsme se smáli a nikoho to nenapadlo chápat jako nějaké znevažování Patočkova odkazu, jeho tragické smrti a vůbec mravních východisek disidentského počínání.

Zkrátka a dobře: cítíme tu jaksi silněji – snad to souvisí i s jakousi plebejskou tradicí české kultury – že kdo se bere příliš vážně, stává se brzy směšným, a kdo se dokáže trvale vysmívat sám sobě, nemůže skutečně směšný být.

Lidé na Západě mají z rozmanitých důvodů větší strach z války než my zde. Přitom jsou podstatně svobodnější, žije se jim volněji a jejich odpor k zbrojení nemá pro ně žádné příliš těžké následky. To všechno dohromady možná způsobuje, že tamější bojovníci za mír jsou někdy – aspoň při pohledu odtud – trochu příliš vážní, ba až lehce patetičtí. (Jiná věc, kterou si možná zase my zde málo uvědomujeme, je fakt, že boj za mír jim je asi čímsi ještě jiným než pouze vznášením těch a těch odzbrojovacích požadavků: totiž příležitostí k tvorbě nekonformních a nezkorumpovaných sociálních struktur, k životu v lidsky obsažnějším společenství, k seberealizaci vně stereotypů konzumní společnosti a k manifestaci odporu k nim.)

Zdejší nedůvěra k emfatismu a ke každému angažmá, které není schopno odstupu od sebe sama, má asi také vliv na onu zdrženlivost, kterou se tu pokouším rozebrat. Platíce poněkud tvrději za svůj zájem o osud světa, máme asi i silnější potřebu vlastního znevážení, onoho znesvěcení oltáře, o němž tak skvěle píše Bachtin. A už proto musíme být o něco rezervovanější, než by si asi leckdos přál, k různým projevům příliš vážně se beroucího (a zároveň – což spolu souvisí – nikterak tvrdě zaplaceného) emfatismu, s nímž k nám někteří západní bojovníci za mír přijíždějí. Bylo by absurdní vnucovat jim náš černý humor a naši neutuchající skepsi nebo dokonce na nich vyžadovat, aby podstupovali naše vážné zkoušky a přitom je naším způsobem ironizovali. Stejně absurdní by ovšem bylo, kdyby oni od nás vyžadovali svůj vlastní druh emfáze. Porozumět si neznamená přizpůsobit se jedni druhým, ale pochopit naopak navzájem svou identitu.

/8/

Existují samozřejmě i další důvody zdrženlivosti, kterou se tu zabývám. Třeba tento: Čechoslováci poznali až příliš dobře na vlastním osudu (vždyť dodnes se z toho vlastně tak úplně nevzpamatovali), kam může vést politika appeasementu. Ještě dlouhá léta se budou asi historici dohadovat, zda by svět musel absolvovat druhou světovou válku s jejími milióny mrtvých, kdyby se byly západní demokracie dokázaly včas a energicky postavit na odpor Hitlerovi. Lze se divit, že v této zemi, jejíž moderní úpadek začal Mnichovem, jsou lidé obzvlášť citliví na všechno, co jim i jen vzdáleně připomíná předválečnou kapitulaci před zlem? Nevím, kolik by bylo v nějaké mezní situaci v této zemi skutečné odvahy. Vím však, že jedna myšlenka patří už velmi pevně ke zdejšímu obecnému povědomí: že neschopnost vsadit v krajním případě i život za záchranu jeho smyslu a lidského rozměru vede nejen ke ztrátě jeho smyslu, ale nevyhnutelně nakonec i ke ztrátě života – a ne už jen jednoho, ale tisíců a miliónů. Samozřejmě: ve světě nukleárních zbraní, schopných vyhubit lidský rod, je mnoho věcí jinak. Ale základní zkušenost, že není možné mlčky tolerovat násilí v naději, že se samo od sebe zastaví, platí pořád. (Myslet si opak by znamenalo – mimo jiné – definitivně kapitulovat před ne-lidstvím techniky.) Neumím si představit – kdyby takový postoj nějakým zázrakem válku neuspíšil, ale opravdu odvrátil – jakému světu, jakému lidství, jakému životu a jakému „míru" by otevřel bránu. Něco jiného je ovšem obecný mravní imperativ a konkrétní politický způsob, jak se jím řídit. Myslím, že jsou účinnější a smysluplnější způsoby, jak čelit násilí či jeho hrozbě, než je jen slepě imitovat (totiž ke každé raketě protivníkově přilepit ihned další raketu vlastní). Ale to bych se už příliš vzdaloval svému dnešnímu tématu.

Proto jen příklad na dokreslení: jak silnou asi důvěru nebo dokonce obdiv k západnímu mírovému hnutí může chovat prostý, leč citlivý východoevropský občan, který si povšiml, že se toto hnutí na žádném ze svých kongresů a na žádné ze svých stotisícových demonstrací neodhodlalo důrazně protestovat proti tomu, že jeden významný evropský stát přepadl před pěti lety svého menšího neutrálního souseda a od té doby vede na jeho území krvavou vyhlazovací válku, která si vyžádala už milión mrtvých a tři milióny uprchlíků? Skutečně: co si myslet o hnutí mírovém a navíc evropském, které téměř neví o jediné válce evropským státem dnes vedené? Argument, že přepadená země a její obránci se těší sympatiím západních establishmentů, a tudíž nezasluhují podporu levice, může vyvolat svou neuvěřitelnou ideologickou účelovostí jen jednu jedinou reakci: totální zhnusení a pocit bezbřehé beznaděje.

/9/

Jak patrno, mírová zdrženlivost obyvatelstva sovětského bloku má své rozmanité a různorodé příčiny; některé jsou asi všem zemím společné, některé vystupují naopak víc do popředí v jedné zemi, zatímco jiné zase v druhé.

Tyto různé aspekty se pochopitelně více či méně promítají i do uvažování východoevropských disidentů. Přičteme-li k tomu okolnost, že v každé ze zemí sovětského bloku je poněkud jiná konkrétní společenská situace, že každý národ tu má své vlastní historické, sociální a kulturní tradice, zkušenosti a modely chování, a přičteme-li k tomu konečně i fakt, že i když tu není disidentů moc, přesto jsou velmi pestrou společností (v určitém smyslu vlastně zrcadlí „disent" v každém z těchto národů celé spektrum jeho politických postojů, jak by se asi projevilo, kdyby se mohlo projevit), pak je snad dostatečně zřejmé, že se západní mírové hnutí těžko kdy dočká z naší strany nějakého jednotného a konkrétního mírového programu.

A přece existuje – zdá se mi – i zde cosi jako „společné minimum", totiž několik základních myšlenek, na nichž by se pravděpodobně – mít tu možnost – mohli všichni dohodnout. Mám aspoň takový dojem z textů, které se mi dostaly do rukou: určité motivy se v nich vždy znovu s až překvapivou pravidelností objevují. Nemůže to být náhoda. Podobné zkušenosti vedou zřejmě k podobným úvahám, pohledům a jistotám. A jde-li v nich skutečně o jakýsi společný jmenovatel východoevropské zkušenosti a reflexe, pak rozhodně stojí za pozornost.

Není úkolem této úvahy takové „společné minimum" formulovat. Pokusím se pouze shrnout některé body, které se mi zdají být všem nezávislým východoevropským úvahám o míru a mírovém hnutí společné a pro ně příznačné.

1. Především to je asi – navzdory vší zdrženlivosti – určitá elementární sympatie k mravnímu étosu těch, kteří dávají uprostřed vyspělé konzumní společnosti starosti o osud světa přednost před pouhou starostí o vlastní dobré bydlo. Což neděláme – byť samozřejmě jinak a v jiných podmínkách – něco podobného i my zde? Už z tohoto „před-racionálního" důvodu musí mít zdejší disidenti pro západní mírové hnutí jakousi bazální slabost.

2. Hned na druhém místě však asi stojí přesvědčení už zřetelně polemické: příčinou válečného nebezpečí nejsou zbraně jako takové, ale politické reality (včetně politiky politických establishmentů) rozdělené Evropy a rozděleného světa, které umožňují nebo si přímo

vynucují výrobu a instalaci těchto zbraní a které by mohly nakonec vyústit i v jejich použití. Pouhým odporem k té či oné zbrani nelze žádného trvalého a skutečného míru dosáhnout, protože takový odpor se dotýká jen důsledků a nikoli příčin. Odpor ke zbraním – pokud ovšem bude zaměřen ke všem a ne jen k těm, kolem nichž lze tábořit – může v nejlepším případě přimět vlády, aby urychlily různá odzbrojovací jednání. Což je asi tak všechno, čeho se lze od něho nadít.

3. Odzbrojovací jednání sama, i kdyby byla úspěšná (v což lze na pozadí dosavadních zkušeností těžko doufat), by dnešní krizi rovněž ještě nevyřešila. Vždyť cokoliv se zatím dohodou zbrzdilo, záhy se už bez dohody opět rozjelo. Maximálně by to mohlo pro skutečné řešení krize vytvořit příznivější klimatické podmínky. Klimatické podmínky je ovšem jedna věc a vůle k řešení druhá. V jádře by nešlo o víc než o fixaci explozívního statu quo – jen s menším množstvím explozívní techniky.

4. Takže jedinou smysluplnou cestou ke skutečnému evropskému míru, ne tedy jen k nějakému stavu ozbrojeného příměří nebo „neválky", je cesta zásadní proměny politických realit, které dnešní krizi zakládají. Taková cesta by vyžadovala, aby se obě strany radikálně rozešly s politikou obrany a upevňování statu quo, tj. rozdělenosti Evropy do bloků, a s politikou mocenských či velmocenských „zájmů" a aby všechno své úsilí podřídily něčemu docela jinému: ideálu demokratické Evropy jako přátelského společenství svobodných a nezávislých národů. Mír v Evropě dnes neohrožuje perspektiva změny, ale naopak existující stav.

5. Bez svobodných, důstojných a svéprávných občanů není ani svobodných a nezávislých národů. Bez míru vnitřního, tj. míru mezi občany navzájem a mezi občany a státem, není ani záruky míru vnějšího: stát, který nedbá vůle a práv svých občanů, nedává žádnou záruku, že bude dbát vůle a práv jiných lidí, národů a států. Stát, který odmítá občanům právo na veřejnou kontrolu moci, nemůže být kontrolovatelný ani v mezinárodních vztazích. Stát, který upírá svým občanům základní lidská práva, stává se nebezpečný i pro své sousedy: svévole vnitřní přerůstá nevyhnutelně i ve svévoli ve vnějších vztazích; potlačení veřejného mínění, zrušení veřejné soutěže

o moc a jejího veřejného výkonu umožňuje moci jakékoliv zbrojení; zmanipulovaného obyvatelstva lze zneužít k jakémukoliv vojenskému dobrodružství; nedůvěryhodnost v něčem vyvolává oprávněné obavy z nedůvěryhodnosti ve všem. Stát, který nemá zábrany lhát svému obyvatelstvu, nemá ani zábrany obelhávat jiné státy. Z toho všeho vyplývá, že respekt k lidským právům je základní podmínkou skutečného míru a jeho jedinou skutečnou zárukou. Potlačení přirozených práv občanů a národů mír nezajišťuje, ale naopak ohrožuje. Trvalý mír a odzbrojení mohou být jen dílem svobodných lidí.

Postoj, který jsem se tu pokusil jen heslovitě popsat, je podrobně vyložen a zdůvodněn v bezpočtu nejrozmanitějších textů, které byly o této věci v posledních letech nezávislými autory v naší části Evropy napsány. Obsáhle je citovat či opakovat by bylo v tomto kontextu zbytečné. Zhruba tento postoj zaujímají i různé nezávislé občanské iniciativy a skupiny v zemích sovětského bloku.

Jak se ukazuje, reflexe každodenní trpké zkušenosti občana totalitního státu vždy znovu a zcela logicky míří k jedinému úběžníku: k novému pochopení významu lidských práv, lidské důstojnosti a občanských svobod. Do téhož úběžníku se v tomto prostředí zcela přirozeně a oprávněně sbíhají i všechny úvahy o míru. Možná toto zdejší chápání hlubinných předpokladů míru (tvrdou zkušeností placené a novým důrazem se vyznačující) je vůbec to nejdůležitější, čím mohou nezávisle myslící lidé z naší části světa obohatit dnes obecné vědomí.

Pro nás je prostě už nepochopitelné, jak může někdo ještě věřit v možnost odzbrojení, které by obešlo člověka nebo bylo dokonce vykoupeno jeho zotročením. To se zde jeví jako utopie ze všech nejpošetilejší, srovnatelná snad jedině s nadějí, že se všechny zbraně dnešního světa samy od sebe odsunou do šrotu nebo promění v hudební nástroje.

Intenzita a způsob důrazu na souvislost míru a svobody člověka bývají přirozeně v různých chvílích a na různých místech naší části světa různé a jsou rozmanitě závislé na konkrétní situaci či kontextu. Nicméně tváří v tvář názoru, že tím věčným zaplétáním lidských práv do každé debaty o míru jen komplikujeme situaci a maříme dorozumění – zvlášť když ten názor zaznívá z úst člověka, který se těší tolika svobodám, že už ani neví, co si s nimi počít – propadáme zde zřejmě všichni témuž beznadějnému pocitu, že komu není rady, tomu není pomoci.

/10/

Jelikož se nám věci, o nichž jsem právě psal, jeví zde už dávno jako téměř banální samozřejmosti, bývá nám občas až trapné, že je musíme znovu a znovu vysvětlovat. Ale zdá se, že pro mnohé příslušníky západního mírového hnutí tento pohled nikterak samozřejmý není a že nám tudíž nezbývá než v jeho vysvětlování pokračovat. Sám jsem se už nejednou setkal v hovoru s mírovými aktivisty nebo při sepisování společných stanovisek s tím, že jim tyto naše myšlenky připadaly sice pozoruhodné, ne-li přímo překvapivé (!), ale zároveň jaksi příliš abstraktní, „filozofické“, málo politické, srozumitelné a úderné, takže vlastně prakticky těžko použitelné. Zdálo se mi, že jsou zvyklí spíš na hesla, zvolání, slogany a jednoduché a jednoznačné požadavky, způsobilé figurovat na transparentech a tričkách, než na nějaké obecné úvahy. Inu nic naplat: přicházejí ze světa praktické a reálné politiky!

Přesto všechno je situace stále ještě dost jednoduchá, pokud od nás není žádáno nic jiného a nic víc než objasnění tohoto našeho základního pohledu na téma míru. Vážnější komplikace začínají teprve ve chvíli, kdy máme – ať už z těch či oněch důvodů – vyložit, jak bychom si představovali, že by tento náš obecný („filozofický“) koncept měl být promítnut do reality politických činů; co by se vlastně konkrétně mělo chtít a jaké politické kroky a v jakém pořadí by podle našich představ měly být v Evropě učiněny.

První potíž je v tom, že pokud i na tohle mají východoevropští disidenti nějaké určitější názory, pak to jsou názory dost rozdílné.

Někteří – například v Polsku a Maďarsku – se domnívají, že prvním a možná dokonce hlavním krokem k proměně statu quo v Evropě, a tím i ke skutečnému míru, by mělo být vytvoření jakéhosi pásma neutrálních států ve středu Evropy, které by nahradilo dnešní ostrou hranici dvou bloků. Proti tomu mnozí namítají, že něco takového žádat je ze všeho nejmíň reálné (cožpak Sovětský svaz bude ochoten vzdát se jen tak několika svých evropských satelitů a ještě jim navíc spoluzaručit neutralitu?) a že to je navíc i nemorální, protože by to de facto znamenalo řešení na úkor ostatních: hlavně, že my jsme z toho venku, a ty, zbytku Evropy, si poraď, jak umíš! S touto nemorálností souvisí – podle kritiků takového požadavku – i jeho bezperspektivnost: mír v Evropě nevznikne tím, že se vytvoří mezi bloky, do nichž je rozdělena, jakási „zóna nikoho". Nebezpečí konfliktu by trvalo i dál, a kdyby konflikt nastal, vyletěly by jako první do povětří beztak středoevropské státy (cožpak tomu bylo někdy v dohledných dějinách jinak?), jejichž neutralita, do níž se mínily po švýcarsku ukrýt před vřavou světa, by se přes noc změnila v cár papíru.

Jiní tedy navrhují rovnou, aby byly prostě rozpuštěny oba vojenské bloky a aby se americké a sovětské armády stáhly z území svých evropských spojenců (což by přirozeně muselo vést zároveň k likvidaci všech nukleárních zbraní v Evropě instalovaných či na ni namířených). To se mi osobně jeví jako krásné, jen mi není dost jasné, kdo nebo co by mohlo donutit Sovětský svaz, aby touto cestou rozpustil celou četu svých evropských satelitů – že by se totiž po odchodu svých armád z jejich území musel dříve či později rozloučit i se svou politickou nadvládou nad nimi, je víc než zřejmé.

Další hlas, ostatně velmi fundovaný, dokazuje, že Evropa zůstane rozdělena, dokud zůstane rozděleno Německo. A že by se už proto – ne tedy pouze kvůli právu Němců nebýt rozděleni – měl přednostně vznášet požadavek mírové smlouvy s Německem, která by sice stvrdila dnešní evropské hranice, která by však zároveň otevřela německým státům perspektivu postupného konfederativního spojení. Rozpuštění paktů by po vyřešení německé otázky mohlo být podstatně reálnější. Tento náhled působí velmi věrohodně: což si lze představit Evropu bez paktů a ochrany – respektive „ochrany" – velmocí, v níž by si Berlín zůstával klidně dál přeříznut zdí a problém Německa nevyřešen?

I tento návrh sklízí ovšem mnoho námitek: je prý provokativní, vyvolává na všech stranách nejrozmanitější duchy a emoce, mnoho soudných lidí se bojí obnovy ohromného Německa s nebezpečím jeho automatické dominance v Evropě, atd. apod.

Někteří se konečně domnívají, že nemá smysl žádné z těchto smělých návrhů vznášet, když je beztak nikdo není ochoten uskutečnit a když jsou všichni mocní jimi jen zbytečně drážděni. Smysluplnější je prý ještě víc vzít za slovo různé existující smlouvy, jako je například Závěrečný akt z Helsinek, a dožadovat se jejich naplnění. Anebo bez velkého bombastu podporovat rozmanité drobné krůčky, které by zvolna ozdravovaly celkové evropské klima, vedly k zchladnutí hlav a tím i k postupnému omezování zbrojení a uvolňování.

Existují pravděpodobně i četné další návrhy a představy. (I když se názoru na evropské uspořádání nijak bezprostředně netýká, měl bych se pro kompletnost zmínit ještě o jedné věci, která různé disidenty dost významně rozděluje: totiž o jejich vztahu k USA. Zatímco na jedné straně názorového spektra je antiamerikanismus bezmála stejně silný jako u západní levice, na jeho druhé straně je stanovisko v podstatě reaganovské: SSSR je říše zla a USA říše dobra. Já osobně – pokud můj názor někoho zajímá – nemám o Americe, americkém establishmentu a americké zahraniční politice celkem žádné velké iluze, nicméně míra vnitřních svobod, a tudíž i důvěryhodnost mezinárodněpolitická se mi zdá být u obou velmocí tak hluboce rozdílná, že považovat dnešní situaci prostě za symetrickou v tom smyslu, že oba kolosy jsou stejně nebezpečné, považuji za její příšerné zjednodušení. Ano, oba jsou nebezpečné, každý jinak, ale stejně nebezpečné rozhodně nejsou.)

Druhá potíž, s níž je tento druh úvah na naší straně Evropy spojen, je ještě vážnější než ta, která pochází z právě popsané různosti názorů. Tkví v jakémsi trochu nejasném, těžko vysvětlitelném, nicméně velmi silném pocitu zbytečnosti a nesmyslnosti všech takovýchto úvah. Zdá se být podivné, ale vposledku – jak se pokusím vyložit – je zcela logické, že se ten pocit člověka nezmocňoval, když o míru jen tak všeobecně „filozofoval", ale teprve ve chvíli, kdy se jeho uvažování muselo dotknout politického konkrétna.

Skeptického, střízlivého, anti-utopického, anti-emfatického a každodenní konfrontací s bezohlednou mocí drceného středoevropského ducha se musí – když se náhle octne v roli organizátora budoucí Evropy – zmocnit pocit, že je „dada". Sepisovat takové či onaké koncepty evropského vývoje a evropské budoucnosti není pro zdejšího disidenta žádným velkým problémem. Problémem mu je, jak se zbavit pocitu naprosté beznadějnosti a bezúčelnosti takové práce; jak setřást obavu z toho, že jakákoli konkrétní a tak říkajíc technická koncepce kýžené proměny Evropy ve světadíl míru je dnes stejně směšná jako všechny jiné konstrukce utopistů; jak odstranit strach, že se stane terčem posměchu svého střízlivého okolí, a jak odstranit pocit, že se – poprvé – vzdaluje vážnějším způsobem životu a vznáší do stratosféry pohádek.

Cosi heroicky snílkovského, bláznivého a nereálného je zakleto v samém východisku disidentského postoje. Vždyť disident je ze samé podstaty věci tak trochu donkichot: píše své kritické analýzy a dožaduje se svobod a práv sám a sám – jen se svým perem v ruce – tváří v tvář gigantické moci státu a jeho policie; píše, volá, křičí, žádá, dovolává se zákona – a přitom ví, že ho za to dříve nebo později zavřou. Proč tedy najednou takové skrupule? Vždyť v oblacích pošetilosti by se měl pohybovat jako ryba ve vodě! Pokusím se vysvětlit, v čem je rozdíl mezi „přirozeně bláznivým" světem disidentství a tím druhem pošetilosti, kterého se disident děsí, když má podepsat nějaký program mírového uspořádání Evropy.

Myslím (a už víckrát jsem o tom psal), že fenomén disidentství vyrůstá z nějakého bytostně jiného pojetí smyslu politiky, než jaké v soudobém světě převládá. Disident neoperuje totiž vůbec ve sféře faktické moci. Neusiluje o moc. Netouží po funkcích a nesbírá hlasy voličů. Nepokouší se okouzlit publikum a nikomu nic nenabízí ani neslibuje. Nabízí-li něco, pak pouze svou kůži. A tu nabízí jen proto, že nemá jiný způsob, jak dotvrdit pravdu, za níž stojí. Artikuluje svým počínáním jen svou občanskou důstojnost, bez ohledu na to, co za to sklidí. Nejvlastnější východisko jeho „politického" působení je tedy v oblasti mravní a existenciální. Vše, co dělá, dělá vlastně v prvním plánu kvůli sobě: cosi se v něm prostě vzbouřilo a už není schopen „žít ve lži". Teprve za tímto veskrze existenciálním motivem a v závěsu na něm kráčí a může kráčet zřetel „politický". Totiž naděje – nejasná, neurčitá a těžko kdy co do své oprávněnosti ověřitelná – že takové počínání je i obecně k něčemu dobré. Že i „politika mimo politiku", „politika mimo moc" má svůj smysl; že – byť jakkoli skrytou a komplikovanou cestou – i ona cosi vyvolává, čehosi dosahuje, čímsi působí. Že i v tak zdánlivě chimérické věci, jako je nahlas řečená pravda a nahlas artikulovaná starost o lidství člověka, je zakleta určitá moc a že i slovo je schopno čímsi vyzařovat a jakousi stopu ve „skrytém vědomí" společnosti zanechávat. (K takto založenému postoji bytostně patří, že disident spíš mapuje a analyzuje přítomnost, než projektuje budoucnost. Že je spíš tím, kdo – teď a tady – kritizuje špatné, než plánovačem něčeho lepšího, co bude jednou. Své poslání vidí spíš v obraně člověka před tlakem systému než ve vymýšlení systémů lepších. Pokud jde o budoucnost, jde mu víc o mravní a politické hodnoty, na nichž by měla spočívat, než o veskrze předčasné spekulace, jak a kým budou tyto hodnoty lidem zajištěny. Ví přece, že konkrétní povaha takového zajišťování nezávisí na jeho dnešních přáních, ale na těžko předvídatelném běhu budoucích událostí.)

To je tedy onen „přirozeně bláznivý" svět disidentství. Je smysluplný, protože je ve svém rámci důsledný. Je taktický, protože netaktizuje. Je politický, protože nepolitizuje. Je konkrétní, reálný, účinný – nikoli přesto, že je bláznivý, ale právě proto. A ovšem i proto, že jeho „bláznovství" je jaksi integrální, sobě věrné, se sebou samým identické. Je to možná svět snu a ideálu, nikoli však svět utopie.

Nač si skrývat, že tenhle svět pravdy, jakkoli je pobyt v něm nepohodlný, skýtá zároveň určité výhody: ocitaje se vně celého univerza faktické moci a tradiční politické praxe, tj. mimo souřadnicový systém účelovosti, taktiky, úspěšnosti, kompromisů a nutné manipulace s polopravdou a lstí, může být disident krásně sám sebou a ještě si ze sebe dělat legraci, aniž by mu hrozilo nebezpečí, že se stane všem směšný.

Směšnost začíná disidentovi hrozit až v okamžiku, kdy překročí tento okrsek své přirozenosti a vstoupí do hypotetického prostoru faktické moci, tedy vlastně do prostoru čiré spekulace. Teprve v tom okamžiku se totiž může stát utopistou. Přijal totiž perspektivu faktické moci, aniž jakoukoli faktickou moc má; vstoupil do světa taktiky, aniž je taktiky schopen a k ní faktickou mocí oprávněn či donucen; opustil svět služby pravdě a chtěl by svou pravdu propašovat do světa služby moci, aniž ovšem sám může a chce moci sloužit. Mimo svět pravdy se pokouší říkat dál pravdu a mimo svět moci chce s mocí spekulovat či ji organizovat. Respektabilní roli zastánce lidství zaměňuje za poněkud groteskní roli samozvaného poradce mocných. V roli snílka směšný nebyl (tak jako není taktik směšný v roli taktika), směšný se stal až jako taktizující snílek. Taktizující snílek je totiž ministrem bez ministerstva. Generálem bez vojska. Prezidentem bez republiky. Zcizen svému postavení svědka dějin, ale nepřijat zároveň do postavení jejich organizátora, ocitá se ve zvláštním vakuu: mimo věrohodnost moci i mimo věrohodnost pravdy.

Tím vším jsem nechtěl říct, že by se disidenti ze sovětského bloku neměli vyjadřovat k politickým skutečnostem a politickým možnostem světadílu, v němž žijí, že by neměli zkoumat rozmanité hranice svého působení a zkoušet je rozšířit, že by neměli uvažovat o tom, jak a kam mohou či nemohou svou pravdu promítat. (Ostatně dějiny jsou nevyzpytatelné a je třeba být připraven na leccos: vzpomeňme jen například, jak se disidenti z polského KOR museli přes noc stát praktickými politiky.)

Chtěl jsem pouze vysvětlit, proč si myslím, že jsou a i v budoucnosti asi budou východoevropští disidenti zvláštním způsobem ostražití, kdykoli jim bude podílet se na mírovém podnikání.

(duben 1985)

DĚKOVNÁ ŘEČ

Vaše Veličenstvo, vaše královské Výsosti, dámy a pánové,

okolnost, že Erasmovou cenou bylo přede mnou poctěno tolik skvělých osobností, k nimž se přiřadit mi činí nemalé vnitřní obtíže, mi příliš neusnadňuje formulaci mého poděkování. Jediné, co můj pochopitelný ostych oslabuje, je pocit, že ocenění mé literární práce v sobě zahrnuje i ocenění Charty 77. Bez zkušeností, které mi desetileté působení v Chartě 77 dalo, a bez opory, kterou jsem v ní nalezl, bych totiž stěží dosáhl lecčehos z toho mála, čeho jsem v posledních letech dosáhl. V poctě, které se skrze mne – byť nepřímo – dostává Chartě 77, cítím ovšem ještě i cosi víc: uznání všem, kdo v té části Evropy, kde je mi dáno žít, usilují – navzdory všem těžkostem – o život v pravdě, kdo se i zde snaží nahlas říkat, co si myslí, zastávat se člověka proti všem znelidšťujícím tlakům, usilovat o lepší svět, o svět bez válek, bez vlády lži, bez násilí, bez ponižování člověka a bez ničení té částečky kosmu, na níž žijeme.

Dovolíte-li tedy, poděkuji Výboru Erasmovy ceny za tuto vysokou poctu jak jménem svým, tak jménem všech lidí ve východní Evropě, kteří se snaží svobodně mluvit a tvořit anebo kteří s těmi, kdo se o to snaží, sympatizují.

Skutečnost, že žiji v té části Evropy, která je od vás oddělena a do které Erasmova cena dnes putuje poprvé, mne zcela přirozeně vede k pokusu zamyslet se při této slavnostní příležitosti nad otázkou, jak čelit rozdělenosti našeho kontinentu.

Z mnoha stran, od vlád až po různá nekonformní společenská hnutí, slyšíme stále častěji o ideálu Evropy jako světadílu přátelské spolupráce nezávislých a rovnoprávných národů, z něhož by místo hrozby válečné konfrontace supervelmocí vyzařoval do světa mír.

Ať už je v různých případech jakkoli různá míra upřímnosti, s níž je tato vize líčena, je to vize nepochybně krásná. Zatím to je ale bohužel jen vize. Evropa je rozdělena vysokou zdí, jejímž materializovaným symbolem je zeď berlínská.

Co můžeme udělat pro to, aby se tato krásná vize proměnila jednoho dne ve skutečnost? Co můžeme udělat pro to, aby každý evropský národ byl svéprávný a plnoprávný a aby se nemusel bát svých sousedů? Co můžeme udělat pro to, aby se všechny evropské země mohly těšit z politické demokracie a sociální spravedlnosti a aby dokázaly pomáhat méně vyspělým oblastem světa způsobem, který by skutečně odpovídal jejich možnostem? Co můžeme udělat pro to, aby se každý Evropan cítil svobodně a bezpečně, aby měl právní jistoty a aby mohl žít důstojně a smysluplně? Co můžeme udělat pro to, aby naši mladší spoluobčané nemuseli trávit dlouhá léta tím, že se učí zabíjet lidi, a aby evropští vědci mohli věnovat svůj důmysl záchraně přírody místo konstruování stále rafinovanějších zbraní?

Myslím, že každý z nás může udělat přinejmenším dvě věci. A cítím hluboký symbol v tom, že obě tyto věci jakýmsi volným způsobem souvisejí s odkazem velkého Evropana Erasma Rotterdamského.

První věc: všichni máme možnost znovu a znovu opakovat, že chceme to, co chceme; všichni můžeme navzdory všem tvrdým politickým realitám a navzdory všem omezením, plynoucím z lidské povahy a duchovního, mravního a sociálního stavu soudobé civilizace, nahlas artikulovat své ideály a činně je prosazovat; všichni můžeme těmto ideálům i mnohé ze svého soukromého štěstí obětovat, pakliže aspoň trochu věříme s českým filozofem Janem Patočkou, že jsou věci, které stojí za to, aby člověk pro ně trpěl; všichni můžeme přijmout ten zvláštní, logický a zároveň záhadný imperativ, který říká, že člověk by se měl chovat tak, jak si myslí, že by se měli chovat všichni. Každý z nás má zkrátka možnost pochopit, že i on – byť by byl sebebezvýznamnější a sebebezmocnější – může změnit svět. Záhadnost tohoto imperativu je v neuvěřitelnosti představy, že by kdokoli z nás mohl tak říkajíc pohnout zeměkoulí. Jeho logika je v tom, že nerozhodnu-li se já, ty, on, my, my všichni k této cestě, pak se opravdu nemůže pohnout ani svět, v němž žijeme, který spolutvoříme a za nějž odpovídáme. Začít musíme každý u sebe: kdyby čekal jeden na druhého, nedočkal by se nikdo. Není pravda, že to nejde: moc nad sebou samým, jakkoli v každém z nás problematizována povahou, původem, stupněm vzdělání a sebeuvědomění, je tím jediným, co má i ten nejbezmocnější z nás, a zároveň tím jediným, co nikomu z nás nelze vzít. Kdo ji uplatní, možná ničeho nedosáhne. Určitě však ničeho nedosáhne, kdo nezkusí ani to.

Erasmus napsal pozoruhodnou knihu *Chvála bláznovství*. Jak patrno, první věc, kterou zde doporučuji, je odvaha být bláznem. Bláznem v tom nejkrásnějším slova smyslu. Zkusme být blázny a žádat se vší vážností změnu údajně nezměnitelného! Ostatně není i tu snad dnes poctíván vlastně blázen? A nejsou tu snad jeho prostřednictvím poctívány desítky a stovky jiných bláznů, neváhajících svým osamělým voláním po změně nezměnitelného riskovat léta vězení a ochotných – zcela bláznivě – postavit proti obří moci státní byrokracie a policie ubohou moc svého psacího stroje? Jsem dalek toho, abych dával sebe nebo své přátele nebo východoevropské disidenty komukoliv za příklad. Vím, jak statečně se chovali například Holanďané za druhé světové války, a vůbec si nemyslím, že na Východě je víc statečných lidí než na Západě. Stát v týchž situacích, v nichž stáli a musí stát mnozí z nás, obstáli by mnozí z vás stejně a možná lépe. Kdybych toto nevěděl, neříkal bych to, co tu teď říkám. Doporučuji-li onen dobrý druh bláznivosti právě teď a zde, pak jen dík své jistotě, že jsou ho schopni lidé v celé Evropě. A že bez postupného ustavení jakéhosi celoevropského společenství bláznů nezmůžeme nic ani my, ani vy.

Tím jsem vlastně už přešel k druhé věci, o níž si myslím, že je v moci každého z nás, a která rovněž souvisí s Erasmovým odkazem. Erasmus je právem chápán jako velká – a možná poslední – personifikace evropské integrity. Putoval po celé Evropě, oslovoval celou Evropu, trápil se celoevropskými problémy a byl celou Evropou ctěn a žádán o radu a pomoc. (Mimo jiné: vůbec prvním překladem jeho nejslavnější knihy z latiny do jiného jazyka byl překlad český!) Nadcházející evropský rozkol nesl tíž než většina jeho současníků. Pokoušel se – bezúspěšně – tváří v tvář tomuto rozkolu uchovat a zachránit jednotu evropského ducha, evropského vědomí, evropské tradice. Tyto hodnoty se mu přitom protínaly v myšlence, že to, co je v nejvyšším slova smyslu lidské, je i křesťanské a že tudíž nárok lidskosti, budou-li ho ctít všichni, je schopen překlenout spory nároků jiných, ať už konfesijních, národních či mocenských. Snil dokonce o jakémsi nadnárodním bratrstvu moudrých. Jan Patočka, kterému se shodou okolností dostalo na samém závěru jeho života odvážného ocenění tím, že ho jako mluvčího Charty 77 přijal při své pražské návštěvě váš ministr zahraničí, psal svého času o „obci otřesených". Není tato myšlenka jakousi soudobou variantou dávné ideje Erasmovy? Není otřesenost této obce vlastně zdrojem onoho dobrého druhu bláznovství? Nejde tedy de facto opět o ono evropské společenství bláznů?

Proč ale o tom všem teď mluvím: zdá se mi, že tu krásnou vizi svobodné, mírumilovné a do bloků nerozdělené Evropy nepřiblíží a nemohou přiblížit žádná jednání vlád či prezidentů, ať už v Helsinkách, Ženevě, Vídni či kdekoli jinde, pokud nebudou mít jejich účastníci podporu svých národů. Ba co víc: pokud nebudou přímo pod jejich tlakem. Tuto vizi si prostě musí Evropa na dnešním tvrdém světě vyvzdorovat; evropské vlády samy na takový úkol nestačí a očekávat jeho splnění pouze od velmocí by znamenalo popírat sám jeho smysl: tím přece není postoupit svou věc definitivně jiným, ale vzít ji naopak konečně do vlastních rukou. Evropané si ovšem mohou svou vizi vyvzdorovat jen tehdy, budou-li k tomu mít skutečně vážný důvod, totiž bude-li je spojovat a společně motivovat cosi, co bych nazval evropským vědomím. Tedy hluboký pocit sounáležitosti. Hluboký pocit jednoty, byť jednoty v různosti. Hluboké vědomí tisícileté společné historie a duchovní tradice, dané souběhem a součinitelem živlu antického a židovsko-křesťanského. Obnovený respekt k těm duchovním principům, z nichž rostlo vše dobré, co Evropa vytvořila. Evropu tvoří převážně malé národy, jejichž duchovní a politické dějiny se tisícerými nitkami navzájem proplétají v jedno jediné vazivo. Bez vědomí a prožitku této skutečnosti, bez nového porozumění jejímu smyslu a bez hrdosti na ni se žádné evropské vědomí neobnoví. A bez jeho obnovy se těžko lze nadít důsažnějších politických změn ve směru nějakého celoevropského společenství nezávislých národů. Vede-li tedy od erasmovské myšlenky humanistického bratrstva vzdělanců neviditelná spojnice k Patočkově „obci otřesených", neústí tato linie posléze v ideál jakési rekonstituce evropského sebevědomí?

Druhá věc tedy, která je – už teď a kdekoli – v naší moci, je nové pochopení naší společné evropské sounáležitosti. Jsem člověk celkem střízlivý, nicméně mému zraku nemůže unikat fakt, že se náznaky něčeho přesně takového v průběhu posledních let objevují a množí.

Jen malý příklad: v padesátých letech byly v naší zemi na dlouhá leta uvězněny tisíce nevinných lidí a Západ o tom v podstatě nevěděl, natož aby se o to staral. Počátkem sedmdesátých let bylo u nás zavřeno několik desítek politických vězňů. O těch se už ve světě dobře vědělo, ale mnoho projevů solidarity s nimi se neobjevilo (částečně z tragicky pochybeného chápání politiky détente jako svéřepého mlčení ke svévoli druhé strany). Když jsem byl koncem sedmdesátých let zavřen se svými přáteli já, pozvedl se ve světě už téměř chorál solidarity; do smrti jím budu dojat a za něj vděčen. Nedokazuje i tento příklad, že západní Evropané si začínají stále zřetelněji uvědomovat to, co si východní Evropané uvědomují už dlouho a bolestně: totiž že existuje i druhá půlka Evropy? A není toto zesilující se vědomí solidární sounáležitosti jednou z příčin nadějeplného faktu, že nás lze dnes zavírat přece jen obtížněji, než kdyby se psala léta padesátá?

Projevem znovu se rodícího evropského vědomí – aspoň pro mne osobně – není tradiční, tradičně ideologická a víceméně rutinní antikomunistická rétorika některých západních státníků, určená obvykle k obhajobě zvyšujících se vojenských rozpočtů. Ta nás asi těžko zachrání. Oč běží, je něco jiného: neokázalé, oč méně ideologické, o to hlubší a niterněji cítěné, každodenně účinně projevované a co nejpevněji v duších a srdcích národů zakořeněné povědomí jednoty našich osudů. A právě na tomto poli zahlédám nadějné signály. Západním Evropanům jako by začínalo docházet, že jejich vlastní problémy se nevyřeší, pokud se nevyřeší i problémy východoevropské. Jako by si začínali uvědomovat, že ublíží sami sobě, když si zacloní pohled na východ a namluví si, že co se tam děje, jich se netýká. Jako by stále silněji chápali, jak dvojsmyslné by bylo jejich západní štěstí, kdyby bylo natrvalo placeno východním neštěstím, a jak nutně by se dříve nebo později i ono muselo zvrátit v neštěstí. A jak se tak pomalu začíná krajina prosperujících západních zemí zaplňovat raketami s nukleárními hlavicemi, začínají si západní lidé klást otázku, jaký to má smysl. Tato otázka nutně obrací jejich pohled na druhou část Evropy, kde jsou podobné rakety a navíc ohromné konvenční armády. A ten pohled v nich probouzí zase další otázku: proč jejich východní sousedé tím nejsou zneklidněni tak, jak tím jsou zneklidněni oni? To si opravdu myslí, že jejich rakety jsou – na rozdíl od těch západních – mírové? Tato nová otázka posléze vyvolává zájem o poměry na Východě, o stav lidských práv v druhé půli Evropy, o situaci, v níž každý sebeskromnější protest proti nějaké raketě je brutálně trestán a jakýkoli zájem o věci obecné hned v samém zárodku dušen. Paradoxní kruh se uzavírá: dík raketám, které se rozmísťují na Západě, začínají si tisíce Západoevropanů uvědomovat problematičnost konzumního štěstí, vykoupeného lhostejností k osudu člověka o pár set kilometrů na východ, začínají se o tohoto člověka zajímat, začínají ho vnímat jako svého bratra, jako toho, jehož osud je bytostně svázán s osudem jejich. Čili opět: rodí se evropské vědomí. Je smutné, že se o jeho znovuzrození zasluhují – mimo jiné – tak strašlivé předměty, jakými jsou soudobé zbraně. Ale je dobré, že toto vědomí vzniká.

Náš osud je vskutku nedělitelný; čím modernějšími zbraněmi jsme obklíčeni, tím je jeho nedělitelnost zjevnější; naše jednotlivé svobody jsou stále zřetelněji svobodami nás všech; ohrožení jedněch znamená vždy také ohrožení druhých; děsivý samopohyb moderní moci, trvale řečnící o míru a trvale se připravující na válku, nás strhává všechny, společně a do téže propasti; útok na lidskou dů-

O SMYSLU CHARTY 77

Nad Chartou 77 se od jejího vzniku dodnes vznáší jedna základní otázka: má její riskantní práce nějaký reálný společenský efekt? Čili: má Charta vůbec smysl?

Myslím, že desetileté výročí jejího vzniku je přirozenou výzvou k novému zamyšlení o této otázce. Snad takové zamyšlení může být užitečné i přesto, že bude spíš rekapitulovat už řečené než objevovat něco nového. Jinak tomu ale být nemůže: patří totiž k povaze Charty, že si sama tuto otázku trvale klade a se vší vážností zkoumá.

•

Všechno, co bylo veřejně usvědčeno ze své tupé nelidskosti a o čem bylo svatosvatě přísaháno, že se to už nikdy nevrátí, začalo se po intervenci Varšavského paktu rychle vracet a bez rozpaků obnovovat – a lidé si toutéž rychlostí odvykali čemukoli se divit. Vysílena svým předchozím vzedmutím a zklamána jeho výsledkem upadla československá společnost záhy do hluboké letargie; tváří v tvář rekonstituci totalitního systému rezignovala většina lidí na možnost ovlivnit věci obecné, přestala se o ně zajímat a stáhla se do soukromí; zmizela víra, že jakékoli skutečné občanské či veřejné angažování má nějaký smysl. Aby o tom nikdo nepochyboval, byli ti nejméně poddajní ztrestáni tvrdými soudními rozsudky. Společnost se atomizovala; nezávislé myšlení a tvorba se uchýlily do zákopů privátna; různé horizontální společenské vazby, vytvářející prostor autentického veřejného života, byly zpřetrhány; v zemi se rozhostilo pusté ticho totalitně konzumní bezdějinnosti. Cítíce se být politikou podvedeni, odvrátili se lidé od ní jako od celku. Zprotivily se jim i všechny ideologie, protože až příliš dobře mohli denně na vlastní kůži zakoušet, jak bídná skutečnost se může skrývat za jejich vznešenými floskulemi. Solidarita, donedávna tak silná, vyprchala; všechno prorostlo sobectvím; všude zavládl strach. Lidé mlčky přijali schizofrenní řešení životní rovnice, které jim bylo nabídnuto: navenek začali předstírat loajalitu a uvnitř přestali věřit čemukoliv.

Nebyla to jenom krize politická. Byla to krize mravní.

•

Otázka po smyslu Charty je víc než pochopitelná: dialog, který Charta nabídla společenské moci, tato moc nepřijala, odmítla s Chartou jednat a jejími návrhy se zabývat, prohlásila ji za sbor „zkrachovanců" a předala ji do rukou policie. Ale ani společnost se s ní nijak viditelně neidentifikovala: počet signatářů téměř neroste; žádná významnější sociální skupina se za Chartu jednoznačně nepostavila; neexistují žádné veřejné projevy sympatií k ní; spíš se zdá, že se jí lidé straní, bojí se s ní mít něco společného, ba že se o ni ani nezajímají. Jaké konkrétní úspěchy vlastně tedy Charta zaznamenala? Co se dík její práci vlastně změnilo k lepšímu? Neprohrála de facto svou věc?

Myslím, že na otázku po skutečném společenském smyslu Charty nelze správně odpovědět, aniž by byla předtím pochopena podstata situace, do níž Charta vstoupila, a podstata Charty samé, totiž to, čím vlastně je, oč jí samé jde, z čeho vznikla a co chtěla do obecné situace vnést.

Bez této přípravy by se hodnocení jejího smyslu mohlo podobat měření bez měřítka nebo měřítkem nepříslušným. Vzdálenost nelze měřit na kilogramy a váhu v metrech.

•

Zdůrazňovat mravní rozměr vlastního počínání je vždycky trochu nebezpečné: člověk se pak může snadno jevit jako domýšlivec nebo aspoň jako někdo, kdo nebyl obdařen dostatkem pokory a studu. Terén, na němž je nutno především smysl Charty hledat, nemůže však být bohužel správně vymezen, nebude-li – byť jen v zájmu pravdy a s chladnou věcností – objasněn právě mravní základ jejího působení. Nezbývá mi tedy, než riskovat nebezpečí, že se budu jevit jako domýšlivec.

Charta 77 nevznikla z touhy postavit proti jednomu politickému či ideologickému programu program jiný; nechtěla se stát politickou silou konkurující té, která vládne; nevystupuje jako lepší alternativa těch, kdož jsou u moci. Mezi jejími signatáři jsou sice také bývalí politici, mnozí z nich se dokonce politicky projevují, někteří by možná byli schopni v tom nepravděpodobném případě, že by jim k tomu běh událostí dal příležitost, participovat na politické moci. To ale nemění nic na tom, že Charta jako taková – aspoň co do svého vnitřního východiska – není pokusem o politické řešení krize. Lecjakému pozorovateli přicházejícímu z otevřené společnosti nebo ze společnosti méně demoralizované byl by takový pokus možná srozumitelnější. V případě Charty by byl ale výrazem beznadějného neporozumění situaci obecné i vlastní.

Jediným logickým a smysluplným východiskem občana z mravní krize společnosti je totiž *východisko mravní.*

Nejsem zdaleka první a asi také ne poslední, kdo Chartu interpretuje jako pokus o takovéto východisko. Hned v jejích počátcích ji tak nazíral už Jan Patočka. S jeho pohledem souzněla nebo z něho přímo vycházela i většina pozdějších reflexí a sebereflexí Charty.

•

Podstatu postoje Chartou ztělesňovaného pochopíme nejlépe na pozadí klimatu, z něhož Charta bezprostředně vyrostla.

V půli sedmdesátých let se začaly objevovat – arci, že zatím jen v prostředí jakýchsi „signifikantních menšin" – známky společenského probouzení: mnozí lidé se začínali vzpamatovávat z předchozího historického šoku; mnozí se začali konečně zbavovat svých reliktních iluzí a myslet vskutku svobodně; mnozí už byli tak říkajíc „unaveni ze své únavy" a začínali si uvědomovat, že nelze pořád jen čekat na to, až někdo jiný (shora? zvenčí?) zlepší poměry; mnozí už byli otráveni rolí věčně pasívních objektů dějin a pocítili potřebu stát se opět v určité míře jejich subjektem; mnozí se už dusili v zatuchlém ovzduší svého společenského úkrytu a pocítili znovu svou spoluodpovědnost za osud celku. Do uvědomělého věku vstupovali mladí lidé, kteří už nebyli traumatizováni zážitkem sovětské okupace. Různá dosud navzájem izolovaná a jaksi dovnitř sebe samých orientovaná skupenství zatoužila vykročit ven, za svůj dosavadní horizont, tedy do života veřejného. Probouzel se opět pocit solidarity a rostlo vědomí nedělitelnosti svobody: lidé si začli uvědomovat, že útok na svobodu jednoho je útokem na svobodu všech a dokud bude společnost rozdělena svou lhostejností a jedni budou mlčky přihlížet k perzekuci druhých, nevymaní se z obecné manipulace nikdo.

V roce 1976 byli uvězněni členové a spolupracovníci rockové skupiny The Plastic People of the Universe. Moc tím nezaútočila na své politické protivníky jako počátkem sedmdesátých let, ale přímo na sám život, totiž na jeho vůli svobodně, po svém, svéprávně a autenticky se projevit. Nebezpečnost tohoto útoku byla rychle a obecně nahlédnuta a solidární kampaň, která tehdy vznikla, byla jasným zrcadlem proměny, o níž mluvím, a materiálním důkazem všech jejích rysů od vůle různých seskupení překročit svůj vlastní stín až po prohlubující se vědomí nedělitelnosti svobody. Pohyb oněch „signifikantních menšin", který tehdy nastal, nevznikl z ničeho a náhle, ale byl jen logickou odpovědí probouzejícího se společenského vědomí na tento akt státní moci. Solidarizací s postiženými se ovšem probouzení jen dál urychlilo: bariéry byly překonány a rychle se rodila atmosféra širší pospolitosti.

Toto dění bezprostředně vyústilo do vystoupení Charty 77, v níž se spojili velmi různí lidé a velmi různé skupiny, aby v ní určitým způsobem fixovali a do podoby reálného společenského faktu proměnili vědomí vzájemné solidárnosti a své odpovědnosti za věci obecné.

Charta byla prvním důležitějším společenským vystoupením v Husákově éře. Spojili se v ní spisovatelé i bývalí politici, komunisté i nekomunisté, katolíci i protestanti, intelektuálové i dělníci, univerzitní profesoři i nekonformní mládež. Nespojili se na bázi politické, ale z důvodů niternějších. Spíš lidských než politických. Jejich společná pohnutka byla především mravní.

Bylo to přirozené a jen takto se to mohlo stát. Nebyl to výsledek chladnokrevné spekulace, opřené o politologickou analýzu situace. Tak mravní postoje nevznikají. Jejich podhoubím je spíš svědomí než rozum. Charta nevznikla z logické úvahy, ale z vnitřní logiky věcí, tj. z logiky situace i logiky lidské reakce na ni. Byla autentickou odpovědí občana na stav obecné demoralizace. Vznikla z touhy vzepřít se znemravňujícímu tlaku doby; odmítnout vnucovanou schizofrenii; překročit horizont osobních zájmů a osobního strachu; vystoupit ze zákopů soukromí a přihlásit se o účast na věcech veřejných; nechválit nadále šaty nahého krále, ale říkat naopak pravdu; chovat se zkrátka v souladu s vlastním svědomím a docela prostě se lidsky napřímit. Byl to pokus ponižovaného vztyčit hlavu, umlčovaného promluvit, obelhávaného vzbouřit se proti lži, manipulovaného vyprostit se z manipulace. Byl to pokus člověka naplnit práva, která mu přísluší, přihlásit se k odpovědnosti, která je mu upírána, nalézt opět svou lidskou důstojnost a integritu a obnovit tím úctu k sobě samému.

Dodnes mám v živé paměti projevy radostné úlevy, povznášejícího pocitu sebepotvrzení, ba až osvobodivé euforie, s nimiž mnozí signatáři kdysi Chartu pouepisovali. Jako by z nich náhle cosi tíživého spadlo, jakýsi krunýř, v němž se museli tak dlouho tísnit, jako by přímo ožili vědomím, že skončil čas ponížení a přetvářky.

Takové projevy nejsou jen okrajovými psychologickými nahodilostmi. Ilustrujíce, čím pro mnohé Charta je, vypovídají o pravé – totiž mravní – podstatě postoje, který představuje.

•

Co se tím vlastně v takovéto souvislosti myslí, říká-li se o něčem, že to má mravní podstatu či mravní původ?

V zásadě to znamená, že danou věc neděláme z pohnutek takzvaně „účelových", tedy z jistoty, že má šanci na brzký, bezprostředně zjevný, verifikovatelný (a tedy víceméně vnější) úspěch, ale prostě proto, že ji považujeme za dobrou. Mravní motiv nás nutí dělat dobré věci jako takové, kvůli nim samým a ze zásady. Je opřen o jinou jistotu než pohnutka „účelová": o naše bytostné přesvědčení, že dobré věci mají vždycky smysl. A zároveň samozřejmě o naši naději, že se tento smysl dříve nebo později – svým specifickým způsobem – projeví a potvrdí. Jsme si přitom plně vědomi rizika, že se to také stát nemusí; toto vědomí nás však není s to od našeho úmyslu odvrátit. Vnitřní jistota o smyslu takové věci je tedy jistotou, že má smysl riskovat i její eventuální neúspěch. Jinými slovy: mravní pohnutka nás nutí dělat určité věci bez ohledu na to, kdy, jak a zda vůbec povedou k úspěchu, tedy bez záruky, že se nám nějak – jakkoliv – vyplatí či zúročí.

Chartisté nejsou bloudi a nemysleli si tedy, že vláda s nimi začne okamžitě jednat a společnost se k nim ihned přidá a že se poměry v naší zemi začnou po jejím vystoupení rázem a viditelně měnit k lepšímu. Každý naopak počítal s tím, že ho sankce neminou.

Přesto svůj krok udělali. Udělali ho proto, že ho považovali za správný, a ve víře, že správnou věc má smysl udělat vždy a vždy existuje naděje, že dobrý vnitřní pocit z jejího udělání bude jednou doplněn i radostí z nějakého jejího vnějšího zhodnocení, byť jakkoli pozdního, nepřímého a nenápadného. Udělali to s vědomím, že existují věci, které stojí za to, aby pro ně člověk trpěl – abych citoval dnes už slavnou Patočkovu větu.

Chce-li pozorovatel Charty zkoumat její smysl přiměřeným způsobem, tj. na pozadí toho, oč jí samé jde, musí se ptát: je Charta skutečně aktem mravního napřímení? Odpoví-li si kladně, může teprve pátrat po jejím společenském smyslu. Musí po něm ovšem pátrat tam, kde ho jedině může nalézt: v oblasti *politického dosahu postoje mravního.* Tedy na daleko subtilnějším terénu, než na kterém netrpělivé oko politického pozorovatele obvykle hledá politický efekt činů politických.

Zkusme jít touto cestou.

Je Charta 77 skutečně aktem mravního napřímení?

•

Zkoumáme-li konkrétní práci Charty, to znamená především její dokumenty, záhy zjišťujeme, co je jejich nejcharakterističtějším rysem: že se tu hlásí o slovo člověk jakožto *občan* v plném a dobrém smyslu toho slova. Lze říct, že Charta je projevem probouzejícího se občanského vědomí, svědomí a sebevědomí. Občan se tu hlásí ke svým právům, jak jsou teoreticky deklarována a praxí potlačována, a tato svá práva naplňuje. Přestal se chovat jako poddaný a vzpamatoval se do své svobody.

Možná se to zdá být málo. Možná by leckdos raději viděl a snad i lépe chápal, kdyby Charta rovnou předkládala vlastní politický program.

Taková možnost je samozřejmě otevřena, kdokoli kdykoli se jí může chopit, Charta mu v tom nejen nebude bránit, ale naopak ho v jeho právu na takový krok podpoří. Její vlastní cíl je však jiný. Zdánlivě skromnější, v určitém ohledu však hlubší.

Politické programy mohou totiž vznikat, žít a zanikat, získávat i ztrácet podporu a reálně ovlivňovat situaci jen na půdě obnoveného občanství, tedy přesně na té půdě, kterou Charta vytváří. Vymýšlet, artikulovat a prosazovat nové politické programy nemůže poddajné stádo, ale jen svobodní a svéprávní občané; bez občanů není politiky. Dům je třeba stavět od základů, nikoli od střechy. Obnova občanství není odvar politiky, ale naopak její předpoklad.

Ale nejen to: zatímco politika se mění, naléhavost občanství jako předpokladu každé politiky trvá. Je to nárok nekončící, nevyčerpatelný, vždy aktuální a nedovršitelný: vyžaduje totiž odvahu, vůli k pravdě, svědomí, vnitřní svobodu a odpovědnost za věc celku. A kdy je možno prohlásit, že člověk míru těchto hodnot naplnil?

Lze říct v duchu úvah Ladislava Hejdánka, že cíle politiky jsou konečné a cíle Charty nekonečné.

Jsou nekonečné, protože jsou mravní.

Anebo není snad občanské napřímení jen tvarem, důsledkem a projevem napřímení mravního? Lze si ho vůbec představit bez mravní motivace? Vždyť být občanem v tom silném a závazném smyslu, v jakém ten nárok chápe Charta, znamená být bytostně otevřen větší odpovědnosti, než jaká se ještě vyplácí!

Myslím, že snadno prokazatelné každodenní úsilí Charty o radikální obnovu občanství už samo o sobě dostatečně potvrzuje, že podstata postoje, který Charta k veřejným věcem zaujímá, je skutečně mravní.

•

Charta 77 nemá v programu svržení vlády nebo destrukci existujícího společenského systému. Proto není také útokem proti danému právnímu řádu. Pokouší se obnovit občanství naopak tím, že žádá, aby zákony skutečně platily a byly dodržovány; že upozorňuje na jejich svévolnou mocenskou interpretaci; že chce, aby práva nebyla jen na papíře, ale aby byla respektována a naplňována i ve skutečnosti. Pokud nějaký zákon považuje za špatný, dožaduje se zákonnými prostředky jeho zákonné změny. Z toho vyrůstá i její vztah ke společenské moci: své dokumenty vytrvale adresuje a zasílá státním orgánům bez ohledu na jejich odmítavý postoj k ní a na to, že její dokumenty nejsou (oficiálně) projednávány.

Tohle počínání může snadno sklízet výhrady: nač jim deset let něco psát, když na to deset let neodpovídají? Není to jednání bezúčelné a tudíž nesmyslné? Nestvrzuje se tím vlastně jen moc těch, kteří nedbají mínění občanů, a neposiluje se tím iluze jejich legitimity? Nepodporuje se tím dojem, že klíč k jakémukoli zlepšení leží

„nahoře“, v rukách mocných, a že ti „dole“ nemohou nic? Není v tom prvek jakési pokrytecké hry na demokracii v poměrech veskrze totalitních? Netváříme se, jako bychom si mysleli, že „oni“ něco zlepší, zlepšit chtějí a na naše mínění dají, ačkoli dobře víme, že si dělají, co chtějí, a že mimo síly na ně nic neplatí?

Z politického nebo politicko-pragmatického hlediska se to tak může nepochybně jevit. V perspektivě založené na vůli porozumět politickému efektu jednání mravního se to tak nejeví: jestliže z hlediska dne a okamžitého účelu se tu zdá být stvrzována moc alegi - timita vládců, z hlediska dějinné budoucnosti a zásad, které platí pořád, je tu stvrzováno naopak *občanské vědomí.* Vláda se změní, právní řád se změní, ba i společenský systém se může změnit. Co však platí stále a nikdy neztrácí svou naléhavou aktuálnost, je princip, že občan – zásadně – má přijímat spoluodpovědnost za osud celku a v jejím duchu si počínat: znovu a znovu, bez ohledu na momentální protivenství (i když způsobem přiměřeným povaze doby), říkat nahlas pravdu; seznamovat s ní ostatní i moc; žádat od moci, aby této pravdy dbala; a tím vším otevírat – ať už v tom kterém okamžiku s úspěchem menším či větším – *prostor veřejné demokratické diskuse* a zpřítomňovat, připomínat a posilovat princip společenské účasti na správě věcí veřejných a práva všech občanů na tuto účast.

Úkolem Charty není posuzovat osoby vládců, ale nastavovat zrcadlo poměrům a naplňovat tím základní a všechny osoby přežívající právo občana.

Tedy opět: proti konečnosti politické otázky, zda právě této vládě má cenu něco psát a posílat, stojí nekonečnost mravní zásady, že naše společné věci musí být opravdu našimi společnými věcmi. Čili: chovat se jako svobodní občané, vědomí si svého práva i své povinnosti „mluvit do toho“, má vždy znovu a pořád a donekonečna a ze zásady smysl. Bez ohledu na to, jakou rychlostí a zda vůbec se v tom kterém okamžiku vkrádá tento model chování do obecné mysli.

•

Nemohu tu a nejsem ani odborně způsobilý hodnotit věcný obsah stovek dokumentů, které Charta 77 za deset let své existence vydala. Vím však, že i když se jí možná nepodařilo vždy dobře vystihnout problém, jímž se zabývala (bylo by proti přírodě, kdyby se nikdy nemýlila), jedno zůstává nesporné: ve svých dokumentech byla vždy vedena dobrou vůlí podat pravdivý obraz daného tématu.

I ten nejlepší politik musí občas přizpůsobovat – byť jakkoli málo a jakkoli bezděčně – svou interpretaci společenských jevů určité mocenské perspektivě, vyplývající z určitého mocenského zájmu. Charta naopak, dík tomu, že její cíl není politicko-mocenský, může svobodně usilovat o *pravdu vskutku nepředpojatou*. Tedy o pravdu, která se neohlíží na to, v čí prospěch či neprospěch vyznívá.

Pravda celá a úplná patří, jak známo, do říše nedosažitelného. Je-li Charta přesto rozhodnuta jít veskrze nepraktickou a netaktickou cestou hledání nepředpojaté pravdy, pak to je opět jen projev její mravní orientace a bytostné nekonečnosti cílů z této orientace vyplývajících: je-li hledání pravdy zásadně správné a má-li tedy ze zásady smysl, pak ho nelze ze zásady žádnými časnými ohledy omezovat.

I tohle vyvolává občas rozpaky: leckdos se domnívá, že kdybychom byli tu a tam k nějaké politické síle či autoritě loajálnější, mohlo by být naše působení politicky efektivnější. Je to možné. Jenomže takovou loajalitou by se Charta zpronevěřovala sobě samé. Nelze zaujímat určitý postoj a zároveň odmítat jeho přirozené důsledky.

•

Zmínil jsem se už o tom, že Charta vznikala mimo jiné z vědomí *nedělitelnosti svobody a práva*.

Tento princip je přirozeným předpokladem, součástí i důsledkem každé obnovy občanství: nelze být občanem (aspoň v demokratickém a silném významu toho pojmu) a zároveň jiným v tom zabraňovat; v úsilí naplnit své vlastní právo na občanství je bytostně přítomen respekt k témuž právu pro ostatní; je-li jediný člověk tohoto práva zbaven, je okleštěno všem. To znamená, že občané si jsou – jako občané, tj. před zákonem, společností i mocí – principiálně rovni; nikdo nemá z titulu svého přesvědčení, víry, původu, pohlaví, sociální či zájmové příslušnosti a podobných atributů apriorně větší nebo menší práva a povinnosti než kdokoliv jiný. Jak je kdo naplní či jak se jim zpronevěří, jak tedy na tuto rovnost šancí odpoví, záleží už především na něm.

Z této zásady vyrůstá také *pluralita* Charty jako její vnitřní princip i obecný ideál (respektive jako obecný ideál promítnutý i „dovnitř"). Má-li v ní někdo v tu kterou chvíli slyšitelnější hlas než někdo jiný, pak pouze dík povaze své konkrétní práce a svého osobního nasazení, a nikoli dík tomu, že přísluší k té či oné duchovně nebo politicky nebo jinak vyhraněné skupině. Jeho autorita je tedy podmíněná a tak říkajíc „propůjčená", nevyplývá z žádného jiného výběrového principu.

Charta není koalice. Nepodobá se například poválečné Národní frontě, která byla de facto mocenským souručenstvím některých, vylučujícím z politiky apriorně jiné. Charta není společenství uzavřené, ale otevřené. Podepsat ji může kdokoliv a je pouze na něm, jak dostojí závazku, který podpisem na sebe vzal.

Tato radikální otevřenost, rovnost a ovšem tolerance, z které vyrůstají a kterou prohlubují, představují fenomén v československých moderních dějinách ojedinělý. Z okamžitého hlediska se nemusí nijak důsažněji zhodnocovat. Jeho mravní a tudíž i potenciálně politický význam tím ale umenšen není: i když reálně omezen rámcem daného společenství, zpřítomňuje obecný ideál a vyzařuje tudíž daleko za své hranice, aby se posléze ukládal do společenského vědomí a paměti jako svého druhu precedens: je to příklad, výzva a zkušenost, u nichž zatím nelze odhadnout, jak na ně budoucnost odpoví. Poprvé tu vlastně bylo – byť jen na malém modelu – demonstrováno, že i v našich podmínkách je možná důsledně demokratická spolupráce všech. A i kdyby zítra Charta 77 přestala existovat, nebude asi možné tuto zkušenost z obecné paměti vytěsnit.

Jak patrno, ani tento přínos Charty nelze změřit běžnými politickými měřítky. To ale neznamená, že neexistuje.

•

Politik přesvědčuje občany o správnosti své koncepce, získává je, nabádá a přesvědčuje, slibuje jim to či ono, zahrnuje je návody a výzvami, ba někdy i příkazy a hrozbami, shromažďuje je a organizuje, žádá o hlasy, podporu, důvěru a věrnost.

Nic z toho Charta nedělá, ba ani nové signatáře nesháni. Podepsat ji sice může kdokoliv a kdykoliv, nábor ale není podnikán nikdy a nikde. Charta nikoho k ničemu nenutí, nenabádá ani nevyzývá. Nepokouší se poučovat. Za nikoho jiného nevystupuje. A nikomu nezazlívá, že ji nepodporuje.

Pokud je přesto výzvou k ostatním, pak pouze *výzvou nepřímou*. To, co dělá, dělá sama za sebe a na své vlastní riziko, svým příkladem nejvýš připomíná, co dělat lze. Totiž že i v těch nejtěžších podmínkách se můžeme chovat jako občané, hlásit se o svá práva a zkoušet je naplňovat. Že i tam, kde vládne institucionalizovaná lež, může občan říkat pravdu. Že svou spoluodpovědnost za osud celku může přijmout každý a bez pokynu shora. Že zkrátka každý můžeme začít sám u sebe a ihned.

Opravdu: ctižádostí Charty není vykázat se co největším počtem stoupenců, seřadit je v nějaký šik, opřít o jejich množství svou autoritu a pak je někam vést.

Zahraniční novináři mi občas říkají, že Charta přece nemůže mít valný společenský význam, když je chartistů tak málo. Připomíná mi to slavnou Stalinovu otázku, kolik má papež divizí. Nemíním nás pochopitelně srovnávat s Vatikánem, chci jen zdůraznit, že eventuální síla Charty – podobně jako i ostatních analogických hnutí v sovětském bloku – je v něčem jiném než v množství.

Ctižádostí Charty je jednat podle vlastního svědomí a přesvědčení a naznačit tím ostatním, že i oni takovou možnost mají. Připomenout jim jejich vlastní důstojnost. Připomenout jim pravdu.

Charta se nedomnívá, že její způsob práce je jediný možný a nejlepší a že by ji všichni měli napodobovat. Je věcí každého, jak její nepřímý apel přijme, pokud ho vůbec přijme, jak si ho vyloží a jakým způsobem nebo k čemu se jím ve své vlastní situaci bude eventuálně inspirovat. Vše dobré, co udělá kdokoliv pro společnost, bude dobré i pro Chartu. Nejde jí totiž o sebe, ale o věc obecnou. Její věcí je věc všech.

Už proto není správné její význam posuzovat podle toho, jak se jí jako takové vede nebo jakou má „pozici". Rozhodující je, jakou „pozici" získají ve společnosti zásady, v jejichž duchu se ona sama snaží působit.

•

Snad je z toho všeho patrné, kde je asi třeba především význam desetiletého působení Charty 77 hledat: v těžko zmapovatelné *oblasti společenského vědomí* a podvědomí, v oněch skrytých pohybech obecné mysli a obecného mravního cítění, které si mnohdy ve shonu každodenního života a bez možnosti nějakého ostrého srovnání s předchozími poměry neuvědomujeme. A ovšem i v některých viditelných stopách těchto neviditelných pohybů.

Totalitní poměry noří celou tuto oblast do zvláštního příšeří. Právě proto je ji však dobré zkoumat.

Každá moc je mocí nad někým, a byť by byla sebetotálnější, nikdy není tvořena jen sama sebou jako něčím, co se vznáší kdesi mimo tento svět, ale vždycky do jisté míry i těmi, nad nimiž je. Mezi mocí a společností probíhá tisíce složitých interakcí a je uzavíráno bezpočet tajných dohod; odehrává se tu komplikované drama vzájemných tlaků a ústupků. V tom typu totalitního systému, v němž žijeme, má toto dění svůj zvláštní ráz a zesílený význam: jde totiž o systém, který není založen jenom nebo hlavně na přímých mocenských nástrojích a který tedy zdaleka není jen nějakou sice bezuzdnou, ale zato celkem prohlédnutelnou nadvládou jedněch nad druhými. Naopak: k určité míře poslušné účasti na výkonu totalitní moci jsou vlastně přinuceni všichni, dík čemuž je odpovědnost této moci vysoce zanonymizována. Každý je částí své bytosti ujařmeným poddaným, bojícím se těch nad sebou, a každý je zároveň jinou částí sebe sama vystrašeným ujařmovatelem těch pod sebou. Totalita tak strhává do svých spirál celou společnost nikoli pouze jako svou oběť, ale i jako svého tvůrce; každý se navenek na běhu totalitní mašinérie v té či oné míře podílí a každý se zároveň proti ní v té či oné míře vnitřně bouří. Hranice mezi mocí a bezmocí prochází každým člověkem. Každý je zároveň vězněm i vězeňským strážcem.

Je to situace veskrze dvojsečná. A pro totalitní moc samu velmi nebezpečná. Posiluje sice její všudypřítomnost, zároveň však – paradoxně – posiluje všudypřítomnost toho, co chce tato moc potlačit: svébytných intencí života, otevřených pravdě a toužících po svobodě. Tyto intence jsou sice skryty, regulovány a cenzurovány, nicméně vědí o sobě a už tím, že se reflektují jako bezmoc, ohrožují moc. Tím, že byla tak bezbřeze rozšířena sféra identifikace s mocí, byla neobyčejně rozšířena i sféra identifikace s bezmocí. Zrušením integrálních poddaných byli zrušeni i integrální vládcové. Ovládaní jsou rozleptáni mocí a vládci bezmocí. Konkrétněji řečeno: nikdy nepodporovalo částí svých každodenních výkonů centrální moc tolik obyvatel – a nikdy jich zároveň nebylo skrytě tolik proti ní. Každý dělá, co má dělat, ale každý si přitom myslí své. Tato schizofrenie štěpí vedví i mnohé z nejvyšších držitelů moci.

Skutečné intence života, byť tak všestranně spoutány, prorůstají tedy zevnitř a tiše celou mocenskou strukturu a svým tichým všudypřítomným tlakem poznamenávají její tvář. Moc se přizpůsobuje společnosti, protože společnost – jsouc do ní tak obsáhle zapletena – ji přizpůsobuje nenápadně sobě. Velice zvolna a mnohdy dost problematicky vyvlastňuje tak posléze společnost moci kus její moci. Už proto je mimořádně důležité, co se děje pod jejím apatickým povrchem.

Ale nejen proto: nerealizovaný potenciál lidské a společenské svébytnosti, a tedy i potenciál obecné nespokojenosti se za této situace nehromadí už jen někde ve sklepeních, kde může být jeho případný výbuch snadno potlačen, ale všude, tedy ve všech patrech domu. Nejistota o formách, průběhu a účincích eventuální exploze tím pochopitelně jen dál roste.

Jak vidět, bylo by velkou chybou podceňovat neviditelné dění v duši společnosti a zcela zvláštní politický význam, který v něm za jistých okolností nabývají (v poměrech, které de facto zrušily politiku) jevy a činy mravní nebo vůbec existenciální (čili „předpolitické").

•

Vraťme se však k Chartě 77.

Jsem pevně přesvědčen – a tisíceré větší i drobné zkušenosti obecné i osobní mne v tom znovu a znovu utvrzují – že vstup Charty do vědomí společnosti je nepoměrně hlubší a významnější, než by se dalo vyvozovat z toho, kolik lidí ji podepisuje nebo za ni demonstruje.

Především: ačkoli se ji státní moc už tolikrát nejrůznějšími způsoby pokoušela pohřbít, Charta stále existuje – a existuje tak silně, že dnes se ji už nikdo pohřbít vážněji nepokouší. Jinými slovy: moc si na Chartu musela zvyknout. Tím spíš si na ni ovšem zvykla společnost. Údajná banda zkrachovanců si tedy za cenu spousty absolvovaných protivenství vydobyla své právo na existenci. Dnes je Charta pevnou složkou společenského života v naší zemi, těžko už od něho odmyslitelnou – a to navzdory svému prapodivnému postavení státem tolerovaného společenství státem deklarovaných nepřátel. Nebylo by to možné bez tichého respektu, který má u společnosti, veřejné podpory, které se těší v zahraničí, a k tomu (ale nejen k tomu) přihlížejícího přísně skrývaného respektu státní moci.

Existence bez obsahu a identity by ovšem ještě mnoho neznamenala, pokud by byla vůbec možná.

Identitu Charty v obecném povědomí zakládají podle mého názoru hlavně dvě věci:

1. Charta mluví *pravdu*. To ví dnes u nás každý, bez ohledu na to, jaký význam tomu přisuzuje. Ví to obyvatelstvo, ví se to v zahraničí a ví to vláda. Vláda navíc ví, že to ví obyvatelstvo a zahraničí, což ji nutí tu a tam nějak jednat. Dokumenty Charty znají občané sice většinou jen z vysílání zahraničního rozhlasu, ale i to dnes stačí: jeho poslech je natolik rozšířen, že může základní povědomost o Chartě dávat.

2. Charta je dnes – poté, jaký postoj k ní moc zaujala – východiskem krajním a těžko obecně přijatelným a následovatelným. Prá-

vě proto však tvoří – aniž o to programově usiluje a aniž to je vždy vědomě vnímáno – jakýsi *mravní horizont,* na jehož pozadí se lze tak či onak (třebas i zcela kontrastně!) vymezovat; je jakýmsi mezním úběžníkem, k němuž se lze z každého místa vztahovat, aniž by bylo nutné s ním splynout. Tím obnovuje určitý souřadnicový systém, vytváří měřítka, nabízí pevný bod, od něhož lze odměřovat různá postavení. (Mnohokrát jsem se setkal s tím, že lidé, kteří se v té či oné míře přizpůsobují moci, zdůrazňují, že nebýt Charty, přizpůsobili by se jí daleko víc.) Lidé cítí Chartu tak říkajíc v zádech. Pro mnohé je navíc zdrojem uklidňující jistoty, že kdyby se dostali do konfliktu se svévolí moci a všechno selhalo, zůstává tu instance, u níž naleznou zastání. Představa, že byly doby, kdy Charta neexistovala, vyvolává dnes pocit vakua a totální relativity všech občanských hodnot.

Existují samozřejmě četné už docela faktické výsledky tohoto působení, od občasných pokusů vlády řešit – jakoby náhodou – problémy, na které předtím Charta upozornila, přes nebývalý rozvoj nezávislé kultury, kterému Charta otevřela prostor a který svým tělem hájí, přes nejrůznější drobné příznaky společenské emancipace v rámci existujících struktur až po obavy státní moci z mezinárodní kritiky, která ji může postihnout za bezpráví a nepořádky Chartou zveřejněné (jako určitý nástroj nezávislé kontroly moci Charta tedy přeci jen funguje).

Tyto věcné úspěchy nepřeceňuji a zmínil jsem se o nich jen jako o oněch „viditelných stopách“, které potvrzují existenci „neviditelných pohybů“ v tajných cévách dobové senzibility. Tedy toho, oč především běží.

Těžko bude kdy přesně zjistitelné, jaké všechny procesy v těchto sférách Charta svým katalytickým působením vyvolala či urychlila a k čemu všemu vedly. Neurčitostí těchto svých výsledků se ovšem trápit nemusí: jak je snad zřejmé ze všeho, co tu bylo řečeno, svůj smysl neodečítá ze seznamu svých ověřených úspěchů. Kdyby byla na něm závislá, asi by už neexistovala.

•

První půle sedmdesátých let, tato doba obecné letargie a šedivé pustoty, kdy se zdálo, že celé zemi už je všechno jedno, se vyznačovala zvláštní bezdějinností: střídající se dny a léta si byly podobné jako vejce vejci; biologický čas jako by běžel, ale čas společenský stál; nic jako by se nedělo samo od sebe a samo za sebe: dělo se jen to, co bylo předvídatelně naplánováno – a to byla jen atrapa dění.

Pocit, že se dějiny zastavily, míváme tehdy, kdy zmizí přirozená pluralita relativně samostatných subjektů společenského rozhodování, a tím i těžko předem prohlédnutelná hra jejich vzájemných vztahů. To znamená tehdy, kdy se centralistické moci podaří sebe samu udělat jediným subjektem všeho rozhodování. V takových situacích mizí základní předpoklad dějinnosti: otevřený konec.

Charta 77 byla prvním samostatným společenským subjektem vedle centrální moci, který se tu po letech objevil. Okamžikem jejího vystoupení se opět rozběhla hra živoucích vztahů – mezi státem a Chartou, společností a Chartou, státem a společností.

Tělo, které se zdálo být mrtvé, projevilo najednou známky života.

Dějiny se vracely mezi nás.

Konec se opět otevřel.

•

Možná ho znovu někdo násilně uzavře. Možná všechno nadějeplné, co se objevilo, opět někdo udusí a příslib dějin opět vypudí z této země. Možná se snažení Charty 77 v nic smysluplného nepromění. Možná i to málo, co se už stalo, vymizí; možná se i ty skryté pohyby, které Charta urychlila, opět zpomalí. Možná o nás bude za čas vědět jen několik zájemců o historické kuriozity. A možná se zapomene vůbec...

Nevěřím tomu moc, ale ani takovou možnost nemohu vyloučit.

Nejpodivnější na tom je, že i kdyby se to skutečně stalo, neodcházeli bychom z tohoto strastiplného světa s pocitem, že jsme dělali úplně zbytečné věci.

(červenec 1986)

PŘÍBĚH A TOTALITA

Jeden můj přítel, těžký astmatik, byl odsouzen z politických důvodů k několikaletému vězení, kde trpěl velice tím, že jeho spoluvězni na cele kouřili a on nemohl dýchat. Všechny jeho žádosti o přeložení mezi nekuřáky zůstaly nevyslyšeny. Bylo vážně ohroženo jeho zdraví, ba možná i život. Jistá Američanka, která se o tom dozvěděla a chtěla mu nějak pomoct, zatelefonovala svému známému, redaktorovi významného amerického deníku, a zeptala se ho, zda by o tom něco nenapsal. Redaktor jí odpověděl: „Zavolej mi, až ten člověk umře".

Je to příhoda sice šokující, ale v jistém smyslu srozumitelná: noviny potřebují „story". Astma není story. Story by z toho mohla udělat smrt.

●

V Praze je trvale akreditován jediný západní agenturní novinář. V Libanonu, zemi nepoměrně menší než Československo, jsou novinářů stovky. Pochopitelně: zatímco tady se takzvaně „nic neděje", Libanon je země plná příběhů. Je to ovšem i země vražd, války a smrti. Ale to spolu souvisí: odnepaměti je základním úběžníkem každého skutečného příběhu smrt.

Jsme na tom podobně jako můj přítel: nezasluhujeme pozornost, protože nemáme příběhy a smrt. Máme jen astma. A koho by bavilo poslouchat náš stereotypní kašel?

Nelze přece donekonečna psát o tom, že se někomu špatně dýchá.

●

Netrápí mne, že tu neřádí teroristé, že se tu lidé nevraždí na ulicích, že tu nejsou velké korupční aféry, ani bouřlivé demonstrace a stávky.

Trápí mne něco jiného: že ta zarážející absence efektních story, o nichž by světové noviny mohly psát, tu zdaleka není projevem nějaké společenské harmonie, ale jen vnějším důsledkem velmi nebezpečného hlubinného procesu: ničení „příběhu vůbec". Téměř denně jsem nucen si v nějaké souvislosti uvědomovat dvojsmyslnost společenského klidu, který je v podstatě jen viditelným projevem neviditelné války totalitního systému s životem.

Není tedy pravda, že se tu neválčí a nevraždí. Zdejší války a vraždění mají jen jinou podobu: ze sféry pozorovatelných životních a společenských dějů jsou přesunuty do šera jejich nepozorovatelné vnitřní destrukce. Jedinečnou, absolutní, tak říkajíc „klasickou" smrt příběhů (při vší své hrůze vždycky ještě nějak záhadně schopnou dávat lidskému životu smysl) jako by zde vytlačovala pomalá, nenápadná, sice nekrvavá a nikdy zcela absolutní, zato však děsivě všudypřítomná smrt „ne-dění", „ne-příběhu", „ne-života" a „ne-času". Jakési podivné kolektivně smrtící – nebo přesněji: umrtvující – sociální a historické znicotnění. Toto znicotnění ruší smrt jako smrt, a tím i život jako život: život člověka se mění v jednotvárné fungování součástky velkého stroje a jeho smrt v její vyřazení z provozu.

Vše nasvědčuje tomu, že tento stav je bytostným projevem vyzrálého a stabilizovaného totalitního systému, ba že vyrůstá přímo z jeho podstaty.

●

Západní návštěvníci bývají šokováni, že Černobyl a AIDS tu nejsou zdrojem hrůzy, ale námětem vtipů.

Přiznám se, že mne to nepřekvapuje: jsouc dokonale nehmotné, je totalitní znicotnění na jedné straně ještě neviditelnější, všudypřítomnější a nebezpečnější než virus AIDS nebo černobylská radioaktivita, na druhé straně se – paradoxně – dotýká každého z nás ještě „fyzičtěji", intimněji a naléhavěji (víme o něm z každodenní a veskrze osobní zkušenosti, nikoli tedy jen z novin nebo televize). Lze se za těchto okolností divit, že méně zákeřná a méně intimní ohrožení jsou odsouvána do pozadí a žertuje se o nich?

Neviditelnost tu triumfuje ovšem ještě z jiného důvodu: destrukce příběhu je destrukcí základního nástroje lidského poznání a sebepoznání. Totalitní znicotnění odnímá tudíž lidem „zvenčí" možnost, aby je vůbec zpozorovali a pochopili. Člověk má vlastně jen dvě alternativy: na vlastní kůži je zakoušet, anebo o něm nic nevědět. Referovat o sobě toto ohrožení nedovoluje.

Zahraniční turista tu může mít proto zcela legitimní dojem, že se octl jen v jakémsi chudším a nudnějším Švýcarsku; tiskové agentury mají legitimní důvod rušit své zdejší filiálky: nikdo na nich přece nemůže chtít, aby referovaly o tom, že není o čem referovat.

Pokusím se o několik poznámek na téma původu a povahy našeho astmatu.

Pokusím se naznačit, že mizení příběhu z tohoto kouta světa je také příběhem.

•

V padesátých letech byly v naší zemi ohromné koncentrační tábory a v nich desetitisíce nevinných lidí. Na stavbách mládeže se přitom hemžily desetitisíce nadšenců nové víry, zpívajících budovatelské písně. Mučilo se a popravovalo, dramaticky prchalo za hranice, konspirovalo – a zároveň se psaly oslavné básně na hlavního diktátora. Prezident republiky podepisoval rozsudky smrti nad svými nejbližšími přáteli, přitom ho ale kupodivu bylo možné potkat občas na ulici.

Zpěv idealistů a fanatiků, řádění politických zločinců a utrpení hrdinů patří odnepaměti k dějinám. Padesátá léta byla sice zlá doba, ale takových dob bylo v historii lidstva mnoho. Stále to ještě šlo k těmto dobám přiřadit či aspoň s nimi srovnávat; pořád to ještě nějak připomínalo dějiny. Neodvažoval bych se říct, že se v té době nic nedělo, nebo že neznala příběh.

Základní programový dokument politické moci, instalované v Československu po sovětské invazi v roce 1968, se jmenoval *Poučení z krizových let*. Bylo v tom cosi symbolického: tato moc se skutečně poučila. Zjistila, kam to může vést, když pootevře dveře pluralitě názorů a zájmů: k ohrožení samotné její totalitní podstaty. Takto poučena rezignovala na vše kromě své vlastní sebezáchovy: všechny mechanismy přímé i nepřímé manipulace života se začaly jakýmsi samospádem rozrůstat do dosud nevídaných podob; nic už nesmělo být ponecháno náhodě.

Posledních devatenáct let v Československu může sloužit jako téměř školský příklad vyzrálého či pozdního totalitního systému: revoluční étos a teror vystřídala tupá nehybnost, alibistické opatrnictví, byrokratická anonymita a bezduchý stereotyp, jejichž jediným smyslem je být stále lépe tím, čím jsou.

Ztichl zpěv nadšenců i křik mučených; bezpráví si obléklo rukavičky a přestěhovalo se z pověstných mučíren do vypolstrovaných kanceláří anonymních byrokratů. Prezidenta republiky lze zahlédnout nanejvýš za neprůstřelnými skly jeho auta, když se v něm řítí obklopen policejním konvojem uvítat na letiště plukovníka Kaddáfího.

Pozdně totalitní systém se opírá o tak rafinované, komplexní a mocné manipulační nástroje, že nepotřebuje vrahy a vražděné. Tím méně potřebuje zapálené budovatele utopií, zneklidňující svými sny o lepší budoucnosti. Pojem „reálný socialismus", který si tato éra pro sebe vymyslela, naznačuje, pro koho v ní není místo: pro snílky.

●

Východiskem každého příběhu je, jak známo, událost. Událost – jako vpád jedné „logiky" do světa „logiky" jiné – zakládá pak to, z čeho každý příběh vyrůstá a čím se živí: situaci, vztah a konflikt. I příběh má ovšem svou „logiku", je to však logika dialogu, střetání a vzájemného působení různých pravd, postojů, myšlenek, tradic, vášní, lidských bytostí, vyšších mocností, společenských pohybů a podobně, tedy více svéprávných či samostatných a vzájemně se předem nedeterminujících sil. Základním předpokladem příběhu je tedy pluralita pravd, „logik" a subjektů rozhodování a jednání. Logika příběhu se podobá logice hry: je logikou napětí mezi známým a neznámým, pravidlem a náhodou, nutností a nepředvídatelností (například nepředvídatelností toho, co vyvolá konfrontace nutností různého řádu). Nikdy předem s určitostí nevíme, co z výchozí konfrontace vzejde, co do ní ještě vstoupí, jak vyústí či dopadne; nikdy není předem jasné, kterou z potencialit jednoho z „hráčů" probudí a k jakému činu ho přiměje ten či onen čin „protihráče". Už proto je bytostnou dimenzí každého příběhu tajemství. Příběhem k nám nepromlouvá určitý subjekt pravdy, ale zjevuje se jím lidský svět jako vzrušující prostor styku mnoha takových subjektů.

Základním pilířem soudobého totalitního systému je existence jediného, centrálního a monopolního subjektu veškeré pravdy i moci (jakéhosi institucionalizovaného „rozumu dějin"), který se stává zcela přirozeně i jediným subjektem všeho společenského dění. Toto dění přestává být prostorem konfrontace různých víceméně svéprávných subjektů a mění se v pouhé vyjevování a naplňování pravdy a vůle subjektu jediného. Ve světě ovládaném tímto principem není místa pro tajemství; majetnictví kompletní pravdy znamená, že se všechno ví předem. A kde se všechno ví předem, nemá z čeho vyrůst příběh.

Jak patrno, totalitní systém je ze samé své podstaty (totiž z podstaty svého základního principu) orientován „protipříběhově".

•

S destrukcí příběhu mizí nutně i pocit dějinnosti: první půli sedmdesátých let v Československu mám osobně v paměti jako dobu jakéhosi „zastavení dějin“: veřejné dění jako by ztratilo strukturu, spád, směr, napětí, rytmus a tajemství; nevím, co bylo dřív a co později, čím se jeden rok lišil od druhého, co se vlastně dělo, a zdá se mi, že to je celkem jedno: spolu s nepředvídatelností se vytrácí i sám pocit smyslu.

Dějiny byly nahrazeny pseudodějinami, rytmizovanými kalendářem výročí, sjezdů, oslav a spartakiád. Tedy přesně tím druhem umělého dění, které není otevřenou hrou konfrontujících se subjektů, ale jednorozměrným, průhledným a veskrze předvídatelným sebevyjevováním (a sebeoslavováním) jediného centrálního subjektu pravdy a moci.

A jelikož lidský čas lze zakoušet jedině skrze příběh a dějiny, začala mizet i sama zkušenost času: zdálo se, že čas stojí na místě nebo se točí v kruhu, zdálo se, že se rozpadá do tříště zaměnitelných okamžiků. Běh věcí, nesměřující odnikud nikam, ztrácel povahu příběhu, a tím i hlubší smysl; ztráta horizontu dějinnosti znesmyslnila život.

Totalitní moc vnesla byrokratický „pořádek“ do živoucí „nepořádnosti“ dějin, čímž je jako dějiny umrtvila.

Vláda tak říkajíc zestátnila čas. Dík tomu ho potkal smutný osud mnoha jiných zestátněných věcí: začal odumírat.

•

Jak jsem už naznačil, z Československa už dávno vyprchal revoluční étos; nevládnou tu fanatici, revolucionáři nebo ideologičtí nadšenci; naše země je spravována beztvářnými byrokraty, kteří se sice verbálně hlásí k revoluční ideologii, ve skutečnosti se však starají jen sami o sebe a nevěří na nic. Původní ideologie je pro tuto moc už dávno jen zformalizovaným rituálem, umožňujícím jí legitimovat se v prostoru i čase a poskytujícím její vnitřní komunikaci jazyk.

Přesto nese kupodivu tato ideologie teprve dnes své nejdůležitější plody; její vpravdě hlubinné důsledky jako by se teprve teď začaly vyjevovat v celé své šíři.

Jak si to vysvětlit?

Jednoduše: stářím a hluboce konzervativní (ve smyslu konzervující) povahou systému: oč vzdálenější je původnímu revolučnímu vzmachu, o to otročtěji se drží jako své jediné jistoty v nejistém světě všech svých konstitutivních principů, aby je svým tupým samopohybem pomalu, bezduše a nezadržitelně proměňoval v obludnou skutečnost. Nepřetržité upevňování, rozvíjení a zdokonalování totalitních struktur už dávno slouží jen pusté mocenské sebezáchově, právě proto je však tou nejlepší zárukou, že i to, co bylo v původní ideologii jen skrytě geneticky zakódováno, může nerušeně a naplno rozkvést. Fanatika, který by mohl ohrožovat tento samopohyb nevyzpytatelností svého zápalu pro „vyšší věc", vystřídal byrokratický pedant, jehož spolehlivá nenápaditost je ideální strážkyní duchaprázdné kontinuity pozdně totalitního systému.

Myslím, že fenomén totalitního znicotnění je jedním z oněch pozdních plodů odkvetlé ideologie.

Totalitní systém totiž nespadl z nebe jako nějaká čistá „struktura o sobě". A není rovněž dílem zvrhlíka, který ukradl chirurgický skalpel určený k vyoperování nádoru z těla nemocného a začal jím zabíjet zdravé lidi.

Stačí, když se prodereme předivem různých dialektických kliček, a zjistíme, že zárodek znicotnění dříme už v samotném východisku ideologie, na níž je tento systém založen, totiž v jejím sebevědomém přesvědčení, že pochopila kompletně svět a odhalila jeho pravdu. A jsou-li hlavním terénem její sebejistoty dějiny, jaký div, že její znicotňující intence nejzřetelněji vyzařují z jejího přístupu k nim?

Začalo to výkladem dějin z jejich jediného aspektu, absolutizací tohoto aspektu a posléze redukcí veškerých dějin na něj: jejich vzrušující mnohotvárnost byla nahrazena přehlednou hrou „historických zákonitostí", „společenských formací" a „výrobních vztahů", tak lahodící pořádkumilovnému oku scientisty. Tato hra ovšem postupně vytlačila z dějin přesně to, co strukturuje lidský život, čas a tudíž i samy dějiny, totiž příběh; příběh pak s sebou odnesl do říše bezvýznamného i oba své základní póly: jedinečnost a bytostnou mnohoznačnost. A jelikož tajemství příběhu je jen artikulované tajemství člověka, začaly dějiny ztrácet lidský obsah. Jedinečnost lidského tvora se stala pouhou ozdobou historických zákonů a napínavost konkrétních dějů byla vypuzena do sféry nahodilého, a pozornost vědy tudíž nezasluhujícího. Dějepis se proměnil v nudu.

Znicotnění minulosti znicotnilo budoucnost: když do ní byly promítnuty „historické zákonitosti“, bylo rázem zřejmé, co bude a co být musí. Jas této jistoty spálil samu podstatu budoucnosti: její otevřenost. Projektem pozemského ráje jako konečného cíle dějin, odstraňujícího společenské konflikty, špatné lidské vlastnosti a snad i všechno lidské hoře, vyvrcholilo dílo zkázy: společnost zkamenělá do pomyslu věčné harmonie a člověk do sochy trvalého majitele štěstí se stali tichými dovršiteli intelektuální exekuce dějin.

Ostatně vydávajíc se za nástroj konečného návratu dějin k sobě samým, sama ideologie svou ničivost bezděky přiznává. Skrze ni si prý dějiny konečně porozuměly, skrze ni pochopily, kam míří a jak tam nadále mířit musí: pod jejím vedením. Ideologie tedy odhalila historickou nutnost toho, co se má stát, a zároveň historickou nutnost sebe samé jako toho, kdo přichází tuto nutnost naplnit. Čili: dějiny nalezly svůj definitivní smysl. Mají ale ještě nějaký smysl dějiny, které nalezly svůj smysl? A jsou to vůbec ještě dějiny?

Ideologie, založená údajně na autoritě historie, se stává největším nepřítelem historie.

Je to nepřátelství oboustranné: jestliže ideologie ničí dějiny tím, že je kompletně vysvětluje, pak dějiny ničí ideologii tím, že probíhají jinak, než jim předepsala.

Ideologie ovšem může ničit dějiny jen ideologicky. Moc, která je na ní založena, má lepší možnosti: může je potlačovat reálně. Ba musí to dokonce dělat: kdyby svým svévolným během usvědčily ideologii z iluzornosti, vzaly by tím moci její legitimaci.

Znicotňujíc dějiny, nebrání tím moc samozřejmě jen svou ideologickou legitimaci. Především tím brání samu svou totalitní identitu: viděli jsme přece, jak se tato identita nesnáší s dějinností.

I ona však má své pevné ideologické zakotvení: princip jediného centrálního subjektu pravdy a moci, tato páteř totalitního systému, by těžko mohl vůbec vzniknout, rozvíjet se a upevňovat, kdyby se od první chvíle neopíral o sebejistotu ideologie, která tak pyšně pohrdá jiným názorem a tak nadřazeně zdůrazňuje vlastní historické poslání a rozsah práv, které jí toto poslání dává. Intolerantním duchem a mentalitou této ideologie, neschopné vnímat pluralitu jinak než jako nutné zlo nebo formalitu, je celá totalitní moc přece odkojena a prodchnuta, dodnes provázena a živena, přesně to přece v sobě ztělesňuje. A její ústřední princip lze oprávněně chápat jen jako důsledné domyšlení původní ideologie a dokonalou inkarnaci její pýchy; jako její legitimní produkt nasává z ní do sebe tedy i její znicotňující energii, aby její teoretické dílo zdárně prakticky dovršil.

Lze říct, že soudobá astmatizace společnosti je jen přirozeným pokračováním války, kterou kdysi vyhlásilo intelektuální sebevědomí příběhu, dějinám, a tím i samotnému životu.

Lze říct, že nuda přeskočila z učebnic dějepisu do reálného osudu národa.

●

Opřena o jistotu, že má totální pravdu a tudíž i nárok na totální moc, omezuje a posléze zcela ruší konstituující se totalitní moc především svou hlavní konkurenci: jiné mocenské síly. Nejprve tedy zaniká pluralita politická. Souběžně s ní anebo těsně po ní zaniká nutně i pluralita duchovní a hospodářská; moc, která by je respektovala, nebyla by totální.

Příběh je tedy nejdřív vytlačen z života veřejného.

Svou vlastní specifickou vahou, totiž vahou své totalitní podstaty, tíhne tato moc ovšem k tomu, aby svou totálnost dál a dál prohlubovala a její akční rádius dál a dál rozšiřovala; žádnou autoritu, která by jí byla nadřazena či ji omezovala, neuznává. Čili: byl-li nárok centrální moci jednou postaven nad zákon a morálku, moc zbavena veřejné kontroly svého výkonu a institucionální záruky politické plurality a občanských práv proměněny v komedii nebo prostě zrušeny, zmizel důvod ctít i jakákoli další omezení. A tak se expanze centrální moci nezastavuje ani na hranici mezi životem veřejným a soukromým, svévolně ji posouvá, až nakonec bez ostychu intervenuje i v prostoru dosud ryze soukromém. (Jestliže měl například kdysi spolek holubářů jakous takous autonomii, záhy začal být i on kontrolován centrální mocí: hranice kontrolovaného byla posunuta od politické strany k holubářskému spolku. Ale ani u něho se pochopitelně nezastavila: dnes prochází vlastně už i mou odposlouchávanou ložnicí, oddělujíc mé dýchání jako mé privatisimum od mých výroků jako něčeho, co nemůže být státu lhostejné.)

Zákazem opozičních stran a zavedením cenzury tedy útok na příběh a tím i sám život nekončí, ale naopak začíná.

V jistém ohledu ještě nebezpečnější (protože skrytější) jsou ovšem intervence nepřímé: v moderním světě není život veřejný od soukromého už dávno nijak ostře oddělen; dík bezpočtu civilizačních úkazů jsou tyto dvě sféry svázány tisícerými vzájemnými vazbami. Proto jsou život veřejný a soukromý dnes v podstatě jen dvěma tvářemi, póly či rozměry života jediného a vposledku nerozdělitelného; vše, co se děje na veřejné scéně, nezadržitelně – byť leckdy velmi skrytými a komplikovanými cestami – proniká do soukromí, ovlivňuje je a mnohdy přímo spolutvoří. Znicotnění veřejného života proto dnes nevyhnutelně deformuje, křiví a nakonec znicotňuje i život soukromý; každý krok směrem k důkladnější kontrole prvního se zapisuje neblaze i do podoby druhého.

Útok proti pluralitě a příběhu na veřejné půdě není tedy jen útokem na jednu stránku či oblast života, ale útokem na život jako celek.

Svěrací kazajka vzájemně propojených přímých i nepřímých manipulačních nástrojů, v níž je život internován, omezuje nutně základní možnosti jeho sebezjevování a sebestrukturace; proto chřadne, pustne, upadá, znehodnocuje se a nivelizuje, stává se pseudoživotem.

●

Když jsem byl ve vězení, znovu a znovu jsem si uvědomoval, oč víc tam je – ve srovnání s životem venku – přítomen příběh. Téměř co vězeň, to nějak jedinečný, šokující či naopak dojemný osud; když jsem ta různá vyprávění poslouchal, zdálo se mi, že se ocitám v jakémsi „před-totalitním" světě, anebo prostě ve světě literatury. Ať už jsem si o barvitých příbězích svých spoluvězňů myslel cokoliv, jediné jsem si o nich myslet nemohl: že jsou dokumentem totalitního znicotnění. Naopak: byly svědectvím vzpurnosti, s níž se lidská jedinečnost svému znicotnění brání, a paličatosti, s níž sama na sobě trvá a je ochotna znicotňující tlaky ignorovat. Bez ohledu na to, zda v tom či onom okamžiku v něm převládaly tváře gaunerů či nešťastníků, byl to rozhodně svět osobitých tváří. Po návratu jsem kdesi napsal, že na jedné cele pro čtyřiadvacet lidí se lze setkat s větším množstvím jedinečných příběhů než na několikatisícovém sídlišti. Vskutku astmatizovaných lidí – oněch bezbarvých, poddajně poslušných, zestejněných a zestádněných občanů totalitního státu – nelze ve vězení mnoho najít. Spíš to je shromaždiště lidí tak či onak přečnívajících, nezařaditelných, nikam se nehodících, svérázných, všelijak posedlých, málo adaptabilních.

Ve vězení je asi vždycky větší hustota tak či onak se vymykajících lidí než na svobodě. Přesto jsem přesvědčen, že to, co jsem pozoroval já, bezprostředně souvisí s totalitními poměry; povaha mnohých příběhů to přímo potvrzovala.

Je to celkem logické: oč větší je věnec manipulačních nástrojů, jimiž systém deindividualizuje život, a oč silnější je jeho sevření, o to důkladněji je vše vskutku jedinečné vytlačováno na periférii „normálního" života a posléze až za jeho hranice – tedy do vězení. Působení represívního aparátu, který do vězení lidi posílá, je jen organickou součástí a vyvrcholením obecného tlaku totality proti životu: bez horizontu této krajní hrozby by mnohé jiné hrozby ztrácely váhu a věrohodnost. Ostatně není jistě náhoda, že v Československu je – přepočteno na počet obyvatel – několikrát víc vězňů než v USA: dá rozum, že kriminalita – ta skutečná – nemůže být u nás o tolik vyšší.

Vyšší je tu pouze nárok na stejnost a jeho nevyhnutelný důsledek: kriminalizace odlišnosti.

•

Jestliže se jedinečnost subjektů, vstupujících do příběhu, vyjevuje a naplno realizuje teprve příběhem samotným, potřebuje-li tedy tak říkajíc jedinečnost příběh k tomu, aby byla sama sebou, pak příběh zároveň potřebuje a předpokládá jedinečnost: bez jedinečných – tedy navzájem odlišitelných – subjektů, které do něj vstupují a které ho tvoří, by nemohl vzniknout. Jedinečnost a příběh jsou tedy jako siamská dvojčata, jedno je nemyslitelné bez druhého, nelze je od sebe odtrhnout.

Mají také společný domov: pluralitu. Pluralita totiž není jen předpokladem příběhu, ale i jedinečnosti, protože jakákoli jedinečnost je možná jen vedle jiné jedinečnosti, s níž ji lze srovnávat a od níž ji lze odlišit; kde není více jedinečností, tam není jedinečnost žádná.

Útok na pluralitu je tedy útokem na příběh i na jedinečnost. A vidí-li totalitní systém v pluralitě svého úhlavního nepřítele, musí nutně potlačovat i jedinečnost. A opravdu: svět vyzrálé totality se vyznačuje nápadným úbytkem jedinečnosti; na všem jako by ulpíval povlak jakési neurčitosti, bezvýraznosti, neidentifikovatelnosti, vše zestejňující a vše odbarvující šedivosti. Ulpívá – paradoxně – i na samotném svém zdroji: vyloučiv ze svého světa všechny ostatní s ním srovnatelné jedinečné subjekty, zbavil centrální subjekt nakonec jedinečnosti i sám sebe; odtud ta podivná beztvářnost, transparentnost, ba až neuchopitelnost moci, odtud bezvýraznost její řeči, odtud anonymita jejího rozhodování, odtud její neodpovědnost: jak může být vskutku odpovědný subjekt s tak rozmazanou identitou, který navíc nemá – jsa široko daleko sám – ani komu být odpovědný?

Odpor k jedinečnému není uvědomělým programem vládnoucích jedinců, ale bytostným projevem totalitní podstaty systému, jehož centralismus se prostě s jedinečností nesnese: niče pluralitu, ničí tento systém automaticky každou svébytnost, zvláštnost, nepředvídatelnost, svéprávnost, mnohost a pestrobarevnost. Smícháme-li všechny barvy, vznikne špinavá šeď. Intencí totality je totální zestejnění, jejím plodem je uniformita, stádnost, glajchšaltace.

A tak postupně mizí do nenávratna mnohost osobitých tradic, návyků, životních stylů a postojů, jedinečnost lokalit a jejich klimat, lidských institucí a společenství, výrob a předmětů.

Standardizovaný život vytváří standardizované občany bez osobité vůle. Plodí zestejněné lidi se zestejněnými příběhy. Je velkovýrobcem banality.

Kdo se příliš vzpírá, kdo si příliš zoufá, kdo si příliš trvá na něčem svém a obecné normě se vymykajícím nebo kdo se pokouší standardizované nicotě uniknout – ať už do ciziny či na „trip“ – kdo zkrátka narušuje předepsaný vzhled zestejněného světa a „vyděluje se“ tím takzvaně ze společnosti, ten míří nezadržitelně tam, kde siluetu společenského života už kazit nemůže: do kriminálu.

Z místa trestu za zločiny se stal „nápravný ústav“: odpadový koš lidské zvláštnosti a jejích bizarních příběhů.

•

Kdykoli jsem se octl v nové cele, ptali se mne, odkud jsem. Když jsem řekl, že z Prahy, následovala otázka: „Odkud z Prahy?“

V životě by mne nenapadlo deklarovat se jako obyvatel Dejvic. Zprvu mne ta otázka překvapovala, záhy jsem ji však pochopil: v tomto staromódním světě individuálních příběhů hraje ještě roli tak staromódní věc, jako je jedinečnost městské lokality. Zřejmě jsou ještě lidé, pro něž Dejvice, Holešovice nebo Libeň nejsou jen adresami bydliště, ale domovem. Lidé, kteří nekapitulovali před zestejňujícím a znicotňujícím tlakem soudobých sídlišť (na nichž nepoznáte, v kterém městě jsou) a kteří ještě lpí na nezaměnitelnosti své ulice, hospody na jejím rohu, bývalého hokynářství, které je naproti, a na tajemné významnosti příběhů svázaných s těmito lokalitami.

Zdá se mi být smutně symbolické, že otázku z nejpřirozenějších – totiž kde je můj domov – jsem mohl slyšet nejčastěji ve vězení.

•

Dějiny systému, v němž žiji, prokázaly přesvědčivě, že bez plurality hospodářských iniciativ a subjektů, bez soutěže, konkurence, trhu a jejich institucionálních záruk hospodářství stagnuje a upadá.

Proč tento systém přesto tak sveřepě vzdoruje každému pokusu o obnovu těchto osvědčených nástrojů hospodářského pohybu? Proč všechny dosavadní pokusy v tomto směru zůstaly buď beznadějně polovičaté, anebo byly potlačeny?

Nejhlubším důvodem není, myslím, ani obava vůdců, že by to bylo v rozporu s původní ideologií, ani jejich pouhý osobní konzervativismus, ba dokonce ani obava, že omezení hospodářské moci centra by muselo vést i k omezení jeho moci politické.

Pravým důvodem je podle mého názoru – opět – sama totalitní podstata systému, respektive její ohromná setrvačná síla. Totalitní systém prostě musí kontrolovat všechno, anebo není totalitní. Nemůže vypustit celou jednu ohromnou sféru života (navíc tak důležitou) ze své kontroly a neztratit přitom svou identitu. Uznáním institucionálních záruk hospodářské plurality a přijetím povinnosti je respektovat uznala by totalitní moc oprávněnost ještě něčeho jiného než jen svého vlastního totálního nároku, něčeho vyššího a jí nadřazeného, co ji legitimně omezuje. Kdyby ovšem toto provedla, popřela by tím samu svou totalitnost a přestala tak být sama sebou. Takovéto ontologické autodestrukci totalitního systému dosud vždycky zabránila jeho ohromná setrvačná síla. (Nemám pochopitelně žádný důvod předem tvrdit, že nemůže v budoucnosti proti této setrvačnosti povstat nějaká síla ještě mocnější, pod jejímž tlakem se systém vskutku vzdá své totalitní podstaty. Tvrdím pouze, že dosud se to nikde nestalo.)

Proč ale o tom teď mluvím: jestliže zestejňující a tudíž znicotňující dosah politické a duchovní centralizace je na první pohled jasný, pak analogický dosah centralizace hospodářské – jako jednoho z nepřímých způsobů obecné manipulace života – zdaleka tak zřejmý není. O to je však nebezpečnější.

●

Kde není přirozené plurality hospodářských iniciativ, mizí pochopitelně hra soutěžících výrobců a jejich soutěžících podnikatelských nápadů, hra nabídky a poptávky, trhu práce i zboží, volitelných zaměstnaneckých vztahů, mizí stimuly tvořivosti i její rizika, drama ekonomických vzestupů a pádů. Člověk jako výrobce tak nenápadně přestává být účastníkem či tvůrcem hospodářského příběhu a mění se ve lhostejný stroj, jehož stereotypní chod už není schopen vskutku lidsky strukturovat čas. Všichni jsou zaměstnanci státu jako jediného centrálního subjektu hospodářské pravdy i moci a jako takoví se noří do anonymity kolektivního hospodářského „ne-příběhu“.

Ztrátou své jedinečnosti jako relativně svébytného subjektu hospodářského života ztrácí člověk kus své jedinečnosti sociální a lidské, a tím i část perspektivy na vlastní lidský příběh.

S hospodářskou pluralitou mizí pochopitelně i motivy k soutěži na spotřebitelském trhu. Centrální moc může sice hovořit o „uspokojování diferencovaných potřeb“, ale samy ekonomické tlaky nepluralitní ekonomiky ji nutí dělat pravý opak: integrovat výrobu a unifikovat sortiment. V tomto umělém ekonomickém světě je pestrost jen ekonomickou komplikací.

Člověk jako spotřebitel tak ztrácí možnost volby, čímž je pochopitelně opět dalekosáhle manipulován: nejen, že je odkázán (jako všichni příslušníci moderní industriální civilizace) téměř výhradně na věci, které si sám nevyrobil, ale navíc si mezi těmito věcmi nemůže ani vybrat a aspoň tím realizovat svou jedinečnost: má to, co mu přidělí monopolní výrobce. Tedy totéž, co je přiděleno i všem ostatním.

Centrální návrhář nábytku není asi zrovna nejtypičtějším představitelem totalitního systému. Bezděčným uskutečňovatelem jeho znicotňujících intencí je ale možná víc než pět ministrů dohromady: milióny lidí nemají jinou možnost než být po celý život obklopeny nábytkem, který on vymyslel.

Schválně to zveličím: z hlediska ekonomického zájmu centrálně řízené výroby by bylo nejvýhodnější, kdyby se v celém státě vyráběl jediný druh panelů, z nich se stavěl jediný druh domů, ty by byly vybaveny jediným druhem dveří, oken, klozetů, klik, umyvadel apod. a dohromady by tvořily jediný druh sídliště, budovaný podle jediného standardního urbanistického plánu, přizpůsobitelného – s ohledem na odsouzeníhodnou pitvornost zemského povrchu – několika základním druhům krajiny. (Ve všech bytech by byl samozřejmě týž typ televize, vysílající týž program.)

Nenápadně, ale nezadržitelně, neúmyslně, ale nevyhnutelně začíná se dík ekonomice zplozené totalitním systémem všechno navzájem podobat: stavby, oblečení, pracoviště, výzdoba, doprava, způsob zábavy, chování na veřejnosti i doma.

Toto všeobecné zestejnění životního prostoru, věrně zrcadlící hlubinné intence totalitního systému, zestejňuje nutně způsob života a jeho rytmus, rozsah životních alternativ, okruh tužeb i averzí, smyslovou zkušenost i vkus. Zplošťuje svět, v němž člověk žije. Jedinečnost v takovém prostředí skomírá a příběhy se stávají zaměnitelnými.

Jaký div, že ambiciózní novinář jde raději riskovat život do Libanonu?

•

Chce-li občan našeho státu cestovat za hranice, změnit zaměstnání, vyměnit si byt nebo sporák či zorganizovat amatérské představení, musí obvykle absolvovat unavující anabázi po úřadech, sehnat si spoustu povolení, potvrzení a doporučení a mnohokrát se ponížit nebo aspoň zatnout zuby tváří v tvář naduté a lhostejné stvůře byrokracie. Je to vyčerpávající, otravné, enervující. Leckdo se z pouhé nechuti či mentální neschopnosti tohle všechno podstoupit anebo z obavy, že ho to usmýká, vzdá záhy mnohých svých osobitých nápadů, tužeb a projektů.

I tím se ovšem zřekne čehosi ze svého potenciálního příběhu. Možná něčeho vedlejšího. Ale proces slevování ze sebe sama začíná vždycky malými věcmi.

Jiným nepřímým nástrojem znicotňování je, jak patrno, vše prorůstající byrokratická regulace občanské každodennosti, onoho zvláštního pásma, v němž věci veřejné infiltrují do privátního života každého člověka sice velmi „všedně", zato však velmi vytrvale a vtíravě. Množství drobných tlaků, na které v tomto pásmu denně narážíme, vytváří dohromady jakýsi horizont, který je důležitější, než by se mohlo zprvu zdát: ohraničuje totiž prostor, v němž jsme odsouzeni dýchat.

Vzduchu je v něm málo. Ale zas ne tak málo, abychom se udusili a byla z toho story.

•

Paleta způsobů, jimiž totalitní systém přímo i nepřímo znicotňuje život, není přirozeně těmito příklady vyčerpána.

Zrušení politické plurality bere společnosti základní možnost sebestrukturace, protože nedovoluje rozmanitým zájmům, názorům a tradicím, aby se vyjevily a uplatnily. Zrušení nebo drastické omezení plurality duchovní ztěžuje člověku volbu způsobu, jak se vztahovat k bytí, světu i sobě samému. Centrální řízení kultury a informací zužuje horizont, na jehož pozadí člověk zraje do své jedinečnosti. Požadavek obecné a bezvýhradné loajality, ženoucí lidi do role statistů v bezpočtu vyprázdněných rituálů, vede k obecné rezignaci na veřejné sebeuskutečnění; člověk přestává být svéprávným a sebevědomým účastníkem života obce a stává se pouhým nástrojem seberealizace centrálního subjektu. Všudypřítomné nebezpečí, že bude za originální projev ztrestán, nutí ho neustále sledovat, zda se po tekuté půdě svých životních možností pohybuje dost opatrně, a odčerpává tím zcela nesmyslně jeho síly. Rozsáhlý komplex byrokratických omezení – od volby zaměstnání či studia, možnosti pohybu, rámce přípustné tvůrčí iniciativy až po rozsah a druh osobního vlastnictví – neobyčejně zmenšuje akční prostor života. Totální nárok centrální moci, respektující jen ty vlastní limity, které si v tom kterém okamžiku z praktických důvodů sama dává, vytváří stav obecné nejistoty; nikdo nikdy přesně neví, na čem je, co si může troufat a co nikoli, co ho může potkat; nadřazení moci výkonné moci zákonodárné a soudní a faktická všemoc policie odnímají člověku pocit jistoty a bezpečnosti. Vrchnostenská pýcha správního aparátu, jeho anonymita a zánik individuální odpovědnosti v beztvářné pseudoodpovědnosti systému, v němž se de facto kdokoli může vymluvit na cokoli a zároveň kdokoli být z čehokoli obviněn (neboť vůle centralizované moci neuznává ve sporu s jedincem žádného arbitra), vyvolává pocit bezmoci a ochromuje vůli k vlastnímu životu.

To všechno dohromady – a ještě mnohé další a subtilnější věci – je v pozadí našeho astmatu.

Navenek vše běží jako kdekoli jinde: lidé pracují, baví se, milují se, žijí a umírají. Pod tímto povrchem však hlodá zhoubná choroba.

„Zavolej mi, až ten člověk umře.“

Nemocný v tomto případě neumře. Nicméně utajovat jeho chorobu znamená podporovat ji a podporovat její šíření.

•

V posledních letech bylo v Československu natočeno několik velmi dobrých filmových komedií, které mají úspěch doma i v zahraničí a z nichž nejedna už byla dokonce navržena na Oscara.

Jakkoli se těmito filmy bavím, nemohu se u nich zbavit tísnivého dojmu, že je s nimi cosi v nepořádku. Americký divák, nezakoušející dnes a denně zdejší typ astmatu, si přirozeně ničeho nevšimne.

Co je těmto filmům společné?

Myslím, že jedna důležitá věc: jejich příběhům chybí dějinné pozadí. A byť by různými vnějšími a v jádře jen dekorativními způsoby tyto filmy sebevíc odkazovaly k určité lokalitě a určité chvíli, svou podstatou jsou jaksi mimo prostor a čas; jejich příběhy se mohly odehrát kdykoli a kdekoli.

Totalitní tlak z nich vyoperovává historičnost hned dvojím způsobem: přímo, totiž prostřednictvím cenzury a autocenzury, které mají neobyčejně vyvinutý cit na rozpoznání všeho, co by mohlo podstatnějším způsobem zachycovat historickou dimenzi života, a nepřímo, totiž destrukcí historičnosti v životě samotném. Zachytit dějinnost chvíle, kdy je podnikán globální útok na dějinnost, je zřejmě neobyčejně těžké, znamená to usilovat o story o ztrátě story, o story astmatu.

Tento dvojí typ tlaku orientuje tvůrce automaticky na oblast soukromého. Jenomže – jak jsem už řekl – soukromý a veřejný život jsou v dnešním světě (a speciálně v totalitních poměrech) od sebe neoddělitelné, jsou to spojité nádoby, nelze dost dobře uchopit pravdivě jeden z nich a zároveň ignorovat druhý. Soukromý život bez dějinného horizontu je čirá fikce, atrapa a vposledku vlastně lež.

A skutečně: obraz života, který je uměle zredukován na jeho pouze soukromý rozměr (respektive vybaven jen vnějškovými připomínkami rozměru veřejného, opatrně obcházejícími vše, co je na něm podstatné) se nezadržitelně mění v jakousi podivnou anekdotu, žánrový obrázek, sousedskou průpovídku či pohádku, z tisíců veskrze živoucích jednotlivostí vybudovaný pomysl. I ten nejsoukromější život je v tomto podání jaksi zvláštně pokroucen, leckdy až do nevěrohodné bizarnosti, zplozené – paradoxně – křečovitě vystupňovanou touhou po živoucí věrohodnosti. Je zřejmé, co tuto touhu tak vystupňovalo: podvědomá potřeba vyvážit absenci druhého pólu pravdy. Život jako by tu byl zbaven svého skutečného vnitřního rozpětí, své pravé tragiky i velikosti, svých skutečných otázek. Oč půvabněji jsou zkarikovány všechny jeho vnější rysy, o to vážněji jako by se dílo míjelo s jeho nejvnitřnějšími tématy. Imitujíc ho, vlastně ho falšuje. Kaligrafie nahrazuje kresbu.

Ve filmech, o nichž mluvím, mi samozřejmě nechybějí ty či ony konkrétní politické reálie; nějaké v nich ostatně vždycky jsou, ba někdy dokonce ve větší míře, než je dílu ku prospěchu. Chybí mi v nich něco jiného: svobodný pohled na život jako celek. Není to tedy věc tématu; umím si představit film, v němž by nebylo o ničem jiném než o lásce a žárlivosti a u něhož bych přitom tuto hlubinnou svobodu nepostrádal.

Za nacistické okupace bylo u nás natočeno několik populárních veseloher. Vyznačovaly se podobnou nehistoričností a z ní plynoucí nepravdivostí. Ani v nich to nebyla věc tématu: výjevy z koncentračních táborů mi v nich nechyběly. Chyběla mi v nich vnitřní svoboda, cítil jsem, že jejich humor je pouze zdařilým východiskem z nouze.

Je zajímavé, jak se to nakonec vždycky pozná.

Domácí úspěch dnešních filmových komedií má problematickou povahu. Lidé v nich totiž nalézají zvláštní útěchu: utvrzují se v iluzi, že astma vlastně neexistuje, a pokud existuje, že s ním lze žít; že se vlastně tolik neděje; že jejich život není pustošen tak, jak se jim to ve slabých (přesněji: silných) chvilkách jeví. Je to pro ně chlácholivé alibi.

V těchto filmech jsou jedinečné příběhy. Chybí v nich však znicotňující tlak, na němž jsou tyto příběhy vyvzdorovány. Lidé jsou nadšeni, že stále ještě žije příběh, opájejí se jím a obelhávají tím nakonec sami sebe: zapomínají, že ten příběh je jen na plátně. Že není jejich.

Nevím, zda se lze skrýt před virem AIDS.

Zdá se mi však, že před virem znicotnění se nelze skrýt do žádné rezervace.

•

Existuje sféra, v níž může stopy našeho astmatu zahlédnout naopak lépe cizinec než člověk, který jím trpí. Touto sférou je viditelná či veřejná tvář každodenního života společnosti. Dávno jsme si na tuto tvář zvykli. Nejednoho z vnímavějších návštěvníků však zaráží.

Stačí jet například na eskalátoru metra a pozorovat tváře protijedoucích. Tato jízda je kratičkým přerušením celodenního spěchu, náhlým zastavením života, minutovým strnutím, které říká o člověku možná víc, než si uvědomujeme. Možná to je dokonce onen pověstný „okamžik pravdy". Člověk tu je najednou mimo všechny vztahy, je sice na veřejnosti, ale sám se sebou. Tváře, které tu defilují, jsou vesměs podivně prázdné, strhané, jakoby bez života, bez naděje, bez touhy. Jejich pohled je vyhaslý a výraz tupý.

Stačí pozorovat, jak se lidé k sobě chovají v obchodech, úřadech, v dopravních prostředcích: bývají nerudní, sobečtí, nezdvořilí a neochotní; pro prodávající je zákazník často jen obtěžovačem, prodavačky ho obsluhují a přitom se baví mezi sebou o svých věcech, na dotazy odpovídají s nechutí (pokud na ně vůbec znají odpověď). Řidiči aut si nadávají, lidé ve frontách do sebe strkají, předbíhají se a okřikují. Úředníkům je lhostejné, kolik na ně čeká lidí a jak dlouho; je jim jedno, pozvou-li si někoho a pak nejsou přítomni; netěší je, když někomu vyhoví, a nemrzí, když nevyhoví. Leckdy jsou schopni přibouchnout dveře uprostřed návštěvníkovy řeči. Nebylo by to tak deprimující, kdyby mnohdy nebyli v dané věci instancí jedinou a nejvyšší.

Stačí se dívat na lidi na ulicích: většinou spěchají, jsou ustaraní, nevnímají; uvolněnost, veselí a spontánnost z ulic vymizely. Večer nebo v noci působí ulice pustě a beznadějně; pokud je tu a tam oživí vesele bezprostřední společnost, jsou to povětšinou cizinci.

Z každodenního veřejného styku lidí zvolna vyprchává vřelost, otevřenost, vlídnost, nevtíravá družnost. Každý jako by myslel jen na jedinou věc: kde sežene to, co právě shání. Šíří se lhostejnost a hrubost. I v restauracích jsou lidé jaksi sešněrovaní, kontrolují se, špitají si a rozhlížejí se, zda je někdo neslyší. Posledními ostrůvky přirozené družnosti se stávají hospody čtvrté kategorie, spíš v předměstích než v centru, ty hospody, na které se potom vzpomíná ve vězeních. Ale i tam přibývá hostů, kteří se jen úporně zpíjejí.

Myslím, že na společném dně všech takovýchto a podobných úkazů je jakýsi neurčitý stres: lidé jsou nervózní, podráždění, trochu úzkostliví, anebo naopak apatičtí. Působí dojmem, jako kdyby neustále odněkud očekávali ránu. Klid a zdravou jistotu nahrazuje agresivita.

Je to stres lidí žijících v trvalém pocitu ohrožení. Je to stres nesvobodných, ponížených, zklamaných, ničemu už nevěřících. Je to stres lidí nucených se denně konfrontovat s nesmyslem a nicotou.

Je to stres obyvatel obleženého města.

Stres společnosti, která nesmí žít v dějinách. Stres lidí vystavených znicotňujícímu záření totality.

•

Život samozřejmě pokračuje: své manipulaci se rozmanitě vzpírá, přizpůsobuje nebo se v ní po svém zabydluje; reálně zničen není a těžko někdy bude; vždycky si najde skulinky, jimiž poroste dál, roviny, na nichž se bude moci nějak rozvíjet, způsoby, jimiž se bude i v tomto dusivém prostředí projevovat a strukturovat do příběhů. Jakési své příběhy si budeme svým jednáním psát vždycky.

Nelíčím tu žádný zánik lidstva. Pokouším se pouze upozornit na každodenní skrytou, nenápadnou, neefektní a nepatetickou válku, kterou vede život s nicotou.

Pokouším se pouze říct, že zápas příběhu a dějin s jejich znicotňováním je také příběhem a také patří do dějin.

Je to náš zvláštní metapříběh.

Neumíme o něm ještě vypovídat, protože tradiční formy vyprávění tu selhávají. Neznáme ještě zákony, jimiž se náš metapříběh řídí. Dokonce ještě ani přesně nevíme, kdo nebo co je jeho hlavní zápornou postavou (rozhodně to není několik jednotlivců v mocenském centru: ti jsou v jistém smyslu stejnými oběťmi čehosi, co je přesahuje, jako všichni ostatní).

Jedno je však zřejmé: o našem astmatu je třeba vypovídat nikoli přesto, že na ně lidé neumírají, ale právě proto.

Zbývá maličkost: objevit, jak se to dělá.

(duben 1987)

III. POZNÁMKY O KULTUŘE A POLITICE

ŠEST POZNÁMEK O KULTUŘE

/1/

Považuji to sice za dost nepravděpodobné, teoreticky však nemohu vyloučit, že zítra dostanu nějaký báječný nápad a do týdne napíšu svou nejlepší hru. Právě tak je ale možné, že už nikdy nenapíšu vůbec nic.

Nemůže-li jeden jediný autor, který už není právě začínající a dalo by se tudíž očekávat, že aspoň zhruba zná své možnosti i meze, předvídat téměř vůbec svou vlastní literární budoucnost, jak by pak někdo mohl předvídat, co se – obecně – bude v kultuře dít?

Existuje-li sféra, u níž je ze samé její podstaty vyloučena jakákoli prognostika, pak to je právě kultura, a to speciálně umění a humanitní vědy. (V přírodních vědách – snad – lze aspoň rámcově cosi předvídat.)

Možností, které mohou u nás v kultuře nastat, je nespočítatelně: možná se zesílí policejní tlaky, mnoho dalších umělců i vědců odejde do exilu, mnoho jiných ztratí chuť do čehokoli i poslední zbytky fantazie, a celá takzvaná „druhá kultura" zvolna vymře, zatímco ta „první" se stane už úplně sterilní. Možná se naopak „druhá kultura" náhle a nečekaně rozroste do nebývalých rozměrů a tvarů a svět se bude divit a vláda žasnout. Možná se začne naopak lavinovitě probouzet „první kultura", vzedmou se v ní zcela nepravděpodobné „nové vlny" a „druhá kultura" se tiše, nenápadně a ráda rozplyne v jejím stínu. Možná se na obzoru náhle vynoří zcela originální tvůrčí talenty a duchovní iniciativy, které se rozvinou kdesi v docela novém prostoru na pomezí obou dosavadních kultur tak, že obě na to budou jen překvapeně zírat. Možná se naopak neobjeví vůbec nic nového a všechno bude pořád stejné: Dietl bude pokračovat ve svých seriálech a Vaculík ve svých fejetonech. Ve výčtu takových a podobných možností bych mohl pokračovat libovolně dlouho, aniž bych měl sebemenší důvod kteroukoli z nich považovat za výrazně pravděpodobnější než kteroukoli jinou.

Tajemství budoucnosti kultury je obrazem samé záhady lidského ducha.

Proto – vyzván k úvaze o vyhlídkách československé kultury – nebudu psát o jejích vyhlídkách, ale omezím se jen na několik – víceméně polemických – poznámek na okraj její přítomnosti. Vyvodí-li z nich někdo něco i pro budoucnost, bude to jeho věc a odpovědnost za to padne na jeho hlavu.

/2/

Svého času byly československé poměry nazvány sugestivně „Biafrou ducha". Mnoho autorů – včetně mne samého – se pak porůznu vracelo, když uvažovali o tom, co se vlastně v československé kultuře po roce 1968 stalo, k příměru hřbitova.

Přiznám se, že nedávno – když jsem znovu nějaké podobné přirovnání četl – se najednou ve mně začalo cosi proti němu bouřit.

Přinejmenším by se hodilo – po tolika letech – konkretizovat poněkud pole, kterého se ten příměr vlastně týká.

Pokud jde o počínání moci ve sféře kultury, tedy o takzvanou „kulturní politiku", nepochybně stále platí: pořád se něco někde zakazuje, pořád se téměř nic nesmí, zrušené časopisy zůstávají i nadále zrušeny, zmanipulované instituce zmanipulovány atd. atd. Moc se opravdu chová jako hrobník a téměř vše z toho, co je živoucí a co muselo být přitom nějak povoleno, žije skoro jen náhodou, skoro jen omylem, skoro jen na čestné slovo, vždy a bezpečně se spoustou komplikací a bez jistoty o zítřku.

Co ovšem platí o vůli moci, nemusí platit o reálném duchovním potenciálu společnosti. Jakkoli zatlačen pod povrch veřejného, jakkoli umlčován a dokonce jakkoli frustrován, přeci jen tu pořád ještě nějak je. Nějak někde žije. A rozhodně si nezasluhuje, aby byl vyhlašován za mrtvolu.

Nezdá se mi prostě, že jsme všichni umřeli. A zdaleka kolem sebe nevidím jen kříže a hroby.

Ještě víc než ty stovky samizdatových knih, desítky strojopisných časopisů, soukromých či polooficiálních výstav, seminářů, koncertů atd. svědčí o tom – aspoň pro mne osobně – něco jiného: divadla nabitá lidmi, vděčnými za každé jen trochu smysluplné slovo a freneticky tleskajícími po každém lišáckém úsměvu na jevišti (mít tak tohle publikum počátkem šedesátých let! Neumím si představit, jak by se tehdejší představení divadla, v němž jsem působil, mohla vůbec dohrát do konce!); celonoční fronty u některých divadel v předvečer předprodeje vstupenek na nový měsíc; fronty u knihkupectví, když má vyjít (okleštěný) Hrabal; snad stotisícový náklad drahé knihy o astronomii (tatáž kniha by v USA měla stěží tolik čtenářů); cestování mládeže přes půl republiky na koncert, o němž nikdo neví, zda opravdu bude; atd. atd. – je tohle všechno skutečně hřbitov? Je to skutečně „Biafra ducha"?

Co se bude dít v kultuře budoucích let, nevím. Vím však, na čem to – ne sice úplně, ale přeci jen dost – záleží: totiž na tom, jak se bude dál vyvíjet konfrontace mezi hřbitovními intencemi moci a tímto nepotlačitelným kulturním hladem živoucího organismu společnosti, respektive té její části, která na všechno ještě nerezignovala. (Ostatně vůbec bych se neodvažoval předpovídat, co by se za těch či oněch proměn poměrů začalo probouzet a dít v té části, která se dnes jeví jako ta, co rezignovala.)

/3/

Četl jsem kdesi, že v totalitním systému se spíš než myšlení daří mučednictví.

Jsem realista a jsem proto dalek vlastenecké iluzi, že světu – dík jeho beznadějné ignoranci – zůstávají utajeny nějaké báječné myšlenkové výkony, jimiž se to zde na každém rohu hemží. A přece se ve mně něco bouří i proti zmíněnému tvrzení, že jsme dějinami odsouzeni do nezáviděníhodné role pouhých nemyslících specialistů na utrpení jakožto nějakých chudších příbuzných lidí ze „svobodného světa", kteří nemusí trpět, a mají proto čas myslet.

Především se mi nezdá, že by tady zrovna moc lidí trpělo z jakési masochistické rozkoše nebo z nedostatku jiných nápadů jak trávit čas. To, co bývá – nač si skrývat, že s lehkým despektem – označováno za „mučednictví", se mi navíc nezdá být v naší zemi ani nějak zvlášť rozšířeným povyražením, ani vždycky nebo většinou jen nějakým slepým během do propasti; žijeme v zemi věhlasně známého realismu a k odvaze k obětem, jakou mají například Poláci, máme věru dost daleko. A tak bych se dost zdráhal upírat těm, kteří by eventuálně mohli být u nás z mučednictví podezíráni, schopnost reflexe: spíš se mi zdá, že právě reflexe český typ „mučednictví" výrazně provází (stačí se rozpomenout třeba na Patočku – není v tom cosi symptomatického, že nejznámější obětí toho, čemu se říká „boj za lidská práva", byl u nás náš nejvýznačnější filozof?). A jak tak naopak zpovzdálí sleduji různé občanské činy a společenská vzedmutí „svobodného světa", nejsem si vůbec jist, že to, čím se vždy a nutně a nejzřetelněji vyznačují, je právě pronikavost myšlenky; obávám se, že tu naopak až příliš často myšlenka kulhá za nadšením. A není tomu tak náhodou právě proto, že za to nadšení povětšinou není třeba moc platit? Vylučuje se skutečně tak radikálně oběť s myšlenkou? Nemůže být za jistých okolností oběť jen důsledkem myšlenky, jejím dosvědčením či naopak motorem?

Zkrátka a dobře: vůbec bych se neodvážil tvrdit, že se tu myslí méně než jinde, protože se tu musí trpět. Domnívám se naopak, že při troše dobré vůle by se ze zdejšího uvažování, a možná právě proto, že bylo čímsi zaplaceno a že z čehosi nelehkého vyrostlo, dalo vytěžit leccos obecně poučného. Pravda, mnohdy to uvažování bývá zašmodrchané, koktavé, nesouvislé; lehkostí a bravurou celosvětově stravitelných bestsellerů se zdejší texty vskutku moc nevyznačují; anglický švih či francouzský šarm mají tradici, žel, skutečně spíš v Anglii a Francii než v poněkud těžkopádné střední Evropě – ale z toho bych nevyvozoval nic víc, než že tomu je prostě tak.

Nevím, jak dalece okolnost, že se zde (občas) ještě taky myslí, ovlivní k lepšímu naše vyhlídky; rozhodně je to však neovlivní k horšímu. A tím méně je ovlivní k horšímu, když se tu a tam ještě najde někdo, kdo se nezalekne nebezpečí, že by si svou paličatostí mohl vysloužit přízvisko „mučedník“.

/4/

Co je to vlastně „paralelní kultura“? Nic víc a nic míň než kultura, která z těch či oněch důvodů nechce nebo nemůže nebo nesmí zasahovat veřejnost těmi médii, která řídí státní moc, což jsou v totalitním státě všechna nakladatelství, tiskárny, výstavní síně, koncertní a divadelní sály, vědecké ústavy atd. Tato kultura tudíž využívá jen toho, co zbývá: psacích strojů, soukromých ateliérů, bytů, stodol a podobně.

Jak patrno, „paralelnost“ je vymezena zcela vnějškově a nic dalšího z ní přímo nevyplývá, tedy ani kvalita, ani estetika, ani nějaká ideologie.

Tuto celkem triviální věc považuji za důležité zdůraznit proto, že se v poslední době (hlavně v exilovém tisku) objevily různé kritiky „paralelní kultury“ jako celku, které byly možné jen proto, že si jejich autoři právě tohle triviální vymezení „paralelnosti“ neuvědomovali.

Ty hlasy vycházely – trochu zjednodušeně řečeno – z této úvahy: oficiální kultura je podřízena jakési – přirozeně špatné – oficiální ideologii. Její lepší alternativou je či měla by být kultura „paralelní“. Jaké lepší ideologii je tudíž podřízena ona? Má vůbec nějakou ideologii? Nebo program? Nebo koncepci? Nebo orientaci či filozofii? Zklamáni docházeli autoři k názoru, že nemá.

Tohoto zklamání by byli bývali ušetřeni, kdyby si byli hned na začátku všimli, že ze samé své podstaty nic takového „paralelní kultura“ mít nemůže. Protože ty stovky a snad tisíce nejrůznějších lidí, mladých, starých, talentovaných, netalentovaných, věřících, nevěřících, které svedla pod jedinou střechu „paralelnosti“ vlastně jen neuvěřitelná úzkoprsost moci, jež nesnese už téměř nic, nemohou se přece nikdy na žádném společném programu domluvit, protože vlastně to jediné, co je spojuje (a dík čemu se ostatně pod touto střechou ocitli), je jejich rozmanitost a jejich lpění na ní, totiž na tom, čím každý z nich je – a kdyby se přeci jen na společném programu domluvili, pak by to bylo asi vůbec to nejsmutnější, co by se mohlo stát: proti jedné uniformě by stanula uniforma druhá. Není-li dnes v „paralelní kultuře“ žádný zvláštní přebytek suverénních děl, pak by v ní potom nebylo zcela bezpečně už vůbec nic: je-li totiž něco bytostně cizí všemu kulturnímu, tak je to právě uniforma. „Paralelní kultura“ vznikla proto, že duchovnímu potenciálu společnosti byla oficiální uniforma těsná, nevešel se prostě do ní, a rozlil se tudíž mimo rámec, v němž je povinná. Bylo by jeho sebevraždou, kdyby se poté, co toto učinil, začal dobrovolně soukat do uniformy jiné, byť tisíckrát hezčí než ta, které unikl.

Vzpomínám si, jak jsem se v mládí bavil tím, že hlavní referát na různých spisovatelských sjezdech a konferencích měl vždy znovu název „Úkoly literatury v tom a tom období nebo po tom a tom sjezdu strany nebo v té a té pětiletce“ a jak si navzdory všem úkolům, které jí byly trvale dávány, dělala literatura vždy znovu jen to, co chtěla. A pokud se náhodou pokoušela přeci jen plnit zadané úkoly, bylo to vždy jen k její škodě. Její jediná šance – i v podmínkách „paralelity“ (a právě v nich: vždyť proto se do nich uchýlila!) – je, že nebude dbát úkolů, které by jí někdo – byť z té nejlepší vůle – chtěl zadávat, a opět si bude dělat jen to, co bude sama chtít.

V Československu dnes není o nic víc geniálních spisovatelů, malířů či hudebníků než kdykoliv v minulosti. Zklamání z toho, že „paralelní kultura“ není lepší, než je, které občas tu a tam zaznívá, je sice pochopitelné (čím víc je člověk zhnusen kulturou oficiální, tím víc si slibuje od té druhé a tím víc se k ní upíná), není však věcně na místě: dík jakému podivnému rozmaru historie by mělo být právě dnes – v těchto dusných podmínkách – všeho víc a všechno lepší než kdykoliv jindy?

Ťukat do stroje dovede mnoho lidí a nikdo nikomu to naštěstí nemůže zatrhnout. Proto bude i v samizdatu vždycky na jednu důležitou knihu či báseň připadat bezpočet knih či básní špatných. Těch špatných bude dokonce víc než v dobách knihtisku, protože vytištění je přeci jen – i v té nejsvobodnější době – komplikovanější záležitostí než opsání na stroji. Ale i kdyby tu věcně nějaká možnost selekce byla, kdo by měl vlastně právo ji dělat? Kdo z nás se odváží říct, že bezpečně a vždy rozezná hodnotu – byť teprve se rodící, neobvyklou, potenciální – od pahodnoty? Kdo z nás ví, zda to, co se nám dnes jeví jako okrajový projev grafomanův, nenazřou jednou naši vnukové jako vůbec to nejpodstatnější, co bylo za našich časů napsáno? Kdo z nás má právo naše vnuky o tuto jejich pro nás nepochopitelnou radost připravit? Což nebylo základním předpokladem nakladatelského výběru ve svobodnějších dobách to, že se zavržený autor mohl obrátit ke konkurenci nebo vydat svou věc vlastním nákladem? Což by se – nebýt této samozřejmé možnosti – odvážil kdokoliv z Firtů, Fučíků, Škeříků, Vilímků, Ottů a všech dalších vůbec o něčem rozhodovat?

Edice Petlice není zdaleka jediná, nicméně pro ty, kdo podle Petlice měří paralelní literaturu a podle paralelní literatury bídu i naděje národa, je třeba říct, že Petlice je jakýmsi samoobslužným servisem autorů a že v ní každý ručí jen sám za sebe. Pakliže se komukoli cokoli z Petlice nelíbí, nechť své zklamání vyzpívá tomu, kdo to napsal, a neklade ho za vinu nikomu jinému: neexistuje – opět: naštěstí – žádný generální ředitel Petlice nebo dokonce oborový ředitel koncernu Samizdat, který by nesl odpovědnost za to, čemu bylo dovoleno být napsáno na stroji.

Vím, že tohle všechno jsou samozřejmosti. Ukazuje se však, že i tyto samozřejmosti je dobře čas od času připomenout, zvlášť směrem k exilu, jehož optika (ovlivněna často nahodilostí zdejších textů, jež se tomu či onomu dostanou do ruky) může být občas zkreslená.

/5/

Ve stati *Praha 1984* (psané pro Art Forum a česky publikované v *Kritickém sborníku* 2/84) píše Jindřich Chalupecký: „Buď se podřídí (umělec, pozn. V. H.) státní moci, bude produkovat díla propagující socialismus a bude vážen a placen, anebo bude protestovat ve jménu svobody a povede romantický život odbojného bohéma. Nevyvolá-li zvědavost ono umění oficiální, nedá se asi stejně čekat mnoho od onoho umění protioficiálního – obojí je stejně podmíněno politickými zřeteli, a ať jsou ty které politické cíle třeba svrchovaně ušlechtilé a aktuální, vždy znovu se přesvědčujeme, že svět moderního umění není světem moderní politiky. Z těch snah pak nemá užitku ani politika, ani umění.“ Není zcela jasno, zda tyto řádky píše Chalupecký za sebe nebo zda jimi parafrázuje úhel pohledu

Hanse-Heinze Holze, o jehož stati informuje v bezprostředně předcházejícím odstavci. Již ale zcela určitě za sebe píše o kus dále, v pasáži zmiňující se o několika nedávných výstavách československých výtvarníků na Západě: „Nebyl to 'socialistický realismus'. Stejně tak to nebylo 'antioficiální umění'. Politický kontext chyběl a nedal se ani nijak doplnit."

Z těchto formulací (ale i z jiných míst Chalupeckého eseje) může vznikat dojem, jako by v Československu byly jakési tři kultury, respektive tři druhy umění: to oficiální, přizpůsobené vládní ideologii, pak jakési „antioficiální" (zřejmě „disidentské"), které provozují lidé s podivnou zálibou v „romantickém životě odbojného bohéma" a které je stejně přiblblé jako to oficiální (lišíc se od něho jen jiným druhem politických idejí, kterým slouží), a posléze umění skutečné, moderní, které jediné je dobré, protože je stranou politiky a všech ideologií.

Z Chalupeckého textu, z větší části informativního, není jednoznačně zřejmé, zda autor opravdu vidí panorama soudobého československého umění takto rozvrstveno; proto tu také nechci polemizovat s Chalupeckým, ale pouze s onou podivnou „trinitární" představou, kterou ve mně jeho text vyvolává.

Vyjdeme-li z předpokladu, že umění je určitým zvláštním způsobem hledání pravdy – pravdy v nejširším slova smyslu, to znamená především pravdy vnitřní zkušenosti umělcovy – pak existuje pouze jedno umění, jehož jediným měřítkem je síla, autenticita, objevnost, odvaha a sugestivita, s níž svou pravdu hledá, respektive naléhavost a hloubka této pravdy. Z hlediska díla a jeho hodnoty je tudíž vedlejší, k jakým politickým ideám se umělec jako občan hlásí nebo jakým by rád svým dílem posloužil, případně zda se vůbec k nějakým hlásí či nehlásí. A jako sympatičnost nebo nesympatičnost politických idejí sama o sobě v umění ani nic předem nezaručuje, ani je naopak předem nediskvalifikuje, nezaručuje v něm nic předem a ani je předem nediskvalifikuje to, nakolik se vůbec o nějakou politiku zajímá či nezajímá. Jestliže je na oficiálních výtvarných přehlídkách tolik podprůměrného umění a jestliže to lepší lze najít až kdesi na periférii veřejného (v okrajových a polooficiálních výstavních síních) anebo vůbec mimo veřejnost (v ateliérech), pak je tomu tak nikoli proto, že autoři toho prvního se míchají do politiky a ti druzí nikoliv, ale prostě proto, že perspektiva veřejného uznání a výhodných zakázek se dnes asi u nás radikálněji než jindy a jinde vylučuje s oním sveřepým a na nic se neohlížejícím úsilím dotknout se nějaké své vlastní pravdy, bez něhož se zřejmě skutečné umění neobejde. Čím víc tedy umělec slevuje z této sveřeposti, aby vyšel vstříc moci a získal výhody, tím míň se lze dobrého umění od něho nadít; čím svobodněji a nezávisleji si jde naopak za svou věcí (ať už s tváří „odbojného bohéma" nebo bez ní), tím větší má šanci něco dobrého udělat – ale právě jen šanci: neúplatné nemusí být automaticky dobré.

Čili: nezdá se mi být příliš smysluplné dělit umění na vládní a protivládní na jedné straně a nezávislé (rozuměj: politicky indiferentní) na straně druhé: mírou umělecké síly je přece něco docela jiného, než jak dalece se umění stará či nestará o politiku. A pakliže se mluví o „dvou kulturách", té oficiální a té „paralelní", nemíní se tím – aspoň jak já tomu rozumím – že by ta první sloužila jedněm politickým ideám a ta druhá jiným (dík čemuž by bylo nutné předpokládat ještě „třetí" kulturu, nesloužící žádné politice), ale míní se tím pouze vnější rámec, v němž se kultura děje: tou „první" je rozuměna kultura žijící v onom nikterak ostře ohraničeném prostoru dovoleného, podporovaného či aspoň tolerovaného, v němž se z podstaty věci soustřeďuje víc těch, kdo jsou ochotni z konjunkturálních důvodů slevit ze své pravdy, zatímco tou „druhou" se rozumí kultura v onom svépomocně konstituovaném prostoru, do něhož se uchylují nebo jsou zaháněni ti, kteří slevovat nechtějí (bez ohledu na míru vnějškové „političnosti" jejich tvorby).

Zmiňuji se o tom zde proto, že apriorní rozlišování umění „antioficiálního" (nutně horšího) a „nepolitického" (nutně lepšího) mi připadá dost nebezpečné: bezděky totiž uplatňuje na umění neblaze proslulý mimoumělecký metr, byť tentokrát naruby obrácený: hodnota se už neodvozuje z vnější političnosti díla, ale naopak z jeho vnější nepolitičnosti. Vždyť staví-li někde Magda Jetelová své sugestivní schody a píše-li ve svém románě Ludvík Vaculík o disidentech a policajtech, pak umělecká síla jednoho i druhého artefaktu věru nemá co do činění s tím, že schody lze (arci, že pouze při primitivně tematickém rozlišování) považovat za věc nepolitickou a konfrontaci disidentů s policajty za věc povýtce politickou. „Nepolitická" schodovitost schodů a „politická" policejnost policajtů nic samy o sobě nezaručují ani nevylučují; jediné, oč běží, je naléhavost umělecké pravdy, za níž oba tvůrci jdou (a ta je dle mého mínění v obou zmíněných případech nepochybná). Stupeň jakési vnějškové (zřejmě tematické) političnosti či nepolitičnosti se silou umělecké pravdy nesouvisí; souvisí-li s ní něco, pak – zcela logicky – pouze stupeň, v jakém umělec je ochoten z vnějších důvodů se svou pravdou smlouvat.

Ostatně zdá se, že současná moc má na to, co považovat za své skutečné ohrožení, lepší nos než zřejmě leckterý teoretik umění: stovkami příkladů lze doložit, že nejenergičtěji pronásleduje nikoli to, co se sice jako její ohrožení deklaruje, ale co valnou uměleckou sílu nemá, ale to, co je umělecky nejpronikavější, byť by to navenek nijak moc „politicky" nevypadalo: podstata konfliktu totiž není ve střetnutí nějakých dvou ideologií (například socialistické a liberální), ale ve střetnutí anonymní, bezduché, nehybné a znehybňující („entropické") moci s životem, s lidstvím, s bytím a s jeho tajemstvím. A partnerem moci v tomto konfliktu není nějaká alternativní politická idea, ale svébytné a svobodné lidství člověka a s ním nutně i umění – právě jakožto umění! – totiž jako jeden z nejdůležitějších výrazů tohoto svébytného lidství.

/6/

Občas se lze setkat s něčím, co by se dalo nazvat sektářským vztahem k paralelní kultuře, totiž s názorem, že co nekoluje pouze ve strojopise nebo co nebylo nahráno privátně, je nutně špatné a že nebýt tištěn, veřejně provozován či vystavován je samo o sobě zásluha nebo čest, zatímco opak je vždycky a automaticky známkou mravního a duchovního úpadku, ne-li přímo zradou.

Mohl bych jmenovat dost velmi dobrých a důležitých počinů nejrůznějšího druhu, s nimiž jsem se setkal v prostoru „první" kultury a které oprávněnost takového postoje vyvracejí – a nejmenuji-li je, pak pouze proto, že bych tím jejich tvůrcům mohl zkomplikovat situaci nebo na ně upozornit ty, dík jejichž nepozornosti mohli udělat to, co udělali. Nikdy se přitom neraduji z toho, že z „první" kultury někdo spadne do té „druhé", ale vždycky se naopak zaraduji, když se v „první" kultuře setkám s něčím, co bych spíš očekával v „druhé".

Jakkoli důležitým podhoubím, stimulem, katalyzátorem a začasté dokonce jedinou zprostředkovatelkou duchovní kontinuity kulturního života je „druhá" či paralelní kultura, přesto – nic naplat – rozhodujícím polem zůstává pořád kultura „první". A teprve až potlačený duchovní potenciál společnosti začne výrazněji právě ji dobývat zpět do svých rukou (arci, že bez své „prozatímní" existence v „paralelní kultuře" by se přitom nemohl vlastně o co opřít či odkud odrazit), dají se věci zřetelněji do pohybu k lepšímu. V kultuře samé – ale v závislosti na ní i v širším společenském smyslu. V „první" kultuře se totiž bude především rozhodovat o budoucím klimatu života; skrze ni se začnou občané teprve opravdu a v širším měřítku napřimovat a osvobozovat. „Druhá kultura" se k ní v takovém případě bude mít asi jako zápalka k vytopeným kamnům: bez ní by v nich sice možná nezačalo vůbec hořet, nicméně ona sama ještě žádnou místnost nevytopí.

Možná by mohla být taková úvaha podezírána z jakéhosi instrumentálního vztahu ke kultuře – jako bych přál umělcům veřejné uplatnění především proto, že to zvyšuje naději na nějaké celkové zlepšení poměrů. Proto malé zpřesnění: každý smysluplný kulturní čin – ať se uskuteční kdekoliv – je dobrý samozřejmě sám o sobě a bez dalšího, prostě jen proto, že je a že někomu něco dává. Jenomže lze tuto „hodnotu o sobě" vůbec oddělovat od „obecného prospěchu"? Není v ní snad už od počátku integrálně obsažen? Cožpak už holý fakt, že nějaké dílo někomu něco dalo – byť na krátkou chvíli a třeba jen jedinému člověku – už nějak, i když možná nepatrně, nemění i celkové poměry k lepšímu? Což není i on neodmyslitelnou součástí těchto poměrů a což není ze samé své podstaty jejich proměnou? A neotvírá snad naopak změna poměrů, kterou kulturní čin prostředkuje, dveře dalším kulturním činům? Což kultura už sama sebou není něčím obecně dobrým? A což jakési „zlepšování poměrů" – v tom nejobecnějším a nejhlubším, řekl bych existenciálním slova smyslu – není vlastně tím, co dělá vůbec kulturu kulturou? Radost z toho, že místo pěti lidí mohlo nějaký dobrý text číst nebo dobrý obraz vidět pět tisíc lidí, je, myslím, zcela legitimním výrazem porozumění smyslu kultury – a to dokonce i tehdy, kdy se projevuje jako radost z toho, že se takzvaně „věci dávají do pohybu“. Anebo není snad právě jakési „dávání do pohybu“ – opět v onom hlubším, existenciálním smyslu – prapůvodní intencí všeho vskutku kulturního? Vždyť přesně tím se vyznačuje každé dobré kulturní dílo: že dává naše ospalé duše a naše líná srdce „do pohybu“! A lze si od probouzející se lidské duše odmyslet to, čím vždy už také je, totiž probouzející se společnost?

(srpen 1984)

ODPOVĚĎ DO ANKETY LENKY PROCHÁZKOVÉ

Milá Lenko,

občas jsem zván do různých soukromých kroužků a společností, abych tam o něčem přednášel, vyprávěl či diskutoval. A pokud tam převažují mladí lidé, pak už předem vím, kam se debata a dotazy dříve či později obrátí: k otázce „co dělat", totiž co může a má v této pochmurné době dělat mladý člověk, kterému není všechno jedno. Tedy k téže otázce, kterou kladli kdysi Tvému otci a kterou teď kladeš Ty svým přátelům. Přiznám se, že jsem vždy znovu – tváří v tvář této otázce – trochu na rozpacích. Především: odpovědět na ni lze pouze životem, ne tedy nějakým sdělením. Říkat těm mladým lidem můžu – jsem-li zrovna v kondici – tisíc chytrých věcí, ale pomůžu jim tím opravdu? Vždyť to je vlastně otázka po smyslu života – a má snad smysl života povahu nějaké informace, kterou může „informovaný" dát „neinformovanému", a tím mu vyřešit jeho dilema? Ale nejen to: člověk je, jak známo, historií člověka; nelze se odmyslet od toho, čím jsme a čím jsme byli; padesátník se nemůže jen tak přenést do situace dvacetiletého, vžít se do jeho perspektivy a artikulovat cokoliv za něj. Já můžu hodiny a hodiny vyprávět o tom, co jsem prožil, jak jsem viděl svět a řešil si své životní otázky, čím žiju teď, jaká dilemata mám dnes – jako ten, kým jsem – co si o nich myslím a jak se je pokouším řešit. Třeba takové vyprávění někomu něco dá, něco mu napoví, na něco ho upozorní a něčeho mu pomůže se uvarovat – a třeba taky ne. Ať tak či onak, rozhodně to ale nevyřeší nic za něj, žádný klíč k jeho vlastnímu životu mu to nenabídne, žádné řešení jeho vlastní životní rovnice mu to nedá. To všechno si musí najít každý sám v sobě, svým životem a v něm. A bylo by dokonce nemravné podporovat v mladých lidech iluzi, že někdo zkušenější je schopen jim říct, jak mají žít a co mají dělat. Naopak: ať to je jakkoli tvrdé, zdá se mi být přímo mou povinností znovu a znovu mladým lidem připomínat, že životní orientaci, měřítka a hodnoty musí hledat především sami, v sobě a skrze sebe, že je musí hledat svým vlastním životem, že tohle hledání nemůže nikdo absolvovat za ně, tak jako nikdo nemůže žít za ně jejich život. A ještě něco: neexistuje univerzální návod k správnému životu nebo dokonce nějaká příručka, v níž by si kdokoliv mohl prostě nalistovat, co má v té či oné svízelné životní situaci dělat. Nezbývá nám, než stále znovu se obracet v každé věci ke svému Bohu či svému svědomí (jak kdo), stále znovu a vždy jedinečně (jako by vždy znovu šlo o vše) vstupovat do principiálního dialogu se sebou samými a stále znovu se nakonec rozhodovat sami a za svá rozhodnutí si sami také plně ručit. Spoléhat na jakýkoliv už dříve hotový soubor odpovědí či průvodce životem znamená vylhávat se ze svého osobního ručení, ztrácet tím svou lidskou integritu a nakonec jen svět dál zhoršovat. Samozřejmě: existují dějiny ducha, odvěké tradice, archetypální mravní imperativy, důležité texty a velká lidská svědectví. To vše nám může tak či onak svítit na cestu. Ale kráčet za nás po té cestě bohužel nikdo nemůže. (Vzpomínám si, že při jedné z debat, o nichž jsem se zmínil na začátku, zvolala jedna z přítomných dívek něco v tom smyslu, že pro ni otázka „co dělat“ neexistuje, protože věří v Krista. Bylo to dojemné. Musel jsem jí ale říct, že podle mého mínění Kristus za ni nic ani nerozhodne, ani neodskáče, že může být pro ni pouze výzvou, světlem, příkladem, apelem k něčemu, co však musí udělat ona sama, za co musí ona sama ručit a co si musí – eventuálně – i ona sama odtrpět.)

Ale abych už přešel ke konkrétním otázkám, které kladeš:

1. Nepovažuji za zvlášť důležité a zajímavé, co jsem dělal a v co jsem věřil, když mi bylo dvacet. Nicméně když už se na to ptáš,

odpovídám popravdě: v podstatě jsem dělal totéž, co dnes, a věřil v totéž, v co věřím dnes. Měl jsem pouze víc elánu, výdrže, drzosti a snad i humoru. Měl jsem pochopitelně míň zkušeností a byl jsem pochopitelně naivnější.

2. Radit nikomu nebudu, necítím se k tomu ani oprávněn, ani toho schopen. Tomu, koho to zajímá, můžu pouze svěřit jedno své základní životní poznání: naděje, bez níž nelze smysluplně žít, je stavem ducha, nikoliv světa. Kdo by svou naději a tudíž i vůli k důstojnému a smysluplnému životu chtěl nalézt pouze nebo hlavně v tom, jak se vyvíjejí poměry, ten by věru daleko nedošel. Naděje není prognóza. Naděje je hluboce vnitřní a hluboce osobní východisko k životu. A jedině život může – byť jakkoli nepatrně – ovlivňovat poměry, a tím i prognózy. Kdo by postupoval opačně, totiž odvozoval svůj život z poměrů a z prognóz, ten by – pokud by v něm bylo dost opravdovosti – musel skončit v lepším případě na klinice, v horším v kuchyni s otevřenými plynovými kohoutky. Což platilo v době, kdy mi bylo dvacet, stejně jako dnes. Zápas naděje s beznadějí je pravděpodobně starý jako lidstvo samo; vyrůstá ze samé rozporné podstaty lidské existence a bylo by hrozně pohodlné a velmi hloupé svádět ho na husákovský režim. Ten může produkovat kolik chce beznaděje, tak mocný ale rozhodně není, aby byl schopen vyoperovat z lidské duše dimenzi naděje. Takže přeci jen bych mohl něco mladým lidem poradit: ať nesvádějí odvěký průser lidského bytí na vládu. Vláda dokáže sice, pravda, značně zkurvit obecné poměry, jenomže člověk není jen funkcí poměrů. V tomhle bodě se podle mého názoru marxismus strašně mýlí. Důstojně žít, slušně se chovat, milovat, dělat dobré věci lze vždy a všude, i ve vězení. A beznaděj číhá taky vždy a všude – i na veskrze demokratické a blahobytné jachtě, potulující se po veskrze demokratickém a spokojeném moři.

Zdraví Tě Vašek Havel

(březen 1985)

ODPOVĚĎ DO ANKETY PRO EVROPSKÉ KULTURNÍ FÓRUM

Více než půldruhou desítku let panuje v oblasti kultury v Československu zvláštní tíživá, ba krizová situace, která co do délky trvání a neměnnosti stavu nemá v moderních dějinách země obdoby. Stovky umělců, spisovatelů, filmových, divadelních a televizních herců a režisérů, stovky novinářů, historiků, filozofů a vědců z dalších duchovních oborů jsou vykázány z institucí, které si kultura a umění vytvořily jako nástroj styku mezi tvůrcem duchovních hodnot a veřejností. Jejich knihy nevycházejí tiskem a nepůjčují se ve veřejných knihovnách, jejich díla se neuvádějí v divadlech, v rozhlase ani v televizi, jako herci a režiséři nemají angažmá, nesmějí veřejně vystavovat svá díla, nedostanou zaměstnání ve svém oboru. Mnozí z nich existenčně živoří, někteří prošli vězením nebo byli jinak pronásledováni, často i se svými rodinami, mnozí se vystěhovali do zahraničí a na jejich dílo byla v zemi, odkud pocházejí, uvalena stejná klatba jako na dílo těch kolegů, kteří zůstali. Reglementace, příkazy a zákazy, nejrůznější formy manipulace ze strany státu znemožňují svobodný duchovní život v zemi, komunikaci mezi tvůrci a ostatním obyvatelstvem, brání rozvoji tvůrčích sil nových generací.

Jak pociťujete takto stručně charakterizovanou situaci zcela osobně, z hlediska svého osobního osudu tvůrce (umělce atd.), jehož dílo dochází naplnění teprve v okamžiku, kdy se dostane do styku s veřejností?

Pro autora divadelních her je to přirozeně situace obzvlášť těžká. Vždyť hra je útvar, který se stává sám sebou až na divadle, je psána z určité konkrétní situace a do ní, pro určité konkrétní publikum a často i pro určitý konkrétní soubor (tak aspoň tomu dříve bylo u mne), musí mít zkrátka nějaký svůj domov, z něhož může teprve eventuálně vyletět na další pouť. I Shakespeare psal pro své divadlo a pro své publikum. Nepíše se mi zkrátka dobře, když vím, že svou hru pošlu někam pryč a nebudu už pořádně vědět nebo cítit, kdo, pro koho a proč to hraje. Už sedmnáct let jsem žádnou svou hru na jevišti neviděl (nepočítám-li jednu zvláštní výjimku: ochotnické představení, z něhož byl ostatně velký malér) a to mi psaní věru neusnadňuje. To je ale stále ještě vnějšková věc. Kdesi nejhlouběji je ještě cosi jiného, cosi vážnějšího, co mi psaní ztěžuje. Nevím přesně, jak bych to vysvětlil. Snad takhle: je-li ve společnosti víc než jeden subjekt společenského a dějinného rozhodování, cosi se v ní děje, rozvíjí se hra různých sil, do níž vstupuje prvek nepředvídatelnosti, náhody, dramatičnosti, napětí. Existuje prostě pocit dějinnosti. V naší zemi už po mnoho let je veškeré rozhodování a vliv v rukách jediného subjektu – centrální moci – a z toho vzniká podivný pocit nedějinnosti. Jako by se zastavil čas. Nic se neděje. Nic není. Všechno je pořád stejné. Všechno je předem jasné a dané. Dramatik, který je a musí z podstaty věci být obzvlášť citlivým seizmografem doby (nejde-li jen o výrobce divadelního konzumu), je v takové ne-době v podivné situaci: cítí se být nucen psát vlastně o nedění, on – který pracuje tak velmi s časem – musí psát o ne-čase, on – který má být „zrcadlem doby" – musí psát o tom, jak v žádné době nežije. Lidé se rodí, dospívají, zamilovávají, žení, mají děti, umírají. O tom lze psát a o tom se odnepaměti píše. A přece to není tak jednoduché, jak se to řekne: vždycky se o tom dá psát pouze – a v dramatu zvlášť – na pozadí nějakých dějin, nějakého společenského dění, byť by zůstávalo jakkoli skryto. Občas vznikne i v Československu například dobrý film (třeba od Věry Chytilové, která má zvláštní schopnost prosadit si i to, co by si nikdo jiný neprosadil). Ale cítíte v něm vždycky, jak se v něm lidský osud vznáší ve vzduchu, jak v něm chybí ono dějinné pozadí: ty příběhy se mohly odehrát kdykoli a kdekoli, a tím jako by se nemusely odehrát vůbec.

Jako by, ztrácejíce tohle dějinné zakotvení či dimenzi dějinnosti, ztrácely na významu a relevanci. Je to věc hrozného tlaku cenzury a autocenzury, ale je to i věc celkového klimatu: v atmosféře vytvořené tak nehybnou, zkostnatělou a přitom všechen život totálně ovládající mocí jako by každý konkrétní lidský příběh ztrácel náboj, smysl, tvář. Je to svět totálního zestejnění – a zkuste psát drama o stejnosti všeho a všech! Je to zvláštní, ale je to tak – anebo já aspoň to tak cítím. Mně osobně ovšem, mám-li být docela upřímný, ze všeho nejvíc ztěžuje psaní docela jiná a až banálně konkrétní věc: strach z toho, že přijde policie a sebere mi rozepsaný nebo právě hotový rukopis. To věčné rozestrkávání kopií po různých bytech, strkání stránek kamsi za skříně, když se ozve zvonek, atd. atd., to já osobně cítím jako nejpitomější. Člověka to přímo neurotizuje a autorsky ochromuje. Tím spíš, že to trvá už tak dlouho. Ale nechť se vyjádří i jiní, ať je jistota, že nesvádím na obecné poměry nějaký vlastní nedostatek tvořivosti.

Jak pociťujete řečenou situaci jako příslušník národní kulturní obce? Jak se s ní vyrovnáváte?

Zvykl jsem si, že většina toho, co čtu, je ve strojopise. Občas vidím zajímavé představení nebo výstavu, ale to jsou úkazy, které se vyskytují spíš jen na okrajích povolené kultury, trochu pokoutné, u nichž se nikdy neví, jestli budou ještě zítra k vidění. A víceméně totéž platí i o dobrých knihách: pokud občas vyjdou, pak většinou jen proto, že si je vybojovali statečnější redaktoři v nekonečném zápase s nadřízenou byrokracií. Jak bych tuhle obecnou situaci nesl? Samozřejmě mě rozčiluje. A vyvolává ve mně hluboký smutek. Je to prostě neštěstí.

Které praktické kroky ze strany státní moci a jejích oficiálních institucí by mohly být počátkem východiska z daného tíživého a kritického stavu? Je ve Vašich možnostech ovlivnit státní kulturní politiku anebo jinak přispět k překonání zmíněného stavu?

Já státní kulturní politiku ovlivnit nemůžu. V nejlepším případě můžu přispět k rozvoji nezávislé (tj. státem bojkotované nebo přímo pronásledované) kultury tím, že něco dobrého napíšu, tím, že budu pomáhat svépomocnému šíření dobrých věcí. Čím silnější a bohatší bude tahle nezávislá kultura, tím větší je naděje, že bude vyvíjet určitý tlak na kulturní politiku státu nebo ji nějak lehce a nepřímo ovlivňovat (například nutit k ústupkům). Jiné možnosti – aspoň v mém případě – nevidím.

Součástí duchovní situace v Československu je snaha státních institucí zabránit volnému proudění duchovních podnětů, myšlenek a informací z ostatního světa. Co postrádáte v takové uměle vytvořené izolaci nejvíce? Očekáváte od Evropského kulturního fóra konkrétní kroky k překonání oné izolace?

Pro mne osobně by bylo nejdůležitější, kdybych mohl cestovat, dýchat kulturní atmosféru jiných zemí, dívat se a vidět, čím kde lidé žijí, co je baví, co se kde děje. Cestovat ovšem (už taky sedmnáct let) nemůžu, protože i kdyby mne pustili ven, nepustili by mne zpátky. Tu a tam sem knihy nebo časopisy ze světa proniknou, cizí filmy (byť jen některé a vždy s velkým zpožděním) se tu také promítají, i nějaké to divadlo občas přijede. Ale já osobně – jak říkám – nejvíc postrádám možnost vnímat cizí kulturu tam, kde vzniká, v jejím mateřském prostředí. Od Evropského kulturního fóra očekávám krásná usnesení, stejně krásná jako usnesení z Helsinek nebo Madridu. Ale usneseními se člověk bohužel ani nenasytí, ani neosvobodí.

Jaké pozitivní kroky ze strany zahraničních kulturních institucí a osobností by podle Vašeho názoru mohly přispět k překonání mrtvého bodu československé kultury?

Čím víc sem bude jezdit významných zahraničních kulturních osobností a čím víc styků s kulturními institucemi bude, tím lépe. Pokud se ale budou omezovat jejich kontakty na jejich zdejší oficiální hostitele a partnery, pak budou pouze pomáhat upevňovat status quo a těm úředníkům přes kulturu dodávat falešné zásluhy. Důležité je, aby z toho měli něco normální lidé. Nejde o nás, zakázané autory nebo vědce. Budou-li se i s námi stýkat nebo na naše postavení upozorňovat, bude to zajisté důležité – pro nás i obecně – ale to nejdůležitější to není. Nejde přece o nás jako konkrétní osoby, byť pro celou tuhle dobu svým osudem symptomatické, ale o kulturu jako takovou, o to, aby z ní něco mělo obyvatelstvo.

(duben 1985)

nové byli schopni představit jako možné a přípustné. Chtěli vyvětrat, ale zároveň se báli čerstvého vzduchu. Chtěli dosavadní systém zlepšit, ale za určitou hranici nesmělo to zlepšení podle jejich mínění jít. Nejen proto, že si sami nedokázali představit, co by za touto hranicí mělo být a že vůbec za ni lze jít (svět jim u té hranice prostě končil), ale i proto, že se báli Kremlu. Nacvičený strach podřízených se u nich organicky snoubil s velkými iluzemi o nadřízených. Zvyklí na dosavadní způsob „politiky" v sovětském bloku, domnívali se, že si to nějak zákulisně se svými moskevskými soudruhy vyříkají, že jim to všechno nějak rozumně vysvětlí a zároveň jim něco přislíbí a že pokud to celé nebude veřejnost svou bezuzdností příliš komplikovat, nějak to projde. Ale doba už byla jiná a čím dál bylo zřejmější, že tímhle tradičním způsobem a takhle snadno se ta záležitost nevyřeší. Ten pocit byl dost obecný a měl jsem ho i já. (Vzpomínám si, jak jsem někdy v červenci roku 1968 prolomil pomocí koňaku svůj ostych ze slavných lidí a jak jsem se pokoušel asi dvě hodiny tohle všechno při jakési příležitosti vysvětlit Alexandru Dubčekovi. Dával jsem mu tisíc všelijakých konkrétních rad; nevím už, jak moc byly blbé; mám ale na tu věc jednu krásnou vzpomínku: že mne po celou dobu pozorně poslouchal! Zkuste si to představit dnes – že by dr. Husák dvě hodiny poslouchal rozumy nějakého dvaatřicetiletého autora absurdních her, který by se mu pokoušel vysvětlit, jak to má všechno dělat!). O roce 1968 v Československu byly už napsány desítky knih, nemíním ho tedy teď znovu analyzovat. Zkrátka a dobře: nadšení se ve mně mísilo s rozpaky, pochybnostmi, ba občas se zoufalstvím. Proti podivné ideologii reformního komunismu, plné vnitřních rozporů a protiřečení, jak se tehdy v rychlosti rodila, se ve mně cosi bouřilo: nejen, že mi byla cizí svou duchovní podstatou, to bylo víceméně samozřejmé a méně důležité, horší bylo, že šlo – jak já to cítil – o hrozný slepenec, který neuspokojí ani československou veřejnost, ani Kreml. Zároveň se ale ve mně cosi bouřilo proti různým chytrým rádcům, s nimiž jsem se setkával v cizině (hlavně v USA), kteří tvrdili, že to všechno špatně skončí, protože to tady všichni špatně děláme. Důvodů k rozpakům bylo daleko víc a jemnějších, ale o tom všem tu nemá cenu teď mluvit. Já sám jsem v žádném centru dění nebyl – nebyl jsem „mužem ledna", to byli všechno reformní komunisté a já komunistou nikdy nebyl – angažoval jsem se jen v tehdejším Svazu spisovatelů (byl jsem předsedou Kruhu nezávislých spisovatelů, což byla jakási dočasná opozice ve Svazu spisovatelů, respektive protiváha jeho stranické organizace, která do té doby o všem rozhodovala sama a předem a která musela mít jakousi trochu institucionalizovanou protiváhu, aby mohla brát ty ostatní s vážností, kterou zasluhovali). Mimoto jsem napsal do *Literárek* jeden větší a zřetelně politický článek. Jmenoval se *Na téma opozice* a zamýšlel jsem se v něm o možnosti vytvořit nějakou novou politickou stranu demokratického zaměření, která by mohla být vážným politickým partnerem straně komunistické. Dnes mám k tomu článku značné výhrady: nemyslím si už, že vytvoření nové strany by bylo samo o sobě tehdy něco vyřešilo a že by bylo reálné; vůbec už moc nevěřím na sám princip politických stran v tradičním slova smyslu; navíc mi na tom mém tehdejším článku vadí, že jsem v něm sice navrhoval založení strany, ale zároveň nebyl ochoten a ani schopen ji vskutku zakládat: cítil jsem se spisovatelem a ne politikem a své poslání jsem viděl v tom, že pozoruji svět a vypovídám pravdivě o jeho mizérii, nikoli v tom, že sám prakticky organizuju jeho zlepšení. Když ale tu stranu nejsem ochoten zakládat, proč o tom vůbec píšu? To mi na tom dnes vadí. Na svou obranu proti těmto svým vlastním námitkám musím ovšem uvést, že to téma bylo jaksi ve vzduchu, že se o tom všude mluvilo, že ti nejosvícenější komunisté sami nabádali nekomunisty, aby něco takového podnikli, že jsem zkrátka byl – když jsem to psal – tak trochu „funkcí doby" či dobové atmosféry. Požadavek opoziční strany není ostatně nic tak zvláštního a neobvyklého; kdykoli se ocitá totalitní systém v krizi, zákonitě se tento požadavek někde vynořuje; v Polsku se vynořuje téma opoziční strany snad každý rok a mnohdy dokonce nejen jako požadavek či návrh, ale přímo jako akt založení. Vskutku politicky jsem se začal angažovat vlastně až po srpnové intervenci, v tom slavném týdnu a v těch několika měsících po něm; ale to už je jiná kapitola. Celkově bych o sobě řekl: zdá se mi, že celý život, tedy v dobách temnějších i světlejších, jsem měl kupodivu víceméně tytéž názory. Co se měnilo, mění a bude měnit, je způsob a intenzita jejich artikulace. Mám prostě takový divný pocit, že celý svůj dosavadní život – spíš než hledáním něčeho nového – zaplňuji opakujícími se pokusy lépe, přesněji, výstižněji a promyšleněji říct cosi velmi „starého“, totiž něco, co jsem jaksi cítil vždycky, jen si to dost dobře neuvědomoval a tím méně to dokázal dobře říct. Pletu se co chvíli, to je přirozené, potěšitelné na tom ale je, že dost často bývám první, kdo přijde na kloub svému omylu a pochopí – byť třebas pod tlakem nějakého impulsu či kritiky zvenčí – pravou podstatu svého spletení. Totiž v čem jsem špatně vyjádřil něco, co jsem prapůvodně myslel či cítil dobře. Zní to neskromně? Pokud ano, velmi se omlouvám.

Dá se vymezit politika v určité svébytnosti a jedinečnosti pojmu? Co je v ní pro vás elementárního, obecného?

Politika je zapeklitý pojem, hlavně u nás. Na Západě to je celkem jednoduché: politici spravují polis; polis si je volí a zároveň je různě kontroluje a ovlivňuje, ať už prostřednictvím tisku nebo demonstracemi. Jejich činnost se týká všech, proto všichni mají právo jim do toho do jisté míry mluvit, aniž by to znamenalo, že každý občan je politikem. Politici jsou svého druhu profesionálové, specialisté na spravování věcí obecných, a k jejich profesi patří i to, že musí přihlížet k mínění ostatních a že se naopak sami pokoušejí toto mínění ovlivnit. V totalitním státě je ale všechno jinak: politika jako by v něm vymizela – místo politiků jsou tu jacísi administrátoři; volby nejsou volbami; parlament není parlamentem; veřejné mínění je potlačeno; vládnoucí úředníci si sami určují, co mají noviny psát. Politika jako by tu tedy skončila a už neexistovala. Jenomže co neskončilo, je život. Společnost žije dál, má i dál své různé složitě stratifikované zájmy, názory, nálady, pocity atd. atd. Život a totalitní systém se pochopitelně ocitají v trvalém rozporu či napětí. Slovo politika tu tedy má dvojí význam: vládnoucí úředníci si ho pro svůj způsob správy dál ponechávají (mluví například o „politickém rozhodování“), dík čemuž veřejnosti to slovo splývá s jejich počínáním a získává jednoznačně negativní smysl: „politika je svinstvo“. Druhý význam toho slova je ten původní, ten, který mělo v dobách „před zrušením politiky“. Právem se dožadujete nějakého nového vymezení politiky v tomto původním a nezprofanovaném významu, takového, které by odpovídalo našim poměrům. Ano, i tato skutečná politika, ta, která není *ex definitione* svinstvo, v totalitním státě nějakým zvláštním způsobem je. Jenomže to není – jako na Západě – činnost nějakých profesionálů a veřejná kontrola této činnosti, ale je to – co to vlastně je? V tom je právě ten problém! Spíš než oblast lidské činnosti to je oblast konfliktu totalitní moci a života. Kde se ale odehrává ten konflikt? No přece *všude*! Tím, že politika v onom tradičním slova smyslu (tj. jako určitá oblast lidské činnosti) byla zrušena, rozlila se jaksi „do okolí" a všechno zaplavila nebo aspoň lehce orosila: stalo se jí zároveň tak trochu všechno a zároveň nic úplně. Všechno je přece u nás „krypto-politické" – od zdražení vína, přes rockový koncert, protest proti úřední svévoli, pouť na Velehrad až po poslední nejapný hospodský vtip – a nic z toho vlastně není „čistě" politické nebo politikou jako takovou. Na tomto paradoxním terénu všichni stojíme a na něm vy kladete své otázky. Zdá se, že by se měla politika nějak obnovit v tom původním smyslu, že by měla opět vzniknout jako realita, jako konkrétní oblast lidské činnosti, jako určitá veřejně kontrolovaná profese. Zdá se, že čas zraje k tomu, aby ji někdo zkusil v tomto plném a závazném slova smyslu dělat. Jak ji ale dělat na tomto podivném terénu? Jak ji obnovit? Myslím, že *prvním krokem* k její obnově je začít říkat pravdu, artikulovat nahlas své názory, ať se vládě líbí nebo ne, artikulovat různé reálné potřeby a zájmy společnosti, pojmenovat její rozpory. Čelit prostě zlu, kterým je oficiální lež. Co je špatné a co nechceme, víme vždycky dřív a lépe, než co je dobré a co chceme. A snadněji se na tom můžeme domluvit. Tento první krok už byl učiněn. Po léta se různí lidé snaží říkat i v těchto podmínkách pravdu, bez ohledu na následky. Všechna hnutí za lidská práva v sovětském bloku, včetně Charty 77, vyrostla z této půdy a jsou jakýmsi výsledkem tohoto „prvního kroku": slouží pravdě a jsou založena na úmluvě („chartě"!) o tom, co je špatné a co nechceme. Od toho je ovšem ke skutečné obnově politiky v původním slova smyslu ještě velmi, velmi daleko. Ale jednu důležitou výhodu tato zdlouhavá a nepřímá cesta k obnovení politiky má: mravní, neúčelový, existenciální původ těchto hnutí, všech těchto pokusů říkat pravdu či „žít v pravdě" předznamenává velmi smysluplně a dobře i další směr. To je naše veliká výhoda v celé téhle bídě. Mám dojem, že bude-li někdy učiněn i „druhý krok", ponese nevyhnutelně na sobě toto mateřské znamení svého původu a ponesou ho nevyhnutelně i všechny další eventuální kroky. Zdá se mi prostě, že bude-li u nás někdy zase obnovena politika v původním slova smyslu, pak bude vždy spojena touto pupeční šňůrou s onou zvláštní „polo-politikou", kterou dnes děláme tím, že se pokoušíme svobodně říkat, co si myslíme o poměrech. Konkrétněji: umím si těžko představit, že by se po Chartě 77 mohli stát mluvčími zájmů společnosti či jejími reprezentanty (nějakými českými či slovenskými Walesy) lidé, kteří pouze touží po moci nebo mají nějaké jiné postranní cíle. Ten *druhý krok* – totiž začátek práce politicko-programové a prakticko-politické – bude na první krok logicky navazovat, bude jeho dítětem a plodem, a už proto nebude zřejmě myslitelné, aby v sobě nenesl i něco z jeho „ducha" či „étosu". Možná to nebudou vůbec chartisté, kdo tento krok u nás učiní – a přesto cosi z mravního východiska Charty budou i oni nutně dědit; ba asi to bude víc než jen tento mravní rozměr (Solidarita převzala od KOR taky víc než jen nebojácnost), nicméně tento rozměr se mi jeví jako nejdůležitější. Tolik obecně. A teď – na závěr – několik slov konkrétně o mně: už jsem se zmínil o tom, že se považuji především za spisovatele, tedy za „svědka doby"; jevím-li se někomu zároveň jako nějaká politická veličina, pak prostě proto, že – jak jsem psal – jsme na terénu, kde politika jako taková byla vymýcena a dík tomu se „tak trochu" stalo politickým vše – a tím spíš svobodné psaní nebo dožadování se lidských práv. Za území sobě vlastní považuji jen to, co jsem nazval „prvním krokem". Zde je mé místo, zde působím a cítím se být povolán působit. Jít dál si netroufám: nevím, jestli bych to uměl, a hlavně nevím, jestli bych to vůbec chtěl. Moji podporu, sympatii a hlas dostane všechno, co se na území „druhého kroku" objeví a co se mi bude zdát dobré; já už ale asi nebudu tím, kdo bude nějakým „motorem pohybu" na tomto území. Každý bychom měli znát své meze a čím blíž bude ta naše zvláštní „polo-politika" nějaké obnovené politice v plném slova smyslu, tím větší roli by v ní měli hrát skuteční politikové. Beletristé můžou tu káru táhnout snad v dobách, kdy jde hlavně o to, něco napsat, jakmile půjde o něco víc, musí nastoupit povolanější. To celé neznamená, že bych neměl ve svých téměř padesáti letech své poměrně vyhraněné politické názory, tj. své představy o tom, jak by měla polis být spravována, v jakém duchu a podle jakých principů. Na to mám názory dost určité. Ale zdráhám se o nich mluvit – mimo jiné proto, abych neopakoval tu svou chybu z roku 1968, kterou jsem tu kritizoval: abych totiž nevytyčoval programy, které nejsem schopen a ochoten sám také proměňovat v živoucí činy. Chystám se časem v jiné souvislosti vyjádřit se sice i v tomto směru konkrétněji, nicméně i to bude vyjádření velmi opatrné a zdrženlivé. Já skutečně nemám rád, když někdo říká „měl by být přeskočen tento potok", a přitom ho sám nezkusí přeskočit. Žijeme v poměrech, kde má slovo zvláštní závaznost: na Západě mohou tisíce politologů či žurnalistů rozvíjet své nejrozmanitější představy o tom, jak by měl svět fungovat a co by měli politici dělat, a celkem nic jiného z toho nevyplývá, než že dotyčný si myslí dotyčnou věc. U nás tomu je ale jinak: když řeknu například, že by měly být zakládány nezávislé odbory, a odmítnu je přitom ve své dílně založit, stávám se trochu šaškem. Odtud tedy ta má opatrnost.

Váš Václav Havel

(listopad 1985)

DVĚ POZNÁMKY O CHARTĚ 77

/1/

Od svého vzniku dodnes je Charta provázena z různých stran různými druhy podezření, obav a útoků či naopak nadějí, jejichž společným jmenovatelem je jeden základní omyl: totiž dojem, že Charta je hnutí politické (v tradičním smyslu takového označení), nějakou politickou a politicky vyhraněnou silou či organizací, nějakou programově opoziční (a snad i o moc usilující) institucí. Myslím, že tento omyl je ve většině případů opravdu jen omylem, že tu tedy převážně nejde o výraz zlé vůle, a myslím si, že ten omyl má přitom mnoho víceméně pochopitelných důvodů. Snad nejvýznamnější z nich tkví už v samotné zvláštnosti systému, v němž Charta působí a v němž se nevyhnutelně jeví jako politikum vlastně všechno, a tím spíš svobodný občanský projev. Omylu, o němž tu mluvím, se pokoušíme od první chvíle čelit (co textů už bylo na to téma napsáno!), v kterémžto snažení nám zřejmě nezbývá, než dál a dál pokračovat. Zmíním se teď stručně o jedné další oblasti důvodů, které k tomuto nedorozumění vedou. Charta je, jak známo, občanskou iniciativou, v níž se spojili nejrůznější lidé proto, aby se společně dožadovali dodržování zákonů, respektování základních lidských práv, aby vystupovali proti nespravedlnostem všeho druhu a kriticky zkoumali různé společenské jevy, jejichž svobodné kritické zkoumání je na oficiální půdě nemožné. Mezi aktivními chartisty jsou mnozí lidé výrazně politicky či duchovně vyhranění, socialisté, katolíci, protestanti, demokraté atd. K tomu je třeba ovšem říct dvě věci: ať jich je, kolik chce, a jakkoli hodně je právě o nich (z důvodů opět zcela pochopitelných) slyšet, nejsou zdaleka ve většině – většina signatářů Charty se naopak nehlásí k žádné konkrétní ideologii, politickému programu či k nějaké konfesijní skupině. Druhá věc: i kdyby tomu tak nebylo a všichni signatáři do jednoho byli lidmi velmi ostře politicky profilovanými, nic by to neměnilo na té čistě občanské a ideologicky či politicky se nedefinující bázi, na které Charta stojí a na které se její signatáři spojili. Přítomnost politicky vyhraněných osobností a především okolnost, že se tyto osobnosti přirozeně v duchu svého politického přesvědčení veřejně projevují, je nepochybně jednou z příčin oněch trvalých nedorozumění a omylů, o nichž tu mluvím. Vždy znovu se přitom zapomíná, že jakékoli bezprostředně politické či ideologické projevy či aktivity zmíněných osobností nemají s Chartou jako takovou de facto nic společného; tuto práci dělají přece různí lidé či jejich skupiny nikoli jako chartisté či jménem Charty, ale prostě sami za sebe a jménem svým. Posuzovat Chartu podle toho či onoho politického vystoupení toho či onoho chartisty je přinejmenším stejně pošetilé, jako kdyby byla posuzována podle toho, jaké já píšu divadelní hry. A stejně nesmyslné jako posuzování Charty podle politické minulosti či současných politických názorů jejích jednotlivých signatářů je spekulování o její politické orientaci či směřování podle politické minulosti či politických názorů jejích mluvčích, což se bohužel také dost často děje. Myslím, že Charta by zůstala tím, čím je, ať by bylo složení mluvčích jakékoli a mně osobně by bylo úplně jedno, zda to jsou shodou okolností tři bývalí komunisté nebo naopak tři katolíci; jediné, co by mne zajímalo, by byla kvalita dokumentů, které vydávají, a ovšem i to, zda povaha těchto dokumentů nepřekračuje tím či oním směrem rámec, jímž Charta sebe samu a své poslání vymezila. V této souvislosti neuškodí ovšem připomenout jednu poněkud jinou věc, která ani pro nás samotné není vždy zcela samozřejmá. Jde o toto: při tvorbě dokumentů, zvláště některých, není pro jejich autory úkolem právě jednoduchým oddělit to, co je tak říkajíc legitimně chartovní, od toho, co by tuto legitimitu mohlo nějak překračovat. Pro normálního člověka, identického se sebou samým a nerozštěpeného na dvě spolu nesouvisející bytosti, není totiž vždy tak docela snadné oprostit se od jedné části sebe sama, totiž od jazyka, terminologie, vidění a chápání některých souvislostí a vůbec od toho způsobu myšlení, které jsou dány jeho vlastní ideovou a politickou tváří. Ostatně neexistuje žádný index slov, výrazů či myšlenek, které jsou „autenticky chartovní", a terén „autenticky chartovního" nemá tudíž žádné přesné, exaktní, podle nějakého manuálu ověřitelné a každému na první pohled zřejmé hranice. Vše to je věc jakéhosi volného konsensu a dohody, které mají svůj život a vývoj, ovlivňovaný tisícem okolností vnějších i vnitřních. Dík tomu se přirozeně občas stane (a také samozřejmě dík mnohdy dost divokým podmínkám, v nichž dokumenty vznikají), že je daný konsensus, tak jak je v tu kterou chvíli obecně cítěn, v nějakém ohledu dost nápadně překročen, což potom mívá za následek bouřlivé debaty uvnitř Charty a tisíce mnohdy dost absurdních spekulací vně Charty o šikmé ploše, po níž se údajně sune tam či onam – to znamená (jak jinak!) jednou prý doleva, podruhé prý doprava. Jde-li v takovém případě o zcela nesporný „úlet", pak je třeba za prvé si uvědomit, že jsme živí a tudíž chybující lidé, mající právo občas něco zkazit, a za druhé si svou chybu co nejdřív a co nejupřímněji přiznat a vyvodit z ní náležité důsledky. Nač z toho ale vyvozovat bůhví jaké katastrofické dohady o scestí, na němž se Charta ocitla? A ještě jednu věc bych rád v této souvislosti poznamenal: nemají-li se dokumenty Charty stát časem zcela odosobněnými, amorfními, byrokraticko-anonymními texty, jejichž úřední tón bude stejně uspávající jako tón stranických referátů a usnesení, pak vůbec neuškodí, když tu a tam bude ten či onen dokument nést přídech osobnějšího ladění či jazyka, když bude patrno, že ho psalo něčí konkrétní pero, a když se v důsledku toho v něm objeví i osobitější a třebas i tak či onak někoho provokující myšlenka, nápad či formulace. Neuškodí to tím spíš, když tenhle jemný přesah bude proměnlivý a s určitou citlivě odhadnutou vyvážeností bude lehce poukazovat jednou jedním směrem a podruhé směrem druhým. Což i to nebude v souladu s pluralitní povahou Charty a s tím, že Charta je vystoupením konkrétních lidí na obranu konkrétní lidské osobnosti a jejích práv proti anonymním aparátům odosobněné, a tudíž neodpovědné moci? Charta není přece jen novým anonymním aparátem, postaveným proti aparátům dosavadním! Ostatně už dávno bylo řečeno – a vždy znovu se na to rádo zapomíná – že dokumenty Charty nejsou žádnými definitivní platnost si nárokujícími usneseními, ale že to jsou jen podněty a výzvy k širší rozpravě o tom či onom tématu. Existuje samozřejmě velké množství dalších a jemnějších příčin a souvislostí, které jsou v pozadí oněch nedorozumění, jimiž se tu zabývám, a vedou ke všem těm neopodstatněným kalkulacím (které se, žel, zvláště v poslední době množí). Ale těmi se chystám časem zevrubněji zabývat při jiné příležitosti.

/2/

V dnešním politicky polarizovaném světě se stále víc prosazuje jakési bipolární politické myšlení: od každého je žádáno, aby se jasně vyjádřil, zda patří sem či tam, zda je přítelem či nepřítelem, a od kdekoho se očekává, že bude bezvýhradně loajální k tomu, k čemu patří nebo k čemu je přiřazován. Ve světě tohoto myšlení jsou ovšem s Chartou trvalé a pochopitelné potíže. Když je pravá, proč není pravá pořádně, otevřeně a do důsledků? Když je levá, proč není levá pořádně, otevřeně a do důsledků? Takové otázky – přirozeně poněkud jemněji formulovány – slyšíme co chvíli. I ty pramení ze špatného porozumění tomu, co to Charta vlastně je. Charta není pravá ani levá nikoli proto, že je „někde uprostřed", ale z důvodu hlubšího: nepatří k tomu či onomu pólu politického spektra proto, že nemá vůbec s tímto spektrem nic společného a je ze samé své podstaty mimo ně. Jako politicky nevymezená a konkrétní politický program neprosazující občanská iniciativa je – smím-li to tak říct – jaksi „nad" tím vším, nebo skromněji: vně toho všeho. Jde jí o pravdu, o pravdivý popis poměrů a jejich svobodnou a objektivní kritiku. To znamená, že jí jde a musí jít o pravdu „padni komu padni"; nebýt takto založena a přihlížejíc k nějakým takzvaným „politickým zájmům" nebo omezujíc dokonce svou pravdivou výpověď loajalitou k nějaké politické síle či tendenci nebo držíc dokonce jakoukoli disciplínu v rámci nějaké vyšší politické struktury, taktizujíc zkrátka, neměla by právo považovat se za nezávislou a svobodnou a byla by něčím jiným, než jako co vznikla. Charta prostě nikomu nepodléhá a tak, jak není žádnou tajnou filiálkou Husákova režimu (z čehož ji někteří velmi bojovní – hlavně ovšem v závětří boje usazení – bojovníci za demokracii podezírají), není ani žádnou tajnou československou odnoží Reaganovy administrativy (z čehož ji zase podezírají někteří velmi bojovní bojovníci za socialismus). Má-li Charta u moudrých lidí jakýs takýs respekt, má ho jen a jen dík tomu, že je vskutku nezávislá a že jí nevadí nepříjemný sice, ale ze samé její podstaty vyplývající fakt, že někomu bude vadit vždycky. A domnívá-li se někdo, že ďábla komunismu je třeba vymýtit a že to nelze jinak než pod Reaganovým vedením, a že tudíž každý náznak neposlušnosti tomuto vedení je podporou ďábla, pak takové přesvědčení je jeho věcí a mým dnešním úkolem není mu vysvětlovat, že si nevidí na špičku svého demokratického nosu. Že ale Charta jako taková (bez ohledu na eventuální privátní názory některých jejích signatářů, ať už „pravých" či „levých") uznává nad sebou jen autoritu jedinou, totiž autoritu pravdy a autoritu svědomí, které jí velí tuto pravdu říkat, to zřejmě neuškodí vysvětlovat vždy znovu a všem. A nejsme-li vševědoucí jako Pánbůh a naše informace jsou proto mnohdy omezené či zkreslené, můžeme-li leckdy leccos vidět špatně, věřit leckomus, komu bychom věřit neměli, a nevěřit leckomus, komu bychom věřit měli, nedokážeme-li pravdu artikulovat vždy dobře a přesně – to všechno je už věc jiná. Dělali jsem chyby a nevyhneme se jim bohužel ani v budoucnosti. Tyto chyby jsou však – a o tom jsem už mluvil – důsledkem naší lidské nedokonalosti a dojem, který mohou tam či onde vyvolat, by neměl být přičítán tomu, že patříme pod nějakou (ať už tam či onde sympatickou či nesympatickou) politickou vlajku, které se snažíme sloužit nebo kterou naopak odsouzeníhodným způsobem zrazujeme.

(březen 1986)

ODPOVĚĎ DO ANKETY H. GORDONA SKILLINGA

Zdá se mi, že pojmu „nezávislá společnost“ by mělo být užíváno velmi opatrně, respektive že by dřív, než bude užíván, měl být přesněji vymezen. Lze-li totiž bez rozpaků říct, že například v dnešním Československu existuje nezávislá kultura nebo nezávislé písemnictví, že v něm existují osoby nebo společenství, které se snaží projevovat se svobodně a nezávisle, že tu lze dokonce pozorovat (bereme-li to spíš jako metaforu než jako exaktní sociologickou kategorii) zárodky toho, co Benda nazval „paralelní polis“, pak zdaleka už nelze tak snadno a bez dalšího říct, že tu existuje nebo se rodí „nezávislá společnost“. Pokusím se vysvětlit, proč si to myslím.

Především: v moderním světě vůbec – a ovšem v totalitním systému zvlášť – nikdo není a nemůže být úplně nebo absolutně nezávislý na státu. I ten nejsvobodněji se projevující československý nebo polský občan je (většinou) zaměstnán ve státním podniku, kde si vydělává státem vydávané peníze, za něž si pak nakupuje (většinou) ve státních obchodech potraviny či spotřební zboží; užívá (většinou) státní zdravotní péče; bydlí (většinou) ve státním bytě a dodržuje bezpočet státem vydaných zákonů a vyhlášek. Rozhodně tedy není úplně nezávislý. Zároveň ale platí, že i v totalitním státě je ponechána určitá míra nezávislosti i tomu nejzávislejšímu občanovi a že každý má možnost – ať už jakkoliv – této nezávislosti využít či její míru zvýšit (zatím není například předpisováno, jakou košili máme který den nosit ani zda se máme večer po práci dívat na televizi či zda smíme jít do biografu). Ale nejen to: i tu širokou sféru života, v níž je na státu závislý, prosvětluje každý občan něčím osobitým, jen jemu vlastním, nepředepsaným a tedy nezávislým: i ten nejtupější byrokrat, otrocky sloužící nadřízeným, výkon své služby modifikuje po svém – byť třeba jen podle své povahy a svých zvyklostí. Neexistují tedy – striktně vzato – dvě společnosti nebo dva druhy lidí: závislí a nezávislí. Všichni jsou závislí a všichni se zároveň v určitých oblastech projevují více či méně nezávisle. Rozdíl – a samozřejmě rozdíl veledůležitý! – je ovšem v „kvantitě" či míře jednoho a druhého, respektive ve vzájemném poměru těchto dvou „kvantit". Mezi předním disidentem, běžným nenápadným občanem a stranickým funkcionářem jsou rozdíly ohromné – jsou to však rozdíly v míře závislosti a nezávislosti, nikoli v tom, že by jedni byli pouze to a druzí pouze ono. Polská společnost za Solidarity – ale i polská společnost dnes – je asi celkově nepoměrně nezávislejší na státu než společnost československá. Opět je to ale jen rozdíl kvantitativní; ani Poláci nejsou úplně nezávislí a ani Čechoslováci nejsou úplně závislí (jak se to snad může povrchnímu pozorovateli jevit). Takovéto – zcela obecné – zpřesnění by mělo podle mého mínění všem úvahám o „nezávislé společnosti" předcházet.

Nabízí se pochopitelně představa, že „nezávislou společnost", nebo aspoň její zárodky, lze v zemích sovětského bloku spatřovat především v těch strukturách, společenstvích či hnutích, která se nejzřetelněji emancipují od státu a která neváhají za svou emancipaci platit i tím, že se stanou oběťmi perzekuce. Jde například o společenství aktivistů Solidarity v Polsku nebo signatářů Charty 77 v Československu. Ano, tito lidé, kteří se rozhodli „žít v pravdě", jsou skutečně nezávislejší než ti jejich spoluobčané, kteří se k něčemu takovém nerozhodli.

V této souvislosti, totiž aplikujeme-li kategorii „nezávislé společnosti" už na určité konkrétní společenské úkazy a zkoumáme-li pak jejich skutečný společenský význam, zdá se mi být důležité, abychom si uvědomili přinejmenším dvě věci:

1. Důležitější než nějaká obecná či absolutní míra nezávislosti těchto společenství a jejich aktivit (například jak by se jevila jejich vzájemným srovnáním) je opět jejich míra relativní, totiž ta, kterou mají na pozadí konkrétní společenské situace v té zemi a v tom čase, kde a kdy působí. Co se může z hlediska poměrů v jiné zemi jevit jako nezávislost velmi skromná, omezená a opatrná, nemusí tak vůbec působit v té zemi, kde to existuje. Příklad: projeví-li nějaký Rumun ve své zemi veřejně kritický názor na poměry, může se stupeň jeho nezávislosti jevit z hlediska maďarské situace a maďarských možností jako velmi nízký, a tudíž bezvýznamný, avšak v rumunské situaci může být nadán energií téměř výbušnou. Takže projev nebo čin, který by v jedné zemi či v určité době snadno mohl zapadnout téměř nezpozorován mezi mnoha analogickými a důsažnějšími projevy nebo činy, může v jiné zemi a v jiném okamžiku téměř zatřást společností. Jakási abstraktní a od konkrétní situace odmyšlená míra nezávislosti tedy o skutečném významu projevu, u něhož je zjišťována, vypovídá pramálo.

2. Podobně je třeba trvale mít na zřeteli, že společenský dosah takzvaných nezávislých aktivit není v totalitních podmínkách nikdy beze zbytku dán a beze zbytku měřitelný počtem těch, kdo se na těchto aktivitách přímo podílejí. Jsou-li takových lidí například v Polsku dnes tisíce a v Československu jen desítky, pak to sice signalizuje, že Polsko je na tom stále ještě o něco lépe než Československo, zároveň to ale neznamená, že význam nezávislých aktivit v Československu je úměrně menší než v Polsku. Tak jednoduché to opět není. Kolem těchto aktivit totiž existuje vždy užší či širší pole jejich skrytého vlivu, jehož potenciální význam nelze nikdy přesně odhadnout a jehož velikost vůbec nemusí přímo vyplývat z velikosti toho, čím je toto pole vyvoláno. Chartistů je sice málo, o jejich práci však ví velká část společnosti (nebo aspoň velká část té její části, která se trvale zajímá o věci veřejné a která tudíž tak říkajíc „dělá dějiny“), ví o ní přinejmenším ze zahraničního rozhlasu – a i když se, aspoň za dané situace, tato velká část společnosti k Chartě nepřipojí nebo veřejně své sympatie k ní neprojeví, neznamená to přece, že Charta v jejím vědomí či podvědomí neexistuje a nepůsobí, že nějak nepřímo neovlivňuje i její počínání, že jí

nepomáhá o nějaký nenápadný kousek posunout občas a v něčem hranice i její nezávislosti. Dalo by se říct, že Charta je jakýmsi malým ohniskem relativní nezávislosti, ohniskem, z něhož ovšem nezávislost trvale vyzařuje široko za jeho hranice. Těžko vědět, co toto záření v ozařovaném prostoru způsobuje či způsobí, jakému zrání či kvašení v něm pomáhá (byť jen jako katalyzátor) a jaký podíl bude toto záření mít na eventuálním budoucím sociálním pohybu, nastane-li nějaký. Klasickým příkladem tu je přece nedávný polský vývoj: dlouho se mohlo zdát, že KOR a jeho aktivisté nemohou nijak zřetelně pohnout celkovou společenskou situací nebo ji ovlivnit – a pak náhle, když přišel další výbuch společenské nespokojenosti, zhodnotila se práce KOR takřka přes noc zcela nečekaným způsobem: těžko si lze představit, že by bez přípravné analytické a koncepční práce KOR mohla vzniknou mnohamiliónová Solidarita.

Závěrem tedy: vskutku tomu asi není tak, že by tu byla malá enkláva „úplně nezávislých" uprostřed oceánu „úplně závislých" a že by mezi jedním a druhým nebylo žádných interakcí. Je tu enkláva „relativně nezávislých", která trvale, zvolna a nenápadně obohacuje duchovně osvobozujícím a mravně apelativním významem své vlastní nezávislosti své „relativně závislejší" okolí, posilujíc tím v něm tu malou sféru nezávislosti, která mu zbyla nebo kterou si bylo schopno uhájit. Vposledku je tedy i taková enkláva „relativní nezávislosti", navzdory tomu, že je jen enklávou, a navzdory relativitě své nezávislosti, něčím celospolečensky důležitým a k rozšiřování celospolečenské nezávislosti přispívajícím.

(duben 1986)

SETKÁNÍ S GORBAČOVEM

Návštěva cara-reformátora v gubernii, kde vládnou dík zásahu jeho předchůdce antireformátoři, byla zřejmě událostí – aspoň co se očekávání týče – natolik pikantní, že se do Prahy sjelo vskutku nebývalé množství novinářů. Sjeli se včas, kdo ale svůj příjezd odkládal, byl car-reformátor. A tak novináři trávili čas čekání všelijak, mezi jiným navštěvováním disidentů. Byly jich u mne desítky, všichni se ptali, co si myslím o novém carovi, a mně bylo neobyčejně trapné opakovat pořád dokola týž výklad, tím spíš, že mi nepřipadal vůbec nijak originální: ať jsem řekl cokoliv, měl jsem vzápětí dojem, že jsem to už předtím někde slyšel či četl. Nelze se divit: není dnes asi na světě osoba, o níž by se mluvilo víc, a tak je celkem pochopitelné, že téměř vše, co se o ní dá říct, už o ní někdo někde řekl.

Konečně přijel a já si oddychl: novináři měli teď atraktivnější program než slyšet ode mne to, co předtím už sami někde napsali.

Bydlím nedaleko pražského Národního divadla, je půl desáté večer, novinář žádný, a tak si vyjdu se svým psem na večerní procházku. A co nevidím: nekonečné řady parkujících reprezentativních aut, ohromné množství policistů, osvětlené Národní divadlo. Ihned chápu situaci: Gorbačov je na představení. Zvědavost mi nedá (jsem totiž svým založením čumil) a zamířím k Národnímu divadlu. Dík psovi, který mi razil cestu, jsem se probojoval až do první řady. Stojím, čekám, představení musí každou chvíli skončit. Pozoruji a poslouchám lidi kolem sebe. Jsou to nahodilí chodci, žádné zorganizované publikum, ani lidé, kteří sem kvůli Gorbačovovi sami od sebe přišli, prostě jen podobní čumilové jako já, kteří šli z jedné hospody do druhé, všimli si, že tu je nějaký rozruch, a tak se ze zvědavosti zastavili. Mají spoustu sarkastických poznámek, především na adresu dlouhých řad tajných policistů, kteří proti tomu nezasahují (zřejmě mají zakázáno vyvolat jakoukoli konfrontaci, která by na návštěvu mohla vrhnout stín).

Konečně! Náhlé oživení mezi policisty, auta se rozsvěcují, motory startují, z divadla vychází honorace. A z ničeho nic jde sám on! Vedle něho Raisa, oba obklopeni rojem tajných.

V tomto okamžiku přišlo první překvapení: ti cyničtí a ironičtí vtipálkové, kteří si ještě před několika vteřinami velmi tvrdě utahovali z mocipánů i jejich strážců, se náhle – jako mávnutím proutku – proměňují v nadšený, ba freneticky burácející dav, derou se kupředu, aby mohli zamávat hlavnímu vládci.

Nešlo tu samozřejmě o žádné „věčné přátelství se Sovětským svazem". Šlo tu o cosi nebezpečnějšího: ti lidé zdraví člověka, o němž se domnívají, že jim přivezl svobodu.

Bylo mi z toho smutno a napadlo mne, že tenhle národ je nepoučitelný: tolikrát už upnul veškeré své naděje k nějaké vnější síle, od níž si sliboval, že vyřeší jeho problémy za něj, tolikrát se hořce zklamal a byl donucen si přiznat, že mu nikdo nepomůže, pokud si nejdřív nepomůže sám – a znovu tatáž chyba! Znovu ta iluze! Oni si snad opravdu myslí, že sem Gorbačov přijel osvobodit je od Husáka!

Ale to se už blížil car-reformátor k místu, kde jsem stál. Byl poměrně malý a podsaditý, taková roztomilá kulička (možná se tak jevil jen v sousedství svých mohutných strážců), působil trochu plaše a bezradně, usmíval se – jak se mi zdálo – upřímně, kynul nám až jaksi spiklenecky, téměř každému zvlášť a každému osobně. A tu přišlo mé druhé překvapení: najednou mi ho bylo líto.

Představil jsem si jeho život: celý den musí vidět nesympatické tváře svých strážců, program má jistě bohatý, neustálé schůze, jednání a proslovy, povinnost mluvit s množstvím lidí, pamatovat si je všechny a navzájem je rozlišovat, pořád musí říkat něco vtipného a zároveň správného, čeho by se svět, čekající na senzace, nemohl zmocnit a co by pak nemohl někdo proti němu použít, nutnost neustále se usmívat a absolvovat i taková představení, jako bylo to dnešní a místo nějž by si nepochybně raději odpočal – a to si ještě po takovém perném dni nemůže dát večer nějaký drink!

Rychle jsem svou lítost potlačil. Řekl jsem si: má, co chtěl. Věděl přece, co ho čeká. Zřejmě ho tento způsob života baví, jinak by se na tu dráhu asi nedal. Zakázal jsem si soucit a zvolal jsem popuzeně sám na sebe: Nebuď jako ti pitomí lidé ze Západu, kteří roztají jako sněhulák v peci, sotva se na ně nějaký východní vladař šaramantně usměje! Buď realista a chovej se v duchu realistických analýz, které jsi tu tři dny rozvíjel se zahraničními novináři!

Gorbačov, muž, který v Praze tak chválil jednu z nejhorších vlád, jaké tato země ve své moderní historii měla, jde kousek ode mne, mává, přátelsky se usmívá – a mně se najednou zdá, že mává přímo mně a usmívá se přímo na mne.

A přichází třetí překvapení: uvědomuji si najednou, že má zdvořilost, velící mi odpovědět na pozdrav, byla rychlejší než mé politologické úvahy: plaše zdvihám ruku a taky mu kynu.

Kulička se vkulila do své limuzíny, v níž vzápětí odfičela stokilometrovou rychlostí pryč.

Dav se rozchází, lidé opět zamíří – zcela civilně – k hospodě, do níž mířili, než narazili na tuhle atrakci.

Já jdu se psem domů a přemýšlím sám o sobě.

A přichází čtvrté a poslední překvapení: to své plaché zamávání si vůbec nevyčítám. Vždyť já opravdu nemám důvod neodpovědět osvícenému carovi na pozdrav!

Něco jiného je totiž odpovědět mu na pozdrav a něco jiného je vylhávat se ze své odpovědnosti tím, že ji přesunu na něho.

(červenec 1987)

FRAŠKA, REFORMOVATELNOST A BUDOUCNOST SVĚTA

Je to žertovná náhoda, že dvacáté výročí sovětské vojenské invaze, která potlačila pražské jaro, přichází do doby, kdy se Gorbačov pokouší o rozsáhlou reformu v Sovětském svazu a kdy českoslovenští místodržitelé, Sověty dosazení a slepě je poslouchající, jsou nuceni mluvit i o reformách v Československu. Známá Marxova myšlenka, že opakuje-li se něco v dějinách a probíhá-li to poprvé jako tragédie, pak podruhé to probíhá jako fraška, se v dnešním Československu skvěle potvrzuje: zatím (tj. v okamžiku, kdy toto píšu, tedy v říjnu 1987) má „druhý obrodný proces" v Československu všechny rysy frašky. Zmíním se stručně, proč tomu tak je, ale moc místa bych tomu věnovat nechtěl: zdá se mi, že celá ta „žertovná náhoda" vybízí k zamyšlení o některých obecnějších a důležitějších věcech, týkajících se komunismu vůbec.

•

Nejprve tedy k té současné československé frašce. Proč je fraškou?

a) Po sovětské intervenci, když se formovala garnitura, která bude vládnout a takzvaně „normalizovat", nebylo moc na vybranou. A tak tato garnitura vznikla v podstatě z jakési kombinace několika reliktů dávné minulosti, totiž tuhých stalinistů, a několika celoživotních vrtichvostů, schopných se přidat kdykoli ke komukoli. Jsou v ní, nepochybně, také někteří inteligentní lidé, kterým je jasno, jak se věci ve skutečnosti mají, ale ti zatím velký vliv nemají, nemajíce zřejmě dost odvahy svůj eventuální vliv uplatnit. Normalizační garnitura se cele identifikovala se sovětskou invazí, nenávistně odsoudila reformní snahy pražského jara a dvacet let pronásleduje všechny, kdo se tehdy jakkoli angažovali, i všechny, kdo k ní nejsou bezvýhradně loajální. Jde o vedení, jehož identitu tvoří antireformismus. Je to vedení, kterému se podařilo za dvacet let své vlády vytvořit jeden z nejtužších, nejneplodnějších a nejnehybnějších typů komunismu, jaký lze v dnešním světě najít. Začne-li toto vedení po dvaceti letech své vlády žvatlat cosi o reformách, budí to pochopitelně jen všeobecné veselí. Nikdo to nebere vážně, nikdo tomu nevěří. A každému je také jasné, že jde opravdu o pouhé žvatlání, za nímž se skrývá skálopevná vůle nic – nebo aspoň nic důležitějšího – reálně neměnit a hlavně vyloučit jakoukoli možnost, že by tu mohl vládnout někdo jiný. Lidé, kteří dvacet let devastují tuto zemi a kteří dnes kritizují tuto devastaci a mluví o nutnosti nápravy a změn, přitom se ale nemíní vzdát svých funkcí a výsad, musí být prostě soudným lidem k smíchu; s tím se nedá nic dělat.

b) Češi a Slováci nejsou emfatici. Nenadchnou se příliš často. V roce 1968 se nadchli, uvěřili, že se bude žít lépe, angažovali se. Se zlou se potázali: spálili si prsty a dvacet let za to platí. Jen bloud by mohl očekávat, že se po této hořké zkušenosti nadchnou znovu a znovu budou svým angažmá riskovat analogické následky. Zvlášť když je k nadšení vybízejí ti, kteří je za jejich minulé nadšení tak dlouho a tak systematicky trestají. Obecná skepse dosáhla takové hloubky, že si neumím představit, jak skvělý vůdce by musel stanout na Husákově místě, aby dal tuto společnost opět do pohybu. Samozřejmě: vždy je správné brát vládu za slovo a dožadovat se, aby uskutečnila to, co verbálně vyhlašuje. To dělá Charta 77 už léta a dělá to i dost dalších lidí a skupin. Společnost jako celek však nedělá v podstatě nic. To „braní za slovo“ sice se zájmem sleduje, sympatizuje s ním, ví, že to je správné, ale sama si dává velký, převelký pozor. Dějiny ji poučily a lidé se naučili nevěřit komunistům ani nos mezi očima. A tak neustálé vládní výzvy k celonárodní

svých osobitých zvláštností a nejsou to vůbec jen nějaké mechanické reprízy téže tragédie (respektive komedie). Přesto se mi dnes zdá být čím dál zřejmější to, co se donedávna ještě mnohým vůbec zřejmé nezdálo: že to jsou jen různé historické varianty *jediného historického trendu:* touhy společnosti omezit, zmírnit nebo zcela zrušit totalitnost komunistického systému. Není náhoda, že všechny tyto události dříve nebo později – v té či oné podobě – tím či oním způsobem – vyplavují na pořad dne vždy znovu vždy tytéž základní požadavky: větší duchovní svobodu, méně centralismu, politický pluralismus, vliv pracujících na podniky, samostatnost podniků, hospodářskou soutěž, drobné soukromé podnikání, autentická odborová práva, omezení všemoci vládnoucí strany, respektive jejího aparátu, omezení všemoci policie, odstranění historických a jiných tabu, rehabilitaci všech obětí kruté svévole, větší respekt k národním a národnostním svébytnostem atd. atd. Komunistický systém je – nebo přesněji: dosud vždycky byl – systémem totalitním, ať už měl dubčekovsky lidskou tvář (tehdy se dalo i v něm krásně žít) anebo tvář pol-potovsky gangsterskou (tam se dá zřejmě jen umírat). Totalitnost tohoto systému je v rozporu se samou podstatou života, který vždy a nezadržitelně a bytostně tíhne k různosti, pestrobarevnosti, jedinečnosti, svébytnosti – tedy k pluralitě. Proto se život nutně totalitnímu systému brání a vzpírá. Nejrůznějšími způsoby: jednou krvavým povstáním, podruhé nenásilnou tvorbou paralelních struktur, potřetí tlakem na moc, totiž infiltrací svých přirozených nároků do vládnoucích mozků a orgánů, počtvrté jakousi prazvláštní ignorancí moci a její ideologie. Vždy jde ale v jádře o odpor téhož proti témuž: *života proti totalitě*. Jsou lidé, kteří jsou schopni respektovat kronštadtskou vzpouru a maďarskou revoluci a vše jiné – a ze všeho nejvíc gorbačovovskou „perestrojku" – považují za bohapustý podvod, protože – podle nich – lze chtít buď všechno, nebo nic a protože na komunisty platí jen flinta. Jsou naopak lidé, kteří respektují pražské jaro a rozplývají se nad Gorbačovem, ale vše jiné – včetně Solidarity – považují za jakýsi neobhajitelný antikomunisticko-buržoazně-reakčně-extremistický nesmysl. Jedni i druzí jsou nešťastníci, zakletí do svých politických a ideologických paradigmat, dogmat a floskulí – anebo naopak do svého (domněle nesmírně politicky prozíravého) pragmatismu. Jedni jsou ubohými otroky antikomunistického ideologického fanatismu, který vidí v podstatě jen jediné řešení: vyvraždit komunisty; druzí jsou stejně ubohými otroky marxistických utopií a jejich přirozené protiváhy: dialektické ekvilibristiky, schopné vždy obratně „diferencovat" mezi tím, co je ještě vhodné a možné říct, a tím, co se říct nesluší, aby člověk neupadl do podezření, že rezignoval na svou levicovost. Historii lze ovšem těžko poručit, aby probíhala podle něčích ideologických snů. Probíhá všelijak, obvykle docela jinak, než jak jí to předepsali ideologičtí proroci všech barev. Proto se i život bouří proti totalitě všelijak: jednou povstáním, jednou návštěvou kostela, jednou kompromisním lavírováním a konstruováním různých reformistických polovičatostí, jednou lhostejností, jednou obsáhlou „terapií" vůdců a tlakem na ně, jednou budováním nezávislých struktur. V jádře to je ale pohyb jediný a ať už se nám ty či ony jeho projevy líbí víc nebo míň, nezbývá nám – chceme-li si uchovat kontakt s realitou – než je chápat jako to, co opravdu jsou: různé projevy téhož základního pohybu. Lze samozřejmě věcně, klidně, objektivně a kvalifikovaně tyto rozmanité historické děje popisovat a analyzovat. Nelze ale z pouhých apriorních politických či ideologických důvodů – protože si někdo někdy usnadnil život tím, že se identifikoval s nějakou doktrínou – některé z těchto dějů principiálně zavrhovat a jiné principiálně (a tedy i nekriticky) přijímat. Nelze to proto, že výsledek by byl jediný: nepochopeny by zůstaly všechny. Protože by zůstala nepochopena jejich společná podstata.

2. Nemám příliš dobrý přehled o tom, jak tomu je jinde, vím ale, že český a slovenský tisk – myslím tím exilový a samizdatový – se v posledních letech dost často trápí roztodivnou otázkou, které jsem nikdy nerozuměl a která mi připadá téměř stejně komická jako soudobý československý obrodný proces číslo dvě. Tato otázka zní: je komunismus reformovatelný? Jedni dokazují, že ano, druzí, že nikoliv. A tento odlišný názor pak vyvolává celé gejzíry vášní na obou stranách.

Podle mne je to otázka veskrze scholastická, která může zajímat jen lidi, kteří se z jakýchsi důvodů raději pohybují v ideologických oblacích než na reálné zemi. Ideolog je ostatně vždycky také prorokem, obeznámeným s budoucností světa; proto ví, co se s kterým systémem může či nemůže stát. Otázka, o níž mluvím, je komická mimo jiné proto, že je sporem dvou skupin proroků: zatímco jedni vědí, že komunismus se nezreformuje, protože je nezreformovatelný, druzí zase vědí, že se zreformuje, protože je zreformovatelný.

Především: dost záleží na tom, co si kdo pod pojmem reforma představuje. Kde vlastně reforma začíná a kde končí? Co je ještě reformou a co jí už není? Řekneme-li například, že snesitelnější komunismus – takový, v němž se dá lépe dýchat a žít, v němž je víc svobody a víc rozumu, v němž si nedělá policie úplně co chce – je komunismem zreformovaným nebo reformním nebo reformujícím se, pak se mi zdá být odpověď na danou otázku tak jasná, že nemá téměř smysl se tím dál zabývat: všichni přece víme, že jsou velmi různé komunismy, že jsou mezi nimi po čertech velké a důležité rozdíly a že vůbec není jedno, jestli žijeme v komunismu Stalinově, Dubčekově, Kádárově, Maově, Pol-Potově či Novotného. Některé z těchto komunismů jsou na první pohled přece snesitelnější než jiné, a je-li míra snesitelnosti ukazatelem reformnosti, pak je zřejmé, že komunismus zreformovatelný je: jinak by byly jen komunismy nesnesitelné. Nejsem utopista, a jsem tudíž nucen předpokládat, že se asi těžko dožiju nějakého ideálního systému, takového, který by beze zbytku odpovídal mým politickým snům. Tím spíš mi ale nemůže být jedno, zda žiju v systému méně či více snesitelném. A bude-li někdy nepříliš snesitelný komunismus Husákův vystřídán v Československu nějakým komunismem snesitelnějším (čili: reformnějším), budu přešťasten (i když ho budu samozřejmě opět za něco kritizovat) a bude mi úplně jedno, jak pokračují spory ideologů o reformovatelnosti či nereformovatelnosti komunismu.

Něco jiného je ovšem, má-li někdo při těchto debatách na mysli totalitní podstatu komunistického systému. Ta je mu vlastní, tu má od prvopočátku dodnes a všude, bez ohledu na to, zda je snesitelnější či zcela nesnesitelný. Vnějším výrazem této totalitní podstaty je známý princip „vedoucí úlohy komunistické strany". Ve snesitelnějším komunismu se i tenhle princip lépe snáší; dalo by se říct, že takový komunismus je méně nebo mírněji totalitní než jiný. Úplně netotalitní komunismus však zatím nikde není a nikde nebyl. Zastává-li ideu nereformovatelnosti komunismu někdo, kdo si pod pojmem reforma představuje, že se komunismus zcela vzdá své totalitní podstaty, pak – musím přiznat – ho docela chápu. Plné politické pluralitě se plně zatím žádný komunistický stát neotevřel; totalitní podstata komunismu má tak ohromnou setrvačnou sílu a tak komplexní manipulační nástroje, že jakýkoli pokus se jí dotknout byl zatím vždy tvrdě potlačen. Chápu-li ovšem tento druh zastánců ideje „nereformovatelnosti", neznamená to, že jejich názor sdílím. Přiznávám jim, že vědí, co se dosud stalo. Upírám jim ale schopnost vědět, co se v budoucnosti stane. Proto jim nepřiznávám ani právo dopředu s jistotou tvrdit, že se komunistický systém nikdy nevzdá své totalitní podstaty. Jak to můžou vědět? Co když se nějaká mocná souhra různých mocných sil (například prohlubující se hospodářské a sociální krize, mezinárodních tlaků, nezávislé sebeorganizace společnosti, proměňujícího se myšlení vládců atd. atd. atd.) jednou někde sleje do síly jediné a tak mocné, že přemůže samu setrvačnou sílu totality? Může se to stát dramaticky, během několika dnů, a může se to dít postupně, po několik desítiletí. Ale odkud bere někdo takovou pýchu, aby se odvažoval s určitostí tvrdit, že se něco takového prostě stát nemůže?

Všechno se může stát.

Není příliš pravděpodobné, že se nějaký komunistický stát sám od sebe – a snad dokonce jen dík osvícenosti svých vůdců! – vzdá v dohledné době kompletně své totalitnosti. To je celkem jasné. Ale stejně jasné se mi zdá být, že se dějiny pravděpodobně nezastaví na jednom bodě a že nezůstane až do konce světa všechno tak, jak to momentálně je.

Zajisté: může být světová válka (i když já osobně tomu moc nevěřím). Po ní může být komunismus na celém světě, anebo naopak už nemusí být nikde. I když nejpravděpodobnější je, že by po ní nebyl ani komunismus, ani demokracie, protože by po ní prostě už nebylo nic.

Ale to opravdu jsou jen dvě alternativy: že se dějiny natrvalo zastaví – anebo že definitivně skončí?

To je přece nesmysl. A stejným nesmyslem se mi zdá být tvrzení, že je naprosto a jednou provždy vyloučeno, aby se nějaký snesitelný komunismus stával stále snesitelnějším, až by jednou – jen Bůh ví kdy, jak a vlivem jakých sil – ztratil svou totalitní podstatu.

•

Co nám tedy zbývá?

Podle mého názoru zbývá celkem prostá možnost: netrápit se ideologickými pseudoproblémy, ale usilovat – teď, tady, pořád a všude – o to, aby se konkrétní věci měnily k lepšímu, bylo více svobody, byla více respektována lidská důstojnost, lépe fungovalo hospodářství, méně byla ničena zeměkoule, vládli rozumnější politici, směla se říkat pravda – a aby si z té pravdy lidé jen nezoufali, ale naopak se pokoušeli z ní vyvozovat praktické důsledky.

(říjen 1987)

NOVINY JAKO ŠKOLA

Úmysl vydávat dnes v Československu nezávislé noviny byl přijat těmi, kdo s ním byli seznámeni, s jistými rozpaky: všichni se na jedné straně shodovali v tom, že nezávislými novinami by do naší duchovní situace vstoupil fenomén vskutku kvalitativně nový a tuto situaci významně proměňující či posouvající, všichni se ale na druhé straně obávali, že je to projekt v podstatě asi utopický, protože v komplikovaných podmínkách soudobého českého samizdatu stěží uskutečnitelný.

Všichni – včetně redakce samé – od první chvíle například cítili, že mají-li *Lidové noviny* znamenat onu opravdu novou kvalitu, pak se musí radikálně vyprostit ze zajetí některých stereotypů, návyků a nešvarů, příznačných pro mnohé publicistické projevy zdejšího „disidentského světa" (a zvláště jeho reformně komunistické části), jako je bolestínská orientace na téma vlastní vyvrženosti, mytologizace pražského jara, primitivní pošklebky na adresu soudobé moci, neustálé (napůl žertovné a napůl zatrpklé) referování o vlastních policejních ústrcích atd. atd. Všichni cítili, že by se tyto noviny měly vyznačovat nadhledem, noblesou, kulturou myšlení, vyjadřování i jazyka, vyvážeností pohledu; že by mělo jít zkrátka o noviny schopné oslovovat každého. Všichni také věděli, že tu nemůže jít o pokračování starého *Reportéra* či *Literárních novin* nebo o zdejší obdobu *Listů*, *Práva lidu* či dalších exilových periodik. Tradice, na kterou mělo být navázáno, byla jiná a připomíná ji už zvolený název: jde o tradici starých *Lidovek* jako novin vskutku svobodných, nejen vnějškově, ale i vnitřně nezávislých, novin bytostně demokratických a veskrze věcných, kterým jde jen o pravdu a její nepředpojatou analýzu. To znamená analýzu sice osobně zaujatou, ale nepoznamenanou žádným osobním nebo historickým traumatem, ani žádnými ideologickými paradigmaty či aspoň jejich mentálními pozůstatky.

Ukázalo se, že právě v tom bude zřejmě jedna z hlavních potíží. První dvě nultá čísla – první v míře značné, druhé naštěstí už v míře podstatně menší – nesla zřetelné stopy právě toho, čeho stopy nést nechtěla. Překročit svůj vlastní stín se ukázalo být v některých případech těžší, než se v prvotním nadšení zdálo. Nejde jen o osobní sklony toho či onoho autora. Jde o problém hlubší a širší; kde se tu mohly – bez dlouhého a každodenního styku se skutečnými a skutečně nezávislými novinami a bez životodárného klimatu otevřené společnosti – vzít najednou nové generace Čapků, Peroutků a Bassů? Kdo tu vůbec má v nezávislém prostředí nějakou minimální zkušenost s novinami – mimo generace reformně komunistických novinářů šedesátých let? Kde se v podmínkách dlouhodobé devastace školství a kultury mají vzít náhle lidé s rozsáhlým přehledem a ušlechtilým stylem? V zemi, kde třířádkový dopis z Kanceláře prezidenta republiky může beztrestně obsahovat několik gramatických chyb, lze opravdu těžko předpokládat – zvláště u mladých lidí – okamžitou připravenost na práci srovnatelnou s dávnými *Lidovkami*.

Co z toho všeho vyplývá?

V podstatě dvě věci:

1. Lidové noviny mají dobrou vůli být skutečně nepokřiveným zrcadlem doby v duchu tradice, k níž se svým jménem hlásí.

2. Tímto zrcadlem se nemohou stát ihned a svrchovaně, protože nejsou vrcholem sebeosvobozovacího zápasu našeho novinářství, ale jen jeho počátkem. Spíš tedy než setkáním mistrů svobodné žurnalistiky budou jakousi její školou či krystalizačním ohniskem.

Ale ani to nebude bezvýznamné. Vždyť to je vlastně to nejlepší, čím mohou tyto noviny za daného stavu věcí být.

(prosinec 1987)

PŘEMÝŠLENÍ O FRANTIŠKOVI K.

Celý den trávím s Františkem Krieglem: probírám se různými dokumenty o něm, čtu jeho osobní poznámky, proslovy i dopisy, znovu a znovu si vybavuji svá osobní setkání s ním, přemýšlím o něm.

A pomalu se mi vkrádá do mysli poněkud zvláštní otázka: nebyla to vlastně tragická postava? Jedna z velkých tragických postav našich novodobých dějin?

●

Zdá se, že člověk je dnes obdařen dvojím způsobem bytí: jako kdykoli jindy je konkrétní osobou, zakotvenou ve svém přirozeném světě, vedle toho je však zároveň – víc asi než kdy dosud – jakousi stavební jednotkou světa, který bych nazval (pro leckohos možná poněkud drsně) světem ideologických a politických keců: vše se v tom světě přece dělá „jménem člověka" a „pro jeho dobro", člověk je v něm přece „výchozím bodem" i „nejvyšším cílem", jedině o něho tu údajně jde. Všichni jsme tedy jaksi dvakrát: jednou jako živí jedinci na této zemi a podruhé jako abstraktní objekty teorií a proslovů. Čím dovedněji je přitom – ať už z posedlosti, bezcharakternosti, setrvačnosti či tuposti – naším zájmem máváno v proslovech, tím větší neštěstí se obvykle na nás valí na této zemi.

František Kriegel byl celým svým osobnostním založením jednoznačně na straně „konkrétních osob": měl rád jednotlivé lidi a po celý život jim sloužil – ať už jako lékař v nemocnicích a na bojištích, jako bližní v každodenním životě nebo jako politik tím, že na ně myslel, případně v duchu jejich přirozených, totiž politikou neodcizených mravních představ jednal (jen proto také mohl zachránit čest československé politiky v srpnu roku 1968).

Potvrzuje to nepřehledné množství dobrých věcí, které pro lidi udělal a o nichž – vinou jeho nechuti je registrovat a publikovat – nemá nikdo z živých kompletní přehled. Potvrzuje se to však i tím, co neudělal: když se například přes četná naléhání nikdy nestal profesionálním politikem a když soustavně odmítal přijímat výsady, jež by mu mohly plynout z jeho funkcí, bylo to mimo jiné proto, aby se nevzdálil světu konkrétního člověka a nezapletl s oním „člověkem abstraktním", na kterého se tak rád odvolává ten, kdo ve skutečnosti sleduje zájem pouze jediného konkrétního člověka: sebe samého.

Z výpovědí bezpočtu Krieglových přátel i mnoha dalších svědků jeho života vyplývá, že tento skromný, statečný a šlechetný člověk stál pevně na této zemi, v onom přirozeném světě, kde se povědomí o tom, co je dobro a co zlo, co slušnost a co nízkost, co čest a co zrada, ještě nerelativizuje a nerozpouští v roztoku ideologické akrobacie, pragmaticko-politických spekulací a účelově mocenských kalkulů, schopných vždy věrohodně dokázat, že ta či ona konkrétní špinavost je nutná v nějakém vyšším obecném zájmu.

Neokázalá láska ke konkrétním lidem a vlastní lidské svědomí byly tedy pro tohoto muže základním kompasem – v životě občanském, v medicíně i v politice.

•

Mimo jiné: podle mého pevného přesvědčení není takováto životní orientace vysvětlitelná jen jakousi „psychologickou výbavou", ale může vyrůstat jen z hlubokého – byť nepřiznaného a pro materialistu nepřiznatelného – respektu k tomu řádu bytí, který je skryt za jevovým světem jako trvalé vysvětlení jeho pomíjivosti, tedy k tomu, co přesahuje všechna jednotlivá „duševna“ a je jediným srozumitelným zdrojem, důvodem a smyslem skutečné lidské odpovědnosti. Té odpovědnosti, která nepotřebuje, aby o ní někdo v jevovém světě věděl: není vůbec náhoda, že jediný politik, který byl ochoten v srpnu 1968 nasadit vlastní život za věc národního společenství, byl týž, který byl později zahlédnut na pražské ulici, jak vzdává – domnívaje se, že není viděn – poctu oběti cizí agrese.

•

Vše, o čem jsem psal, zakládá lidskou velikost. Nikoli však ještě tragiku. Zkusím zkoumat, proč cítím v Krieglově velikosti tragický rozměr.

•

Není zajisté lehké proměnit svůj život v souvislou sérii dobrých skutků, pomáhajících konkrétním jednotlivcům. Za jistých okolností a pro člověka pronikavého ducha a vskutku neobelhatelného svědomí se však i to může stát způsobem úniku a sebeobelhání: opakované napravování jednotlivých následků by totiž mohlo snadno a efektně odvádět od namáhavějšího, ale ještě důležitějšího hledání jejich hlubších a širších příčin.

Jako člověk, který poznal na vlastní kůži bídu, bezpráví, rasovou ponenávist a sociální nespravedlnost, a zároveň jako vzdělanec, pokoušející se pronikat za horizont jednotlivostí a pátrat po jejich obecnějším smyslu, pochopil Kriegel záhy, že nemůže lidskému utrpení čelit jen jako bližní a lékař, ale že musí – chce-li být v souladu se svým neobelhatelným svědomím – pochopit i společenský kontext tohoto utrpení a společenskou cestu k jeho odstraňování. Čili: že musí vstoupit do politiky.

V době jeho lidského zrání se před ním otevírala velmi sugestivní možnost: existovalo politické hnutí, které nabízelo konzistentní výklad nejrůznějších rozporů světa a ucelený program jeho nápravy. Ale nejen to: svou zdůrazňovanou vědeckostí uspokojovalo moderního racionálního ducha a zároveň – paradoxně – nabízelo soudobou – totiž tomuto duchu přijatelnou – variantu toho, co člověk odnepaměti na světě potřebuje a hledá: víry.

František Kriegel se stal komunistou a zůstal jím po celý život: jako komunista bojoval ve Španělsku a v Číně proti fašismu, jako komunista politicky působil po válce v Československu, jako komunista se podílel v únoru 1948 na převzetí moci komunistickou stranou, jako komunista organizoval naše i kubánské zdravotnictví, jako komunista pracoval v parlamentě a posléze i v nejvyšším vedení strany.

●

Vzniká otázka: jak se Krieglovo osobnostní založení, pevně svázané s přirozeným světem, jednoznačně orientované na „konkrétního člověka" a hluboce ctící ony „před-ideologické" mravní imperativy, jež živoucí přítomnost v přirozeném světě vždy provázejí, snášelo s ideologií, vírou, politickou praxí a politickými nároky hnutí, jemuž se podařilo tak dokonale (mimo jiné proto, že naprosto nenápadně) nadřadit imaginární, a tudíž snadno zneužitelný svět „vyšších zájmů" a „obecných ideálů" elementárnímu lidskému cítění a rozmyslu, ba dokonce prohlásit toto cítění a tento rozmysl – v situaci, kdy to potřebovalo – za pouhou pověru a přelud? Jak se celoživotní úcta ke konkrétnímu člověku mohla snášet s celoživotní vírou v ideologii založenou – jak se průběhem let a desítiletí stále zřetelněji vyjevuje – na ideji „člověka abstraktního"?

František Kriegel byl všechno jiné než oportunista, machiavelista či cynický pragmatik; neumím si představit, že by dokázal chladnokrevně a účelově dělat kompromisy mezi svým svědomím a nároky své ideologie a své strany. Kdyby to byl dokázal, nebyl by postavou ani velikou, ani tragickou, ale jen smutnou a banální.

Tragické rozpětí – aspoň v mých očích a mém pocitu (které mne mohou samozřejmě klamat) – dává jeho osudu to, že nejen jeho svědomí, ale i jeho víra byla vždy pravá, autentická a poctivá. Takže i všechny kompromisy, které v něm musely tyto dvě jeho protichůdné mohutnosti v různých dobách spolu uzavírat, byly – lze-li to tak říct – vnitřně autentické, opravdové a poctivé. Nepochybně přinesly (aspoň relativně vzato) naší zemi mnoho dobrého (některé statečné postoje v padesátých letech, reformátorské úsilí v letech šedesátých, hrdinství v roce 1968, vytrvalý odpor proti diktátorskému Husákovu režimu, angažmá v Chartě 77). Mnohdy však byly také asi nešťastné a zhoubné (účast na prosazení monopolní moci gottwaldovské KSČ). Právě to však, že tyto kompromisy – bez ohledu na míru své konečné prospěšnosti či zhoubnosti – nikdy nebyly dílem zištného kalkulu, ale dílem člověka ve všech směrech opravdového a vždy vnitřně integrálního, zakládá podle mého mínění tragičnost Krieglovy postavy.

Jen si to uvědomme, jen se do toho pokusme vžít:

Čestný muž, nesnášející křivdu a bezpráví – a zároveň komunista, tedy člověk oddaný straně, která páchá tolik různých křivd a bezpráví. Jak si zachovat svou víru a zároveň nesloužit zlu?

Muž chtějící pomáhat lidem konkrétně a hned a tady – a zároveň muž identifikující se s ideologií, která je schopna jakékoli přítomné zlo ospravedlňovat utopickou vizí zářných zítřků kdesi v nedohlednu.

Muž věřící bytostně v rovnost všech lidí – a zároveň komunista, tedy příslušník strany, která si nárokuje pro své členy jakési vyšší postavení, než mají všichni ostatní.

Tento člověk to nemohl mít lehké – ani v sobě, ani se svou stranou. A skutečně: tak jako mnoho jiných poctivých komunistů měl s ní trvalé potíže: špinila ho za jeho statečný boj ve Španělsku, perzekvovala ho v padesátých letech, v roce 1969 ho vyloučila a až do smrti všemožně pronásledovala, aby nakonec ukázala celou hloubku své ubohosti, když mu znemožnila důstojný pohřeb.

Přesto se nikdy své socialistické víry nevzdal.

Tragickému rozporu mezi ní a svou lidskou přirozeností čelil mnohaletým úsilím o relativní zlidštění komunistického systému a posléze svou identifikací s konceptem demokratického socialismu. Ale i tento kompromis musel zůstat tragicky rozporný: což je skutečná demokracie slučitelná s principem předem a natrvalo garantované vedoucí role jedné politické ideologie a jedné politické strany? Anebo naopak: což lze v podmínkách vskutku svobodné soutěže o moc jednou provždy zaručit, že hospodářství bude organizováno jediným a předem určeným způsobem?

•

Když čtu různé dávné Krieglovy proslovy v Národním shromáždění, zmocňuje se mne zvláštní lítost: tolik dobrých úmyslů – a tak beznadějně zabalených do dobových politických předsudků a dobové frazeologie a tak podivně spoléhajících na demokratickou zlepšitelnost různých institucionálních konstant, jejichž nejvnitřnějším posláním je naopak předem vyloučit možnost takovéto své transformace.

Ta rozsáhlá, nenápadná, riskantní a nepříliš úspěšná práce opravdu nemohla být dílem oportunní povahy nebo vypočítavé kalkulace.

František Kriegel zřejmě dlouho upřímně věřil, že stačí vdechnout zevnitř nelidskému systému lidštější obsah.

•

Běh času, tvrdé dějinné zkoušky a četná hluboká zklamání samozřejmě proměňovaly a zužovaly rozsah toho, k čemu se jeho politická víra upínala. Mnohých dávných dogmat své víry se musel postupně vzdát, zákeřný a prolhaný smysl četných dříve posvátných věcí musel postupně prohlédnout. Předivo ideologie, kdysi tak pevné a neporušitelné, se zvolna rozpadalo ve světle poznání, které činilo spravedlivé srdce a poctivý rozum.

I to musel být tragický proces! Jak hořké musí být asi opouštění věcí, které člověk s takovým zápalem a tak dlouho prosazoval a jimž tolik obětoval!

Kriegel, pokud mi je známo, nikdy nedával najevo bolest, zklamání, rozpaky či zoufalství. Byl to muž: své hořkosti si nechával pro sebe. Svět kolem sebe trvale povzbuzoval, aniž se sám od něj povzbuzení dožadoval; na to byl příliš hrdý.

O to těžší bylo asi to, co se dělo v něm.

Znovu se mi neodbytně vnucuje pocit, že jsme tu konfrontováni s hrdinou vpravdě tragickým.

•

Úplně se své víry ovšem nezřekl nikdy: socialismu zasvětil svůj život a do své poslední vteřiny v něj věřil. On – člověk, který věděl lépe než kdo jiný, v co se dávný socialistický ideál v praxi proměnil a zřejmě – aspoň ve své leninské variantě – proměnit musel: v naprostou nadvládu státu jako univerzálního zaměstnavatele a vykořisťovatele všech pracujících, centrálního manipulátora všech oblastí života a nejneschopnějšího myslitelného kapitalisty. Z ideologie, která tvrdila, že postupně odbourá stát, vyrostl zatím nejvšemocnější druh státu: stát totalitní. A údajně osvobozenému pracujícímu lidu nakonec nezbývá než závistivě šilhat po právech, kterým se těší jejich druzi v kapitalistických zemích.

V jaký socialismus asi muž, který toto vše pochopil, až doposledka věřil? Co si pod tím slovem po všech těch hořkých zkušenostech asi představoval? Pluralitu samostatných hospodářských subjektů? Podniky jako vlastnictví jejich zaměstnanců? Hospodářskou samosprávu? Družstva a drobnější soukromé podnikání? Tržní vztahy? Musel přece vědět, že skutečná hospodářská pluralita je nemyslitelná bez úplné plurality politické. Co měla ale taková představa v jeho očích ještě společného se socialismem? Vždyť pro komunisty bylo to slovo odjakživa jen šifrou pro jejich mocenský monopol (jehož ohrožení proto vždy nazývali a dodnes nazývají „demontáží socialismu antisocialistickými silami“)! Vzdal se tohoto tradičního komunistického pojetí socialismu a vyměnil je za nějaké jiné, třeba sociálně demokratické?

Nevím. Chtěl jsem o tom všem s ním někdy upřímně a podrobně mluvit. Ještě v Ruzyni v roce 1979 (poté, co mne přišel povzbudit na pohřeb mého otce, kam mne odvezli) jsem si spřádal plán, že ho s paní Rivou pozvu hned po svém návratu na dlouhou debatu a na všechno se ho vyptám. Nestalo se to: při přestávce našeho odvolacího soudu mi má spoluobžalovaná Otka Bednářová pošeptala, že nedávno zemřel.

Zbývá mi jen terén dohadů. Mám pocit, že v posledních letech života měl František Kriegel o lepším společenském uspořádání asi podobnou představu, jakou o něm máme já a mnozí další, kteří se slovu socialismus už dlouho vyhýbáme pro jeho sémantickou nejasnost.

On se ho nevzdal. Proč asi? Vrátil se snad na sklonku života k tomu, u čeho kdysi začínal, totiž k socialismu jako ideálu – jen nějak zbrusu jinak myšlenému? Anebo mu slovo socialismus – podobně jako jiným slovo soudruh – zůstalo posledním magickým znakem dávno rozbité konfesijní pospolitosti, s nímž se prostě nedokázal citově rozejít? Přidržoval se ho jako symbolu mravní kontinuity svého života? Anebo mu bylo připomínkou dávných ideálů, dávného nadšení a dávných bojů, tedy jakousi historickou legitimací? Bylo mu pojítkem s jeho eurokomunistickými západními přáteli, těmito šťastnými panici, kteří dosud nemuseli podstoupit zkušenost budování socialismu a následné desiluze a pro něž má tudíž to slovo ještě krásnou vůni budoucnosti? Anebo mu bylo už jen jiným označením pro lepší svět?

•

Tragické paradoxy, které cítím v postavě, díle a osudu Františka Kriegla, nejsou jen jeho a nejsou dokonce jen komunistickou záležitostí. Zdá se mi, že zhuštěně zpřítomňují, ba přímo symbolicky zastupují paradoxy daleko obecnější, možná dokonce jakési základní paradoxy moderní doby.

Pokusím se jich dotknout několika otázkami:

Může v dnešním komplikovaném světě působit ve sféře reálné politiky vůbec člověk, pro něhož jsou jeho svědomí a základní mravní kategorie jeho přirozeného světa jediným pracovním vodítkem? Či musí už vždycky, byť třeba jen částí své bytosti, patřit světu ideologií, doktrín, politických náboženství a kolektivně přijatých dogmat a floskulí? Stačí mu věřit v život, v dobro a ve vlastní rozum – anebo musí vždy už věřit zároveň v něco méně prostého a čistého, například ve svou stranu? Může světem všech těch partikulárních zájmů, iracionálních vášní, „politických realit", mocných ideologií, slepých revolt, zkrátka celým tím chaotickým světem soudobé civilizace prorůst až k vrcholkům faktické moci člověk opravdu čistého srdce, vlastního nezávislého rozumu a vůle řídit se jen jimi? A může mít v těchto sférách úspěch? Anebo mu nezbývá než se přeci jen zaplést – ať už proto, že realisticky slevil, nebo proto, že idealisticky uvěřil – s něčím dalším a pro tento svět přesvědčivějším, co sice může být s jeho svědomím v souladu, co se však kdykoli může obrátit proti němu?

●

Mladí lidé v dnešním Československu už dávno nevědí, že tu byli politikové – a dokonce i komunističtí – kteří byli normálními čestnými a statečnými lidmi, byť třeba tragického osudu; těžko si už umějí něco takového vůbec představit. Vždyť jako představitele státu znají už jen beztvářné byrokraty, mrtvě civící před sebe ve svých šestsettřináctkách s absolutní předností v jízdě a čtoucí občas v televizi jakési nudné fráze, které nemají se skutečným životem téměř nic společného. Už kvůli těmto mladým lidem by měla být napsána pravdivá a poutavá kniha o Františku Krieglovi. Nejen pro uchování památky tohoto vzácného muže. Ale i proto, aby lépe rozuměli složitému světu, v němž žijí, lépe chápali, proč jejich předkové dělali to, co dělali, lépe rozuměli jejich problémům, ideálům i iluzím, úspěchům i prohrám. Aby si uvědomili, že i v dnešním světě lze usilovat o něco smysluplného, pakliže se člověk nebojí překážek a obětí. A aby posléze pochopili, že se politice a politikům nemusí už navždy jen a jen posmívat, ale že si jich mohou i vážit.

(leden 1988)

DŮVODY KE SKEPSI A ZDROJE NADĚJE

Hodnocení politických poměrů a názory na to, co lze očekávat od budoucnosti, závisí hodně na tom, co si kdo z nás představuje pod pojmem politika. Přesněji řečeno: v jaké sféře společenského života kdo z nás spatřuje nejvlastnější ohnisko politických dějů, a tím i klíč k politickým prognózám.

Pokud se upínáme výhradně nebo hlavně k oblasti faktické moci (a ovšem i jejímu přípravnému dějišti, totiž jejímu zákulisí), pak je pro nás samozřejmě nejdůležitější, jak v tom či onom proslovu vybalancovali Gorbačov či Jakeš různé fráze, o čem se dohadovali Gorbačov s Jelcinem o prázdninách a kteří tajemníci ÚV KSČ se domluvili proti Husákovi, které členy předsednictva získali a který z nich má na nového šéfa největší vliv.

Nepodceňuji tohle všechno; naše osudy to ovlivňuje po čertech významně. Přesto se přiznávám, že víc než tato sféra mne zajímá něco jiného: co se děje ve společnosti, ve viditelných i skrytých vrstvách jejího počínání, cítění a myšlení. Nenápadné, ale z dlouhodobého hlediska nejdůležitější podhoubí všech politických dějů totiž spatřuji spíš zde než v kuloárech různých sekretariátů. Mimo jiné už proto, že výkony faktické moci, jež se v oněch kuloárech rodí, vždycky nějak reagují – byť třebas velmi nepřímým, nepřesným, pozdním a mnohdy jen podvědomým způsobem – na skutečný stav společnosti a jejího ducha. I ta nejsvévolnější moc je mocí nad někým a její panování nad obyvatelstvem, podléhání jeho náladám či pohrdání jeho vůlí tudíž vždycky závisí také na tom, jak se samo obyvatelstvo chová, jak myslí a jak se k této moci staví.

Pokud jde o dění mezi mocnými, příliš dobrých vyhlídek zatím nemáme: Gorbačov je sice osvícenějším vladařem než jeho předchůdci, Jakeš sice verbálně imituje Gorbačova a mluví o jakési údajné přestavbě a demokratizaci i u nás, obě tyto skutečnosti však náš život ovlivňují pramálo. Ovlivňují-li ho vůbec, tak asi zase hlavně tím, jak se jich společnost chytá, jak moc se na ně odvolává, zkrátka do jaké míry je vnímá jako svého druhu „nahrávky na smeč". Jinak se ale zdá, že Miloš Jakeš byl instalován jako čerstvější a spolehlivější záruka faktické neměnnosti (skryté za novými slovy), než jakou byl jeho unavenější a nikdy pro nikoho zcela spolehlivý předchůdce.

Dívám-li se ale na situaci z toho druhého hlediska, tedy z hlediska jakéhosi „hlubinného" stavu společnosti, pak se mi zdaleka tak tristní nejeví. Můžeme se sice nadít v nejbližší době (a zvláště v tomto roce provokativních výročí) ještě nemála zklamání, perzekucí, ba možná i zřetelného utužení; nicméně některé nepřehlédnutelné skutečnosti dovolují – aspoň v dlouhodobějším výhledu – věřit přeci jen v lepší možnosti.

Nejdůležitější z těchto skutečností je pomalu, ale nezadržitelně se prohlubující propast mezi dvěma dnes už spolu téměř nesouvisejícími světy: světem oficiální ideologie a světem skutečného myšlení a cítění společnosti. Všichni samozřejmě dělají, co musí dělat – volí, bojí se nadřízených a poslouchají je, na nejrůznějších rovinách hierarchizované moci materializují vůli mocenského centra – nikdo však už vlastně nevěří řečem, které tato moc vede. Lidé si prostě myslí své a žijí, jak se dá. Pestře strukturovaný potenciál reálných společenských zájmů, jehož spektrum se klene od shánění západních elektronických produktů až po shánění samizdatů, od rafinovaně vyvzdorovaného uplatnění nejrůznějších koníčků až po kolektivní srozumění různých subkultur (ať už hudebních, náboženských či jakýchkoli jiných), od masového sledování západní televize až po svobodnou expresi názorů na svět v pivnicích čtvrté kategorie, tento potenciál tedy sám sebe uskutečňuje všemi za dané situace myslitelnými způsoby, zcela mimo všechny předpoklady moci a zcela nezávisle na jejích intencích. Dalo by se dokonce říct, že skutečnou a nejdůležitější „paralelní polis" dnes nepředstavuje „disidentský svět", ale svět smýšlení a privátních zájmů celé společnosti, která sice jednou rukou dává totalitní moci to, co na ní bezpodmínečně vyžaduje, ale druhou si zároveň dělá vše, co sama chce a co nemá s vůlí této moci pranic společného.

Jakýmsi ostrůvkem veřejné reflexe a artikulace tohoto stavu je ovšem onen „disidentský svět“: ale i v něm si už vlastně děláme, co chceme, ba říkáme nahlas věci, které nešlo říct nahlas po desítiletí (dokonce ani v tom slavném osmašedesátém roce!). Tu a tam nás za to Státní bezpečnost kárá, sama ale cítí – pod tlakem obecné atmosféry – směšnou mimoběžnost své argumentace (což samozřejmě nic nemění na tom, že kdykoli jí to bude dovoleno stranou a straně celkovou politickou situací, může nás místo kárání zavřít). A když zkoumáme, co je základním a společným jmenovatelem toho, co dnes de facto celá společnost politicky ví a co „disidenti“ dokonce veřejně říkají, pak zjišťujeme, že to je věc sice prostá, ale s vládní ideologií neslučitelná: totiž jistota, že jedinou smysluplnou cestou pro hospodářství je reálná pluralita subjektů hospodářského podnikání a jedinou smysluplnou alternativou současného politického systému je pluralita politická (bez níž je ostatně ta hospodářská nemyslitelná). Přičemž – a to je obzvlášť důležité! – neplatí tahle samozřejmost (a dnes to je už opravdu samozřejmost) jen pro Čechy a Slováky, ale ve stejné nebo ještě větší míře i pro Poláky, Maďary a dokonce i pro mnoho myslivých a veřejně činných lidí v Sovětském svazu.

Jsem přesvědčen, že tato propast mezi ideologií a základními politickými principy soudobé moci na jedné straně a skutečným smýšlením společnosti na straně druhé se může prohlubovat dlouho, ale ne donekonečna. Je to stále významnější politický fakt, jehož vliv se dříve či později musí zhmotnit do nějakých důsažnějších politických změn, důsažnějších aspoň, než je současná výměna „normalizační“ frazeologie za frazeologii „přestavbovou“.

Snad je zřejmé, proč se mi ve světle takovéhoto perspektivnějšího uvažování nezdá být zrovna podstatné, co včera řekl na nějaké schůzi nebo zítra řekne na chodbě ÚV KSČ tajemník Jan Fojtík.

(únor 1988)

ŠIFRA SOCIALISMUS

Bývaly doby, kdy i v naší zemi mělo slovo socialismus velmi konkrétní a sugestivní obsah: bylo synonymem sociálně spravedlivého světa, tedy ideálem, za nějž stálo za to bojovat. Nebyl to ideál nikterak mlhavý; jeho svůdnost tryskala z jeho velmi hrdě zdůrazňované vědeckosti; tento projekt se zdál být založen na pochopení všech fundamentálních historických zákonitostí a vypadal jako nejlogičtější možný happy end dějin světa.

Mnohé se od těch dob změnilo. A stala se zvláštní věc: velmi dlouhý a neobyčejně komplikovaný vývoj vyústil nakonec do situace, kdy toto slovo, schopné kdysi „zapalovat masy", není už ničím víc než veskrze prolhanou šifrou. Byrokratický aparát komunistické strany, který uzurpoval monopol moci a veškerý život společnosti centrálně řídí a manipuluje, provádí už po desítiletí totiž jeden mazaný trik: sám sebe nazývá socialismem. Vydává se za jeho jedinou záruku a kohokoli, kdo se mu nezamlouvá, okamžitě označuje za „protisocialistickou sílu". Ohrozit suverénní moc tohoto aparátu znamená tedy ohrozit sám socialismus. Veškeré nezávislé iniciativy; vše, co vyrůstá „zdola", nenaplánováno a mimo vliv centrální moci; vše, co se pokouší ztuhlý, neproduktivní a nedemokratický systém aspoň nesměle zreformovat (byť i ve jménu socialismu!), je ihned označeno za „antisocialistické" a za pokus o destrukci či demontáž socialismu – obvykle s oblíbeným folklórním doplňkem o tom, že to je řízeno imperialismem. (Naposled jsme to mohli pozorovat v proslulém stranickém dokumentu o nepříteli pozvedajícím hlavu.)

Tento trik má svou logiku a účinnost: mnohaletá propaganda, spolu se vzpomínkou na dávné časy, kdy slovo socialismus mělo ještě svůj vábivý obsah, vytvořila ve společnosti pocit, že socialismus je totéž co Dobro. Nebo přesněji: že je třeba se tvářit, jako by tomu tak bylo. Dík tomu vše, o čem se řekne, že to socialismus ohrožuje, získává přídech Zla. Lze si představit lepší pláštík, do něhož se může mocenský aparát zabalit, než takovýto? Vždyť dík tomuto pláštíku vzniká dojem, že kdokoli se dostane s tímto aparátem do sporu, je zlý a bojuje proti Dobru.

Těžko by se asi odsuzovali různí zastánci lidských práv, demokraté, reformisté či vůbec nekonformní lidé za to, že kritizují nebo ohrožují „mocenský monopol současného vedení strany". To by bylo dost legrační. Odsuzovat je však za to, že jsou proti socialismu, a tudíž proti samotné dřeni Dobra, to je už méně legrační, a proto i produktivnější. Riziko, že bude takto odsouzen, si totiž každý dobře rozmyslí. Kritizovat tu či onu krávu není těžké, kritizovat však krávu, která sama sebe prohlašuje už po desítiletí za posvátnou, je těžší: člověku je imputován pocit, že nekritizuje jen krávu, ale samotný božský princip, který ji posvětil.

Často lze pozorovat, že různí poctiví lidé, kteří chtějí udělat něco pro zlepšení poměrů, naletí na tento trik. Tvrdí potom, že jsou samozřejmě pro socialismus (jsou přece pro Dobro!), že by jenom chtěli to a to trochu změnit. Jakmile ovšem člověk jednou na tento trik naletí, zpečetí tím svůj osud: uznav šifru socialismus za dějinné Dobro, uznal tím legitimitu pláštíku, respektive pláštík za skutečnost – a pro toho, kdo svůj pláštík vydává tak dlouho za svou nejvlastnější identitu, není pak už žádný problém prohlásit, že dotyčný chápe socialismus špatně a že mu de facto škodí, protože o tom, co je v zájmu socialismu a co mu škodí, může kompetentně rozhodovat jen ten, kdo je tak říkajíc sám socialismem. Socialistický kritik moci se ocitá v komickém postavení myši, která vytýká slonovi, že by mohl být lépe slonem. Jak být nejlépe slonem, ví přece nejlépe slon sám!

Centralismus, autoritářství, tupost byrokratů, dogmatismus, stagnaci atd. atd. se odváží kritizovat kdekdo, dokonce i Miloš Kopecký. Kdekdo ovšem musí zdůrazňovat, že to dělá jménem socialismu (včetně novopečeného marxisty a socialisty Kopeckého). Jenomže tenhle způsob kritiky v podstatě jen usnadňuje své odmítnutí: přijmuv pláštík (ať už z naivity nebo z taktických důvodů) jako cosi nedotknutelného a nesporného, řekl tím kritik de facto, že pláštík není jen pláštík, a neobyčejně tím usnadnil jeho majiteli situaci: označí-li teď někoho za nepřítele socialismu, vyvolá dojem, že objektem kritiky není on sám, ale samo vesmírné Dobro.

Navrhuji proto vyhýbat se nadále slovu socialismus. Nechť se mluví konkrétně: o tom, kdo má rozhodovat o podnikání podniků, komu mají podniky patřit, jak dalece může či nemá rozhodovat mocenské centrum o různých záležitostech, jak se vůbec má či nemá samo mocenské centrum tvořit atd. atd.

Socialismus by bylo lépe – aspoň po určitý čas – do toho neplést. A pokud už o něm někdo mluví, nechť vždy nejprve zcela nedvojsmyslně řekne, co tím slovem myslí a s jakým konkrétním hospodářským a politickým systémem ho spojuje.

Je třeba konečně mluvit o skutečnostech a ne o pláštících, které se za ni vydávají.

(červen 1988)

BŘEMENO 21. SRPNA

Garnitura, kterou vynesla v Československu k moci invaze pěti států Varšavské smlouvy v roce 1968, se s touto invazí plně ztotožnila a beze zbytku přijala i tehdejší sovětskou kritiku československého reformního pokusu. Z okupace udělala „bratrskou pomoc" a od celé společnosti začala postupně vyžadovat bezvýhradný souhlas s touto „pomocí". Desítky tisíc zastánců reforem, svobodněji smýšlejících lidí a všech, kdo odmítli tento souhlas předstírat, začala tvrdě pronásledovat a pronásleduje je vlastně dodnes. Po celých dvacet let své vlády opakují tito muži stále totéž: že reformy v roce 1968 ohrožovaly v Československu socialismus, přičemž slovo „socialismus" jim zcela zjevně není už ničím jiným než líbivějším označením pro jejich totalitní způsob vlády, respektive pro všemoc současného aparátu komunistické strany.

Antireformismem a souhlasem s Brežněvovým přepadením Československa tato garnitura tedy sebe samu tak říkajíc politicky definovala. Neuvěřitelná důkladnost, s níž to udělala, vycházela přitom z nepříliš prozíravého předpokladu, že Brežněv povede Sovětský svaz do konce všech časů.

Tento předpoklad se, jak víme, nesplnil. A českoslovenští vládci se dík tomu dostávají dnes do neobyčejně svízelné situace: jako zajatci svého vlastního sebevymezení musí dál a dál opakovat vše to, co po dvě desetiletí říkali, ale jako věrní stoupenci Sovětského svazu musí zároveň vychvalovat Gorbačova a předstírat, že i oni usilují v Československu o jakousi přestavbu. A znovu a znovu přitom musí pomocí různých dialektických kliček dokazovat zjevný nesmysl: že dnešní sovětské reformy nelze srovnávat s československými reformami v roce 1968, že ani jejich dnešní polovičatá přestavba nemá s nimi nic společného a že sovětský zásah byl zcela oprávněný. Nemyslím si, že dnešnímu sovětskému vedení je tato zpozdilá obhajoba Brežněvovy arogantní velmocenské politiky zrovna příjemná, je však nuceno – ze solidární loajality k československým spojencům – zastávat týž názor. Své „nové myšlení“ sem totiž už může těžko dopravit způsobem, jakým se dříve exportovalo „staré myšlení“: to jest na tancích. Dochází tak k paradoxní situaci: českoslovenští zajatci brežněvovské ideologie dělají i z Gorbačova – aspoň v tomto bodě – Brežněvova zajatce. Gorbačov má však příliš mnoho jiných problémů, než aby mohl riskovat vznik dalšího destabilizačního ohniska ve sféře sovětského vlivu. A tak musí zatnout zuby, mlčet k okupaci z roku 1968 a objímat se bratrsky s Jakešem.

Československá společnost pozoruje ideologickou ekvilibristiku československého politického vedení se zřetelným pobavením. Je opravdu směšné vidět celoživotní potlačovatele svobody, jak se verbálně hlásí ke svobodě, aby ji mohli dál v praxi potlačovat. Proč jim nezbývá než ji dál potlačovat, je přitom každému jasné: kdyby skutečně uvolnili šrouby, pak zcela logicky by první obětí čerstvého větru, který by začal Československem proudit, museli být právě oni sami.

Pobavený zájem má ovšem ještě daleko ke skutečnému občanskému angažmá. Československá společnost je stále velmi, velmi opatrná. Když se nás ptají přátelé z polské Solidarity, s nimiž se občas setkáváme na československo-polských hranicích, kolik má Charta 77 za sebou lidí, chce se mi odpovědět, že stojí-li za Solidaritou milióny lidí, pak za Chartou 77 stojí pouze milióny uší. Lidé totiž práci Charty 77 – a zdaleka ne jenom ji – sledují se zájmem a sympatiemi ze zahraničního rozhlasu, ale velmi by si rozmysleli, kdyby ji měli veřejně podpořit. Anebo vůbec kdyby měli veřejně projevit své skutečné smýšlení. Češi a Slováci nejsou nadšenci, nenadchnou se pro něco příliš často. V roce 1968 se pro cosi nadchli, několik měsíců si počínali jako svéprávní občané, ale se zlou se potázali: dvacet let pak byli za toto své nadšení perzekvováni. Po této hořké zkušenosti je jejich dnešní opatrnost víc než pochopitelná.

Přesto bych neřekl, že se za těch dvacet let nic ve společenském klimatu nezměnilo. Lze pozorovat, že si lidé přeci jen už začínají víc troufat. Svědčí o tom mnoho věcí, od ohromného rozmachu nezávislé kultury až po půl miliónu podpisů na katolické petici žádající více náboženských svobod. Dění v Sovětském svazu, Maďarsku a koneckonců i v Polsku takové projevy posiluje. A onen komický tanec mezi vejci, který musí současné vedení podnikat a který prozrazuje spíš bezradnost a paniku než sebejistotu totalitní moci, působí vlastně také jako posila: proti směšnému vládci, který se musí neustále nějak složitě vykrucovat, se vystupuje přeci jen lépe než proti vládci, který jen a jen nahání hrůzu.

Stále hlubší propast, která se rozevírá mezi sovětskou politikou a politikou československou, prohlubuje tedy a jaksi zviditelňuje i stále hlubší propast, která zeje mezi ideologií současného československého vedení a skutečným stavem obecné mysli v Československu.

Obě tyto propasti se mohou prohlubovat dlouho, ale asi ne do nekonečna. Dříve nebo později se musí něco stát; vláda kulturní a vyspělé země uprostřed Evropy nemůže jít trvale zcela proti směru všeobecného vývoje a zároveň proti intencím vlastního obyvatelstva. Co se však stane, kdy se to stane a jak se to stane, zatím nikdo neví. V totalitních poměrech, kde jsou skutečné společenské pohyby skryty hluboko pod povrchem viditelného dění, není totiž možná žádná solidní prognostika. A proto nikdo nemůže vědět, jaká nahodilá sněhová koule bude zrodem velké laviny.

Neví to ani režim. Proto vidí jeho policie kolem sebe jen samé nebezpečné sněhové koule a proto má co chvíli pohotovost. V těchto dnech ji má kvůli dvacátému výročí sovětské invaze. Pochybuji, že pouhé výročí bude onou sněhovou koulí. Ale neklid moci považuji i v tomto případě za dobrý signál. Totiž za signál toho, že ani v tomto zdánlivě dnes nezajímavém satelitu není vyloučen nějaký významnější pohyb k lepšímu.

(srpen 1988)

OPOMÍJENÁ GENERACE

Dámy a pánové,

rád využívám poskytnuté příležitosti a srdečně vás všechny pozdravuji. Jako mnoho mých spoluobčanů se raduji z toho, že se ve světě na naši zemi nezapomíná a že i ve vzdáleném Torontu si připomínáte několik jejích letošních významných výročí. A zvláště jsem rád, že si je nepřipomínáte jen nějakou oslavou či naopak tryznou, ale prací, totiž setkáním odborníků schopných kvalifikovaně se zamyslet o obsahu a smyslu dějů, k nimž tato výročí odkazují. Není náhoda, ale spíš důkaz spřízněnosti, že i my zde si chceme tato výročí připomenout podobným způsobem, totiž odborným sympoziem. Pevně věřím, že aspoň někteří z vás na ně přijedou a budou nás informovat o výsledcích torontských jednání.

Do debat vaší literární sekce bych chtěl přispět jednou kratší – a proto bohužel jen obecnou – poznámkou.

Je notoricky známo, že československá literatura je už po mnoho let uměle rozdělena, a to nejen na literaturu oficiálně doma vydávanou a literaturu samizdatovou, ale i na literaturu domácí a exilovou. Má poznámka se týká jednoho aspektu jejího domácího rozdělení.

Od doby, kdy byla naše literatura takto drasticky rozdělena, uplynulo dvacet let. To není zanedbatelná doba. Což se projevuje mimo jiné v tom, že dělící čára už dávno nevede jen mezi těmi, kteří byli v roce 1968 či 1969 z publikované literatury vyloučeni, a těmi, kteří – ať už jakkoli – se svému vyloučení vyhnuli: tedy že už dávno tu proti sobě nestojí stále jen na jedné straně – abych jmenoval přímo symbolické postavy obou těchto táborů – Ivan Skála a na druhé straně Ludvík Vaculík. Literatura nikdy nebyla a ani dnes není jen záležitostí lidí od padesáti výš. Za těch dvacet let vyrostly nevyhnutelně další literární generace. Generace autorů, kteří dík svému věku neměli příležitost se v roce 1968 tak či onak projevit a kteří tedy nebyli předem předurčeni k tomu, aby se buď těšili přízni moci, anebo aby byli mocí odmítnuti. Tito mladší autoři – na rozdíl od nás starších – začínali působit už v takové situaci, jaká dnes je, v situaci dnešní tvrdé rozdělenosti, a měli tudíž – nezatíženi takovým či onakým kontem ze situace předchozí – podstatně větší manévrovací prostor. Totiž: mohli se hned na samém začátku rozhodnout.

Což se také stalo a dík čemuž se i oni rozdělili.

Někteří hned a vědomě slevili ze svých nároků na sebe samé jen proto, aby byli přijatelní. Ti jsou, myslím, nejméně zajímaví.

Zajímavější je druhá skupina: ti, kteří nevyužili výhody své nepoznamenanosti jen ke snadné kariéře, ale k něčemu jinému: aby zkoušeli na půdě povolené nebo tolerované literatury jít nejdál, kam to jde, i za cenu rizika, že se spálí, a posouvat tím vlastně na jejím území hranice možného. Jednou byli zakázáni, podruhé povoleni, jednou jim bylo přáno, podruhé byli odstrkováni, nikdy však nebyli vrženi na onen seznam nepřátel vlasti, na němž se ocitlo tolik jejich starších kolegů. Jejich práce je důležitá a není ostatně nepodobná tomu, co mnozí z nás starších a dnes zakázaných dělali o deset či dvacet let dřív. Nicméně ani o této skupině tu dnes nechci mluvit: ví se o ní dobře a těší se přízni – byť různě odstupňované – jak veřejnosti, tak dokonce i dynamičtějších představitelů moci.

Chtěl bych obrátit v tuto chvíli pozornost nás všech ke skupině třetí, z jistého hlediska nejdůležitější, zároveň ale nejvíc přehlížené a opomíjené. Totiž k těm, kteří se zcela vědomě a svobodně rozhodli raději pro působení v prostoru nezávislé kultury a v samizdatu než k nějakému zápasu na oficiálním bojišti. Tedy k těm, kteří dobrovolně vstoupili hned na začátku své literární dráhy mezi „poznamenané“ (práce v samizdatu totiž většinou vede člověka rovnou na černou listinu).

Proč to učinili? Prostě proto, že jejich názory, povaha jejich talentů, životní postoje, druh zájmů a práce a ovšem i typ jejich mravní konzistence je k tomu samozřejmě dovedly. Nebyli z oficiální sféry vyhnáni, prostě jen do ní odmítli vstoupit. Jejich představy o tom, co a jak je třeba psát a říkat, se do oficiálního rámce nevešly. Tito mladí autoři – a není jich málo! – jsou, smím-li se tak vyjádřit, vyvrženci z vlastního rozhodnutí. Svět samizdatů není pro ně nějakým provizóriem či náhražkou, ale zcela přirozeným prostorem jejich autentické seberealizace.

Myslím, že se na ně často zapomíná, a pokud nikoliv, že jsou bezděčně zaháněni do postavení jakýchsi věčných začátečníků a outsiderů mezi outsidery. A to přesto, že možná právě oni představují z hlediska budoucnosti literatury tu naději, která je úběžníkem všech nadějí ostatních, protože to jsou možná právě oni, kdo tu bude jediný za pár let udržovat kontinuitu vskutku svobodného ducha.

Pro oficiální místa tito lidé samozřejmě vůbec neexistují; nepočítám-li občasný zájem policie, netěší se ani té hanlivé pozornosti, které se těšíme my. Ale ani na druhém, svobodnějším konci tohoto duchovního prostoru jako by nebyli bráni příliš vážně: už po dvacet let je naše zdejší nezávislá literatura pro kdekoho – včetně exilu a vůbec zahraničí – reprezentována stále týmiž jmény (Vaculík, Klíma, Pecka, Havel a podobně), to jest jmény těch, kteří stihli vstoupit do obecného povědomí ještě v době, kdy jim byl zpřístupněn knihtisk. Je to velmi paradoxní, ale vypadá to občas tak, jako by slávu nepublikovaného autora zasluhoval pouze ten, kdo už někdy doma publikoval; jako by míru úctyhodnosti v samizdatu určovala míra, v jaké na něj kdysi člověk nebyl odkázán; ba jako by se symbolem vzdoru proti cenzuře mohl stát pouze ten, kdo už jednou cenzurou prošel. Zatímco ti ostatní, kteří dík svému věku a své nekompromisnosti nikdy nic tiskem nevydali, zůstávají natrvalo jaksi lehce podezřelí.

Umím si představit, co by na tyhle mé vývody mohl leckterý můj zasloužilejší kolega namítnout: ale kde jsou jejich díla? Vždyť přece nepíší tak dobře jako my! Taková námitka není ovšem de facto námitkou, ale spíš potvrzením toho, co říkám. Zcela samozřejmě totiž vychází z pochybného předpokladu, že jsme to výhradně my starší a dříve publikující, kdo může kompetentně rozhodovat o tom, co je dobré. O tom ale přece opravdu nerozhodujeme my! Literatura má svůj vlastní život: ze samé své podstaty je pluralitní; nikdo nemá v rukou univerzální klíč k jejímu definitivnímu zhodnocení (a tím méně k jejímu centrálnímu řízení). Jednomu se samozřejmě líbí to a druhému ono; nikdo přirozeně nemůže nikoho nutit, aby se mu líbilo něco, co se mu nelíbí; nikdo ale nemůže ze svého líbení a nelíbení udělat mocenský nástroj. Říkal jsem to kdysi tiskem vydávajícím kolegům ve Svazu spisovatelů, když se jim nelíbil tiskem vydávaný časopis *Tvář*, a říkám to dnes – arci, že v dost jiné situaci – svým doma nepublikovaným kolegům, když jsou nevšímaví ke svým vůbec nikde nepublikovaným kolegům. A pokud by mi můj imaginární polemik namítl, že on přece mocensky nikoho v ničem neomezuje, namítl bych zase já jemu, že přímo samozřejmě ne – k tomu ani nemá příslušné nástroje – ale nepřímo (a spíš bezděky než vědomě) leckdy ano: prostě tím, že se tváří, jako by ti další neexistovali. A tváříme-li se tak my, zdejší nezávislí sice, ale známí autoři, pak to má ovšem nutně svůj nepominutelný – a v jistém ohledu vlastně už mocenský – důsledek: nevědí o nich ani exilová nakladatelství a časopisy, natož vydavatelské podniky zahraniční, neví o nich kritika, neberou je s přílišnou vážností ani ti, kteří jim mohou být technicky i jinak nápomocni. Přičemž tito „neznámí nepublikující“ jsou začasté neznámí i proto, že jim kdysi, v jejich počátcích, leckterý z nás známějších posloužil svým postojem jako vzor na cestě k nezávislosti. Nevyplývá i z toho pro nás určitá zvláštní odpovědnost? Nemůžeme přece dost dobře tvrdit, že místo pravého básníka dnes není na knihkupeckém pultu, ale na pranýři – a zároveň mladšího kolegu, který to vzal vážně a na pranýř vylezl, mít za lehce podezřelého, protože nebyl nikdy na knihkupeckém pultu!

POZDRAV K 70. VÝROČÍ VZNIKU ČESKOSLOVENSKA

Vážení přítomní,

rád využívám poskytnuté příležitosti a zdravím – aspoň takto na dálku – Vaše shromáždění, na němž si připomínáte sedmdesáté výročí vzniku československého státu.

Je smutným výsledkem dlouhodobého zkreslování dějin a jejich účelového ideologického výkladu, že dnešní mladí lidé, pokud se o moderní dějiny zvlášť nezajímají a pokud se nesmiřují jen s tím, co je jim oficiálně říkáno, vědí o tak významné věci velmi málo. Jména Masaryk a Beneš jim snad ještě cosi neurčitého říkají, co však vědí o Štefánikovi, Kramářovi, Švehlovi, Rašínovi a dalších významných postavách, které stály u zrodu naší republiky a podílely se na jejím budování? Co vědí o gigantické Masarykově práci v exilu během první světové války? Co vědí o významu, který měly pro vznik našeho státu legie? Co vědí o Manifestu českých spisovatelů? Co vědí o práci Národního výboru, který na půdě naší země 28. října 1918 vyhlásil samostatný stát? Co vědí o velkém vzepětí všeho lidu, o něž se práce Národního výboru mohla úspěšně opřít? Co vědí o odvážné Rašínově finanční a ekonomické politice, dík které se naše nově vzniklá republika mohla stát záhy oázou rozkvětu uprostřed Evropy zmítající se v poválečném politickém a hospodářském chaosu?

Myslím, že nestačí, když vy v exilu a ti z nás doma, kteří se toho odváží, budeme vznik našeho státu a práci jeho prvního prezidenta pouze oslavovat. Ještě důležitější bude, když se pokusíme daleko systematičtěji než dosud čelit zkázonosnému dílu zapomnění šířením pravdy o naší novodobé historii. Je to důležité nejen proto, že znalost vlastní minulosti je vždycky konstitutivní součástí vyspělého národního vědomí, ale i proto, že znalost meziválečné československé demokracie může být pro dnešní společnost jedním z dobrých vodítek při její snaze vyjít z temného tunelu apatie, do něhož byla před dvaceti lety zahnána, a usilovat opět o demokratičtější poměry.

Co pro to můžeme udělat? Myslím, že i v tomto bodě se můžeme učit od Masaryka a navázat na jeho koncepci drobné osvětové a vzdělávací práce, jejíž význam pro politickou budoucnost národa tak dobře cítil.

Vaše stanice má v tomto směru velké možnosti a částečně jich už využívá, například zavedením pořadu Rozhlasová univerzita.

Ale existují i další možnosti. Co kdyby byl ustaven v exilu zvláštní fond založený na sbírkách a darech, který by se snažil – na základě spolupráce odborníků doma i v exilu – o nové vydání tak důležitých knih, jako je třeba Masarykova *Světová revoluce* nebo Peroutkovo *Budování státu,* a který by hledal efektivní způsoby, jak tyto knihy šířit mezi mládeží.

To je jen malý příklad. Nepochybuji o tom, že lidé kompetentnější než já jsou schopni najít mnoho dalších možností, jak postupně rozptylovat mlhu zapomnění, do níž je dnes demokratické Československo ponořeno.

Nevěřím, že lidskou touhu po svobodě a pravdě lze zcela a natrvalo odstranit z tohoto světa. I v dnešních Češích a Slovácích tato touha je, ba je i v těch nejmladších, kteří nemohli už poznat ani ono relativně liberálnější ovzduší, které stihla ještě zažít v šedesátých letech generace má. Tato touha je ovšem často velmi neurčitá, ba až bezradná, protože široko daleko nenalézá žádné smysluplné orientační body.

Smyslem šíření pravdy o vzniku našeho státu a jeho prvních dvaceti letech by bylo vytvořit jeden z takových orientačních bodů.

První republika se samozřejmě nevrátí a vrátit nemůže. Přiblíží-li se někdy Československo znovu demokracii, bude to pochopitelně už demokracie jiná, taková, která bude odpovídat své době. Nicméně hodnoty, z nichž první republika vyrostla, a zkušenosti, které našim národům dala, budou podle mého názoru důležitým inspiračním pramenem vždycky, bez ohledu na to, jakými historickými podobami bude cesta k demokracii procházet. Ale nejen to: zůstanou asi ještě dlouho jedním ze základních nervů moderní politické identity našeho národního společenství, a tím i jeho představ o lepším společenském uspořádání.

Ještě jednou vaše shromáždění pozdravuji a děkuji vám za pozornost.

(září 1988)

VYLOŽENÉ KARTY

Rok 1988 nebyl pro Československo jen rokem několika zaokrouhlených výročí. Byl to i rok – jak se k jeho osmičkové povaze hodí – politicky pro nás dost důležitý. Nedožili jsme se sice žádného náhlého zvratu, ať už k lepšímu, nebo k horšímu, ale něco se přeci jen stalo. Byly tak říkajíc vyloženy karty.

Lidé začali dávat konečně viditelněji najevo, že se už nechtějí apaticky smiřovat s vnucenými poměry a že jsou schopni dělat pro svou svobodu i cosi víc, než jen doma u rádia tiše sympatizovat s Chartou, v zaměstnání si pod stolem vyměňovat samizdatovou literaturu a občas tleskat v příšeří hlediště nějakému svobodnějšímu představení. Ukázala to statečná účast mnoha tisíc občanů na nezávislých manifestacích, ale nejen ona: všude se najednou hovoří daleko otevřeněji než dosud, dokonce i uvnitř navýsost oficiálních struktur; stále víc „povolených" umělců, vědců i novinářů začíná nazývat věci zase pravými jmény bez ohledu na následky, které to pro ně má; dlouho a pečlivě budovaná zeď mezi nezávisle se projevujícími občany a společností jako by se začínala drolit a rozpadat. Zdá se, že lidé už mají dost neschopnosti vlády řešit problémy, které sama nakupila, a že je už omrzela jejich vlastní opatrnost.

Své karty ovšem vyložilo i mocenské centrum: nejen, že sebe samo přestrukturovalo tak, aby nebylo opravdu nic ponecháno náhodě, čímž vzalo společnosti poslední iluze, ale neváhalo už zcela nedvojsmyslně ukázat, ať už vodními děly, novým zatýkáním, nejrůznějšími zákazy, či beznadějnou polovičatostí svých reforem, jaké je pravé pozadí jeho řečí o „přestavbě" a „demokratizaci": zachovat existující totalitní struktury, ať to stojí, co to stojí. „Dialog nebude," řekl sebevědomě pan Štěpán na Václavském náměstí, aby to hned druhý den na tomtéž místě výmluvně dosvědčil, když se osobně ujal velení nepříliš (naštěstí) fungujících stříkaček. Tu větu lze číst jen jediným možným způsobem: zanechte nadějí na nějaký skutečný pohyb a změnu.

Karty jsou tedy vyloženy. Jak bude hra pokračovat, to dnes asi nedokáže odhadnout nikdo. Stříkačky sice fungují špatně, ale občanské sebevědomí také nezačne po dvaceti letech své devastace fungovat bez problémů a ze dne na den. Snadná hra to tedy nebude – pro žádnou stranu. Důležité však je, že „hra" vůbec začala. Nebo přesněji: že vstoupila do nové fáze. Do fáze, kdy se dá už stěží předstírat, že se v ní o nic nehraje.

A jak to v takových okamžicích pravdy bývá, vynořilo se nutně i to, co se s železnou pravidelností vynořuje vždycky, když se dostává totalitní systém komunistického typu do krize (nebo když se naopak snaží sám sebe zreformovat). Totiž pochybnost o samém jeho pilíři a zároveň jeho formálním sebezdůvodnění, kterým je známé – a demokratičnost každé ústavy popírající – dogma o vedoucí úloze komunistické strany. Jinými slovy: znovu se vynořila idea *pluralismu*. Tedy názor, že žádná ideologie, doktrína či politická síla nesmí být předem a natrvalo, tj. zákonem, nadřazena jiným a že o politickou moc se mohou stejným právem ucházet všichni.

Nejde přirozeně o nic nového. Dík kvasu, kterého jsme svědky dnes téměř v celém sovětském bloku, vynořuje se tato idea všude kolem nás. Komunistické vedení se k ní staví v různých zemích různě. Gorbačov mluví o „socialistickém pluralismu", čímž asi myslí pluralitu názorů uvnitř komunistické strany jako vedoucí síly i mimo ni; Rakowski mluví o politickém pluralismu zřejmě s úmyslem vyhradit opozici několik křesel ve vládě a parlamentu, a tím jednak pootevřít ventil společenské nespokojenosti, jednak odvést pozornost od své noční můry, kterou je pluralismus odborový; nejdál zatím došel člen vedení maďarské strany Imre Poszgay, když řekl zcela bez obalu, že v nové maďarské ústavě nemá klauzule o vedoucí úloze strany prostě co dělat.

U nás byla tato myšlenka nahlas vyřčena letos v říjnu v manifestu nově ustaveného *Hnutí za občanskou svobodu* (HOS), příznačně nazvaném *Demokracii pro všechny*. A není náhoda, že se tak stalo právě letos: nastal-li čas vykládání karet, musela být vyložena i tato. Poslední, ale svým způsobem nejdůležitější.

Cena zmíněného manifestu – nejen v tomto bodě, ale celkově – není ovšem v originalitě jeho myšlenek. Většina toho, co se v něm říká, jsou víceméně samozřejmosti, které už dávno vědí snad všichni soudní lidé. (Na čemž nic nemění fakt, že několik detailů manifestu může naopak vyvolávat spory.)

Jeho cena je v něčem jiném: že tyto samozřejmosti vyřkl *souhrnně, veřejně* a jako *východiska k politické práci*, nikoli tedy jen jako něčí privátní názor.

Co z HOS vzejde, ukáže teprve čas. Možná se záhy včlení do společenského života jako jeho integrální, byť vládou příliš nemilovaná součást (jak je tomu v případě Charty 77); možná to bude zatím jen semínko čehosi, co začne nést plody až ve vzdálenější budoucnosti; možná bude celá „věc" tvrdě potlačena (trestní stíhání bylo zatím zahájeno opravdu pouze „ve věci", nikdo konkrétní tedy dosud obviněn nebo uvězněn nebyl). Ať tomu bude ale jakkoli, jedno je jisté už dnes: že byla mezi jinými základními věcmi konečně nahlas vyslovena i obecně sdílená pochybnost o smyslu ústavního zakotvení vedoucí úlohy jedné strany, je nesmírně důležité; co se tím stalo, nemůže se už odestát; všem, kdo vidí, že král je nahý, bude zvolání o jeho nahotě znít v uších přinejmenším tak dlouho, dokud se král neobleče, anebo aspoň tak dlouho, dokud vata strachu nezacpe poslední vnímavé ucho (což je dnes už velmi nepravděpodobná alternativa).

Rok 1988 přinesl samozřejmě mnohem víc nadějných věcí než jen tento manifest. I kdyby však nepřinesl nic jiného, bylo by to dost. Ať bude hra dál probíhat jakkoli, tuhle novou kartu v ní rozhodně přehlédnout nelze. Ostatně kdoví, zda by bez těch druhých mohla být vůbec vyložena.

Jakkoli je ovšem z perspektivního hlediska důležité, že rok 1988 – mezi jiným – protrhl také tabu kolem vedoucí role strany a vyzval k rehabilitaci politiky, přeci jen to asi není to nejaktuálnější, před co nás postavil. Tím se mi zdá být otázka trochu jiné „vedoucí role". Totiž otázka, co ji v bezprostředně nadcházejícím čase získá – zda probouzející se svobodný duch, zdravý rozum a občanská hrdost, anebo vodní stříkačka.

Může ji získat samozřejmě i ta stříkačka. Ale určitě ji nezíská natrvalo. Zmáčet šaty a vystrašit je totiž jedna věc, a odstranit občanskou nespokojenost věc druhá. Tu může stříkačka spíš posílit než odstranit. A zastavit logiku politických a ekonomických dějů už vůbec není v jejích silách.

Do nového roku bychom měli tedy vstupovat bez jakýchkoli iluzí, ale zároveň s jistotou, že se nemýlil jistý bachař, který mi 28. října v cele řekl: Pravda je na vaší straně!

(prosinec 1988)

PRAVDA A PERZEKUCE

V minulém čísle *Lidových novin* jsem napsal, že moc i společnost v jistém smyslu „vyložily karty" a že lze těžko předvídat, jak bude v této nové fázi „hra" pokračovat. Což se mi také potvrdilo: jestli jsem byl připraven na vše, pak na to, že pouhý týden po mém článku bude povolena první na moci zcela nezávislá manifestace v naší zemi po čtyřiceti letech, jsem věru připraven nebyl.

Tento krok, tak okatě protiřečící všemu ostatnímu, co soudobá moc říká a co dělá, má pochopitelně spoustu rozmanitých příčin. Jejich analýzu ponechám povolanějším. V této chvíli mne na tom zajímá něco jiného: nezávisle se angažující občané byli tímto vstřícným krokem, vykoupeným ústupem z Václavského náměstí na Žižkov, postaveni náhle před zbrusu nový problém. Totiž před otázku, zda je možné a správné jednat s touto veskrze nedůvěryhodnou mocí, zda lze s ní uzavírat nějaké dohody, zda lze ve styku s ní přistupovat dokonce na kompromisy.

Hladina začala vřít a názory se začaly rozcházet.

Neznám bohužel žádnou vyčerpávající a všechny strany uspokojující odpověď na tuto otázku. A nemyslím si dokonce, že něco takového vůbec existuje; že existuje nějaký obecný, obecně aplikovatelný a pro všechny přijatelný model „správného" chování či aspoň klíč k němu. Proto se omezím jen na jeden aspekt věci, který jsem si tváří v tvář vzniklé situaci uvědomil.

My všichni, to jest nezávisle se projevující občané, takzvaní „disidenti“, takzvaná „opozice“, jsme si za ta léta, ba desítiletí svého pronásledování bezděky na toto pronásledování zvykli, stalo se nám samozřejmým průvodním znakem naší práce. Což v nás vybudovalo jakýsi podvědomý stereotyp vnímání, podle kterého je pravda nevyhnutelně spojena s pronásledováním, každý vstřícný krok moci je zásadně jen léčkou a každý slušný čin musí být po zásluze potrestán. Voláme sice dlouho a trvale po tom, aby skončily perzekuce a bylo víc svobody a právních jistot, zároveň jsme si ale zvykli nedůvěřovat všemu, co není perzekvováno. Úder pendrekem, který byl tak dlouho a s tak železnou pravidelností politováníhodnou odpovědí moci na každé pravdivé slovo, se nám nenápadně stal jeho bytostným znakem, ba dokonce snad měřítkem jeho pravdivosti; vše, na co nebylo odpovězeno pendrekem, se nám stalo podezřelým; pravdu jsme se naučili měřit mírou oběti, kterou její pronesení vyžaduje. Což platí zvlášť o těch mladších z nás, kteří nezažili už jiné poměry než ty, v nichž skutečně byly pravda a pendrek spolu spojeny jako Amis s Amilem; vím o mladých lidech, kterým se manifestace na Škroupově náměstí líbila, nicméně jedna věc jim na ní přeci jen byla krajně podezřelá: že nebyla rozehnána vodními děly.

O soudobé moci a jejích cílech nemám sebemenší iluze. Vím však, že i ona – sevřena věncem různých tlaků – je občas nucena ustupovat, přizpůsobovat se, vycházet vstříc něčemu, co je jí bytostně proti srsti. Její ústupky z posledních týdnů nejsou důsledkem jejího náhlého osvícení, ale tlaku, který na ni vyvíjí život a svět. Což je sice smutné, ale nikoli nejpodstatnější. Podstatný je sám fakt těchto ústupků a prostor, který se tím vytváří. Myslím, že tento prostor je třeba rychle a chytře vyplňovat, nikoli se od něho s odporem odvracet. To by byla ta nejlepší cesta k tomu, aby se záhy vše – dík setrvačné síle systému a naší nechuti k pohybu – vrátilo opět do starých kolejí.

Vstupovat na tento nový terén nelze ovšem asi jinak než za cenu určitých vlastních ústupků. Nevznáší-li se politická moc ve vzduchoprázdnu, v jakémsi „nadsvětě“, pak se v něm o to tíž může vznášet její opozice. Míru přípustných kompromisů či ústupků však mnohdy neurčí nic jiného než prostě politický cit. Tedy cosi, co

IV. PŘEDMLUVY, DOSLOVY, VZPOMÍNKY A NEKROLOGY

denia Zväzu, kde nám bude Mihálik ešte raz vysvetlovať, prečo vám to nikto nesmie podpísať. My: A tam máme jít s vámа? On: Čoby nie, aspoň tam poviete, čo chcete. A tak nás tam vzal. Bylo tam asi dvacet lidí, některé jsme trochu znali, některé ne. Snědl jsem nenápadně prášek na povzbuzení a podařilo se mi – samozřejmě s vydatnou pomocí Honzy N. – v asi hodinovém expozé vysvětlit kulturní, historickou, mravní a politickou důležitost naší petice. Pak byla debata, odpovídali jsme na dotazy, vysvětlovali, hádali se atd. Mihálik obsáhle vysvětloval, že naše věc je ranou pod pás straně a tím i celé „kulturní frontě“, jiní říkali opak, čas ubíhal, bylo už poledne, nebralo to konce, ale bylo to dobré: čím dál tím víc přítomných bylo na naší straně a říkalo, že máme pravdu a že jsou situace, kdy pravda je důležitější než vůle strany. Vždycky při těchhle dilematech nad peticemi (a co jsem jich už zažil!) je nejdůležitější vystihnout správně okamžik, kdy ty podpisové archy vytáhnout z aktovky a položit na stůl: jsou totiž čas od času okamžiky, kdy je jasné, že to dotyčný podepíše, ale může se stát, že o minutu dřív nebo o minutu později by to nepodepsal. (A mockrát to tahat z aktovky a zase strkat zpět taky nejde.) Zdálo se, že příznivý okamžik nastává, já se podíval tázavě na Honzu N., on přikývl, já to tedy vytáhl a položil na stůl: v tu chvíli přibližně dvě třetiny přítomných byly totiž zřetelně rozhodnuty podepsat. První z nich – už se tak trochu vstávalo – se blížil k archům, já byl lehce nervózní – a pak najednou vstal Mihálik a řekl: Nech už to je ako chce, Slováci sa musia zachovať jednotne! Všichni se zarazili, nastalo hluboké ticho, Mihálik zamířil ke dveřím a pak všichni – včetně těch, co už stáli nad našimi archy a sahali do kapsy pro pero – se začali tiše a trochu rozpačitě blížit (nebo spíš plížit) ke dveřím a k věšákům, kde měli své kabáty, klobouky a čepice. Bylo nám jasné, že ze Slovenska už zřejmě moc podpisů nepřivezeme, a já ty archy začal zase nenápadně strkat zpátky do aktovky. A v tom okamžiku se stala věc, kvůli které o té pradávné příhodě vlastně píšu: najednou vstal od stolu jeden hezkej chlap s výraznou tváří, který za celé dopoledne vůbec nic neřekl, přistoupil ke mně a povídá: Daj to sem! Já – docela už z toho všeho popletený – vytáhl ty podpisové archy zase z aktovky ven a položil je na stůl. Ten chlapík vytáhl pero, napsal tam: Dominik Tatarka, plácl mě do zad, a aniž se na kohokoli podíval nebo cokoli dalšího řekl, odešel pryč. Honza N. a já jsme za ním jen vyjeveně civěli. Konec té příhody už snad ani nemusím říkat: ti všichni, co už měli na sobě kabáty a klobouky, se vrátili, tiše seřadili a jeden po druhém to podepisovali. Mihálik prásknul dveřmi a vypadl, možná ještě někdo s ním, to už nevím. Slováci se nezachovali docela jednotně, ale téměř.

Tak jsem poznal Dominika Tatarku.

Dominiku, buďte dlouho zdráv a při síle a buďte takový, jaký jste a jaký – aspoň až kam má paměť sahá – jste byl vždycky!

(únor 1983)

ODPOVĚDNOST JAKO OSUD

„My žijeme v Praze,
to je tam,
kde se jednou zjeví
Duch sám..."

Vaculíkův *Český snář* je souborem deníkových záznamů, které autor psal od 22. ledna 1979 do 2. února 1980. Tyto záznamy byly ovšem psány s vědomím, že mají vytvořit knihu, a tento úmysl je integrálně prostupuje – lze ho tušit v jejich obratné vnitřní kompozici, rozvrhování motivů, nenápadném pointování, v jejich stylu a stylizaci, a posléze se začíná přímo vyjevovat, když autor průběžně své psaní sám – jakožto vznikání svého „spisu" – komentuje. Nejde tu rozhodně o deník fingovaný; spíš se zdá, že autor pouze tu a tam poněkud „inspiroval" dění samo (například vyvoláváním určitých situací) ve snaze umožnit skutečnosti, aby se náležitě projevila a poskytla mu tak příhodný materiál. Jde tedy o skutečný deník, zabydlený žijícími lidmi a mezi nimi na prvním místě autorem samým.

Ludvík Vaculík je jedním z nejznámějších českých neoficiálních spisovatelů, už čtrnáct let zakázaným, je signatářem Charty 77 a veřejnosti je znám jako vynikající novinář, který dokáže vždy sugestivně, neotřele a svým zcela osobitým způsobem vyjádřit to, co je ve vzduchu, co společnost cítí nebo co je prostě v danou chvíli třeba veřejně říct. V prvním plánu jsou jeho deníkové záznamy proto nevyhnutelně a ze samé podstaty věci obsáhlým dokumentem o československém „disidentském ghettu", o jeho každodennosti, struktuře života a starostí v něm, o jeho atmosféře i základních otázkách. Kdyby tato kniha nebyla ničím víc než tímto, je velkým činem: nevím, že by o fenoménu soudobého „disidentského ghetta" v komunistické zemi byla napsána kniha tak důkladná a pronikavá (jednu rovinu takového tématu analyzuje skvěle Solženicynovo *Tele a dub*).

Český snář ovšem není zdaleka jen tím. Jako zpráva vskutku důkladná a pronikavá musí nutně – jako vše v literatuře, co je v nějakém směru hluboké a pronikavé – své téma přesahovat.

Vaculík je přesahuje především tak, že vypovídaje o „disidentském ghettu" vypovídá tím zároveň velmi přesně i o společnosti, která tomuto ghettu dala vzniknout, čili o tom, co sám nazývá prostě „poměry": o tom zvláštním orwellovském světě, v němž všechno pravdivé, smysluplné, osobité a na vládní ideologii jakkoli nezávislé je předmětem trvalé a všestranné pozornosti policie a ti, kteří s tím mají něco společného, nebo ti, kteří mají něco společného s těmi, kteří s tím mají něco společného, jsou objektem pestré palety represívních ataků moci; o světě, v němž drtivá většina populace je zahnána do svého privátního prostředí (tj. ghetta v jistém ohledu ještě dusnějšího, než je to „disidentské"), umlčena a donucena chovat se jinak, než jak by se chovat chtěla. Toto svědectví je přirozeně nesmírně důležité – nejen jako nástroj společenského sebeuvědomění toho světa, o němž svědčí, ale i jako memento všem, kteří si před realitou tohoto světa zakrývají oči a nechápou, že tyto „poměry" neohrožují pouze lidi ocitající se v jejich bezprostředním dosahu, ale všechny.

Nicméně ani tím není podle mého mínění smysl *Českého snáře* vyčerpán. Svou hlubokou analýzou toho, jak se „poměry" zmocňují privátního života, jak ho spolutvoří a zároveň ničí, i svou zvláštní zvěstí o velikosti i zoufalství člověka, který se snaží tomu všemu nějak vzdorovat nebo se s tím vyrovnávat a který se vždy znovu dostává v této situaci do vpravdě existenciálních dilemat, tím vším a mnoha dalšími věcmi je tato kniha zároveň – a to chápu jako vůbec nejdůležitější – velkým románem o moderním životě vůbec, o krizi soudobého lidství i o heroismu a tragice člověka, pokoušejícího se této obecné krizi vzepřít a hledat znovu svou ztrácející se integritu.

O této knize – mimochodem jednom z nejdiskutovanějších textů v československém duchovním prostředí posledních let (ačkoli publikovaném póchopitelně jen samizdatově!) – bylo už řečeno mnoho, například že to je román o naději a beznaději, o všudypřítomnosti ohrožení, o zvláštní snovosti života v totalitním systému, o absurditě dnešního „civilizovaného" života, o ztrátě domova a rozkladu času a lidské identity, o lásce, o přírodě, o statečnosti, o strachu i o smrti.

O tom všem zajisté tato složitá, mnohovrstevnatá, mnohovýznamná, strhující i zneklidňující kniha je: všechny základní dimenze globální krize soudobého lidství i všechny základní roviny, na nichž se člověk pokouší být vždy znovu sám sebou, tu lze v té či oné podobě najít a o každé z nich – jako o určité významové vrstvě či motivu této knihy – by bylo možné napsat samostatnou esej. Povšimnu si zde proto pouze jednoho aspektu, významného dle mého názoru tím, že není jen pouhým aspektem mezi jinými aspekty, ale že umožňuje nazřít cosi z nejvlastnější konzistence této pozoruhodné knihy.

•

V úvodní části *Českého snáře* věnuje autor hodně místa rozboru jedné „vnitrodisidentské" diskuse o „disidentství", kterou (shodou okolností? nebo už s myšlenkou na zamýšlenou knihu?) sám krátce před tím, než začal svůj román psát, vyvolal. Obsáhle vysvětluje své osobní stanovisko: odmítá být manipulován svým „disidentstvím" a natrvalo hrát roli jakéhosi profesionálního hrdiny a nepřetržitého bojovníka, kterou mu – jak aspoň on to cítí – jiní předepisují; chce být svobodný, a tedy i svobodný od jakékoli role a jakéhokoli obecného očekávání; rozhodl se pro jiný (méně efemérní) druh smysluplné činnosti, než je to věčné psaní petic, protestů a sbírání podpisů. Štve ho výlučnost jeho postavení, bariéra, která ho dělí od „normálních lidí", pro něž je jeho postoj nenapodobitelný; štve ho, že se ocitl v jakémsi exkluzívním houfu, svázaném tím, co se od něho očekává, a že tím ztratil jakoby kus své individuality; rozčiluje ho předvídatelnost a spočitatelnost všeho, co by měl dělat, aby své roli dostál. Obává se, že čím bude statečnější, tím víc se bude odcizovat obyčejným lidem, a čím víc se bude obětovat, tím spíš je bude odrazovat od slušného chování, které se jim bude zdát – skrze něj – už napořád svázáno se zvláštností jeho postavení a zároveň s takovým druhem oběti, jaký prostě nemohou oni sami přinést. Motiv, rozborem zmíněné „disidentské“ diskuse navozený, se pak táhne celou knihou jako touha jejího autora (a zároveň hlavního hrdiny) vystoupit ze své role, zbavit se její tíže i pout a být nadále už zase jen sám sebou a jen sám za sebe.

Po celou knihu se ovšem její hrdina zároveň – jakoby bezděky, mimochodem, jaksi „na okraj“ a bez vysvětlení – svému odhodlání zpronevěřuje: dál píše petice a dál sbírá podpisy, dál organizuje samizdatovou edici, s kterou chtěl skončit, aby měl víc času na svou vlastní práci.

Je to bez vysvětlení, protože to je jasné: nelze přece, aby se nevyjádřil s kolegy-spisovateli k tomu, že jednomu z nich vzali občanství! Když se sepsání a zorganizování příslušné petice nepodjal jiný, musí se toho přece ujmout on! Nelze přece, aby mlčel k tomu, že jiné jeho přátele zavřeli za to, že se zastávali nespravedlivě stíhaných (navíc těch neznámých, „normálních“, obyčejných) lidí!

Proč ale vlastně nelze? Z pochopitelného důvodu: jeho odpovědnost, jeho slušnost, jeho cit pro solidaritu a pro spravedlnost mu to nedovolí. Jinými slovy: přesně ta jeho vlastní lidská integrita, která se cítí být trvale ohrožována rolí „disidenta“, ho nutí zase a znovu provozovat „disidentství“, být „disidentem“.

Svým způsobem to je začarovaný kruh. Hrdina románu je vlastně hrdinou proti své vůli, vzpírajícím se tvrdé pravdě, že to, s čím si začal (a musel začít!), není hra, kterou lze chvíli hrát a chvíli jen pozorovat; že od své role si nelze jen tak z ničeho nic vzít dovolenou (vždyť to skutečně není jen nějaké zaměstnání!); že svou roli si sice volí, ale že zároveň si i ona volí jeho; že ji nejen volí, ale že do ní i padá. Jeho role je součástí jeho života a jeho život není – jako ostatně ničí život – jen jeho. Dalo by se to říct tak: aniž se cítí být sám za to odpovědný, je prostě propadlý do své odpovědnosti.

Jistě: se svou rolí lze vyjednávat, smlouvat, modifikovat ji. Ale jen po jistou „slušnou mez“ abych užil Vaculíkova termínu. Celým

Českým snářem ostatně vane duch hořkosti a smutku z těch, kteří tuto mez překročili.

Český snář je tedy (mimo jiné) románem neúspěšné vzpoury člověka proti své roli, románem zápasu s touto rolí, zápasu vedeného snahou vyvzdorovat si na ní kus nezávislosti a soukromí. Jenže znovu a znovu se ukazuje, že hrdina už nemá žádné soukromí. Je veřejným majetkem a svou lidskou identitu, která se proti tomu bouří (ačkoli sama tuto situaci jakousi svou specifickou tíží vyvolala), může posléze dotvrdit a dosvědčit nikoli tím, že tento tíživý a nepříjemný osud v jisté chvíli odmítne, ale naopak jen tím, že ho bez velkých řečí (tj. „bez vysvětlení"), s nadhledem i sebeironickou odevzdaností přijme a naplní.

Český snář se z tohoto hlediska jeví jako román o odpovědnosti, vůli a osudu; o odpovědnosti, která je – lze-li to tak říct – silnější než vůle; o tragice osudu vyrůstajícího z odpovědnosti; o marnosti všech pokusů člověka vysvobodit se z role, do níž ho jeho odpovědnost uvrhla; o odpovědnosti jako osudu.

Vaculík v *Českém snáři* trvale medituje sám o sobě. Zároveň referuje o tom, co dělá. Jeho sebereflexe i jeho konání je on sám. A jakkoli se snaží vše, co dělá, reflektovat, je tu opět – tak jako v jeho „disidentství" – cosi silnějšího než on, cosi, co přesahuje všechny jeho meditace, sebereflexe a reference. Touto tajemnou silou je pravda – v tomto případě pravda o odpovědnosti jako osudu.

Myslím, že každého dobrého spisovatele neomylně poznáme podle toho, že svým dílem říká něco víc, než co chtěl říct. Že není jen režisérem bytí, ale i jeho médiem, tím, skrze něhož a skrze jehož talent se bytí vyjevuje. Anebo není snad právě tohle podstatou zázraku, kterému se říká umění?

Vaculík napsal (opakuji: mimo jiné!) knihu o tíži a bídě „disidentství". Tím tu bídu ovšem v jistém smyslu přemohl. Stal se totiž médiem pravdy a pravda je vždycky už určitým „řešením". Když pro nic jiného, tak proto, že nikdy není uvězněna do jednotlivého, ale – svítíc z jednotlivého – ozařuje celek. *Český snář* je skutečně – jak autor toužil – „o celku dneška". O celku dneška a celku člověka v něm. Člověka, který (opět: mimo jiné) valí svůj sisyfovský balvan; valí ho přesto, že ho to nebaví, a přesto, že ví, že ho stěží někam dovalí; který ho valí prostě proto, že nemá jinou možnost, jak být sám sebou a aspoň tak dát životu smysl. A odkrýt tím obzor naděje.

•

O *Českém snáři* se těžko píše. Nikoli jen proto, že o něm bylo už tolik napsáno, ale hlavně proto, že téměř vše, co o něm lze říct, sám o sobě už řekl. Je to totiž – také – román o sobě samém; román svého vlastního vznikání; román, který trvale sám sebe a své vznikání pozoruje a komentuje; který se sám sobě diví, sám se ze sebe raduje, věří si i o sobě pochybuje, sám sebe plánuje a sám referuje o tom, jak se svému plánu vymyká; je to román trvale sám o sobě přemítající.

Je to román autoreferenční; je to román vznikání autoreferenčního románu; je to autoreferenční román vznikání autoreferenčního románu.

Autoreference v literatuře vždycky otevírá problém upřímnosti. Může být totiž vůbec upřímné dílo, které se rozhodlo být upřímné? Vždyť v okamžiku, kdy začnu sám sebe pozorovat, referovat o sobě, a tím sám sebe nutně i nějak interpretovat, jsem přece už někým trochu jiným, než kým jsem byl, než jsem s tím začal. Koho však pozoruji a o kom vypovídám? O tom prvním – pozorovaném – nebo o tom druhém – pozorujícím se? Aby mé pozorování bylo vskutku právo svému objektu – totiž upřímné – musím se pozorovat přece už jako ten, kdo se pozoruje! Koho však při tom pozoruji? Toho, kdo se pozoruje, nebo toho, kdo pozoruje, jak se pozoruje? Chtěl-li bych být upřímný, musel bych pozorovat sebe jako toho, kdo pozoruje, jak se pozoruje. Koho bych tím však pozoroval? Toho, kdo pozoruje, jak se pozoruje, nebo toho, kdo pozoruje, jak pozoruje, jak se pozoruje?

A tak dál. Jak patrno, ocitáme se tu tváří v tvář začarovanému kruhu autoreference. Zdá se, že úmysl být upřímný se téměř osudově vylučuje s možností skutečně upřímný být. A opravdu: čím sveřepější je naše úsilí upřímně sami sebe popsat, tím beznadějněji se zaplétáme a tím naléhavěji před námi vyrůstá podezření, že vše, co se za naši upřímnost vydává, je jen nějakou více či méně skrytou a více či méně rafinovanou formou autostylizace. A že bez nějakého kompromisu, úhybu, triku či lsti se z tohoto začarovaného kruhu objekto-subjektové gnoseologie nevymaníme.

Vaculík se rozhodl pro maximální upřímnost, se svým rozhodnutím nás seznámil a pak svou vědomě, záměrně a programově upřímnou knihu napsal. Jak ta kniha ale může být upřímná, když – jak jsme viděli – upřímný z rozhodnutí být prostě nelze? Myslím, že není vůbec důležité, zda jeho kniha je opravdu upřímná. Je to koneckonců literární dílo, které nám buď něco říká, nebo nikoliv, a jeho účinek a vnitřní pravdivost věru nejsou závislé na věrnosti vnější fakticitě. Důležité je něco jiného: zda máme nad tou knihou pocit svrchované autenticity anebo naopak pocit podvodu, hry, klamu a sebeklamu.

Já osobně tu mám jednoznačně pocit svrchované autenticity. Otázka, kterou si kladu, tudíž zní: jak mohl autor dosáhnout tohoto účinku v situaci, kdy vše bylo zdánlivě proti němu, totiž v situaci, kdy se rozhodl pro autoreferenční román, své rozhodnutí vyjevil a začal vědomě a cílevědomě psát o sobě upřímně, jako o tom, kdo toto rozhodnutí učinil? Jak to, že účinek jeho textu není rozbourán pocitem, že se tu zase někdo nechal chytit do začarovaného kruhu autoreference?

Myslím, že Vaculík svého úspěchu dosáhl zvláštní kombinací dvou dost protichůdných věcí: za prvé neobyčejnou obratností, s níž balancuje na oné riskantní hraně tak, aby vždy ve chvíli, kdy už už v nás zraje otázka po poměru upřímnosti a autostylizace, pravdivosti a mystifikace, svedl naši pozornost jinam a prostě nám znemožnil si tuto otázku položit. A za druhé – což je ovšem nepoměrně důležitější – tím, že tento začarovaný kruh zvláštní oklikou skutečně protrhl: touto „oklikou" není nic jiného než vnitřní étos, opravdovost, spontaneita, zápal a vášeň, tedy vlastně nereflektovaná, a proto jedině pravá upřímnost, s níž se vrhá do svého beznadějného úkolu. Pod všemi těmi rafinovanými vrstvami autoreference a autoreference jeho autoreference se skrývá totiž nebývale silná, paličatá, přímo umanutá a ve své umanutosti zcela autentická vůle říci své. Vůle zvláštním způsobem cudná – a snad právě proto se vytrvale skrývající za svým rafinovaným literárním záměrem. Tento zámysl je však posléze, jak se ukazuje, sám jakousi velkou a zcela bezděčnou mystifikací: předstíraje upřímnost o sobě vědoucí, programovou, sebe pozorující a kontrolující, je autor ve skutečnosti hnán tou jedinou upřímností opravdu možnou a upřímnou, totiž upřímností svého spontánního zápalu pro věc. Navzdory vší obratnosti svého literárního provedení je tedy tato kniha – ve své nejhlubší („předliterární“) podstatě – vlastně velmi direktním a necenzurovaným sebevyjevením, sebevyjevením, které neví, že své sebe-vědomí pouze předstírá, a jehož autenticita je – paradoxně – v samotné prapůvodní energii, vynakládané na to, aby se jevilo jako to, čím si umanulo být. (Sebevyjevením autentickým mimo jiné i přirozeným kouzlem Vaculíkova nenapodobitelného jazyka, jehož dikce prozrazuje zřetelně autorův moravský původ, jazyka, který nepochybně je pro překladatele velkým oříškem.) Čili: lidská pravdivost *Českého snáře* není ani tak výsledkem jeho programu, jako spíš vášně, s níž se tento program snaží uskutečnit. Svůj neuskutečnitelný projekt ovšem právě touto vášní transcenduje, čímž ho vlastně nakonec teprve v jakémsi smyslu uskutečňuje. Dalo by se snad říct, že ho uskutečňuje a může uskutečňovat jen proto, že ho zrazuje.

Mám dojem, že napětí mezi tím, co autor jakožto hlavní hrdina svého románu chce, a tím, co nakonec musí udělat, o němž jsem psal před chvílí, se tu podivně promítá i do samotného žánru knihy. Anebo snad i zde není cosi silnějšího než autor sám a všechny jeho záměry, cosi, co ho přesahuje a co nakonec dává i žánru knihy, za jiných okolností tak ošidnému, plné absolutorium? Odlesk tohoto napětí v žánru knihy byl důvodem, proč jsem právě o tomto aspektu psal. Myslím si totiž opravdu, že zápas vůle (autoreflexe) s osudem (pravdou) podstatně spolutvoří samo nejvnitřnější bytí této knihy.

•

Český snář je, jak jsem už řekl, knihou o krizi soudobého lidství. Lidství, kterému se svět vymyká z rukou a které se vymyká z rukou i samo sobě; lidství, pod nímž se propadá pevná půda; lidství vykořeněného, zmítaného vřavou světa, jemuž nerozumí a kterého se děsí. (Vaculík je svým původem venkovan; pasáže o přírodě prozrazují jeho základní existenciální jistotu; Vaculík ve velkoměstě a navíc jako příslušník intelektuálního ghetta je člověkem bytostně nesvým.)

Románů o této destrukci lidství je ovšem v moderní literatuře mnoho. Každý lepší román je vlastně – více či méně, tím či oním způsobem – o tomhle. Zvláštní, originální a důležité na *Českém snáři* je podle mého názoru to, jak toto téma – dík oné autorově posedlé potřebě „říci své" – otevírá: důsledně „zevnitř". Totiž nikoli konstruktem, příběhem, podobenstvím, metaforou, schématem, ozvláštňujícím skrytý mechanismus této destrukce – ale úplně jinak: vykřičením vlastní, nejosobnější zkušenosti.

Působí to na mne téměř tak, jako by v okamžiku, kdy všechno selhává – každá story je už apriorně lživá (jakápak story v době, jejímž hlavním problémem je konec individuálního lidského osudu); každé podobenství už předem kulhá za drtivou komplexností skutečnosti; už skoro nic nelze, protože vše už bylo vyzkoušeno; všechny klasické jistoty od konkrétnosti lidské tváře přes nezaměnitelnost prostoru až po kontinuitu času jsou v rozkladu; nic už vlastně není pravda, protože se rozplývá lidská identita jako jediný zdroj a jediné měřítko pravdy – jako by tedy v tomto „posledním okamžiku literatury" vyhlásil Vaculík cosi jako „výjimečný stav" a nasadil to poslední a jediné, co mu zbývá – totiž sám sebe. Své dny a měsíce, svůj rok, své lásky, svá zoufalství i své pošetilosti, svůj život, svou kůži.

Je to svého druhu „body-art". Svým vlastním tělem a na něm předvádí Vaculík – nejistý si, zda to někdo pochopí (a mnozí to taky nepochopili) – marasmus světa a bídu i poslední šance člověka do tohoto světa vrženého.

A tu se stává zvláštní a skoro zázračná věc: v této situaci, kdy už neplatí příběhy; kdy neexistují velcí hrdinové a jejich bezcharakterní protihráči jako integrální a se sebou samými identické bytosti; kdy mizí spolu s transcendentnem všechny velké city, vášně a bolesti a kdy se místo toho všude rozpíná jen nějaké neurčité mlno stádního života a sídlištních stereotypů; v této situaci, kdy literatura jako by stanula nad propastí či před svým vlastním hmotným kolapsem; v této situaci se najednou spisovateli, jenž se v zoufalství rozhodl nasadit sám sebe, objevuje pod rukama znovu člověk! Nikoli ovšem člověk minulosti, ale člověk této éry, tj. éry krize lidské identity, který vzal na sebe všechnu myslitelnou tíhu této krize a který je – přesto? znovu? právě proto? – opět celistvým, konkrétním, živým, se sebou samým identickým člověkem!

Je to paradoxní: hrdina se vrací tak, že se kdosi rozhodl napsat o tom, jak nechce být hrdinou; velká láska se vrací tak, že se kdosi rozhodl dopodrobna vylíčit, jak mu zcela nesmyslně unikla láska; román se vrátil tak, že se kdosi rozhodl napsat deník o tom, jak nemůže napsat román.

V době, kdy se zdálo, že už snad jedinou skutečně podstatnou pravdou o člověku je obecné schéma jeho odlidštění, obecné tak, jak on sám se stává pouhou obecninou, objevuje se tu před námi konkrétní člověk – sice utrápený, trochu posedlý, trochu podivínský, trochu staromilský, trochu navztekaný a dost nešťastný – ale přesto člověk hluboce opravdový, odpovědný, citlivý a statečný – a hlavně ovšem živý – živý asi hlavně proto a tím, že celou tuto nesmyslnou dobu táhne na svých zádech.

Českým snářem vrátil Vaculík do moderní literatury integrální lidskou osobnost. Nestvořil ji však popřením marasmu doby, ale naopak z jeho matérie.

●

Kdo jsou to vlastně „disidenti“? Nic víc a nic míň než lidé, které osud, náhoda, logika věcí i logika jejich práce a povah přivedla k tomu, že říkají nahlas to, co všichni ostatní sice vědí, ale co se nahlas říct neodváží. V jakémsi smyslu tedy „disidenti“ – jakkoli je jim nepříjemné, ba přímo nesnesitelné pomyšlení, že by měli být nějakými mluvčími či svědomím národa – přeci jen mluví za ty, co mlčí. A nastavují tedy kůži tam, kde ti ostatní se ji nastavit neodváží nebo prostě nemohou; nastavují ji, nic naplat, za ně. I „disidentství“ je v určitém smyslu „body-art“.

Nesetkává se v tomto bodě najednou – paradoxně – Vaculíkův autorský čin s prapůvodním mravním obsahem právě onoho „disidentství", které ho tak tíží a z jehož zajetí by se tolik chtěl vymanit? Není jeho román – tím, že v něm (jako „disidenti") nasadil to poslední, co nasadit mohl, totiž sám sebe – vlastně románem vpravdě „disidentským", „disidentským" v duchu mravního obsahu tohoto postoje?

Nepochybně ano. Ale s jedním důležitým dodatkem: že v tomto smyslu „disidentské" je vlastně každé skutečné umění. Anebo není snad každý umělec vposledku právě tím, kdo sám sebe nastavuje, sám sebe tím sice lidsky integruje, ale zároveň tím sám sebe beznadějně ničí? Není vlastně právě v téhle věci bytostná tragika každého skutečného umění?

●

Motto v záhlaví této předmluvy je z básně pražského básníka Egona Bondyho „Magické noci", kterou kdysi zhudebnila a zpívala pražská undergroundová rocková skupina The Plastic People. Myslím, že ten text má dvě dimenze: na jedné straně je ironickým výsměchem občasným záchvatům pražského intelektuálního prostředí považovat Čechy za pupek světa (zažili jsme to například v roce 1968, kdy mnozí reformně komunističtí intelektuálové byli upřímně okouzleni představou, že právě u nás bude – jak se domnívali – poprvé v dějinách světa zkombinován socialismus se svobodou); na druhé straně se dotýká jakési zvláštní pravdy: různé tajemné a neviditelné silokřivky evropského (západního i východního) duchovního a společenského života se skutečně dost často protínají právě v Praze, aby z jejich setkání občas vylétla jiskra přesahující svým světlem hranice Prahy i Čech. Světlo, které vydává, jako by přitom na okamžik jasnozřivě ukazovalo i cosi z budoucnosti jiných konců Evropy i světa, přičemž to lidem – nejen ve světě, ale i v Praze samé – dochází obvykle až dlouho poté, co tato jiskra dohasla. Příklad za všechny: Franz Kafka.

Mám intenzívní pocit, že takovou zvláštní pražskou jiskrou je i *Český snář* a že touto knihou, která by opravdu stěží mohla vzniknout jinde, vysílá Praha do světa dost důležitou zprávu, netýkající se jen jí a Čech a přesahující svým sdělením přítomnou chvíli.

Pochopí i lidé za hranicemi tuto zprávu a její význam? Pochopí ji hned? Pochopí ji zavčas? Anebo ji pochopí, až bude pozdě?

(říjen 1983)

HOVĚZÍ PORÁŽKA

Každý, kdo je aspoň trochu obeznámen se soudobou československou rockovou hudbou, pozná skupinu *The Plastic People* po několika taktech. A zaslechne-li její hudbu někdo, kdo se o rock vůbec nezajímá, obvykle dříve nebo později zpozorní, přestane mluvit, zaposlouchá se a posléze se zeptá, kdo to hraje. Často jsem uvažoval, v čem spočívá vlastně ten podivuhodný „trik", kterým dosahují Plastici své zneklidňující magičnosti. Nelze to vysvětlit ani pouze neobvyklou skladbou nástrojů (v tomto směru je pro Plastiky příznačné například znervózňující bzučení jejich violy a houslí); ani jen od Boha danou originalitou hudebního talentu Milana Hlavsy, hlavního autora hudby; ani dlouholetou společnou prací, která styl skupiny – jako průsečík a mocninu hudebního cítění jejích jednotlivých členů – formovala a utvářela; plně to nevysvětlí ani fakt, že jde o skupinu po léta vzácně nezávislou na náladách publika a vůli hudební byrokracie, a tudíž ve své tvorbě vzácně autentickou.

V čem tedy vlastně onen „trik" tkví? Úplnou odpověď přirozeně nenalezneme: znamenalo by to totiž odhalit samo tajemství umění. Částečnou odpověď mi ale naznačil jeden přítel (ostatně hudební kritik), když se mnou hovořil o tom, čím se Plastici odlišují od amerického a západoevropského rocku, a upozornil mne přitom na jednu významnou okolnost: že tato skupina pravděpodobně daleko silněji než jiné vsála do své tvorby cosi z ducha onoho podivného prostoru, v němž žije. Nejde jen o to, čemu se říká „genius loci“. Jde o určitou specifickou zkušenost světa, jak ji po desítiletí a snad i staletí v těchto místech historie formovala; jde o duchovní a pocitovou atmosféru, patřící k tomuto místu a příznačnou pro ně víc, než si my, kteří ji denně dýcháme, dokážeme uvědomit. Plastici žijí v Praze. V Československu. Ve střední Evropě. Jejich duchovním domovem je toto komplikovaně (etnicky, kulturně i historicky) strukturované ohnisko evropského dění; tradičně první bojiště i první oběť evropských a posléze i světových zápasů; křižovatka evropských myšlenek i armád; nevyhnutelný terč geopolitických zájmů i moderních zbraní, na jehož ploše je vždy nějak naléhavěji a dřív cítit povaha nadcházejícího nebezpečí. Je to velký rezervoár rozporů i svérázné semeniště z nich vystřelujících idejí, často bizarních, jinde těžko srozumitelných a přitom mnohdy překvapivě jasnozřivých. Praha – to „magické město“ se středověkým půdorysem – je v samém středu této střední Evropy a jakkoli se možná z dálky jeví jen jako konfekční metropole konfekčního sovětského satelitu, ve skutečnosti dýchá svým osobitým dechem, neudusitelným a vždy znovu prorážejícím na povrch a po svém zabarvujícím i ty struktury, které do ní byly importovány. Dnešní pražský teenager nemusel číst Meyrinka, Kafku, Musila, Haška, Klímu či Hrabala, nemusel slyšet hudbu Schönbergovu či Webernovu, nemusí znát historii doby rudolfínské či pobělohorské ani dějiny obrozování středoevropských národů a pozdějšího gradovaného krachování jejich státní suverenity – a přesto je svým cítěním Středoevropanem a jeho černý humor, groteskní fantazie, nedůvěra k nadutým řečem, pocit všudypřítomnosti ohrožení a způsob obrany proti ní i jeho druh zhnusení světem bude tuto jeho determinaci vždycky nějak prozrazovat. Zdá se, že hudba Plastiků cosi podstatného z tohoto ducha prostoru a času skutečně do sebe vstřebává – ať už je si toho vědoma či nikoliv. Plastici by se asi stěží mohli někdy dopracovat – i kdyby k tomu měli objektivní podmínky – na čelná místa světových hitparád (ostatně o to jim věru nejde); jejich tvorba by byla asi stěží pocitově blízká a plně srozumitelná miliónům fanoušků rockové hudby od San Franciska po Tokio; to však nic nemění na tom, že z ní zaznívá cosi varovně důležitého, jakási osobitá informace o existenciálním naladění člověka ocitajícího se v jednom z míst, kde se tradičně zauzluje i rozuzluje historie, aniž toto místo o takovou roli stojí a aniž mu ji okolní svět s nějakou obzvláštní chápavostí přiznává.

Pokud veřejnost – mám teď na mysli hlavně veřejnost zahraniční – o Plasticích něco ví, tak pravděpodobně jen to, že jsou v Československu pronásledováni. To je sice pravda, ale nikoli pravda celá. Ano, jde o jedinou z bezpočtu českých rockových skupin vzniklých koncem šedesátých let, která nepodlehla počátkem let sedmdesátých tvrdému tlaku nově se etablující moci, nepřizpůsobila se jejím nárokům, nerozpadla se ani neemigrovala, ale naopak si uchovala svou uměleckou identitu a trvale ji – pod vedením teď už počtvrté zavřeného Ivana Jirouse – prohlubovala, což musela zaplatit nejprve ztrátou statutu profesionálních umělců, pak ztrátou práva vystupovat amatérsky, pak praktickou ztrátou možnosti hrát aspoň v privátním prostředí, až posléze rolí věčného objektu policejního i justičního pronásledování, včetně věznění. To je všechno pravda. Důležitější však – aspoň z kulturního hlediska – je něco jiného: totiž to, za co bylo takto tvrdě placeno a co bylo nejvlastnějším motivem této vůle k obětem: pravda sice osobně zakoušená a zaručovaná, ale zdaleka ne jen privátní; pravda umělecké exprese autentických životních pocitů a autentické zkušenosti světa, srozumitelná prostředí, v němž byla vyslovena, a se suverénní svébytností o něm vypovídající. Kdo to necítil od začátku, může se o tom přesvědčit dnes: desítky nedávno (tj. koncem sedmdesátých a počátkem osmdesátých let) vzniklých a novou generací rockových hudebníků tvořených skupin, také sice většinou zakázaných či zakazovaných, přesto však se těšících široké a už zcela zjevné a veřejně projevované oblibě mladých lidí, si lze jen velmi těžko představit bez Plastiků (a jejich mladší sestry DG 307); jejich naprosto inspirativní vliv tu je naprosto zřejmý; snad by bylo možné dokonce říct, že to byli právě Plastici, kdo začal – osaměle – klestit před lety cestu, po níž se dnes ubírá téměř všechna československá rocková hudba, která za něco stojí. Jako by to byli prostě oni, kdo první začal v československé rockové hudbě mapovat některé dominantní pocity a zkušenosti člověka této chvíle a hledat zdejšímu prostředí, tradici i jazyku přiměřený způsob jejich vyjádření; bez jejich průkopnictví by to měli asi všichni, kteří přišli po nich, podstatně těžší. To ovšem neznamená, že se dnes Plastici ztrácejí mezi ostatními a splývají s nimi. Naopak: jak jsem už na začátku řekl, jejich magický sound bezpečně poznáme mezi všemi; jsou sví, osobití a sobě věrní; a oslovují-li dnes mladé lidi víc než kdy dosud, pak nikoli proto, že se jim přizpůsobují, ale naopak proto, že zůstávají sami sebou, totiž těmi, kteří už po léta cítí a vyslovují to, co je dnes pociťováno a vyslovováno obecně.

Dokladem jejich trvalé životnosti, rostoucí z jejich tvůrčí kontinuity, je i *Hovězí porážka,* zatím jejich poslední deska, připravená a nahraná (samozřejmě jen v bytě) v druhé polovině roku 1983. Textový podklad si nalezli – jako obvykle – ve verších sobě blízkých českých básníků; tentokrát to byl mimo Egona Bondyho, Petra Lampla a člena skupiny Petra Placáka především Ivan Wernisch. I když tu jde o první nahrávku pořízenou poté, co saxofonista Vratislav Brabenec, jedna z vůdčích osobností skupiny, odešel do kanadského exilu, jde podle mého názoru o výbornou desku, důstojně navazující na to, co zatím Plastici vytvořili, ba v určitém ohledu to v tuto chvíli dovršující. Motiv dobytčí porážky (který není v české literatuře bez tradice), tvořící jakousi volnou osu celé desky, tu zpřítomňuje – v groteskně poetické významové rozostřenosti, typické pro duchovní klima, o němž jsem před chvílí psal – téma ohrožení, bezdůvodného odsouzení a smrti; asociuje krutost zanonymizované moci, pro niž jsou všichni jen dobytkem; znovu je tu – tentokrát ozvláštňující metaforou porážky – nepřímo kladena otázka smyslu života a naší připravenosti na smrt, přičemž způsob, jakým je evokována a rozváděna, má všechny typické dimenze hudby Plastiků – od černého humoru přes kontrast vznešeného a profánního až po ono charakteristické nostalgické a zároveň sebeironizující „bondyovské" vidění pustoty všedního dne a beznadějnosti lidského putování ke smrti. Obzvlášť působivě tentokrát vyznívá, zdá se mi, ironicko-magický kontrast hymnické, až jaksi „chorálovité" hudby s drasticko-profánním obsahem zpívaného textu (v tomto bodě Plastici navazují na svou nedávnou minulost: mám na mysli píseň „Zácpa" z jejich první desky). Je to hudba zadíravá, rozrušující a silná; do její příze tuším vetkány i mystické, religiózní, ba možná až chi-

ŽIVOT NA VIDRHOLCI

/1/

Někdy na jaře roku 1983 jsem navštívil s přítelem Zdeňkem Urbánkem Bedřicha Fučíka, abych ho pozdravil po svém návratu z vězení. Domníval jsem se, že s ohledem na jeho věk a zdraví půjde o návštěvu kratší a spíš jen zdvořilostní. Velice jsem se však mýlil. Povídali jsme si sedm hodin a já nepřestával žasnout, kolik je v tomto třiaosmdesátiletém muži živoucího zájmu o všechno možné, jiskrného humoru, vůle podělit se o nejrozmanitější zážitky, zkušenosti a poznání, chlapské nesentimentálnosti a potřeby proniknout svým osobitým způsobem až k vnitřnostem nejrůznějších jevů literárních, kulturních i společenských. Řeč tehdy přešla i na Chartu 77. Fučík nebyl jejím signatářem, ale zaujatě sledoval její situaci i působení. Spatřoval v jejím odhodlání za všech okolností dosvědčovat pravdu jakési první světélko mravní rekonstrukce národního společenství; možná se mu na sklonku jeho nadlouho ztrpčeného života bezděky stala jakousi inkarnací jeho celoživotních mravních maxim, a tím i jedním z mála nadějných průhledů do smysluplnější budoucnosti. V jeho starostlivém zájmu o její faktický stav i o stav lidských vazeb uvnitř ní jsem přitom cítil přídech nespokojenosti a zklamání, že chartisté nejsou zdaleka vždy a ve všem právi onomu vypjatému mravnímu nároku, který kladl na sebe, a tím spíš na Chartu. Vyznal jsem se mu tedy mimo jiné z toho, že když Charta vznikala, obával jsem se, že ji její signatáři pochopí jen jako nějaký jednorázový manifest, vnitřně sice osvobozující, ale k ničemu dalšímu už nezavazující, a ze své základní a žádnými maléry nezviklatelné radosti z toho, že se to nestalo a že Charta navzdory všemu žije a pracuje. V této souvislosti jsem také řekl něco v tom smyslu, že svět nikdy nebude ideální, lidská práva budou vždycky – dokud je člověk člověkem – nějak porušována a že rozhodne-li se někdo usilovat svými slabými silami o lepší svět, pak si vzal „úkol na doživotí".

Fučík tehdy odpověděl – vzpomínám si na to přesně: „To není úkol na doživotí. To je úkol za hrob!"

Myslím, že tím poukázal k transcendentálnímu horizontu každého mravního úsilí – a to způsobem sobě vlastním: lapidárním básnickým příměrem. Žádné rozvleklé teoretizování. Žádná abstrakce. Prosté, moudré a zároveň v lidové mluvě zakořeněné „až za hrob".

2. července 1984 Bedřich Fučík zemřel. Zdá se mi, že jeho život se sklenul v smysluplný celek mimo jiné i proto, že byl žit „až za hrob".

/2/

Tak jako asi mnoho mých vrstevníků setkal jsem se s Fučíkovým jménem poprvé v neblaze proslulé Štollově knížce *Třicet let bojů...*, která byla za mých časů povinnou školní četbou. O Fučíkově místě v moderních českých duchovních dějinách a o jeho lidském osudu jsem tehdy ještě nevěděl nic, vzpomínám si však jasně, že jeho jméno – možná ještě víc než několik dalších, podobně pranýřovaných – mělo dík Štollovi pro mne zvláštní, tajemnou přitažlivost, provázenou zneklidňujícím pocitem, že jeho nositeli se musí dít něco strašlivého. Dětská mysl má svéráznou schopnost podléhat fascinaci nerostoucí ze znalosti, ale z pouhého tušení, dohadů či indicií – a uprostřed neskonalé banality oficiální ideologické literatury padesátých let znamenalo pro mne tedy Fučíkovo jméno jakýsi vzrušující signál z jiného světa, skulinu ve zdi, slibující pohled do svůdného duchovního terénu touto zdí tak pečlivě zakrytého. Mé dětské tušení nebylo oklamáno: pozdější léta, provázená hlubším poznáním, mi potvrdila, že nešlo v tomto případě vůbec o nějaký omyl či nedorozumění: při kácení všeho kulturně živého, co se odmítalo podrobit vládním nárokům, věděla Štollova sekera opravdu dobře, kam tít.

/3/

Osobně jsem Bedřicha Fučíka poznal počátkem šedesátých let po jeho návratu z vězení. To jsem věděl o českých poměrech, české literatuře a Bedřichu Fučíkovi už víc; mezi spisovateli vypuzenými v padesátých letech z literatury jsem měl už hodně přátel; sám jsem v té době nejen už delší dobu psal, ale začal se i veřejně uplatňovat: v Divadle Na Zábradlí se hrály mé první hry. Nemýlím-li se, byl jsem Fučíkovi představen po nějakém pořadu ve Viole, pak jsme se setkávali v našem divadle, které občas navštěvoval. Byl jsem překvapen jeho vnímavým, chápavým a velmi sympatizujícím vztahem k tomu, co jsme tehdy dělali a vůbec co se začínalo v české kultuře dít. U člověka jeho životních zkušeností jsem byl nakloněn očekávat spíš nedůvěru, odstup, přezírání: ať už jsme dělali cokoli a ať ta práce vyvolávala jakkoli velkou nechuť oficiálních míst, byli jsme přeci jen – nic naplat – součástí veřejné, tedy vládou povolené kultury, byli jsme – jak by se dnes řeklo – „ve strukturách", psali o nás v novinách – a já měl pocit, že člověk úředně prohlášený za škůdce a oficiálně poplivaný, který navíc přichází z vězení, kde musel strávit bezdůvodně skoro deset let, a který stále ještě je vlastně v „podzemí", v tichém vyhnanství za hranicemi povoleného, musí mít k našemu snažení právem despekt. Tváří v tvář takovému člověku jsem si prostě připadal trochu provinile: vždyť přece mé hry – a bylo to možné tak chápat – byly vlastně uváděny z milosti těch, kteří ho donedávna věznili. O to větší byla ovšem má radost, když jsem zjistil, že v Bedřichu Fučíkovi není ani stín jakékoli zatrpklosti, přezírání či apriorní nedůvěry ke všemu povolenému. Naopak: probouzení v československé kultuře té doby viděl jednoznačně jako důležitý pohyb, vracející kultuře její autonomii, důstojnost a schopnost být médiem pravdy – a tím ovšem přispívající k obecnějšímu ozdravění poměrů. Velkorysost, s níž se tehdy dokázal odmyslet od svého vlastního osudu a postavení a otevřít se všemu tehdejšímu dění, byla obdivuhodná a povzbuzující. Byla mi rovněž znamením vnitřní duchovní kontinuity české literatury, kterou žádné represe a lágry, žádné pálení knih a žádné štollovské obžalovávací spisy a denunciace nemohou zpřetrhat.

/4/

Vyvržen z literatury byl Fučík v roce 1948, uvězněn v roce 1951 a odsouzen roku 1952. Že se právní rehabilitace dočkal až v roce 1967, není nikterak zarážející, překvapuje však, že přibližně v téže době se teprve mohl dožít i své plné rehabilitace mravní, literární, duchovní – tedy té, která zdaleka není jen v rukách státní moci jako takové, ale která je či mohla či měla být dílem českého kulturního vědomí a svědomí, obce literátů a mezi nimi především těch, kteří mohli své nazírání – stále zřetelněji se vymaňující ze zajetí totalitní ideologie – promítat i do „kulturně mocenské" praxe, jsouce z dřívějších dob vybaveni po této stránce možnostmi, které jiní neměli. Proč to neudělali v případě Fučíkově a některých dalších obětí padesátých let, které měly tu neradostnou výhodu, že jim některé věci byly jasné od počátku, a které tedy – nesvázány pupeční šňůrou se svými ničiteli – neměly přednostní právo dožít se na sobě takzvané „nápravy přehmatů"? Jaká to podivná rezidua dávných Štollových teorií po celá obrozující se šedesátá léta bránila našim „antidogmatickým" kolegům připustit, že lidé jako Patočka, Černý, Fučík a mnozí další patří bez jakýchkoli omezení či rezerv do české kultury? Teď už to není důležité: tvrdá lekce „normalizace" měla velký terapeutický význam v tom, že i ty poslední zbavila v tomto směru jejich posledních ideologických předsudků. Tehdy to však důležité bylo: nejen z hlediska osobního osudu a pracovních možností oněch „vyvržených", ale především z hlediska české kultury samé.

Píši o tom proto, že se k tomu tématu váže má další vzpomínka na Bedřicha Fučíka: totiž na historii jeho – ne zrovna hladkého – přijímání do Svazu spisovatelů v roce 1968, kdy se zbytky předsudků – tušíce, že samy o sobě už neobstojí – odívaly do roucha zástupných argumentů a urážlivých záminek; byla to zkušenost zajímavá a poučná: ani v podniku s pověstí nejprogresívnější síly ve státě, jakým byl tehdy Svaz spisovatelů, neprobíhalo odčiňování dávných křivd nikterak automaticky a bez překážek. Nakonec to dopadlo dobře: Bedřich Fučík, duchovní druh, přítel a spolupracovník Františka Halase, Jana Čepa, Vladimíra Holana, Jana Zahradníčka, vydavatel F. X. Šaldy, Ivana Olbrachta a Vladislava Vančury, citlivý kritik předválečné literatury a jeden z těch, kteří hráli centrální roli při formování celé spirituální větve české poezie, byl tedy – ve svých osmašedesáti letech – přijat opět do spisovatelského cechu. Nebyla to tehdy zdaleka jen věc formální spravedlnosti: fakt členství stále ještě významně ovlivňoval pracovní možnosti literátů, a tak teprve v tomto okamžiku se otvírala šance, že se Bedřich Fučík bude moci uplatnit způsobem vskutku adekvátním jeho znalostem a schopnostem.

V té době jsem měl příležitost s Fučíkem po krátký čas spolupracovat i tak říkajíc „ve funkcích“ (byť, pravda, trochu „divokých“, totiž bez posvěcení centrální moci ustavených): oba jsme byli zvoleni do vedení tehdy vzniklého Kruhu nezávislých spisovatelů, jakési dobovou atmosférou podmíněné pracovní protiváhy stranické skupiny ve Svazu čs. spisovatelů; smyslem jejího (jak jsme doufali dočasného) působení bylo zasazovat se o nápravu právě těch pozůstatků dřívějších časů, jejíž naléhavost byla občas bohužel za horizontem vnímání našich reformně komunistických kolegů a přátel. Z tehdejší doby mi utkvěla v paměti Fučíkova věcnost (v době obecné euforie), střízlivá rozvážnost (v době nejrůznějších radikálních projektů), vzácná nepředpojatost (odlišující ho od mnoha novopečených bojovníků, kteří sice nic s Fučíkovým osudem srovnatelného nezažili, o to energičtěji však práskali bičem pomsty).

Fučíkova moudrá zkušenost neměla, jak zřejmo, už příležitost se důsažněji a dlouhodoběji ve veřejném literárním životě uplatnit. Nicméně z doby její krátkodobé rehabilitace mi zůstává v živé vzpomínce a znovu vyvolává otázku: jak vysvětlit tu podivnou lehkovážnost národní kultury, která si dovolí takový luxus, že jednoho ze svých nejzkušenějších vydavatelů, editorů, literárních kritiků a organizátorů vezme plně na vědomí na pouhý jeden rok z šestatřiceti?

/5/

Povolanější zajisté prozkoumají, popíší a zhodnotí život i životní dílo Fučíkovo: venkovské dětství v početné rodině; studia na gymnáziu v Třebíči (kde byl jedním z jeho nejlepších přátel Vítězslav Nezval; vydávali spolu studentský časopis); studia na filozofické fakultě UK a záhy začátek mnohaleté a plodné práce ředitele nakladatelství Melantrich, v němž vydal bezpočet děl moderních českých spisovatelů – nejen katolických, jako byli Durych, Zahradníček, Čep a další – ale nejrůznějších, včetně komunistických, od Vančury přes Olbrachta až po Halase, Seiferta a Hrubína; kde jeho zásluhou a v jeho péči začalo být vydáváno dílo Šaldovo; kde uváděl poprvé do české kultury mnohé přední autory světové a kde z jeho popudu byly založeny i významné časopisy *Tvar* a *Listy pro umění a kritiku.* Zhodnoceno bude zajisté i jeho krátké poválečné působení ve Vyšehradu, jeho nenápadná ediční a překladatelská činnost po návratu z vězení i jeho zásluhy o kompletní soubory díla Demlova, Čepova, Zahradníčkova a dalších, které už mohl vydávat v sedmdesátých letech pouze samizdatově, ve své vlastní edici. Ve Fučíkově osobnosti se vzácně kombinovaly mimořádné vlohy pro práci nakladatelskou a kulturně organizátorskou s osobitým talentem literárně kritickým. Jeho kritické a esejistické dílo bude zajisté dříve nebo později také náležitě prozkoumáno a zhodnoceno.

Já se v této souvislosti musím ovšem zmínit o dalším svém zážitku, totiž o Fučíkově knize *Sedmero zastavení.* Dal mi ji v samizdatové podobě při mé první návštěvě u něho po mém návratu z vězení, o které jsem už mluvil, já ji – v té době už obecně známou – hned přečetl a byl jsem nadšen nejen tím, že tu Fučík vykreslil sedm postav moderní české literatury nesmírně živě a poutavě, ale že tu zároveň bezděky stvořil téměř nový žánr či aspoň novou polohu české esejistiky: jeho osobitá dikce, těžko s čímkoli do té doby existujícím srovnatelná, krásná, jadrná, ale nikterak ornamentální čeština a jeho osobité obrazné vidění, vzdalující jeho texty všem běžným odrůdám pojmového jazyka soudobé české literární kritiky, jeho skromné, moudré a mužné lidství, jak ze všech těch textů vyzařuje – to vše tu dalo vzniknout osobitému útvaru, vyrůstajícímu kdesi na společném pomezí literární kritiky, prózy a memoárové literatury.

Kdyby z napsaných textů nezůstalo po Fučíkovi víc než tato tenká knížka, je to dost.

Nutno ovšem říct, že Fučík byl do poslední chvíle – přes nápory nemocí – neobyčejně tvořivý, do posledních dnů psal: mimo studie o Františku Tichém a jiných textů zůstává tu v rukopise především dalších sedm „zastavení"; svůj cyklus portrétů stihl tedy ještě v posledních letech rozšířit na čtrnáct, jak si předsevzal.

Mimo zkušeného nakladatele; mimo duchovního iniciátora, bez jehož působení si lze stěží moderní českou literaturu představit; mimo výraznou mravní osobnost s inspirativním vlivem na několik generací českých literátů – mimo to všechno odešel tedy v Bedřichu Fučíkovi i významný spisovatel, který dokázal proměnit paměť české literatury v nový a svrchovaný tvůrčí čin.

/6/

Jednou nám Fučík vyprávěl, jak za ním kdysi přišel Vladislav Vančura s tím, že potřebuje nějaký „pevný bod", orientaci ve vřavě světa, nějaký fundament, na němž by mohl stanout a z něhož by mohl obzírat svět a lépe mu rozumět, nějaké „údolí jistot" – bylo to v době, kdy Vančurova komunistická víra byla v krizi a on pociťoval nedostačivost ideologie, s níž se dosud identifikoval, i problematičnost praxe touto ideologií legitimované. Přišel se zkrátka radit o možnosti své konverze. Fučík – jak nám vyprávěl – mu řekl: „Moje víra není žádné údolí klidu. Naopak: znamená stát na místě, kde nejvíc fouká. Je to život na vidrholci." Vančura pak prý o této věci už nikdy nemluvil.

Přiznám se, že takovéto víře rozumím. Je v ní ostatně i klíč k tomu, proč Fučík – katolík a pečující přítel všech nejlepších mezi katolickými autory – nikdy nechápal Boha jako pouhý fetiš či instituci a nikdy také nebyl patriotem církve jako organizace „vidoucích", kteří odvždycky, napořád a jako jediní vědí, jak to všechno je, a jsou proto vyvázáni z obtížného úkolu myslet. Tato Fučíkova „živá víra" vysvětluje i jeho vzácnou nepředpojatost, respekt pro mínění jiných a hlavně neomylný cit pro umělecké a duchovní hodnoty, cit neotupený ohledem na legitimaci či křestní list autora.

Bohatý, plodný, těžký a dramatický život Bedřicha Fučíka byl vskutku životem muže, který se nebál „stát na vidrholci“.

/7/

Na podzim roku 1983 měl Fučík v jednom pražském bytě přednášku o F. X. Šaldovi. Nebyl jsem tam, ale později jsem ji – trvala tři hodiny! – vyslechl z magnetofonového záznamu. Byl to skvělý zážitek. Čistá, ryzí česká mluva, taková, jakou my mladší můžeme generaci svých otců jen závidět; citlivě odstíněná kresba osobnosti, nevyhýbající se i rozmanitým profánním detailům, pokud mohou cosi z líčené osobnosti osvětlit; jemná ironie a humor; hluboké lidské porozumění pro složitý vnitřní svět vykreslované osobnosti, pro její náruživosti, pošetilosti, podivnosti, osobité zvyky, lásky a averze, jakož i pro existenciální podhoubí jejího názorového vývoje; neodolatelné kouzlo vyprávění i jasný smysl pro jeho architekturu a dramatickou gradaci – to vše způsobovalo, že i ze záznamu bylo cítit tiché napětí strženého publika a jeho okouzlení šarmem a osobností přednášejícího. Šaldova postava vyrostla z tohoto vyprávění tak plasticky, že člověk měl nakonec pocit, že se s Šaldou také osobně znal.

Utkvěl mi v paměti fučíkovsky rázný konec přednášky: „Skončil jsem.“

Fučík byl z moravského venkova a v jeho lapidárnosti bylo cosi venkovsky přímočarého. Takhle říká dělný člověk „skončil jsem“, když doorá pole nebo postaví dům. Stručně, jasně, s vědomím dobře vykonaného díla.

Myslím, že Bedřich Fučík mohl před svou smrtí plným právem říci přesně takovéto „skončil jsem“. „Skončil jsem“ člověka, který vykonal svou práci, splnil svůj úkol a bez zbytečných řečí odchází.

(červenec 1984)

EDIČNÍ POZNÁMKA KE SBORNÍKU „PŘIROZENÝ SVĚT JAKO POLITICKÝ PROBLÉM“

Studii Václava Bělohradského *Krize eschatologie neosobnosti* jsem četl (téměř náhodou, totiž nic o ní předem nevěda) v létě roku 1983 a hned mne silně oslovila: mnohé, co jsem dlouho nejasně cítil, tušil nebo si myslel, zřetelně artikulovala; různé dosud pro mne víceméně oddělené motivy propojila v konzistentní celek; vše včlenila do filozofického kontextu, který mi dosud unikal nebo který jsem aspoň v této ostrosti nenahlížel, a navíc ke mně promluvila působivou češtinou, srozumitelnou a zároveň neotřelou. Teprve po četbě této knížky, když jsem o ní začal hovořit s přáteli, jsem ke své radosti zjistil, že v českém duchovním prostředí vyvolala svého času (v době mé nedobrovolné nepřítomnosti) velkou pozornost. Začal jsem se pochopitelně zajímat i o autorovy jiné práce, z čehož posléze vznikl úmysl Bělohradského texty, roztroušené v různých exilových časopisech a publikacích, ať už předcházely *Krizi eschatologie neosobnosti,* navazovaly na ni nebo rozvíjely jiným způsobem její témata, shrnout do většího sborníku, který by Bělohradského filozofování – tak živě se dotýkající všeho, čím tu dnes žijeme a o čem přemýšlíme – předvedl ještě šířeji a důkladněji. Od počátku se mi přitom zdálo být na místě zahrnout do takového sborníku i některé texty jiných českých autorů, domácích i exilových, které na Bělohradského hlavní esej přímo reagují nebo se jeho tématu tak či onak dotýkají. Jsem vděčen Václavu Bělohradskému, že tento můj projekt příznivě přijal, poslal mi některé své texty v jejich konečné podobě, přispěl různými dalšími edičními podněty a posléze přímo pro tento sborník napsal i jeho závěrečnou stať. Myslím, že pro obě strany byl tento ne právě běžný případ ediční spolupráce mezi domovem a exilem povzbuzujícím dokladem paralelity myšlení a vzájemného srozumění v některých základních otázkách, srozumění o to cennějšího, oč rozdílnější je životní situace zúčastněných.

Jako předmluvu – nebo přesněji: situační úvod – jsem použil úvahu Bělohradského přítele a někdejšího spolužáka Zdeňka Pince *Podíl odpovědnosti generace*, kolující v Praze jako pozdrav Václavu Bělohradskému k jeho čtyřicetinám a přibližující atmosféru filozofické fakulty UK šedesátých let, v níž se Bělohradský – spolu se svými druhy – generačně formoval a která, jak on sám cítí, významně předznamenala a ovlivnila jeho pozdější přemýšlení v exilu.

První část sborníku tvoří texty Václava Bělohradského z posledních let, chronologicky seřazené. Jsou to:

1. *Literatura jako kritika banálního zla;* článek z roku 1977 (první filozofický text psaný po osmi letech opět v češtině), otištěný roku 1978 ve *Studiích* (56).

2. *Útěk k uniformě; úvod do středoevropské civilizace;* úvaha z roku 1978, použitá jako příspěvek pro frankenské setkání s tématem *Česká kultura dvacátého století v životě české společnosti* v květnu roku 1981 a posléze publikovaná (v trochu jiné verzi) roku 1981 v *Proměnách* (18).

3. *Krize eschatologie neosobnosti;* větší esej z roku 1979, publikovaná poprvé v letech 1979 až 1980 ve *Studiích* (66, 67, 68) a vydaná pak knižně roku 1982 jako l. svazek ediční řady časopisu *Rozmluvy.*

4. *Evidence a norma;* doslov k Patočkovým *Kacířským esejím o filozofii dějin,* vydaným roku 1980 nakladatelstvím Arkýř.

5. *O reálné demokracii;* doslov ke knize Petra Fidelia *Jazyk a moc,* vydané roku 1983 nakladatelstvím Arkýř.

6. *Politika a eschatologie;* esej určená frankenskému setkání s tématem *Mír, mírové hnutí, křesťanská etika* v listopadu roku 1983, publikovaná ve sborníku ze zmíněného setkání, vydaném roku 1984 sdružením Opus Bonum.

7. *Utěk z ptydepe;* příspěvek do sborníku *Generace 35 – 45,* připravovaného Karlem Hvížďalou pro nakladatelství Index, časopisecky publikovaný roku 1984 ve *Studiích* (90).

8. *Přirozený svět jako politický problém;* přednáška na 3. evropské konferenci Společnosti pro vědu a umění s tématem *Náš úděl v Evropě,* pořádané v srpnu 1983 v Bernu; časopisecky vyšla roku 1984 v *Proměnách* (21).

Druhou část sborníku tvoří texty jiných autorů. Jsou to:

1. Rio Preisner: *Fenomenologie bytostně jiné moci;* esej o Bělohradského knize *Krize eschatologie neosobnosti,* publikovaná roku 1982 ve *Studiích* (79) a pak jako doslov ke knižnímu vydání Bělohradského studie v edici *Rozmluv.*

2. J. Vrána: *V. Bělohradský: Krize eschatologie neosobnosti;* tiskem vyšlo roku 1981 ve *Studiích* (76-77).

3. Zdeněk Neubauer: *Krize neosobnosti a krize objektivity jako ontologický problém;* tiskem vyšlo roku 1983 v *Rozmluvách* (1).

4. K. Žádný: *K pojetí pravdy a tolerance aneb Evropou obchází strašidlo;* přepracovaná podoba studie českého autora píšícího pod pseudonymem, napsané původně pro sborník k výročí tolerančního patentu, do něhož však nebyla pojata. Zde se tedy objevuje poprvé.

5. Martin Palouš: *Přirozený svět a vita activa;* dosud nepublikováno.

6. Václav Havel: *Politika a svědomí;* text řeči, kterou napsal editor tohoto sborníku roku 1984 u příležitosti udělení doktorátu h. c. univerzitou v Toulouse. Česky vyšlo poprvé tiskem roku 1984 ve *Svědectví* (72).

Jako doslovu k celému sborníku jsem použil úvahy Václava Bělohradského *Člověk bez skrupulí,* kterou autor přímo pro tento sborník napsal a jako doslov k němu mínil.

Věřím, že tento sborník pomůže nejen přiblížit celistvěji, než jak to bylo dosud možné, zdejšímu zainteresovanému čtenáři vývoj Bělohradského myšlení v posledních letech, ale především že ho důkladněji obeznámí s určitým pohledem na problémy světa, v němž je nám dáno žít, pohledem, který sice Bělohradský sugestivně formuloval, ale který s ním – v té či oné obměně – sdílejí i mnozí další jak u nás, tak ve světě. O rezonanci tohoto pohledu mne ostatně přesvědčila i vlastní autorská zkušenost, totiž příznivá odezva, s níž se u nás setkala přednáška *Politika a svědomí,* tak zřetelně Bělohradského viděním ovlivněná a jeho reflexe i formulace exploatující. Toto souznění chápu – abych užil Bělohradského výrazů – jako projev onoho „křehkého pouta", které vzniká mezi lidmi, kteří „přestávají být všeho schopni", pouta „zastavujícího řeč na útěku".

(červenec 1984)

PŘEDMLUVA K FILOZOFICKÉMU SBORNÍKU „HOSTINA“

„Když jsem byl ve vězení, radikálně odříznut od všech hodnot, radostí i rozptýlení života, bez přátel, bez knih, bez hudby, bez obrazů, bez přírody, bez debat i bez hospod, obklopen jen ohyzdnými zdmi, nutilo mne to zákonitě – podobně jako většinu mých přátel, kteří se v té situaci ocitli – uvažovat víc a soustředěněji o tom, co je, abych tak řekl, 'nade mnou', o tom, proč má vlastně cenu ten ponurý pobyt absolvovat, a vůbec o základních otázkách mého i našeho bytí a bytí vůbec. Zkrátka a dobře začal jsem filozofovat. A oč důkladněji jsem byl zbaven možnosti přečíst si cokoliv od skutečných filozofů, o to víc jsem se po celou tu dobu těšil na to, jak – až budu jednou na svobodě – ponořím se do filozofické literatury a dozvím se konečně od povolanějších, jak to všechno vlastně je.

Jsem venku už téměř rok, jsem obklopen stohy chytrých knih, topím se v nich a mám vážnou obavu, že při způsobu života, jaký je mi dáno žít a jaký jsem si zvolil, se mi nikdy nepodaří přečíst ani desetinu z nich. A tak mi nezbývá, než si všelijak vybírat, vylučovat, místo studia listovat atd. atd.

Při této vzrušující i strastiplné činnosti mne napadlo, že mezi těmi všemi knihami chybí jedna, po které bych asi – kdyby existovala – sáhl nejdřív. Což mne posléze dovedlo k rozhodnutí, že když už taková kniha není, pokusím se ji uspořádat sám.“

Těmito řádky začínal dopis, který jsem na jaře roku 1984 rozeslal různým českým a slovenským filozofům a v němž jsem je žádal o příspěvek do tohoto sborníku. Ve svém dopise jsem pak rozvinul představu jakési současné československé „filozofické čítanky", totiž knihy, která by nabízela letmý sice, ale zato jaksi panoramatický pohled na české a slovenské filozofování této chvíle. Chtěl jsem prostě takto zjistit a souhrnně ukázat, kdo, jak a o čem uvažuje; jaké je mezi našimi filozofy „rozvržení sil"; která témata se jim jeví jako nejživější a jakými způsoby o nich přemýšlejí. Doufal jsem, že obrátím-li se na ně s žádostí o příspěvek do takto koncipovaného sborníku já – nefilozof – bude větší naděje, že napíší autoři různé orientace: má nepřítomnost na „profesionálním kolbišti" jim mohla zaručit mou nestrannost, totiž snahu ukázat spektrum soudobého filozofování v celé jeho šíři, bez úmyslu zdůraznit v něm tu či onu polohu a ohřát si tím – za cenu zkreslení celkového obrazu – nějakou vlastní polívčičku.

Ve svém dopise jsem pak vyzvané autory ještě prosil, aby se pokusili držet opravdu toho, co je v tuto chvíli nejvíc trápí, jakéhosi svého základního filozofického tématu; aby vskutku filozofovali, totiž zabývali se víc předmětem filozofie samé než filozofováním druhých (nechtěl jsem totiž chystat knihu pouze pro odborníky); a žádal jsem je, aby se pokusili nepřesáhnout svým příspěvkem rozměr deseti stránek.

Tento svůj dopis jsem rozeslal a pak jsem už jen čekal.

Výsledkem mého ročního čekání je tato kniha.

Nepřísluší mi ji komentovat nebo dokonce hodnotit. Mou povinností jakožto jejího inspirátora a posléze editora je uvést pouze určitá fakta:

1. Svým dopisem jsem požádal o příspěvek třicet pět filozofů žijících v Československu, které jsem buď sám znal z jejich práce, nebo kteří mi byli doporučeni. Neobrátil jsem se na ty, z jejichž postavení (například na filozofické fakultě Karlovy univerzity) nebo z jejichž ideologické svázanosti s oficiální politikou předem a jednoznačně vyplývalo, že mé žádosti nevyhoví. Prostřednictvím přítele Jiřího Němce jsem požádal o účast i české a slovenské filozofy v exilu.

2. Z vyzvaných domácích autorů mi příspěvek dodalo sedmnáct, z exilu jsem jich dostal šest. Dvanáct domácích autorů se mi ústně či písemně omluvilo, důvody byly vesměs praktické: pracovní, zdravotní, časové apod.; pouze jeden autor nepřispěl z důvodů zásadních – nikoliv však proto, že by mu jeho politický názor či postavení nedovolovaly účastnit se takového podniku nebo že by můj projekt odmítal, ale prostě proto, že nechtěl porušit své programové mlčení. Jeden autor (Václav Benda) mi svůj příspěvek nedodal nikoli vlastní vinou: byl mu zabaven při domovní prohlídce. Pět domácích autorů na mou žádost nereagovalo. (Nemohu si odpustit – aspoň v závorce – přeci jen jednu osobní poznámku: tento výsledek předčil všechna má očekávání. Jako bytostný skeptik jsem byl totiž připraven i na možnost, že drtivá většina autorů se mi vůbec neozve, natož nějaký příspěvek pošle.)

3. Většina autorů překročila rozsah, který jsem žádal. Tento fakt jsem vzal mlčky na vědomí.

4. Mimo dva, které se mi zdály být (každý z jiných důvodů) velmi problematické, jsem do sborníku zahrnul všechny příspěvky, které mi došly. Od začátku jsem neměl v úmyslu z nich vybírat (jakýsi výběr byl proveden už předem výběrem vyzvaných autorů), a když jsem je měl všechny pohromadě, jakkoli nevyváženě mohly – různě navzájem srovnávány – působit, utvrdil jsem se v tom, že rozhodnout se pro výběr by znamenalo zaplést se do těžko řešitelných dilemat. Proto jsem při konečném redigování knihy omezil svou účast (nepočítám-li vyřazení oněch dvou zmíněných příspěvků) na nezbytnou jazykovou redakci textů (sjednocení pravopisu apod.) a na kompozici celku: knihu jsem po delším přemítání, váhání a rozmanitém přeskupování rozdělil nakonec do pěti částí; ideu tohoto rozdělení tu vysvětlovat nebudu: buď vysvitne z knihy samé, a pak je výklad zbytečný, anebo z knihy nevysvitne – a pak by byl výklad nejen zbytečný, ale navíc bych se jím i lehce zesměšnil. Jde ostatně o rozčlenění dosti volné a do značné míry pocitové.

Nejsem schopen v tuto chvíli odhadnout, jak bude tato kniha – jako celek – působit, a tím méně mám v úmyslu jakkoli čtenáře předem připravovat, usměrňovat či ovlivňovat. Na něco však přeci jen upozornit musím: bylo by velmi nesprávné, kdyby tento soubor kdokoli chápal a posuzoval jako nějaký vyčerpávající a reprezentativní obraz soudobého českého a slovenského filozofování. Nejen proto, že v něm zdaleka nejsou (z nejrůznějších důvodů) zastoupeni všichni důležitější autoři, ale rovněž proto, že i ti, kteří v něm zastoupeni jsou, nejsou tu určitě zastoupeni vždy svými texty nejzávažnějšími nebo nejpřesvědčivějšími. Spíš tedy než obrazem československé filozofie je tato kniha obrazem toho stavu mysli, v němž se ocitali ve chvíli, kdy své příspěvky psali, ti autoři, kteří do ní přispěli. Je to vymezení podstatně skromnější, ale skutečnému stavu věci rozhodně přiměřenější.

V prostředí nezávislé kultury a ediční práce v dnešním Československu je už pevně zakořeněn dobrý zvyk různé věci, které se teprve připravují, nikdy naplno nepojmenovávat (s ohledem na odposlechy telefonů, odposlechy v bytech i povídavé přátele) a halit je raději do různých znejasňujících šifer. I tento sborník měl tudíž své kódové označení. Totiž *Hostina*. Když jsem pro něj pak začal hledat nejpříhodnější titul, napadlo mne, že bych mohl setrvat – z jakési trochu sentimentální vděčnosti šifře, dík které možná vůbec spatřuje světlo světa – u tohoto původního kódu. Má ostatně svou logiku: hostina je jedním z významů řeckého slova „symposion“. Symposion ovšem znamená také setkání. A čím jiným je tato kniha, než setkáním – a ne zrovna obvyklým – českých a slovenských filozofů nad základními otázkami, o nichž přemýšlejí? Nakolik to bude pro čtenáře skutečná „hostina ducha“, si netroufám posoudit. Ale za dokument o jakémsi imaginárním sympoziu československých filozofů ji mohu, myslím, bez rozpaků vydávat.

Pravděpodobně bychom mezi autory, kteří do této *Hostiny* přispěli, těžko hledali nějakého, který se na své filozofické cestě tak či onak nesetkal a nevyrovnával s osobností či dílem Jana Patočky. Jeho památce bylo už připsáno hodně rozmanitých textů i knih, v tomto případě to však má, zdá se mi, svůj zvláštní a zesílený smysl: vždyť asi většina účastníků této „hostiny“ byla – ať už přímo nebo nepřímo – jeho žáky a jeho památce tu tedy věnují jen skromný doklad toho, že se řídí odkazem, který jim zůstavil: totiž, že myslí svobodně.

Sluší se, abych závěrem poděkoval dvěma přátelům: Jiřímu Němcovi za to, že mi pomohl shromáždit příspěvky exilových autorů, a Radimu Paloušovi za cenné rady při redakčním zpracování knihy.

(květen 1985)

VÝKŘIK PROZŘENÍ

Spisovatel může psát o lásce, o žárlivosti, o životním úspěchu i prohře, o lidské zlobě, o přírodě, o svém dětství, o Bohu i o schizofrenii; může ve svém díle filozofovat, psychologizovat, držet se faktů i vymýšlet alegorie; může být posedlý nejroztodivnějšími a nejdůmyslnějšími estetickými projekty – nikdy se však nemůže, je-li skutečným spisovatelem, vyhnout jedné věci: dějinám. Společenské situaci. Své době. A tedy vlastně politice. Ať si vezmeme kterékoli velké literární dílo, vždycky dříve nebo později zjistíme, že nějakým způsobem – ať už jakkoli nepřímým, složitým či skrytým – vypovídá cosi i o dějinách společnosti, o lidské kultuře a civilizaci, o obecném duchovním a společenském dění. Zdá se mi, že bez této dimenze je skutečné literární dílo prostě nemyslitelné.

Jsou ovšem doby, kdy politika, systém a dějiny vstupují do života lidí jaksi naléhavěji, celistvěji a bezprostředněji než jindy; jsou místa, kde člověk naráží na politiku všude a kde si ji i všude jako politiku uvědomuje. Taková místa a takové doby se neklamně prozrazují svou literaturou: je-li skutečně dobrá, pak je vždycky i nějak zřetelněji či přímočařeji politická nebo politicko-kritická. Jako médium lidského sebeuvědomění se zkrátka nemůže literatura nikdy zcela vymanit z klimatu svého místa a času. Proto tam, kde politika tak nápadně všechno prostupuje, je jí víc prostoupena i literatura – a byť by se tomu sama i sebevíc vzpírala, jakýsi její vnitřní tah, její vnitřní logika, tedy cosi silnějšího než pouhý úmysl autorův, ji vždycky v nějakém smyslu političtější dělá. Lze sice násilím donutit dílo, aby se tvářilo, že všechno se v něm děje bez pozadí dějin, „jen tak", samo o sobě, ale tohle násilí – ať už je vykonává cenzor nebo autor sám – vždycky dílu prokazatelně škodí, protože připravujíc ho právě o tu dimenzi, která se ve skutečném životě tak agresívně všude připomíná, připravuje ho nakonec o všechno: o sílu, autenticitu, věrohodnost, krásu.

Když jsem nedávno četl znovu Tatarkova *Démona souhlasu*, uvědomil jsem si znovu i tyto věci. Spisovatelé z totalitních států se nezajímají pravděpodobně o politiku o nic víc než jejich ostatní kolegové – a přesto díla, která píší (mám na mysli ta, která za něco stojí), jsou vždycky, bez ohledu na vůli či zájmy jejich autorů, nepoměrně političtější než díla spisovatelů ze zemí svobodnějších. Čtu-li nejlepší knihy soudobé americké, anglické či francouzské literatury, nemohu se obvykle ubránit určité závisti: byť by obrysy dějin byly v těchto dílech sebeneznatelnější, nemám pocit, že tam chybějí. Rafinovaně nepřímý způsob, jímž politika, dějiny a civilizace vstupují do každodenního života v západních zemích, jako by otevíral i pestrou paletu rafinovaně nepřímých způsobů, jimiž vstupují do literatury. Takže autorům těchto velkých děl musím závidět nejen jejich talent, ale i rozsah jejich vnitřní svobody: závazek k pravdě u nich není zdaleka tak těsně svázán s nutností svědčit o dějinné chvíli a tak beznadějně do ní zaklet, jak je tomu zde. Jako by u nás – metaforicky řečeno – i pouhý popis šumění lesa, má-li být pravdivý, musel být jaksi „političtější" než jinde.

Je ovšem mnoho způsobů, jak se zdejší literatura s touto děsivou a všudypřítomnou doléhavostí a téměř dotěrností politiky vyrovnává a jak se s ní v různých historických chvílích vyrovnávala.

Dnes už klasickým příkladem jednoho z těchto způsobů, a tím vlastně určitého literárního proudu, je mi právě Tatarkův *Démon souhlasu*. Jde o proud, který bych – improvizovaně a čistě pro potřebu tohoto okamžiku – nazval „literaturou prozření". Mám tím na mysli texty autorů, kteří se více či méně identifikovali s ideály, jimiž se zaštiťoval vznikající socialistický (nebo přesněji „socialistický") systém; uvěřili v legitimitu moci, která tvrdila, že o tyto ideály usiluje; pokusili se vyslyšet výzvu této moci, aby své pero „dali do služeb socialismu“ – a kteří záhy pochopili, že se stali zaslepenou obětí velkého podvodu, a rozhodli se pro pravdu. Ze situace tohoto „rozvodu s mocí“ vznikla pak četná důležitá díla, v nichž byli autoři téměř zahlceni prožitkem svého prozření a přímo spalováni touhou pochopit mechanismy doby a povahu své dosavadní role v nich. A i když mají navenek tato díla často analytický či až deskriptivní charakter, v jejich podtextu velmi silně cítíme, že jsou především jakýmsi velmi osobním zklamaným zvoláním, převoditelným na takové otázky jako „Co jste to s námi udělali?“, „Co jsme to sami ze sebe udělali?“, „Co se to vlastně stalo?“. Jsou to tak říkajíc „díla – výkřiky“.

Démon souhlasu je trochu autobiografická novela, trochu hyperbolická fikce, trochu esej, trochu publicistický text – ale především to je výkřik. Výkřik člověka, který se snažil uvěřit, že král je oblečen, a který musel jednoho dne zvolat, že král je nahý.

V československé literatuře je více děl, která by bylo možné – s přirozeným respektem k jedinečnosti každého z nich – počítat k tomuto proudu. Některá z nich jsou pronikavější, věrohodnější a umělecky suverénnější než jiná, všechna však spojuje velký a pochopitelný ohlas, který svého času vyvolala, ohlas tak bezprostřední a dramatický, jakého se asi stěží může dočkat i to nejskvělejší dílo vzniklé ve svobodnějších poměrech. Vždyť tyto knihy vlastně začaly trhat dusivý a beznadějný krunýř lži, jímž bylo – aspoň ve sféře veřejného – vše překryto! A i když existovala i zde pravdivá literatura už dříve (mám na mysli literaturu, která nemusela prozírat, protože určité tragické děje viděla od počátku), její bezprostřední společenský efekt nemohl být srovnatelný s dosahem těchto „výkřiků prozření“ – už z důvodů „technických“: byly doby, kdy prostě ti, co byli „mimo“, nemohli publikovat, takže ve sféře veřejné jedinými pravdivými díly mohla být a také byla díla těch, kdo přicházeli „zevnitř“ literatury oficiální či oficializované, kdo se však rozešli s jejími nároky a artikulovali své prozření.

Nejsem schopen posoudit, jaké umělecké postavení má v literárním proudu, o němž tu mluvím, *Démon souhlasu*. Vím však, že to byla jedna z prvních – ne-li vůbec první – kniha tohoto druhu v československé literatuře. Tatarka ji napsal bezprostředně po 20. sjezdu KSSS, a když pak začala vycházet v časopise *Kultúrny život*, stala se skutečnou kulturní a politickou událostí.

Když srovnávám s odstupem času *Démona souhlasu* s jinými českými a slovenskými „díly prozření“, později napsanými, nemohu se ubránit jednomu pocitu, nevím, zda správnému: étos této knížky, její publicistická přímočarost a průzračnost, až trochu romantická tvrdost jejího úderu – to všechno ji kupodivu spíš než poněkud nuancovanějším, jaksi „klidnějším“, ne-li dokonce „žoviálnějším“ polohám literární tradice české přibližuje energičtější a přímočařejší tradici polské: musím si bezděky vzpomenout na Milosze, Brandyse, Hlaska, Konwického a další polské autory, kteří mne v různých dobách a v různé míře vzrušovali – a často právě oním smutným patosem, heroičností a tragikou, které jsem – vyrůstaje v tradičně „realističtějším“ českém duchovním klimatu – musel v nich zesíleně cítit. (Na tomto místě nutno ovšem říct, že tu jde skutečně jen o duchovní příbuznost, nikoli tedy o přímou inspiraci: většina polských textů, s nimiž by mohl být *Démon souhlasu* srovnáván, buď nebyla v jeho době ještě napsána, anebo nebyla Tatarkovi přístupna.)

Dominik Tatarka je ovšem Slovák, a je-li jako autor už z toho důvodu, o němž jsem právě mluvil (ale není to důvod jediný!), v celku československé literatury zjevem poněkud osamělým či osaměle čnícím (myslím teď už na celé jeho dílo), pak pravděpodobně o to osaměleji ční v literatuře slovenské. Já aspoň nevím o jiném slovenském autorovi jeho generace, který by si tak svéřepě a zároveň s takovou noblesou stál na svém – sám proti všem a „sám proti noci“, jak se jmenuje jedna z jeho posledních knih. Že je zároveň a právě proto spisovatelem na Slovensku dnes asi nejzakázanějším, nemusím asi dodávat.

(říjen 1985)

ZEMŘEL JAROSLAV SEIFERT

První básník, kterého jsem v životě na vlastní oči viděl, byl Jaroslav Seifert. Navštívil jsem ho někdy v roce 1952, bylo mi tehdy šestnáct let a Jaroslav Seifert byl už téměř klasikem, jehož verše se učily děti ve škole. Nezapomenu na milý a chápající způsob, jímž rozebíral mé první literární pokusy, samozřejmě básně. Šetrně mi naznačil, v čem jsou špatné, a zároveň mě povzbudil do dalšího psaní. Jaroslav Seifert měl tehdy mnoho důvodů k opatrnosti, v obecné paměti byla ještě nebezpečná kampaň, kterou vedl proti němu krátce předtím oficiální tisk (byl obviňován z pesimismu). Právě proto mne fascinovalo, jak otevřeně a upřímně se mnou – neznámým chlapcem – mluvil o kulturních poměrech v naší zemi. Od té doby jsem měl příležitost vidět ho mnohokrát i spolupracovat s ním (například v době, kdy byl předsedou Svazu českých spisovatelů), naposled jsem ho navštívil krátce poté, co mu byla udělena Nobelova cena za literaturu, abych mu pogratuloval. Byl sice o dvaatřicet let starší než při mé první návštěvě, byl však stejně milý, chápavý, skromný. Ač už těžce nemocen, zajímal se o všechno. Utkvěly mi v paměti rozpaky, do nichž ho vysoká pocta jeho díla uvrhla: vzpomínal na všechny své už dávno zesnulé generační druhy a přemítal o tom, že by si ten či onen tu poctu zasloužil víc než on.

V zahraničí projevili někteří lidé údiv nad tím, že Nobelovu cenu dostal básník ve světě téměř neznámý. Já osobně si naopak velice vážím toho, že švédská akademie nepřihlíží při svém rozhodování pouze k mezinárodní známosti a oblibě autorů, ale i k významu, který mají v jednotlivých národních literaturách. A z tohoto hlediska si neumím představit, že by si některý jiný český spisovatel zasloužil dnes toto ocenění víc než Jaroslav Seifert. V mé vlasti je pravděpodobně nejoblíbenějším a nejčtenějším českým básníkem; s jeho dílem – ať už tak či onak – se muselo postupně vyrovnat několik literárních generací; krásný, zpěvný jazyk jeho veršů, mistrovství jeho metafor a především ovšem vztah ke světu, který jeho dílo ztělesňuje, je neodmyslitelnou součástí české moderní poezie, ba téměř jedním z pilířů, na němž stojí.

Jaroslav Seifert nebyl ovšem pouze mistrem slova; jeho životní osud je svědectvím vpravdě odpovědného občanského postoje spisovatele. Ač nebyl nikdy žádným bojovníkem nebo politikem, vždy věděl, kde má stát, vždy byl na straně pravdy, byť to mělo pro něj často těžké následky, v mezních situacích dokázal vždy říct nahlas to, co bylo třeba říct a co se mnozí jiní říct neodvážili. Příkladem toho může být jeho dnes už slavné vystoupení na 2. sjezdu Svazu československých spisovatelů roku 1956, z jehož tribuny zazněl ze Seifertových úst první veřejný hlas upozorňující na osud všech tehdy vězněných spisovatelů i na osud všech těch, kteří byli vypuzeni z literatury, zakázáni a veřejně zhanobeni.

Jaroslavu Seifertovi, který dne 10. ledna 1986 v ranních hodinách zemřel, bylo téměř 85 let a byl už dlouho těžce nemocen. Odešel v něm poslední představitel významné generace avantgardních českých spisovatelů, kteří vstupovali do literatury po první světové válce. Odešel v něm zároveň jediný spisovatel, před nímž musela kapitulovat i soudobá moc v Československu: ač byl signatářem Charty 77 a jeho svobodomyslné názory a postoje byly obecně známy, přeci jen nakonec začal být po dlouhé přestávce opět v Československu publikován a význam, který mu v naší literatuře přísluší, mu byl i oficiálními činiteli veřejně přiznán.

Jaroslava Seiferta jsem znal dlouho, měl jsem ho rád a budu na něj vzpomínat nejen jako na hodného a statečného člověka, ale i jako na jakýsi živoucí symbol kontinuity moderní československé literatury.

(leden 1986)

FEJETONY LUDVÍKA VACULÍKA

První půle sedmdesátých let v Československu žije v mé osobní vzpomínce jako jakási „doba temna". Po dlouhém procesu stále hlubšího sebeuvědomování a sebeosvobozování společnosti, který charakterizoval léta šedesátá, a po velkém společenském vzepětí v roce 1968 přišla – po sovětské intervenci a takzvané „normalizaci" – dlouhá léta frustrace, deprese, rezignace a apatie. Ne snad, že by skončil život; leccos důležitého se samozřejmě dělo i tehdy; nicméně společnost jako celek byla atomizována, různá drobná ohniska nezávislé duchovní aktivity o sobě navzájem téměř nevěděla, chyběly informace a komunikace, neexistovaly ještě žádné takové paralelní struktury, jaké existují dnes. Platilo to i o literatuře: spisovatelé se záhy rozdělili na ty, kteří se přizpůsobili novým poměrům nebo provedli sebekritiku nebo prostě proplouvali dík tomu, že neměli žádné „hříchy" z minulosti, a na ty zakázané, vyvržené, oficiální propagandou poplivané. Ti si psali do šuplíků, živili se, jak se dalo, stýkali se hlavně navzájem sami se sebou, v jakémsi ghettu, jež se kolem nich vytvořilo. Společnost, která je ještě nedávno adorovala jako své pravé mluvčí, o jejich existenci pochopitelně věděla, sympatizovala s nimi, ale dávala si zároveň dobrý pozor: každý věděl, že mít s nimi něco společného by mohlo znamenat, že ho stihne týž osud, jaký stihl je, ba pravděpodobně ještě horší.

V této pochmurné době vznikla v přátelském kroužku některých nejpřísněji zakázaných spisovatelů (patřili mezi ně Kohout, Klíma,

Kliment, Vaculík, já a další) myšlenka, že by mohli zkusit vykročit z uzavřeného světa vlastního „šuplíkového" psaní a pouhé vzájemné výměny svých rukopisů a zasáhnout přeci jen trochu širší čtenářskou obec tím, že budou psát pravidelně fejetony, navzájem si je posílat, všichni je všechny opisovat a pak dál šířit kolem sebe. Tento zvyk se ujal, nějaký čas jsme to takto dělali, přidávali se další, naše fejetony se šířily. Později se všechno změnilo, hlavně po vystoupení Charty 77 (ale částečně už před ním), český samizdat se nečekaně rozrostl a rozšířil a naše fejetony se zcela přirozeně a pozvolně rozplynuly v širokém a pestrém proudu paralelního písemnictví. Dnes vychází v Československu už mnoho samizdatových edic, časopisů, jednotlivých článků, polemik a různých jiných textů, to vše se šíří rozsáhlou paralelní komunikační sítí (spontánně vzniklou, nikým tedy centrálně neorganizovanou), mnohé texty pronikají do zahraničí a vracejí se ke zdejším lidem prostřednictvím exilového tisku a českého a slovenského vysílání zahraničních stanic.

Zkušený novinář a spisovatel Ludvík Vaculík, známý československé veřejnosti dobře z doby, kdy směl publikovat, nejen svým románem *Sekyra,* ale i svými statečnými publicistickými vystoupeními (byl například autorem slavného manifestu z roku 1968 *Dva tisíce slov*), byl v onom malém kroužku, o němž jsem mluvil. Na rozdíl od ostatních, k žánru fejetonu se jen občas vracejících, zůstal s vytrvalostí sobě vlastní tomuto žánru věrný: píše fejetony dodnes, v posledních letech má dokonce dobrý zvyk pustit s železnou pravidelností každý měsíc do oběhu jeden svůj nový třístránkový fejeton.

Jeho osobitý způsob myšlení, svérázná povaha i osobitý jazyk, zkombinovány se zmíněnou vytrvalostí, se staly jakýmisi sudičkami či kmotry zvláštního úkazu: Vaculík postupně rozvinul a vypracoval si svůj vlastní typ fejetonu, typ natolik originální, že dnes – přísně vzato – se už téměř zcela vymyká všem tradičním představám o tom, co to fejeton je. Navenek se sice jeho texty stále tváří jako fejetony, stále se jim tak říká, ve skutečnosti jsou však už dávno něčím jiným a něčím víc: jde tu o jakýsi nový a zcela osobitý útvar, v němž jsou nejrůznější obecné reflexe, konkrétní dojmy, postřehy, aktuality a osobní zkušenosti přetaveny a velmi zvláštně a dovedně zkomponovány do určitých uměleckých mikrostruktur, jejichž účinek mnohostranně přesahuje rámec toho, co je běžně od fejetonu očekáváno. Jednotlivé motivy – zdánlivě si navzájem co možná nejvzdálenější a vůbec jakoby spolu nesouvisející – jsou provázány velmi jemnou, často překvapivou a vždy jen po troškách a nenápadně prozrazovanou sítí různých významových či jazykově asociativních souvislostí, dík kterým se fejeton jako celek – a obvykle až poslední větou – ukáže být útvarem vlastně velmi konzistentním, v němž nic nebylo ponecháno náhodě (byť se to jakkoli náhodně tvářilo) a který vyúsťuje vždy do nějakého vícerozměrného sdělení. Toto sdělení nás přitom zasahuje nejen poetickým účinkem umné architektury motivů, z nichž je složeno, totiž jejich kombinací, opakováním, rozvíjením a pointováním, ale zároveň a možná především tím zvláštním a těžko nějak přesně popsatelným vaculíkovským viděním světa, opovážlivě se vymykajícím všem očekáváním i navyklým stereotypům. A ještě něčím: nezaměnitelně vaculíkovským jazykem, jeho dikcí, jeho melodií, jeho svéráznými pojmy či jeho svérázným vytrháváním různých pojmů z jejich obvyklých souvislostí, ironií, humorem, nerudností i láskyplností specificky vaculíkovských formulací.

Skláním se s obdivem před každým, kdo se pokouší Vaculíkovy fejetony přeložit do jiného jazyka, a sdílím s ním hořkost, kterou nepochybně cítí: totiž z toho, že to „nejvaculíkovitější" je vlastně v podstatě nepřeložitelné.

Vaculíkovy fejetony jsou dnes u nás v kruzích, které se aspoň trochu zajímají o literaturu, obecně známé a populární. Způsob psaní, který v těchto fejetonech a na nich Vaculík rozvinul, je také klíčem k pochopení žánru jeho proslulého románu *Český snář*. Ta kniha deníkových záznamů z konce sedmdesátých a počátku osmdesátých let je totiž de facto pokusem vybudovat z mnoha fejetonových mikrostruktur jednu makrostrukturu, v níž má nejen každý jednotlivý záznam týž řád, jaký mají Vaculíkovy fejetony, ale v níž má analogický řád i kombinace těchto záznamů, totiž kniha jako celek.

Osobnost Ludvíka Vaculíka – s její svéhlavostí, nekonvenčností, trochu morousovskou paličatostí, zvláštní citlivostí a posléze i schopností trvale a střízlivě vnímat i sebe samu a své pachtění – patří neodmyslitelně k profilu českého duchovního života druhé půle tohoto století. Jsem velmi zvědav, zda malý výběr z jeho fejetonů osloví i zahraničního čtenáře. Je to otázka přesahující Vaculíka jako takového a míru jeho zahraniční slávy či neslávy. Je to otázka, nakolik se podařilo či nepodařilo odříznout dnešní Československo a dnešní střední Evropu od ostatního světa. Totiž: nakolik jsme či nejsme schopni si i dnes navzájem porozumět.

(březen 1986)

POZNÁMKA K DESETI BÁSNÍM JIŘÍHO KUBĚNY

Těchto deset básní je vybráno z Kuběnovy poslední sbírky *Žízeň Hvězdy Jitřní,* napsané v prvních měsících roku 1986. 31. května 1986 se Kuběna dožívá padesáti let a já seznamuji přátele s několika jeho básněmi proto, abych při této příležitosti připomněl básníka, který je jedním z nefalšovaných outsiderů české poezie. Nejsem k tomu veden pouze tím, že jde o mého odvěkého přítele (kamarádíme se od svých patnácti let), ale především tím, že Kuběnu považuji za skutečně velkého básníka. Poezii píše odvždycky, v jeho šuplíku leží, pokud vím, čtyřiadvacet básnických sbírek. Kuběna je pseudonym, skrývá se za ním (vlastně ani moc neskrývá) dr. Jiří Paukert, vědecký pracovník brněnského Krajského střediska památkové péče. Tiskem mu vyšlo svého času několik básní v časopisu *Tvář* a pak ve sborníku *Podoby;* malý výběr jeho básní vydal kdysi František Muzika jako školní bibliofilský tisk; „Společnost přátel Jiřího Kuběny" (Havel, Linhartová, Koblasa, Topol) uspořádala koncem šedesátých let dva jeho recitační večery. Jak patrno, velkou publicitou se tento básník opravdu pyšnit nemůže. Proč tak málo publikoval? Především proto, že sám o to nikdy příliš neusiloval: zdálo se mu, že místo outsidera je mu z různých důvodů nejpřiměřenější, a tak v době, kdy by jeho verše měly jakous takous šanci na vydání, je nakladatelstvím nenabízel a v době, kdy tato naděje vyprchala a relevantnější část české literatury se přemístila do samizdatu, odmítl publikovat i v něm z obavy, aby se tím příliš nezařadil a svému outsiderovskému postavení se tím nezpronevěřil. Jeho vlastní vůle nebyla ovšem, myslím, jediným důvodem jeho nepublikování: i to nejosvícenější nakladatelství by i v těch nejliberálnějších letech stálo tváří v tvář Kuběnovým veršům asi dost rozpačitě: vše v nich – od složité struktury skrytých šifer a mnohoznačných odkazů k nejrozmanitějším okruhům symboliky, přes jejich vypjatou religiozitu a jejich složitou veršovou výstavbu a vůbec originální poetiku (jeho verše jsou myšleny jako jakási notace poezie fonické a jsou založeny na neobvyklém principu sylabickém), až po takové její prvky, jako je otevřené autorovo přiznání k „maskulinitě jeho Eróta" (Kuběnův termín) – tedy to všechno by pravděpodobně nakladatelské redaktory dost děsilo. Jak jsem už řekl, znám Kuběnu odvždycky: na přelomu dětství a mládí – v hlubokých padesátých letech – jsme si vyměnili bezpočet učených dopisů, v nichž jsme oba poprvé hledali sami sebe, a podnikli bezpočet dobrodružných výprav k různým literárním veličinám, od Seiferta, Holana a Nezvala až po Bednáře a Koláře; od těch dob jsme v nepřetržitém přátelském styku; známe se tedy až příliš dobře, než abychom si navzájem neviděli tak říkajíc do karet. Už proto nejsem schopen říct cokoliv takzvaně „objektivního" o Kuběnově poezii; v každém jeho nejpodivnějším verši slyším neomylně jeho hlas a poznávám jeho senzibilitu; ani to nejodvážnější místo jeho poezie (například z oblasti oné „maskulinity Eróta") mě nešokuje, protože vím, z jak bezelstné čistoty a vnitřní vážnosti vyrůstá; i ta zdánlivě největší a nejstaromódnější trivialita mi v jeho básni nevadí, protože příliš dobře vím, že není žádnou trivialitou, ale rafinovaností na třetí (pamatuji ostatně, že svá – běžnému čtenáři stravitelnější – léta halasovská, holanovská a kolářovská Kuběna úspěšně absolvoval už v pubertě). Ačkoli tak málo publikován, je Kuběna kupodivu v určitých – řekl bych: zasvěcených – kruzích dost znám a uctíván. Co si však o něm pomyslí čtenář, který se s jeho poezií nikdy nesetkal a který neměl dosud příležitost ji strávit a zažít? Věru nevím. Edice Expedice vydává ke Kuběnovým padesátinám obsáhlý výbor z jeho dosavadního díla; tímto směrem odkazuji pozornost těch, kdo zatouží se o něco důkladněji konfrontovat s tímto osamoceným brněnským Orfeem.

(květen 1986)

„CESTOU K POSLEDNÍMU“

se jmenuje asi pětisetstránková filozofická kniha Josefa Šafaříka, kterou autor nedávno po mnohaleté práci definitivně ukončil a jejíž první vydání chystá Edice Expedice. Konečná verze knihy vznikala sice v letech osmdesátých, její prehistorie však sahá až do let šedesátých. Josef Šafařík se narodil 11. 2. 1907. Jak patrno, vydání zmíněné knihy se tedy časově přibližně sejde s autorovými osmdesátinami, které si tak budou moci Šafaříkovi příznivci připomenout tím nejlepším možným způsobem: četbou knihy, kterou zřejmě Šafaříkovo dílo vrcholí. Šafařík není profesionálním filozofem v konvenčním slova smyslu: nevystudoval filozofii (je inženýrem), nikdy filozofii nepřednášel na univerzitě a nikdy nebyl zaměstnán v nějakém filozofickém ústavu. Samo o sobě by to nebylo nijak důležité, kdyby to nesignalizovalo cosi hlubšího, totiž Šafaříkovo zcela zvláštní postavení v novodobé české filozofii. Je jejím skutečným a možná nejdůležitějším outsiderem, nikoli jen vnějškově, dík nepřízni poměrů (z tohoto hlediska je dnes outsiderem vlastně celá česká filozofie), ale v daleko podstatnějším smyslu: outsiderství je tu výsledkem hluboce prožité volby, vyplývá ze samé podstaty Šafaříkova filozofování, je jako takové i reflektováno. Přiznám se, že velmi dobře chápu – věda cosi o obou stranách – Šafaříkovu nedůvěru k „etablované“ filozofii a nedůvěru „etablované“ filozofie k Šafaříkovi. (Mimo jiné: znám už po desítiletí mnoho Šafaříkových vroucích ctitelů mezi umělci, nevím však o jediném skutečném ctiteli, kterého by měl mezi filozofy.) Šafařík není zařaditelný do žádné známé filozofické školy nebo vysvětlitelný z nějaké jasně ohraničitelné myšlenkové tradice, ba vůbec lze těžko jeho filozofování nějakými konvenčními kategoriemi vystihnout; jazyk jeho textů, plných paradoxů, metafor a slovních her, má asi blíž k literární esejistice než k filozofii, jak jsme na ni dnes zvyklí; Šafaříkovy filozofické postupy jsou z hlediska všech katedrových obyčejů dokonce občas až lehce skandální (hodí-li se mu to, klidně například cituje vedle Heideggera nějakého pokleslého žurnalistu, kterého by se nikdo ze „slušné společnosti" citovat neodvážil, aby si nezadal).

Šafaříkovou první knihou bylo *Sedm listů Melinovi,* které dostaly v roce 1947 cenu Družstevní práce a vyšly v roce 1948, dík čemuž – aspoň navenek – jaksi zapadly či zůstaly nezpozorovány: svobodně je recenzovat už nebylo možné. Kdesi v podzemí však tato kniha přesto dost zajímavě žila: měla své četné porůznu roztroušené příznivce, kteří o sobě navzájem většinou nevěděli a z nichž mnohý považoval sám sebe za jediného Šafaříkova objevitele a znalce. Z filozofů přitom – soudě aspoň podle výsledků mého privátního průzkumu – neznal tuto knihu ještě v šedesátých letech nikdo. Skoro dvacet let pak Šafařík nepublikoval vůbec, až koncem šedesátých let mu vyšlo několik menších textů (přednáška *Člověk ve věku stroje* jako brožura v Severočeském nakladatelství, esej *O rubatu aneb vyznání* ve sborníku *Pohledy II,* článek v programu jedné hry Topolovy, doslov ke knižnímu vydání jedné hry mé a rozhovor v *Hostu do domu*). V éře samizdatu vyšel, pokud vím, jedině jeho *Mefistův monolog* (ve sborníku *Pohledy I* a později německy v knize *Hodina naděje*). Necítím se být schopen jakkoli stručně a výstižně popsat Šafaříkovu filozofickou cestu – a to přesto, že Šafaříka dík šťastné náhodě znám od svých dětských let a že mne jeho myšlení v mládí zásadním způsobem ovlivnilo. Možná ale toho nejsem schopen právě proto: můj vhled do Šafaříkova světa je natolik intimní, že jsem zcela blokován obavou, abych jakýmkoliv zjednodušením nebo zkreslením Šafaříkovi neublížil. Oč méně jsem sám – navíc nefilozof – schopen o Šafaříkovi referovat, o to bych byl zvědavější na souvislejší reakci jiných, a mezi nimi především těch, kteří si Šafaříka dosud téměř nevšimli, totiž filozofů. Šafaříkův životní příběh, od jeho filozofie neodmyslitelný, je rovněž zajímavý a vypadá skoro jako z jiného století: původně technik, rozešel se jednoho dne – ještě poměrně mlád – zásadně, existenciálně a navždy s tímto svým povoláním a uchýlil se do své pracovny (žije v Brně), v níž už několik desetiletí osamoceně hloubá o základních věcech života a s neuvěřitelnou pílí studuje, píše a přepisuje. Připomínám-li tu dnes Josefa Šafaříka, jeho životní jubileum a jeho životní příběh, musím připomenout i jeho ženu Annu, bez jejíhož celoživotního neokázalého sebenasazení by stěží mohl Šafařík projít svou neobvyklou a s neobvyklou vnitřní pravdivostí prožitou pouť od *Sedmi listů Melinovi* až po *Cestou k poslednímu*.

(prosinec 1986)

PŘÍTELKYNĚ EVY KANTŮRKOVÉ

Ruzyně je název jednoho místa na okraji Prahy, ale když se to slovo v Praze řekne, rozumí se jím především známá věznice, která v oné končině je. Je to velká pochmurná stavba, v níž tráví nekonečné měsíce a někdy i léta takzvané „vazby“ většina těch, kdo byli v Praze a středních Čechách z něčeho obviněni, jsou vyšetřováni a čekají na své odsouzení (říkám „většina“, protože jen menšina obviněných je v naší zemi – v rozporu se zákonem – stíhána na svobodě). Sám jsem byl v Ruzyni několikrát, v úhrnu jsem tam strávil více než rok, a už proto jsem četl knihu Evy Kantůrkové *Přítelkyně z domu smutku* se zvláštním vzrušením: velmi živě mi zpřítomnila můj ruzyňský čas; rozuměl jsem mnohému v ní dobře, lépe než ti, kdo v Ruzyni nebyli; slova, věty, postřehy a zkušenosti vyvolávaly ve mně velmi konkrétní vzpomínky. Myslím, že jsem nečetl z věcného hlediska výstižnější zprávu o životě v této věznici.

Přítelkyně z domu smutku však není pouhá věcná zpráva, pouhý dokument, není to pouze takzvaná „literatura faktu“.

Je to cosi nepoměrně víc: zpráva o ženách v mezní situaci, tedy zpráva obecně lidská.

Eva Kantůrková je česká spisovatelka, která strávila rok života v ruzyňské vazbě (byla obviněna z podvracení republiky a vyšetřována spolu s dalšími intelektuály v souvislosti s francouzským kamiónem, který vezl do Prahy zahraniční literaturu a byl na hranicích zadržen). Není tedy vězeňkyní, která se stala spisovatelkou, protože vydala svědectví o své životní zkušenosti, ale spisovatelkou, která se stala vězeňkyní a které bylo její uvěznění inspirací ke knize.

Kniha je komponována jako soubor portrétů několika vězeňkyň (stíhaných za kriminální delikty), s nimiž Kantůrková po delší čas pobývala na jedné cele a které tedy měla příležitost neobyčejně dobře poznat: z vlastní zkušenosti vím, že nepřetržité intimní soužití (v jistém smyslu daleko intimnější než třebas soužití manželské), navíc v situaci velkého lidského ponížení, hlubokého ohrožení a zásadního životního zlomu, odkrývá lépe než co jiného pravou identitu člověka. Myslím, že se Kantůrkové podařilo opravdu plasticky a živě své „přítelkyně“ zpodobit: žádnou z nich sice osobně neznám, ale z četby té knihy mám pocit, jako bych je všechny vskutku důvěrně znal.

Kdyby tato kniha nebyla ničím jiným než tímto, totiž souborem několika zdařilých ženských portrétů, je to dost.

Přítelkyně z domu smutku nejsou ovšem jen galérií portrétů. Tento svůj vnější rámec v několika směrech přesahují. Zmíním se jen o jednom takovém směru: dík umné kompozici knihy se na ploše jednotlivých portrétů odvíjí historie ročního pobytu autorky na Ruzyni, tedy jakýsi „meta-příběh“ její cely, respektive jejího putování po ruzyňských celách. Tento skrytý příběh zachycuje, zdá se mi, velmi sugestivně další téma knihy, totiž téma vězeňského času – tohoto zvláštního „času – ne-času“ – jako téma, otevírající ostrý průhled do záhady širší a každého se týkající: do záhady lidského času vůbec. Život se totiž ve vězení (a zvláště ve vazbě) zvláštním způsobem zastavuje a zároveň zhušťuje: vše, co jsme prožili a co jsme byli, se na půdě této drastické „zastávky“ jaksi znovu rekapituluje, nečekaně zauzluje a ve svém zauzlení vyjevuje a zhodnocuje. Vězeňský „ne-čas“ jako by rentgenoval profánní čas života, ne-příběh a nedění života na cele vrhá nové a velmi ozvláštňující světlo na příběhy a dění, které mu venku předcházely. Je to okamžik pravdy – pravdy mých spoluvězňů, pravdy mé i pravdy světa, v němž je nám dáno žít.

Kniha Evy Kantůrkové není tedy pro mne jen zprávou o Andy Rumové pralince, Helze, Denise a svých dalších hrdinkách, ale i zprávou o vězení jako životní a existenciální situaci, která vypovídá cosi důležitého o člověku a světě.

Představte si pražskou intelektuálku vrženou nejprve mezi prostitutky, zlodějky a nejrůznější vyděděnce společnosti a píšící pak o nich knihu. První, co vás pravděpodobně napadne, bude otázka, zda pro ni nejsou tyto bytosti jen předmětem povýšeně chladného studia – asi tak, jako když člověk prochází zoologickou zahradou a dělá si poznámky o různých exponátech – anebo zda naopak ze samé snahy nepovažovat se za něco víc a ze samého apriorně špatného svědomí intelektuála tváří v tvář „lidu“ nepropadne autorka sentimentální identifikaci se svými hrdinkami (tj. dojatě „chápavému“, nerozlišujícímu a posléze svou vlastní soucitností se dojímajícímu poklekání před čímkoliv). Tato dvě nebezpečí jsou v podstatě jen dvěma variantami téhož: vědomí vlastní jinakosti.

Myslím, že Evě Kantůrkové se téměř podařilo vyhnout se nebezpečím tohoto druhu a že se jí až překvapivě daří vidět své „přítelkyně“ opravdu normálně, totiž jako ženy, s nimiž ji spojil na čas podobný osud a které jsou všelijaké prostě proto, že po tomto světě vůbec chodí všelijací lidé. Nejsou apriorně ani lepší, ani horší než autorka knihy, jsou prostě různé, různě nešťastné, různě hodné i různě zlé. A autorka sama je – jako „celek“ – nijak předem nehodnotí, nesnaží se nad nimi povyšovat ani se k nim samaritánsky sklánět, snaží se je vidět každou zvlášť, takovou, jaká je, tedy jako konkrétního, svébytného a svéprávného člověka, odpovědného za sebe sama.

Nevím, zda bych uměl podobnou knížku o vězení napsat, spíš bych to asi neuměl. Ale i kdybych to uměl, napsal bych ji pochopitelně jinak – nejen proto, že jsem někým jiným než Eva Kantůrková, ale i proto, že jsem muž. V té knize jsou totiž občas polohy, k nimž mám zvláštní vztah: zajímají mne, překvapují, dojímají, dráždí i provokují; cosi se ve mně proti nim ježí, čímsi mne ale zároveň přitahují. Tento zvláštní aspekt svého zážitku z knihy Evy Kantůrkové si vysvětluji – nevím, zda správně – specifickou a neskrývanou ženskostí jejího autorského naturelu i jejího vidění světa.

Ale i to je velké plus této knihy: nic horšího by se totiž nemohlo stát, než kdyby se Eva Kantůrková pokusila o mužskou interpretaci své zkušenosti.

(únor 1987)

DVĚ POZNÁMKY K „MILIÓNOVÉMU JEEPU" JANA NOVÁKA

Na románu mladého a úspěšného amerického autora českého původu Jana Nováka „Miliónový jeep" mě fascinují hlavně dvě věci.

Zaprvé to, že autor nepropadá čemusi, co bych nazval komplexem autorské důležitosti: nezdá se, že by svému názoru na svět, svému vidění a hodnocení dějů, událostí a postav a svému způsobu jejich analýzy přikládal nějakou zvýšenou váhu, nebo byl dokonce jimi nějak narcistně okouzlen, jak to známe u mnoha soudobých autorů starší generace, včetně českých. Nepíše zkrátka způsobem, který neustále sám na sebe ukazuje prstem a šeptá nám do ucha: podívejte, jak jsem zajímavý a jak je můj tvůrce duchaplný! V jeho sugestivním líčení životního příběhu hlavní postavy románu i obou světů, jimiž tato postava prochází (Čechy od čtyřicátých do šedesátých let a emigrace nejprve v rakouském utečeneckém táboře a pak v USA sedmdesátých let), cítím ten druh chápajícího nadhledu, který prozrazuje nenafoukaný zájem o skutečnost takovou, jaká je. Autor je, pravda, často přísně věcný a „bezlazurový" (jak by řekl Jiří Kolář), servítky si nebere a sentimentální či takticky vybalancované ohledy nemá, nicméně právě to je na něm sympatické: pozoruhodnost světa jako by byla pro něj důležitější než pozoruhodnost vlastního pohledu. Ať píše o čemkoliv, od tupé krutosti československého režimu padesátých let, přes gangsterismus mladých uprchlíků v táboře až po beznadějné vzezření okolí Chicaga, nepíše o tom proto, aby demonstroval svou pozorovací a analytickou dovednost (i když ji má!), ale proto, že tak to prostě bylo a tak to je. Je cosi velmi cudného, ba až – navzdory všem drsnostem – velmi noblesního v tomto autorském přístupu. A možná právě v něm tkví i důvod, proč se kniha čte s takovým napětím a proč člověka nutí myslet víc o absurdním světě, v němž žijeme, než o jejím autorovi a jeho myšlenkách.

Zprvu se může zdát, že jde o lehce hrabalovskou ironicko-poetickou epopej jednoho zvláštního lidského osudu či o ságu o osudu jedné rodiny, osudu, do něhož se tak či onak zapsaly moderní dějiny, který autor důvěrně zná a o němž touží vydat svědectví. Kdyby nešlo po celou knihu o nic jiného, zajisté by i to stačilo. Mě však fascinuje – a to je druhá věc – jak tenhle epos začíná v závěrečných kapitolách přerůstat sám sebe a jak se nenápadně mění v cosi víc, než čím se původně zdál: ve velké a tragické podobenství. Svérázný hrdina, toužící odvždycky nějak přelstít svět, který mu ubližuje (být na něm nezávislý, jak sám říká), se zvolna mění z české figurky v tragického a tak říkajíc univerzálního hrdinu: věrohodné vylíčení jeho postupné proměny z drobného podivína osobitých defraudací v šílence, posedlého maniakální touhou napsat jakési velké poselství světu o sobě samém a své životní tragédii, proměňuje nenápadně i žánr knihy, až posléze zjišťujeme, že už dávno nejsme ve světě hrabalovské epiky, ale že jsme konfrontováni s dobře zkomponovaným dramatem vyzařujícím mnoha významy: malý podvodníček, byť megalomanských sklonů, který chtěl nejprve vyzrát na komunisty doma a pak exilem a který chtěl posléze vyzrát i na svůj exil a na celou Ameriku, nám před očima vyrostl ve smutného svědka bídy dnešního světa, bídy lidského údělu a beznadějnosti každého pokusu vylhat se z přímého utkání se skutečností. Hlavní hrdina je obětí sebe sama i obětí světa, v němž žijeme. Jeho smutný konec má v sobě náboj mnohoznačného, zneklidňujícího, ba až varovného poselství. Uvědomujeme si, že se nevylžeme ani ze své minulosti, ani z následků vlastních činů, ani z povinnosti postavit se tváří v tvář tomuto krutému světu. Oblouk, který opsal malý český rebel, než se stal americkým šílencem, nahání hrůzu nejen tím, co vypovídá

ZA PAVLEM WONKOU

Loučíme se s mladým mužem, který podřídil svůj život jedinému cíli: boji za to, co nazýval právní kulturou. Jeho smrt ve vězení otřásajícím způsobem stvrzuje oprávněnost jeho boje. Všemi svými okolnostmi vrhá totiž prudké světlo na právní nekulturnost, tedy tu nekulturnost, na kterou tak houževnatě a po mnoho let tento muž poukazoval.

Vím, že to pramálo může utišit hoře jeho rodiny a jeho blízkých. Toto hoře snad může zmírnit pouze fakt, že svou smrtí neúmyslně, ale výmluvně potvrdil Pavel Wonka to, co dal za života nejednou najevo: že svou věc považuje za tak důležitou, že se nezastaví před žádnou obětí. Teď dal tedy oběť nejvyšší. V tom, co si sám pro sebe nazývám „dějinami bytí", zůstane už natrvalo přítomen jako osobnost úctyhodně celistvá a pravá tak říkajíc až za hrob. My, kterým ještě nějaký pozemský čas zbývá, nemusíme mít tudíž starost o mír jeho duše.

Máme však jinou starost: starost o jeho odkaz. Tímto odkazem je připomínka, že bez osobního nasazení každého z nás není možná obecná náprava poměrů.

Svůj díl odpovědnosti za Pavlovu smrt nenesou jen lhostejní a otupělí soudci a prokurátoři a demoralizovaní vězeňští činitelé. Nese ho celá společnost, která dopustila onen úpadek právní kultury, a tím i úcty k lidskému jedinci. Nese ho tedy i každý z nás. A na každém z nás je, aby způsobem přiměřeným jeho možnostem a schopnostem zesílil – tváří v tvář této oběti – svou snahu zasazovat se za vítězství pravdy a práva.

Pavlu Wonkovi mohou věřící z nás pomoci snad už jen modlitbou. Všichni ale můžeme velmi prakticky, svou každodenní prací a svými každodenními postoji, pomoci svým bližním i sobě samým. Stačí, když se budeme aspoň ve stonásobně menší míře držet imperativu, kterého se držel on a který nám tu zanechal jako nejvlastnější vnitřní poselství své smrti.

Pavle, loučíme se s Tebou jménem Charty 77, Výboru na obranu nespravedlivě stíhaných i jménem všech, kteří o Tvé práci věděli a s obdivem ji sledovali!

(květen 1988)

ZA JIŘÍM THEINEREM

Když mě v Praze navštívili členové souboru Královské shakespearovské společnosti, kteří hráli mou hru *Pokoušení,* a darovali mi videozáznam svého představení, pozval jsem několik svých přátel a dívali jsme se na to společně. Videozáznam končil tím, že všichni herci, převlečení už do svých civilních šatů, se shromáždili na jevišti. V jejich středu stál Jiří Theiner, překladatel hry, který se na mě přátelsky usmíval, zvedl svou sklenku k přípitku a česky mi blahopřál. Bylo to malé, avšak dojemné překvapení, a měl jsem co dělat, abych před přáteli skryl své pohnutí. Myslím, že Jiří Theiner zůstane navždy v mé paměti jako ten, kdo mi tehdy na jevišti připíjel.

Nikdy jsem se s ním osobně nesetkal. Několikrát jsem s ním mluvil telefonicky, viděl jsem ho na několika videozáznamech a samozřejmě jsem ho znal z jeho práce jako autora vynikajících překladů z češtiny do angličtiny a šéfredaktora časopisu *Index on Censorship.* Z toho všeho jsem nabyl dojmu, že je to člověk mimořádně milý a laskavý, skromný a pracovitý. Jsem mu vděčný, podobně jako mnoho jiných československých spisovatelů. Pevně věřím, že i po jeho odchodu si *Index on Censorship* nejen zachová svou vysokou úroveň, ale že bude i nadále hrát svou jedinečnou a nezastupitelnou kulturní roli jako za šéfredaktorství Jiřího Theinera.

(červenec 1988)

V. O DIVADLE

ce 1968, kdy se veřejně káli, bušili v prsa a zapřísahali tím, že už nikdy nesejdou ze správné cesty, aby mohli – až nastane pravá chvíle – pokračovat v tomtéž, co dělali dřív, jen trochu šikovněji (a proto nebezpečněji) a pod trochu jinak zabarveným praporem. A v Grossovi, který – aby údajně zachránil svůj úřad před Balášem – je opět ochoten dělat cokoli, co mu Baláš poručí, jsem náhle viděl a slyšel mnoho svých bývalých přátel a známých, kteří dnes zastávají vlivné funkce a obhajují vše, co v nich dělají, přesně tím zvráceným způsobem, kdy se údajně zachraňují hodnoty tím, že se systematicky likvidují. *Vyrozumění* není přirozeně hrou o československých dějinách, ale obecným podobenstvím, které chce cosi říct o člověku a společnosti vůbec. Opírá se přitom ovšem – jak jinak – o zkušenosti, které jeho autor učinil v tom kousku světa, v němž se narodil a v němž mu bylo osudem určeno žít. Že přitom – aniž to tušil – předpověděl budoucnost, není ovšem dílem jeho zvláštní jasnozřivosti, ale vyplývá to ze samotného zázraku toho, co rozumíme uměním, literaturou, dramatem, v nichž je autor vždycky vlastně jen médiem, skrze něž – za určitých šťastných konstelací – promlouvá cosi, co ho přesahuje: totiž pravda. Autor tedy tuto pravdu neobjevuje; ona se vyjevuje sama a on se jen otevírá tomuto jejímu vyjevování tím, že slouží své věci, nechá se pokorně nést její vnitřní logikou a nesnaží se zpupně nad ní vládnout. Není to tedy dar suverenity, ale spíš udivené odevzdanosti, co nám dává šanci, že se dotkneme pravdy, nebo přesněji: že se pravda dotkne naší práce. Jsem hrozně zvědav, zda podivná aktuálnost, kterou jsem v kontextu té společnosti, v níž dnes žiji, a na pozadí všeho, co jsem mezitím prožil, nalezl v této své staré hře, slibuje, že i obecné poselství hry bude i dnes živé, či zda jde jen o dojem vyplývající ze zkušenosti specifické, lokální a nepřenosné. Jak tomu bude, nebudu ovšem moci posoudit já, ale pouze diváci nové inscenace ve Vídni. Na máloco jsem tak zvědav, jako na jejich reakci. Snad je mi věřeno, že mne to nezajímá kvůli budoucím osudům mé literární slávy, ale ze zvědavosti hlubší, totiž ze zájmu o věc samu, o problém umělecké transcendence. V Praze se *Vyrozumění* hrát nemůže a bude-li se někdy zase moci hrát, bude to až v době, kdy se bezpočet Balášů bude znovu – po kolikáté už! – zapřísahat, že už nikdy nezradí lidskost, a bezpočet Grossů bude slibovat, že už nikdy neustoupí před Baláši. Takže nejen jako občan, kterému není lhostejný osud jeho země, ale i jako člověk, jehož výdrž má jako u kohokoliv jiného své meze, bych si měl vlastně přát jediné: aby konečně v Československu přestala tato hra platit.

(srpen 1983)

POZNÁMKY KE HŘE „LARGO DESOLATO“

/1/

Ve svém psaní jsem vždycky vycházel z toho, co znám: ze *své* zkušensti s tím světem, v němž *já* žiju, a ze *své* zkušenosti se sebou samým. Vždycky jsem psal zkrátka o tom, čím žiju, co vidím, co mne zajímá a trápí – vycházet z něčeho jiného bych snad ani neuměl. Vždycky jsem ale při svém psaní doufal, že svědectvím o určité konkrétní zkušenosti světa se dotknu čehosi *obecně lidského,* že to „konkrétní“ je jen cestou a způsobem, jak vypovídat o lidském bytí vůbec, o člověku v dnešním světě, o krizi soudobého lidství – tedy o něčem, co se tak či onak týká všech. Kdyby mé hry byly považovány za pouhý dokument o určitém speciálním prostředí nebo společenském systému, považoval bych to za autorský neúspěch; pokud jim bylo naopak rozuměno prostě jako „zprávě o člověku“ nebo „zprávě o světě“, považoval jsem to za svůj úspěch. To všechno platí i o hře *Largo desolato.* Rozhodující není, nakolik je svět, z jehož klimatu ta hra vyrůstá, „typický“ či „netypický“, „výlučný“ či „nevýlučný“; rozhodující je, zda tato hra bude či nebude pochopena v onom obecném významu, po němž touží, totiž jako jakási „hudební úvaha“ o tíži lidského bytí; o těžkosti zápasu člověka o svou identitu s neosobní mocí, která mu ji chce vzít; o podivném rozporu mezi skutečnými možnostmi člověka a rolí, kterou mu jeho prostředí, osud i jeho vlastní práce přisoudily; o tom, jak snadno lze teo-

postava – Leopold – je svého druhu hrdina a *zároveň* zbabělec; je trvale upřímný a trvale *zároveň* tak trochu fixluje; je to člověk zoufale bránící svou identitu a *zároveň* ji beznadějně ztrácející; ví lépe než všichni ostatní, jak na tom je, a *zároveň* je schopen méně než kdokoli jiný sám se sebou něco udělat; je to oběť svého prostředí a osudu a *zároveň* jejich tvůrce; je to chudák štvaný svým prostředím, svou rolí, společenskou mocí, klimatem doby, ale *zároveň* člověk dosti blátivého charakteru, který by měl vyvolávat nejen soucit, ale *zároveň* i odpor. Láďové jsou protivní, vlezlí, netaktní, nesympatičtí (zprvu dokonce vyvolávají otázku, zda nejsou obyčejnými provokatéry), obtěžují, zdržují, vyvlékají se ze své občanské odpovědnosti tím, že ji delegují na Leopolda, atd. atd., ale *zároveň* to myslí vlastně dobře, nelze se jim divit, lze je naopak chápat, dělají přece všechno, co umějí a co mohou, ba lze s nimi dokonce soucítit: vždyť co vlastně mají a mohou dělat jiného než „obtěžovat" Leopolda? Chlapíci jsou posly neosobní moci, zbavující lidi identity, a tedy jakýmisi vyslanci Ďáblovými, ale *zároveň* to jsou celkem slušní, neagresívní, zdvořilí „normální" lidé, vykonávající svou službu, kteří – kdoví – to nakonec myslí možná taky dobře! Nejvíc Leopolda obtěžuje svými kázáními Olbram, plný sice nekonečné a uspávající starostlivosti o jeho psychický stav, neschopný však cítit ani tak elementární věc, jako že přišel nevhod, že zdržuje, že je Leopoldovi zima. Přitom ale tentýž Olbram to nepochybně myslí – *zároveň* – s Leopoldem (a dokonce i s národem) dobře, je to možná jeden z nejčestnějších lidí, kteří Leopolda obklopují. (Jeden přítel mi napsal po četbě té hry, že měl přímo fyzickou chuť kopnout Olbrama do prdele – a v jedné recenzi téže hry bylo o téže postavě řečeno, že to je personifikace Leopoldova „lepšího já", resp. jeho svědomí. Oba recenzenti měli pravdu – což není často právě naše svědomí tím, co bychom nejradši kopli do prdele?) Lucy má asi ve všem pravdu – a přitom nic nechápe. Zuzana má taky ve všem pravdu – a přitom nic nechápe. A tak bych mohl pokračovat dál a dál. Co chci říct: *v té hře nejsou žádné kladné ani žádné záporné postavy.* Jsou tam prostě, lze-li to tak říct, postavy *paradoxní,* součástky, oběti i tvůrci paradoxního světa, světa, v němž to všichni myslí tak trochu dobře a všichni mají tak trochu pravdu – a přitom jsou všichni vedle, všechno kazí a zhoršují. *Všichni jsou svým způsobem tragičtí a zároveň svým způsobem směšní.* Všichni by měli vyvolávat – byť přirozeně v různě odstíněné vzájemné míře – *zároveň soucit, odpor i smích.* Čili: prosím znovu snažně inscenátory, aby *necpali jednotlivé postavy do žádných jednorozměrných šablon* a aby je nepřizpůsobovali nějakým apriorním a jednoznačným mravním soudům nad nimi, ale aby je nechali tak říkajíc *žít po svém* – to znamená jednat z konkrétní logiky jejich úmyslů, povah, snah, postavení a vzájemných situací – jedině tak „vykvete" posléze na jevišti celá mnohovrstevnatost a bludnost „věci"; mít na postavy předem hotový a pokud možno jednoznačný mravní názor a promítat ho do inscenace – to by byl ten nejlepší způsob, jak vzít hře dimenzi tajemství a udělat z ní mravoličnou nudu. To všechno platí samozřejmě nejen o charakterech, ale i o situacích hry: měly by být většinou *zároveň* trochu děsivé, trochu smutné i značně komické. (Mým tajným ideálem je, aby se divák po celou hru tiše – tzv. „pod fousy" – smál, nicméně aby posléze odcházel dost otřesen.) Jen malý příklad ambivalence situací: v závěru hry přichází Markéta jako sám archetyp „dobré víly", nabízí Leopoldovi spásu – a přitom se bezděky opíjí rumem a my si nejsme zcela jisti, zda by bez účinku rumu spásu vůbec nabídla; Leopold je Markétou upřímně okouzlen a možná si částí své bytosti skutečně chvíli myslí, že jeho spása je na obzoru – a přitom do tohoto „anděla filozofie" nepřetržitě nalévá rum nepochybně nikoli zcela prost postranní myšlenky, že ho tak rychleji dostane do postele. Celkově tedy: nejen hlavní postava, nejen ostatní postavy, nejen jednotlivé situace, ale především *hra jako celek by neměla být redukována na jakoukoli – byť jakkoli inteligentní – tezi.* Neměla by nikoho moc ostře obviňovat a zároveň nikoho moc energicky omlouvat: *zároveň chápe i obviňuje nás všechny.* Není to oživená teze, ale pokus o *obraz, který nic netvrdí, ale chce pouze zneklidňovat divákovu duši* – tak jako ji zneklidňuje moderní socha nebo hudební skladba.

/3/

Za dobu více než dvaceti let, po kterou se mé hry hrají na různých jevištích, jsem získal několik zcela elementárních a naprosto prověřených zkušeností s tím, jak mají být hrány. První z těchto zkušeností je, že jakákoli snaha vnějšími prostředky zdůraznit jejich absurdnost nebo komičnost je neomylně zabíjí a způsobuje, že se na nich nikdo ani nepousměje. Stylizované aranžmá, biomechanika, pitvoření, šaškování, herecké sebepředvádění, směšné grimasy, akrobacie, stylizovaná řeč, všechny druhy nadsázky – to je přesně to, co zcela bezpečně ty hry připraví o jakoukoli zajímavost, eventuální půvab, napětí či komiku. *Je prostě třeba je hrát co nejnormálněji.* Pravdivě, živě, jemně, uměřeně – jako by to byl Čechov. Herci samozřejmě musí cítit lehkou ironii všech dialogů, paradoxnost a absurditu situací, nesmějí to všechno ale nijak vnějškově zdůrazňovat, ale musí naopak udělat vše pro to, aby tyto rozměry jaksi samovolně, ale s železnou nevyhnutelností vyrostly z jejich živého, poctivého, pravdivého hraní.

/4/

S touto mou základní zkušeností souvisí i další mé přání: prosím inscenátory, aby se pokusili pokud možno přesně držet mých scénických poznámek (statické aranžmá, dlouhé pauzy, rozpačitosti a trapnosti, přesné opakování týchž nudných úkonů atd. atd.) a aby k tomu nic moc nepřidávali ve snaze to „zdivadelnit" nebo „divadelně oživit". Tisíckrát se mi už potvrdil podivný a paradoxní fakt, že každý vnějškový pokus „oživit" mou hru takzvaným režijním nápadem ji vždy zcela bezpečně umrtvil; statičnost aranžmá a jakási scénická šedivost patří bytostně k jejich poetice; relativně nejpůsobivější byla vždycky ta představení, která se nejdůkladněji držela textu (a která byla ovšem v rukách dobrých umělců – ale to je jiná věc). Myslím, že dobrý režisér se v případě mých her pozná podle toho, že zůstane jaksi úplně skryt za kulisami; scénickou fantazií a exhibicí na sebe sice režisér vždy upozorní, v tomto případě by to však bylo bohužel na úkor úspěchu představení. *To je věc, za kterou ručím.* Neříkám to z nějaké autorské ješitnosti či pýchy, ale dovoluji si to sdělit ve společném zájmu všech, jimž záleží na úspěchu představení, jako prostý výsledek mých věcných zkušeností.

/5/

Byl bych velmi rád, kdyby ve hře nebylo nic škrtáno ani nic do textu přidáváno. Všechno tam má svůj smysl – z hlediska stavby, rytmu, střídání atmosfér, vyznívání významů, časování, proplétání, gradace a účinku jednotlivých motivů atd. atd. – a já se obávám, že jakékoli porušení přediva, z něhož je hra utkána, by mohlo způsobit, že se celá síť rozsype, resp. celá stavba zhroutí. Vždycky se snažím hru komponovat jako koherentní časoprostorový útvar (na způsob hudební skladby) a mám zkušenost, že porušení této kompozice – jakkoli dobře míněné (vyvolané například snahou zkrátit nebo zrychlit nudnou pasáž) – se ve výsledném efektu obrátí proti vyznění a doznění celku.

/6/

Poslední poznámka se týká spíš překladatelů než inscenátorů: o mých hrách se často říká, že v nich všechny postavy „mluví jako Havel", tj. způsobem, jakým mluvím já jakožto civilní osoba. *Něco na tom je,* vím o tom a je tomu tak *schválně.* I to patří k poetice těch her. (Dovedl bych samozřejmě odstínit způsob vyjadřování různých postav, ale *nechci* to dělat.) K té řeči („jako Havel") patří jakási, smím-li se tak vyjádřit, vnější *vybroušenost, knižnost,* možná až literárnost: všichni mluví spisovně, hezky, často ve složitých souvětích (tj. tak, jak se „v životě" nemluví), z různých možných synonym volí obvykle ta méně frekventovaná, každá věta vypadá málem jako zárodek nějakého rčení, věty mají správnou stavbu, začátek, střed, konec, syntaktickou logiku, rytmus a lehce „řečnickou" melodii, mnohé z delších replik mají stavbu *proslovů,* je to prostě taková trochu esejistická řeč. *Považuji tuto věc za dost důležitou:* pokud mé hry měly na jevišti určitý druh osobitého napětí, skryté ironičnosti, humoru i jakési lehce tajemné poezie, pak to téměř vždy nějak souviselo se *zvláštním napětím mezi „vysokou", „učenou", až jaksi deskriptivně analytickou řečí na jedné straně a triviálností či banalitou témat, situací a problémů touto řečí projednávaných na straně druhé.* Celá existenciální bludnost, tíseň i komika často přímo stojí a padá právě s tímto jazykem a s jeho nepoměrem k tomu, oč reálně jde. Mám podezření, že právě tahle věc při překladech do jiných jazyků často uniká, částečně nebo úplně. Proto na to upozorňuji.

Toť vše. Už mlčím. Zlomte vaz!

(říjen 1984)

Pokusím-li se totiž odmyslet od sebe sama, tj. od svého trvale rezervovaného vztahu k vlastním textům a sklonu o nich neustále pochybovat, pak musím přiznat, že tyto hry patřily k duchovnímu klimatu své doby, že toto klima určitým způsobem zrcadlily a že ho snad – přirozeně i dík šťastnému kontextu celkové práce Divadla Na zábradlí, od něhož si je umím dodnes těžko oddělit – i svým dílem spolutvořily. Spolu s nesčetnými jinými kulturními jevy, vyznačujícími se jakousi tehdy novou „mimoběžností", totiž postavením vně celého světa ideologie a ideologických konfrontací, byly – zdá se mi – určitými charakteristickými projevy duchovního sebeuvědomování a sebeosvobozování společnosti tehdejší doby. Jelikož už šestnáct let jsem jako autor zakázán, a tudíž i tyto starší hry jsou – v této éře „zapomnění", abych užil Kunderova termínu – z paměti českého divadla a vůbec duchovního života vymazány, zdá se mi být docela smysluplné je připomenout – jako symptomatické projevy své doby. Mám přitom na mysli hlavně mladší lidi, kteří nejen nemohli tyto hry shlédnout v divadle nebo číst, ale kteří už nemohli ani celou éru, do níž tak bytostně patří, na vlastní kůži zažít. Snad má smysl tímto způsobem ukázat, jak se v ní mohlo – v prostoru veřejné kultury – myslet. A možná má taková připomínka i další smysl: společenské mechanismy, které jsem se snažil předvést, nejsou zase tolik vzdáleny těm, které fungují i dnes. Takže, kdoví, třeba mohou tyto hry těm, kdo je už nepamatují, leccos říct i o dnešku. Když si ty hry po létech čtu, vnucuje se mi dost naléhavě jeden pocit: jakkoli otřásající nebo tvrdé jsou věci, o nichž vypovídají, jejich úhel pohledu prozrazuje jakousi radost; jejich demystifikační energie byla v podstatě veselá; jejich mentálním východiskem spíš než osobní utrpení se zdá být osvobodivá potřeba vysmát se všemu, co člověka – ať už přímo či nepřímo – zotročuje a dusí a co si přitom tak hrozně zakládá na své vážné důležitosti.

V mnoha pražských bytech visí portrét Ivana Jirouse s výrokem „Hlavně aby nezmizela radost". Nevím, kde a v jaké souvislosti to napsal či řekl (zda například v dopise z vězení nebo při nějakém flámu), nicméně jak se tak na ten plakátek dívám (i v mém pokoji totiž visí), uvědomuji si, oč méně radosti – ve srovnání s šedesátými léty – v dnešní době je. Jsme vážnější, doba je vážnější, ba i divadlo (myslím to, které stojí za pozornost) je jaksi vážnější. Má to nepochybně mnoho rozmanitých příčin a bylo by bláhové pokoušet se vyprostit z ovzduší doby, v níž žijeme, a ještě bláhovější by bylo snažit se z něho vyprostit nějakou konzervací čehokoli, co spolutvořilo doby veselejší. Přirozeně ani tato reedice atmosféru dneška nikterak nezmění. Z různých důvodů mi však připadá užitečné, připomene-li aspoň, že byly doby, kdy jsme dokázali o tíži života vypovídat s úsměvem, bez trpkosti, vzdychání, pláče a nového a nového rozdírání vlastních ran.

Při jednom ze svých krátkých pobytů na svobodě se mi Ivan Jirous přiznal k tomu, že s odstupem času nalézá v mých starších hrách stále větší zalíbení. Snad mne to opravňuje k tomu, abych mu tuto jejich reedici připsal jako malý pozdrav k jeho blížícímu se návratu z Valdic. Udělá-li mu ta dedikace radost, splní tím svůj účel.

A ještě něco k názvu knížky: stanuv před úkolem ho vymyslet, nechtěl jsem nějakým zbrusu novým titulem vyvolávat krátkodobou iluzi, že jsem napsal něco nového, a proto jsem pouze obměnil název jedné z her v tomto svazku otištěných. Nechť si smysl tohoto titulu interpretuje čtenář jak mu libo; možností má více; pro ty, kdo po tom touží, jednu z nich napovím: ty hry se vlastně všechny točí kolem tématu ztížené možnosti člověka být v dnešní době sám sebou, totiž uchovat si svou identitu. Takže – mám-li to všechno nějak shrnout – jeví se mi dnes mé hry z šedesátých let jako takové veselé úvahy o ztížených možnostech lidství.

(březen 1985)

O VAŇKOVSKÝCH AKTOVKÁCH

Několik mých přátel spisovatelů, kteří se po roce 1969 octli v podobné situaci jako já, byli totiž ve své vlasti zakázáni a veřejně za své občanské postoje zhanobeni, mělo v sedmdesátých letech dobrý zvyk, že se každoročně sjeli v létě na jeden víkend na mé venkovské chalupě. Při těchto setkáních jsme si – mimo jiné – předčítali i své nové práce. V roce 1975 jsem před tímto setkáním a vlastně hlavně proto, abych na něm měl co přečíst, napsal (asi během dvou dnů) jednoaktovku *Audience*. Byla inspirována mou vlastní zkušeností (v roce 1974 jsem byl zaměstnán v pivovaru) a byla určena, jak zřejmo, především pro pobavení mých přátel. Byl to vlastně jen dialog takzvaného „disidentního" spisovatele Vaňka, pracujícího v pivovaru, se sládkem, tj. jeho nadřízeným (tuto postavu jsem si vymyslel, nicméně uložil jsem do ní pochopitelně rovněž mnoho svých zkušeností – a zdaleka ne jen z pivovaru). Nenapadlo mne, že někomu jinému – totiž i těm, kdo mne osobně neznají, neznají mou situaci a nevědí, že jsem pracoval v pivovaru – by ta hra mohla něco podstatnějšího říct. Ukázalo se, že jsem se – jako ostatně už vícekrát ve své literární práci – zmýlil: ta hra měla úspěch nejen u mých přátel, ale brzy nejrůznějšími způsoby pronikla do poměrně širokého povědomí české veřejnosti a získala si u ní oblibu; nejednou jsem se dokonce setkal s tím, že zcela mi neznámí lidé (například v restauraci či náhodní stopaři, které jsem vezl v autě) ji nejen znali, ale některé repliky z ní si i osvojili a v různých situacích – jakožto citáty či parafráze – užívali (tak trochu i jako určité „poznávací znamení" lidí duchovně spřízněných). Tato široká domácí odezva mě přirozeně těšila, tím spíš, že to bylo v podmínkách, kdy tato hra nemohla být v mé zemi veřejně provozována či publikována. Těšilo mne to ovšem hlavně proto, že se zřejmě stalo to, co si myslím, že se u každého umění vlastně děje či má dít: totiž že dílo jaksi přesahuje svého autora, že je tak říkajíc „chytřejší než on" a že prostřednictvím autora – ať už vědomě sledoval jakýkoli záměr – se prodírá na povrch a projevuje nějaká hlubší pravda o jeho době. Povzbuzen touto zkušeností, napsal jsem později ještě dvě „vaňkovské" aktovky, *Vernisáž* a *Protest*. Tyto tři hry pak byly uvedeny mnoha divadly v různých zemích a ukázalo se, že navzdory poněkud speciální a neobvyklé zkušenosti, z níž vyrůstaly, byly obecně srozumitelné. Třetí z těchto aktovek, *Protest*, jsem přitom psal už po domluvě s přítelem Pavlem Kohoutem jako protějšek k jeho – rovněž „vaňkovské" – aktovce *Atest:* psali jsme ty hry s úmyslem, aby byly poprvé uvedeny společně, což se také stalo. Kohout napsal později – když jsem už byl ve vězení – další „vaňkovskou" aktovku *Marast;* můj přítel Pavel Landovský napsal přibližně v téže době svůj *Arest* a posléze – po svém návratu z vězení, kde jsme byli společně – napsal „vaňkovskou" aktovku ještě přítel Jiří Dienstbier.

Snad by bylo na místě, mám-li na okraj celé této „vaňkovské" série něco říct, abych především zdůraznil, že Vaněk není Havel. Samozřejmě: uložil jsem do té postavy určité své vlastní zkušenosti, rozhodně zřetelněji, než jak autor obvykle sám sebe do svých postav ukládá, a nepochybně jsem té postavě dal i určité své osobní rysy, přesněji řečeno něco z toho, jak já sám sebe v určitých situacích vidím. To všechno ale neznamená, že jde o nějaký můj autoportrét. Živý člověk a dramatická postava jsou dvě různé věci; dramatická postava je vždycky víceméně fikce, výmysl, trik, zkratka, složená pouze z určitého omezeného počtu promluv a podřízená konkrétnímu „světu hry" a jeho smyslu; i ta nejzáhadnější a nejbohatší dramatická postava je ve srovnání s kterýmkoliv živým člověkem na jedné straně něčím beznadějně chudým a prostinkým, na druhé straně by ale každá postava měla vyzařovat čímsi, čím živý člověk těžko může vyzařovat: totiž schopností říct na ploše těch několika replik a situací, z nichž je celá její existence složena, vždy cosi zřetelného a podstatného o „světě vůbec". To všechno platí i o Vaňkovi, platí to o něm dokonce možná víc než o leckteré jiné dramatické postavě: víc než určitou konkrétní osobností je Vaněk totiž něčím jako „dramatickým principem": mnoho toho na scéně obvykle nenamluví ani neudělá, ale svou prostou existencí, přítomností na scéně, faktem, že je tím, kým je, nutí své okolí, aby se tak či onak vyjevilo. Na nikoho přímo neapeluje, vlastně od nikoho téměř nic nežádá – a přesto ho jeho okolí chápe jako apel k tomu, aby se nějak vyjevilo a sebezdůvodnilo. Je to tedy jakýsi „klíč", kterým se otevírá určitý – vždy jiný – průzor do světa, v němž Vaněk žije. Je to spíš jen katalyzátor, resp. paprsek, v jehož světle nazíráme krajinu, přičemž běží spíš o tu krajinu než o ten paprsek – i když bez něj bychom z ní těžko mohli něco spatřit. „Vaňkovské" hry nejsou tedy v podstatě hrami o Vaňkovi, ale o světě, jak se projevuje, když je s Vaňkem konfrontován. (K tomuto výkladu musím ovšem dodat, že je exposteriální: když jsem psal *Audienci,* tyto věci jsem si takto neuvědomoval a neprojektoval; uvědomuji si je až s odstupem času a až tváří v tvář Vaňkově několikaleté literární a divadelní existenci.)

Z toho, co jsem právě o Vaňkovi řekl, vyplývá ovšem, že Vaněk různých her, a tím spíš Vaněk různých autorů není pochopitelně vždy zcela toutéž postavou: jako „princip" či „dramatický trik" přechází sice ze hry do hry, pokaždé je ale – jako „princip" – trochu jinak použit, a pokaždé je tudíž – jakožto postava – někým trochu jiným. Různí autoři do něj vkládají například své vlastní různé osobní zkušenosti, různě ho v rámci své vlastní poetiky vidí a používají, možná do něj promítají i svá rozdílná vidění toho, kdo byl jeho prapůvodní předlohou. Každý autor je zkrátka jiný, jinak píše, a má tedy svého vlastního Vaňka, odlišného od Vaňků ostatních.

Mně osobně nezbývá než se radovat, že objeviv – spíš bezděky než úmyslně – „princip Vaněk", inspiroval jsem tím i jiné české autory, shodou okolností mé přátele, a nabídl i jim určitý klíč, s nímž si pak ovšem už každý z nich pracuje po svém a na svou vlastní odpovědnost. A vypovídá-li přítomný soubor „vaňkovských“ aktovek – jako celek – něco o světě, v němž je nám dáno žít, pak to je společná a rovnoprávná zásluha všech zúčastněných autorů.

(červenec 1985)

DALEKO OD DIVADLA

Divadlo je ze všech uměleckých žánrů nejtěsněji vklíněno do konkrétního prostoru a času; je do něho vklíněno doslova fyzicky: existuje buď „tady a teď“ (resp. „tam a tehdy“) – anebo vůbec; čekat v regálech knihovny, v galerii, ateliéru či filmotéce na svou chvíli a svého diváka nemůže. Tahle triviální pravda má ovšem mnohem hlubší důsledky, než by se na první pohled zdálo a než si leckdos uvědomuje: nejen, že tak či onak – jednou přímo a jindy velmi zprostředkovaně – ovlivňuje nejrozmanitější aspekty divadla, ale je přímo klíčem k pochopení estetické specifiky toho, co je obvykle jeho základem, totiž divadelní hry.

Není mým dnešním úkolem toto tvrzení rozvádět, dokazovat a ilustrovat; bylo by to ostatně téma na vědeckou knihu.

Proč se tedy o tom vůbec zmiňuji?

Z prostého důvodu: abych zdůraznil obzvláštní svízelnost situace, v níž se ocitá dramatik, který byl zbaven divadla, a tím i pro jeho psaní tak důležitého „tady a teď“. Nemůže-li malíř vystavovat nebo básník publikovat, jsou samozřejmě také ve svízelné situaci. Troufám si však tvrdit, že svízelnost jejich situace je zcela jiného řádu než svízelnost situace dramatika odříznutého od divadla. Dramatik bez divadla je totiž něco jako pták bez hnízda; je zbaven svého nejvlastnějšího domova, živné půdy onoho konkrétního společenského „tady a teď“, z něhož a do něhož píše, skrze něž jeho práce teprve ožívá a stává se sama sebou, jímž se bezprostředně živí a bez něhož jako by téměř ztrácela smysl.

Vím, o čem píšu, protože přesně v této situaci se sám ocitám: už sedmnáct let se mé hry nesmějí v mé vlasti hrát a pokud se hrají v jiných zemích, nemohu je už sedmnáct let vidět (čímž nechci říct, že by mi možnost svou hru někde vidět nebo dokonce se na její přípravě podílet mohla nahradit divadelní domov v tom silném – tj. společenském a duchovním – smyslu, v jakém tu toho pojmu užívám). Mou situaci přitom ještě dál zhoršuje okolnost, že od svých divadelních počátků až do okamžiku svého zákazu jsem sám přímo v divadle pracoval, pro toto divadlo jsem všechny své hry psal, na jejich inscenování jsem se podílel a celkový profil toho divadla spoluvytvářel. Byl jsem zkrátka zvyklý psát nejen pro konkrétní společenské „tady a teď“, ale navíc i pro konkrétní divadlo, jeviště a soubor. Šlo přitom o divadlo takzvaně profilové, které jsem chápal jako něco jiného a něco víc než jen podnik určený k provozování her: bylo mi – a divadlo vůbec vlastně pro mne bylo a dodnes je – jakýmsi ohniskem duchovního života, jednou z buněk společenského sebeuvědomění, průsečíkem duchovních, mravních a pocitových silokřivek doby. To všechno mne přirozeně svazovalo s oním „tady a teď“ ještě pevněji, než jak by tomu bylo, kdybych byl psal jen – víceméně náhodou – hry a bylo mi jedno, kde, kdo a proč je uvede.

Lidé, kteří si dovedou na pozadí všech těchto jemných a těžko vysvětlitelných věcí představit svízelnost mé dnešní situace (příliš mnoho jich není), se mne občas ptají, jak vůbec můžu ještě hry psát a proč je vůbec ještě píšu.

Pokud se nespokojím s triviálním (i když hluboce oprávněným) poukazem na to, že „člověk si zvykne na všechno“, musím přiznat, že sám si tyto otázky neumím příliš uspokojivě zodpovědět.

U psaní her setrvávám tak vytrvale nejspíš asi proto, že mne to navzdory všemu nepřestává bavit. A jak to, že je můžu psát? Těžko říct. V podstatě asi proto, že si při psaní vždy znovu podvědomě simuluji jinou situaci, než v jaké jsem, respektive, že se snažím svou situaci si prostě nepřipouštět. To znamená, že se inspiruji takovou zkušeností se sebou samým a se světem kolem mne, jakou „tady a teď“ činím a jakou bych se inspiroval i v případě, že by mé hry mohly přirozeným způsobem do tohoto „tady a teď" vstupovat či se vracet. Že píšu prostě pro ty lidi, kteří by na mé hry „tady a teď" chodili, kdyby ty hry byly „tady a teď" hrány. A že si při psaní představuji dokonce to jeviště, pro které jsem kdysi psával. Ba dokonce počet postav mých her dodnes – jak jsem si teprve nedávno uvědomil – odpovídá velikosti souboru, který mé staré hry hrával, přesněji řečeno té jeho velikosti, kterou tehdy měl.

Musím ovšem říct, že mé hry se v Československu hodně čtou, čemuž jsem samozřejmě rád. Leč i tato radost je bohužel nalomena: hry nejsou na čtení, ale na hraní; lidé je většinou číst neumějí (a proč by to také měli umět?) a já si až příliš často a až příliš bolestně musím uvědomovat – když se svými čtenáři mluvím – kolik nejrůznějších a zcela zbytečných nedorozumění, od těch nejbanálnějších až po ta, jež se dotýkají samotného smyslu hry, vzniká z toho, že si nedokážou „přimyslet" k mým textům jejich divadelní provedení a že svůj čtenářský zážitek si neumějí v duchu nahradit kolektivním (a už proto radikálně jiným!) zážitkem divadelním. Nezlobím se na ně za to: kdyby to každý uměl, nemuselo by divadlo vůbec existovat: stačilo by, že si lze hry kupovat v knihkupectví.

Aby mi bylo dobře rozuměno: tenhle článek není stížností, ale jen pokusem (vlídnou objednávkou vyvolaným) o základní popis situace, která není zrovna obvyklá.

Ke zvláštnosti mé situace ostatně nepatří jen samá neštěstí. Napak: ve svém neštěstí mám jedno štěstí, které není dopřáno každému a které mi aspoň částečně nahrazuje to, oč jsem připraven. Mé hry jsou totiž v míře, která mne samého vždy znovu překvapuje, uváděny různými divadly v zahraničí. Ale nejen to: mám dokonce i svůj náhradní divadelní domov: je jím vídeňský Burgtheater, který už deset let uvádí vždy poprvé mé hry a jehož téměř domácím autorem jsem se stal. Jak už asi ani jinak u mne být nemůže, i tyto radostné okolnosti nejsou prosty paradoxů: jedním z nich je, že jsem v životě ve vídeňském Burgtheateru nebyl a že jeho ředitele pana Benninga jsem osobně poznal teprve nedávno, když mne v Praze navštívil. O většině dalších divadel, která mé hry uvádějí, vím ještě méně než o Burgtheateru – většinou vlastně o nich nevím vůbec nic.

Snad jsou teď dostatečně patrny základní faktické obrysy mé podivné situace. Zrekapituluji je:

1. Jako autor ve své vlasti zakázaný jsem už mnoho let odříznut od divadla – a tím jsem zbaven toho, co je pro dramatika tak svrchovaně důležité, totiž toho typu výměny látkové (s místem, dobou a společností, v nichž žije), který mu zajišťuje divadlo jako místo, kde se jeho hry stávají samy sebou, a jako místo, z něhož zároveň čerpají své základní živiny.

2. Přesto stále píši hry a můžu je psát zřejmě jen proto, že tu část výměny látkové, kterou by mi za jiných okolností dávalo divadlo, jsem se naučil nahrazovat si autosugescí.

3. Mé hry se hrají hodně v zahraničí, což mne samozřejmě těší. Nehrají se tam ovšem proto, že bych je zahraničnímu publiku jakkoli přizpůsoboval (což by nešlo, i kdybych se o to snažil: jednak bych to neuměl a jednak o zahraničním publiku nic nevím), ale zřejmě proto, že skrze tu konkrétní zkušenost, kterou na tomto místě světa činím a z níž vycházím a jedině také vycházet mohu, se asi – tu a tam – dotýkám témat obecně lidských a tudíž všude srozumitelných. Tak si to aspoň vysvětluji; pochybuji, že by mé hry někde hráli jen z nějakého soucitu se mnou (divadlo si luxus takových citů nemůže většinou dovolit, zvlášť má-li si na sebe vydělat).

Popsav stručně svou situaci, můžu přejít ke stručnému popisu některých jejích důsledků.

Na okolnost, že své hry nikdy nevidím na jevišti, jsem si zvykl. Zvykl jsem si na ni dokonce tak, že když jsem měl nedávno příležitost po mnoha letech vidět svou hru inscenovánu (přirozeně jen na videozáznamu), byl jsem tím úplně zaskočen: zmocnilo se mne zcela zvláštní vzrušení; tisíce vnitřních námitek proti různým jednotlivostem, jimiž byla – jak se mi zdálo – hra pokažena, se ve mně divoce střídaly s tisícem radostných překvapení z toho, co pro mne nečekaného ze hry dík jejím inscenátorům vyrůstalo či co v ní bylo nalezeno nebo čím byla obohacena. Celou hru jsem začal najednou sám chápat poněkud jinak, než jak jsem ji do té chvíle chápal, a uvědomoval jsem si okamžitě, co je v ní dobré a co jí dává dramatický tah, i co všechno jsem v ní mohl vymyslet lépe. Celé to zvláštní vzrušení vyústilo velmi překvapivě, totiž náhlým a téměř nepotlačitelným záchvatem touhy psát! Byla to událost pro mne ohromně poučná: na jedné straně mi objasnila mnoho důležitých a k psaní mne inspirujících věcí (včetně holého faktu, že jsem na vlastní oči viděl, že se mé hry skutečně hrají a hrát dají), které bych si jinak asi neuvědomil (mám dokonce pocit, že mi to poučení vydrží zase na pár let), na druhé straně mi to náhle a dost brutálně připomnělo fakt už dávno kamsi na sám okraj vědomí vytěsněný, totiž jak důležité je vlastní hry vidět a o co přicházím, když tu možnost nemám.

Jsem samozřejmě rád, když se dozvídám, že mé hry tam či onde hrají, a jsem samozřejmě rád, když mají úspěch a vycházejí o nich příznivé kritiky. Přesto – mám-li být zcela upřímný – musím přiznat, že má mnohaletá a důkladná izolace od reálného divadelního osudu mých her (a ovšem i přemíra jaksi fyzičtěji se mne dotýkajících věcí, jež mi můj zdejší život přináší) mne dost zvláštním a až podezřele příjemným způsobem odcizila všem těm starostem, které bych za jiné situace jako divadelní autor měl. Dávno už například nevím, co to je premiérová tréma; dávno už nečekám nervózně na novinové recenze; dávno už nevím, jak tíživé bývá dohadování s dramaturgy, režiséry či herci (z dálky ke mně občas doléhající zprávy o těch či oněch jejich pošetilostech beru se stoickým nadhledem a spíš mám sklon je prostě ignorovat); dávno mne už nenapadne hroutit se z kritik špatných nebo se vskutku spontánně radovat z kritik dobrých – vše, co s uváděním mých her souvisí, jako by se mne týkalo jen nějak vzdáleně, jen napůl, jako by se to všechno se mnou tak trochu míjelo. Mezi osudem mých her a mnou prostě příliš dlouho zeje nepřekročitelný příkop, nad kterým se navíc vznáší neprůhledný mrak, než aby to nezanechalo na mně své stopy. Někdy jsem v tomto směru dokonce vnitřně tak laxní, že musím předstírat větší zájem, než jaký skutečně mám – jen proto, abych ochablostí svého zájmu neurážel dobré lidi tam v dáli, kteří se o mé hry starají, nebo aby to nepůsobilo dojmem hříšné pýchy. Na něco to je všechno dobré: aspoň některých – dříve tak drásavých – starostí jsem zbaven, samozřejmě ku prospěchu svých nervů. Z jiného hlediska to ovšem moc dobré není: občas si říkám, že jsem se ve své izolaci až příliš dobře zabydlel, až příliš v ní zpohodlněl, že se až příliš na ni spoléhám a vymlouvám – a že tím vším se vlastně vyhlávám ze své odpovědnosti, což se mi může jednou krutě nevyplatit.

Ve chvíli, kdy píšu tyto řádky, chýlí se shodou okolností ke svému konci dost důležitá premiéra jedné mé hry v New Yorku (blíží se sice už ráno, ale tam jsou, jak známo, s časem trochu pozadu). Zkouším si představit, co bych dělal, kdyby mi byl včera někdo sdělil, že si mám rychle sbalit kufr a že mám na tu premiéru letět (nevím, kdo by to musel být, abych byl schopen mu věřit, že se z té cesty budu moci vrátit domů). Je mi to celkem jasné: cítil bych se takovou výzvou ďábelsky zaskočen a podveden a zběsile bych hledal nejkrkolomnější způsoby, jak se z toho vykroutit a nikam nejet. Dnes je totiž pro mne už téměř nepředstavitelné, že bych měl najednou vylézt ze své malé sice, ale už tak dobře mi známé nory ven, do divoké vřavy neznámého širého světa, a zaměnit přítmí, na něž si mé oči už dobře zvykly, za náhlý jas božího slunka. (Mimo jiné: jde o stav, který jsem měl ve vězení příležitost důvěrně poznat u mnoha vězňů, kteří po létech vězeňského stereotypu právem ztráceli jistotu, že dokážou unést návrat do svobody – a kteří ho mnohdy také neunesli.) A představa, že bych snad dokonce musel (jako zamlada) vystoupit na jeviště a uklánět se publiku, mi nahání panickou hrůzu. Čili: něco tak normálního, jako je přítomnost autora na představení jeho hry, dostává v mé představě kontury zlého snu.

Tohle zdomácnění v nepřirozené situaci a její jakési ochočení ve prospěch vlastní pohodlnosti není asi zdravé, správné a přirozené. Není však nepřirozenost toho postoje jen přirozenou obranou proti nepřirozenosti celé situace? Vždyť kdybych měl osudy svých her prožívat s touž intenzitou jako v dobách, kdy jsem byl „u toho", a nemoci přitom tyto osudy jakkoli ovlivnit, ba ani si o nich dělat vlastní úsudek, založený na pozorování vlastních očí, musel bych se z toho zbláznit. Tak jako jedinou obranou vězně je lehce přituplé zabydlení v nařízeném pseudoživotě, je možná má laxnost k divadelnímu životu mých her jedinou obranou proti absurditě mé situace.

Právě jsem si přečetl to, co jsem právě napsal.

A kde se vzala, tu se vzala, byla tu najednou poťouchlá otázka: je to všechno opravdu tak? Nenechal jsem se natolik unést snahou barvitě popsat jeden – byť jakkoli důležitý – aspekt svého postoje,

Zůstalo z jeho práce někde něco? Anebo to všechno nenávratně odnesl čas? Není lehké na takové otázky odpovědět a já si nemyslím, že to dokážu; pokusím se jen o malou improvizaci, která nemůže být ničím víc než nápovědí směrů, jimiž by měli povolanější pátrat.

●

Nejdřív ale stručně o tom, proč vlastně bude to pátrání tak těžké.

Především: Radok se nedokázal přizpůsobovat, byl svůj a neuměl být jiný, jeho pokusy sebe sama a svou práci různými zákulisními taktickými manévry obhájit byly spíš dojemné než úspěšné. Proto měl pořád potíže. Vždycky se někde vynořil, něco skvělého udělal a pak zase záhadně zmizel (totiž: byl odněkud vypuzen), aby se po čase jako brouk potápník vynořil zase jinde a zase něco jiného a stejně výborného udělal. A i když ho posléze jmenovali národním umělcem, ve skutečnosti bylo jeho postavení po celou dobu jeho působení doma nějak divně dvojznačné, ambivalentní, trvale vratké. Proto po něm nezůstalo nic přehledného, na první pohled konzistentního, v divadelní historii prostě nezamlčitelného, jako třeba nějaká éra, nějaké divadlo, nějaká škola. Jeho odchod do exilu v roce 1968 měl navíc svůj automatický důsledek: bylo učiněno vše, co šlo učinit, aby byl zapomenut. To jsou však stále ještě důvody spíš vnější. Je tu i důvod hlubší: Radokův význam a jeho síla nebyly v nějakém snadno popsatelném nebo dokonce už nějak pojmenovaném stylu, směru či estetice a rozhodně nejsou vtěleny do jednou dané a bezpečně identifikovatelné struktury příznaků. Radokovy inscenace se od sebe navenek velmi lišily: srovnejme – namátkově – třeba jeho důležitou inscenaci *Podzimní zahrady* v Národním divadle, z tak jemného psychologického a atmosférického přediva utkanou, s jeho jakoby až panoptikálně groteskní, ba téměř absurdní – a neméně historicky důležitou – inscenací *Ženitby* v Městských divadlech pražských! Nebo jeho občasné parodicko-operetní spády (*Zlodějka z města Londýna*) s jeho svéráznou, trochu operní, krutě ironickou i smutně patetickou *Hrou o lásce a smrti*! A tak bychom mohli pokračovat dál, až třeba po Laternu magiku. Samozřejmě, že byl dosti složitý a dost důmyslně vymyšlený. Bylo by však velkým omylem nechat se tím zmást a myslet si (jak si občas dokonce myslel i Radok sám!), že tahle jeho racionální důmyslnost je jeho podstatou a hlavním klíčem k jeho úspěchům. Celá ta předem vymyšlená konstrukce byla jen technickou pomůckou, za níž se skrývalo a o niž se opíralo něco docela jiného: totiž velmi silné, ba často až agresívní, převážně situační, vždy znovu improvizované a především veskrze osobní a hluboce osobně angažované působení na herce. Radok prostě cítil, že jim ten krunýř nerozbije nějakým vysvětlováním, poučováním nebo dokonce vnucováním něčeho lepšího, ale že musí tak říkajíc zatřást celým jejich psychofyzickým aparátem, celou jejich bytostí, aby z nich ten krunýř spadl. A čím byl krunýř tvrdší, tím brutálněji bylo třeba zaútočit, aby byl rozražen. Jeho zkoušky byly plny napětí, měly nevypočitatelný průběh, herce zneklidňovaly, nervově vyčerpávaly a mnohdy i šokovaly. Vzpomínám si na charakteristický výjev z hlavní zkoušky: mělo se bez přerušení zahrát první jednání. Několik minut po začátku Radok zneklidněl, začal se vrtět, byl viditelně nesvůj, pak se obrátil ke mně (dělal jsem mu asistenta) a řekl: „Příšerné! Hlavně Vydra!“ Já: „Hm.“ Minutová pauza. Radok: „Vašku, já něco udělám!“ Já (chronický mírotvorce): „Počkejte chvilku, je ráno, začátek zkoušky, nejsou ještě úplně vzhůru.“ Minutová pauza. Pak Radok vyskočí a zařve: „Stop!“ Vše se zastaví a všichni na něj strnule hledí. Jde pomalu na jeviště, přistoupí k milému a hodnému panu Vydrovi a před všemi, včetně techniků, mu řekne: „Zajímalo by mě, kdo a za co vás udělal zasloužilým umělcem. Ukončuji zkoušku.“ Vydra zbrunátní, demonstrativně odejde. Nastává chaos, neví se, co bude, obecná nervozita, já poletuji mezi Radokem v hledišti a hereckou šatnou jako vyjednavač. Po dvaceti minutách zmatků je Vydra jakž takž uklidněn a Radok ochoten zkoušet. Rozsvítí se, hraje se znovu od začátku prvního jednání. Výsledek: Vydra je o tři třídy lepší než kdykoliv předtím. Bylo k tomu třeba, aby ho – kdoví, ne-li poprvé v životě – režisér hrubě a veřejně urazil. Cosi, co v něm po léta spalo pod stínem rutinního hraní, mohlo být probuzeno k životu zřejmě jen šokem. Radok to vycítil a udělal. Byly to způsoby riskantní, nejen lidsky, ale i umělecky. Pokud však byli v Radokových inscenacích někteří herci zřetelně lepší než jindy, pak to byl převážně výsledek takto tvrdě vyvzdorovaný.

Zanechala tahle Radokova práce s herci nějaké trvalé stopy v českém divadle? Stále hraje dost herců, kteří s Radokem pracovali. Možná jsou mezi nimi někteří, kteří – neprojít kdysi radokovskou lázní – by dnes byli horší, než jsou. A kdyby byli horší, byli by možná horší i jejich mladší kolegové, kteří už Radoka nepamatují. Možná tomu tak je, možná ne. Nevím. A pokud jde o režiséry? Radok neměl žádné přímé žáky, jeho způsob práce ostatní režiséři znali asi spíš z hereckých historek než z vlastního studia; pochybuji, že se někteří pokoušeli pochopit podstatu Radokovy metody a něco si z toho vzít. Většinou asi znali jen výsledky jeho práce. Ovlivnily je nějak? Kdo to kdy exaktně zjistí? Ať tak či onak, jedno se mi zdá být jisté: Radok pozvedl hereckou laťku. Vedle něho nebo po něm museli mít ostatní režiséři – byť by byli jakkoli rozmanití a od Radoka třeba sebevzdálenější – chtě nechtě na herce i na sebe vyšší nároky. Museli je mít i diváci a kritici.

Krejčova režijní metoda (jak jsem ji aspoň kdysi u dvou inscenací pozoroval) je téměř ve všech aspektech právě protichůdná metodě Radokově. Přesto si troufám tvrdit, že to byly právě dvě tři dávné Radokovy inscenace v Národním divadle, které rozhodujícím způsobem předznamenaly celou slavnou Krejčovu éru a které ovlivnily v mnohém i Krejču samého. A to především právě tím, jak pozvedly hereckou laťku. I když zdaleka ne pouze tím – ale to bych už odbíhal k příliš speciálnímu tématu.

Chtěl jsem jenom ukázat na jeden ze směrů, v němž by měl být Radokův odkaz či vliv hledán: mělo by se zkoumat, jak pozvedl svými inscenacemi českou hereckou kulturu.

•

Asi ve dvou třetinách uzlového monologu, který měl Josef Bek jako Podkolesin v *Ženitbě,* chtěl od něj Radok, aby náhle zmlkl, sehnul se ke dvířkám kamen, opatrně je otevřel, zkontroloval oheň, dvířka šetrně zavřel, napřímil se a pokračoval ve svém zásadním proslovu.

Bek se ptal, proč to má udělat. Radok řekl: „Nevím." Bek říkal, že potřebuje psychologické zdůvodnění té akce a že si musí přechod k ní nějak „vnitřně zprostředkovat". Radok řekl, aby si nic nezprostředkovával, aby se prostě v tu chvíli podíval na oheň a pak pokračoval v proslovu, jako by se nic nestalo, střih z proslovu k té akci i střih zpět musí být naprosto ostrý. Bek říkal: „Pane režisére, já to nechápu." Radok: „Já taky ne, pane Beku." Samozřejmě to Bek nakonec udělal tak, jak to Radok chtěl, a obešel se při tom bez psychologického vysvětlení, „přechodu" i „zprostředkování". Bylo to naprosto skvělé, přesné a řeklo to tolik, že by se jen o téhle jedné maličkosti dala napsat obsáhlá stať, a to ještě s jistotou, že zachytí nanejvýš jen několik možných aspektů té věci a několik málo ze všech možných způsobů, jak její sugestivnost, sémantickou bohatost i humornost vysvětlit. Nikdo takovou studii nenapíše, nikdo z diváků o tom asi nepřemýšlel, ani Radok o tom nepřemýšlel. Na chvilku se tím zkoušel trápit jen Josef Bek, a to ještě spíš jen tak ze zvyku: tyhle dotazy po psychologických motivech jsou totiž jedním z tradičních způsobů herecké sebeobrany v zápase s režisérem. Je v pořádku, že se tím nikdo na světě dosud vědecky nezabýval a že se tím už těžko bude někdy někdo zabývat. Bylo by to totiž zbytečné: za všemi výklady by vždycky nakonec zbylo něco nevysvětlitelného, všem výkladům se vymykajícího a všechny přesahujícího. Něco iracionálního.

Když uvažuji o tom, co asi bylo všem nejrůznějším Radokovým inscenacím a vůbec uměleckým výkonům společné, napadá mne, že to byla asi určitá magičnost. Prvek iracionality. Přítomnost tajemství a smyslu pro tajemství. Odvaha nechat se vést podivnými a nevysvětlitelnými impulsy a nápady podvědomí a fantazie, různými archetypálními představami (někdy i freudistickými symboly: vzpomeňme na ingoty s baletkami v prvním pořadu Laterny magiky). Posedlost, vášeň, ironie, absurdita, paradox, škleb, zoufalství – to vše se objevovalo, ať už v té či oné míře a podobě, vždy znovu v tom, co Radok dělal.

Ale hlavně bych znovu zdůraznil tu magičnost. Radok bezděky hledal v každé akci, situaci, dialogu či scénické a scénografické možnosti jejich magický rozměr. Byl to trochu čaroděj.

I když režíroval tu nejběžnější situaci v nejběžnější psychologické hře.

Nebyl to ovšem mág, který chce okouzlit publikum a svět. Byl to naopak šaman, který je trvale udiven tajemstvím světa, pokorně je před ním skloněn a pokorně mu dává průchod. Byl jakoby médiem čehosi vyššího, o čem se nepokoušel tvrdit, že tomu rozumí. Nenáviděl předstírání, tupou sebejistotu, ospalou pohodlnost, pokleslost vkusu, přibližnost, neupřímnost. Když mu jeho zvláštní, jemný a velmi přesný instinkt řekl, že má něco udělat, šel za tím téměř posedle; při nejmenším náznaku předstírání, koketérie, povrchnosti či rutiny se bouřil. Jeho inscenační nápady se tu a tam mohly zdát odvozené, už známé, převzaté. Pokud tak působily, pak to nebyl rozhodně výsledek vědomé inspirace něčím jiným: Radok toho příliš moc zase neznal; byl vším jiným než kulturním snobem, který všechno viděl a ničemu nedůvěřuje proto, že to tady už možná bylo. On se netajil tím, že moc přesně neví, co tu už bylo a co ještě ne. A bylo mu to v podstatě jedno. Občas se o něm například říkalo, že má surrealistické nápady nebo že má blízko k surrealismu. Pokud si vzpomínám, moc toho o surrealismu nevěděl. Jeho surrealismus nebyl takzvaně poučený, přejatý, zasvěcený nebo napodobující. On šel jen tvrdě za svou věcí a když někde najednou pocítil potřebu provést cosi s parapletem, nebylo to proto, že paraple je klasická surrealistická rekvizita, ale prostě proto, že on to tak v daném okamžiku potřeboval, cítil, chtěl. Kdybyste ho decentně upozornili, že to je z tradičního surrealistického rekvizitáře a že to může být chápáno jako odvozené, řekl by vám, že na to kašle.

Tahle jeho magičnost ho tu a tam nutila, aby šel sám proti sobě: k jeho režijní metodě přece patřilo, že hercům pokud možno nic nepředpisoval, nenařizoval, neradil, nepředehrával, ale že chtěl, aby pokud možno všechno šlo „zevnitř“, aby na to přišli sami, udělali to ze sebe a za sebe, tak, jak oni to cítí a musí udělat. A pak najednou ten příkaz Bekovi, že to musí zahrát tak a tak – a ať se neptá proč. Herci z toho rozporu byli občas trochu vyjevení. Jemu to, myslím, moc nevadilo. Když mu jeho magická obrazotvornost něco nařídila, muselo všechno stranou – včetně jeho vlastní metody (na jejímž racionálním zevnějšku si tak zakládal).

Co z téhle radokovské magie nějak v českém divadle nebo vůbec v české kultuře zůstalo a žije?

Opět těžko říct. Ale já mám pocit, že když se nebudeme pídit pouze po vnějších znacích, ale budeme zkoumat něco jako sám způsob divadelního či režijního myšlení, zjistíme, že měl Radok asi větší vliv na mladší režiséry, než by se zprvu mohlo zdát. Nejsem si jist, zda by třeba Kačer nebo Schorm byli takoví, jací jsou, kdyby před nimi nebyl Radok a kdyby ho neměli zažitého. Nejsem si jist, zda by Činoherní klub, Zábradlí, Ypsilonka, ústecké Činoherní studio, Divadlo na provázku, Hadivadlo a nevím co všechno ještě bylo takové, jaké to je, kdyby neproudilo v krvi českého divadla (nebo aspoň té jeho částečky, kde o něco jde) pořád ještě dost radokovských krvinek. Nejsem si jist, zda by někdejší slavná nová vlna českého filmu bez Radoka *Daleké cesty* a bez Radoka tak říkajíc v zádech byla taková, jaká byla; ba dokonce si nejsem jist, zda by dnešní Miloš Forman bez zážitku Radoka (vždyť s ním v mládí dělal nejméně dva roky v Laterně!) byl tím, čím je. Nevím, zda by různé výborné inscenace ruských autorů, od *Revizora* v Činoherním klubu až po *Zojčin byt* v Činoherním studiu, byly takové, jaké byly, bez téměř konstitutivního významu dávné Radokovy *Ženitby*.

V takových otázkách by zajisté bylo možné pokračovat. Zajímalo by mne, zda někdo někdy zjistí a zda vůbec lze zjistit, nakolik radokovská magie a alchymie patří ke genetické výbavě mnoha pozdějších a i mnoha dnešních divadelních úkazů, byť by byly celou svou estetickou koncepcí jakkoli navzájem odlišné a jakkoli už vzdálené estetice Radokově.

•

Jak patrno, radokovské výročí nabízí dost témat k úvahám a zkoumání. Stály by za to tím spíš, že je Radok tak dlouho a tak důkladně odstraňován ze všeho, co fixuje kulturní paměť národa.

(duben 1986)

DOPIS MILANU UHDEMU

Milý Milane,

Leonid Jengibarov měl ve svém repertoáru jeden pantomimický výstup, při kterém mi přecházel mráz po zádech: v několika minutách dokázal zahrát celý život ženy. Pohupovav se od začátku do konce v rytmu lidského srdce byl nejprve – skrčen u země – dítětem, rychle však rostl, stal se školačkou, zamilovanou dívkou, matkou, zralou ženou, stárnoucí paní, zvolna se sklánějící pod tíhou let a starostí, až se posléze – jako shrbená babička – svinul zpět k zemi a strnul do nehybnosti náhrobního kamene.

Ten výstup zasahoval člověka mnohostranně a rozhodně není převoditelný na jeden konkrétní význam. Mně se ale už po léta vybavuje především jako otřásající připomínka nezadržitelnosti, s níž mizí kamsi minuty, které jsou nám vyměřeny, a jako neuvěřitelně koncentrované a přitom prosté varování před lehkovážností, s níž necháváme ty minuty mizet, abychom si to pak vždy znovu – a vždy už pozdě – hořce vyčítali. Kdykoli mi například zemřel někdo blízký – a především když mi před lety zemřela předčasně matka – musel jsem na ten výstup myslet. A opětovně jsem si říkal: jak to, že jsem zase zapomněl na jeho poselství? Proč jsem zase cosi nenávratně zmeškal, nedokázav – oklamán pocitem, že je dost času – vdechnout do svého spolubytí s blízkým člověkem to, co jsem do něj mohl vdechnout, a získat z něj to, co jsem z něj mohl získat? Proč jsem zase zapomněl, že nepokusím-li se porozumět si s někým teď, může se stát, že už si s ním nebudu moci porozumět nikdy? Utěšoval jsem se pomyšlením, že to tak asi musí být, že takovému pocitu asi člověk nikdy úplně neunikne, že se tu zřejmě svým zvláštním způsobem ohlašuje samo tajemství času, života a osudu.

Proč Ti ale o tom teď píšu: naposledy jsem si na ten Jengibarovův výstup vzpomněl nedávno při četbě Tvé rozhlasové hry *Velice tiché Ave*. Proč se to stalo, nedokážu asi přesně vysvětlit. Pokusím se však v tom směru trochu pátrat.

Především: Tvůj hlavní hrdina (Syn) vede svůj klíčový životní rozhovor se svou matkou až po její smrti, což může vyvolávat dojem, že i on cosi tragicky nestihl, podlehl iluzi, že určité věci neutečou, a pak byl krutě zaskočen: než se odhodlal pohlédnout životu matky opravdu vážně do tváře, strnul tento život do jengibarovovské nehybnosti náhrobku. To je ovšem podobnost jen vnějšková a ještě založená na pouhém dohadu. Stejně oprávněný by byl totiž i výklad opačný: že ten hovor nemohl předcházet matčině smrti, protože živá by ho nikdy nevedla.

Pravý důvod mé asociace bude tedy asi tkvět hlouběji. Tvůj Syn se dobírá celistvé pravdy o svých rodičích (a skrze ni i jakési podstatné pravdy o sobě samém) na ploše jednoho hodinového rozhovoru (prokládaného retrospektivními evokacemi uzlových situací z minulosti). To by samo o sobě nebylo ještě nic neobvyklého; každé skutečné drama od antiky dodnes dělá tak či onak totéž: na malé ploše jednoho večera (ve fyzickém čase hry) a krátkého životního výseku (v dějovém čase) odkrývá pravdu celého života několika lidí, ba víc – pravdu celého světa. V případě *Velice tichého Ave* je však tohle promítnutí životního makrosvěta do situačního mikrosvěta hry jaksi samo *tematizováno,* je odkrytě, přímo a programově samo sebou. Pravda o lidech se tu nevyjevuje „bezděčně", „oklikou" či „náhodně"; není žádným „vedlejším produktem" souhry víceméně profánních událostí nebo určitého konkrétního situačního zauzlení, ale je vlastním syžetem hry: Syn přece mluví s mrtvou Matkou *právě proto,* aby se dozvěděl onu „celkovou pravdu"; jeho touha se této pravdy dobrat je přiznaným motorem hry a postupné poznávání této pravdy je přiznaným obsahem, smyslem a cílem předvedené situace. Demystifikační energie a direktnost takto založené hry mohou vyvolat vzpomínku na Jengibarova, zdá se mi, oprávněněji: ani on přece ženský osud do ničeho nešifruje, nedemonstruje ho „na něčem", ale předvádí ho přímo a jako takový. Analogická metoda obou (jinak tak rozdílných) děl zabarvuje zřejmě analogicky i jejich atmosféru a předurčuje druh jejich „existenciálně metafyzického záření". Jako by zkrátka ta díla vysílala svá poselství v témž vlnovém pásmu.

Jaké to je však pásmo? Čili: jak tu příbuznou atmosféru či ladění konkrétně popsat?

Budu improvizovat: přímočarost estetiky prozrazuje – aspoň jak já to cítím – v obou případech jakési zvláštní zaujetí tématem: tvůrce jako by byl přímo vlečen potřebou dobrat se oné „celkové" pravdy a artikulovat ji; jako by byl svým tématem do té míry stravován, že prostě nemá čas, trpělivost a náladu na nějaké jeho umné skrývání, šifrování a „zadržování"; jako by musel mířit přímo do jeho srdce, nechce-li jím být rozdrcen. Vystupňovaná touha zachytit pravdu o životě opravdu „v celku" znamená ovšem „jít až za hrob". Tedy dotknout se transcendentna.

A skutečně: pokus pochopit naráz – jako ve světle blesku – stavbu lidského času, jeho rytmus a vnitřní logiku, poukazuje ze samé své podstaty vždy už také kamsi za tento čas, k nebi a peklu, k záhadám osudu a smyslu. Zhuštěn do své esence vyjevuje dovršený lidský příběh hrůzu své konečnosti, nazřen jako pouhé „bytí k smrti" prozrazuje svou marnost. Jenomže konečnost a marnost nejsou vůbec myslitelné bez předpokladu své jediné možné alternativy: totiž věčnosti. A už proto k ní nepřímo sice, ale nevyhnutelně odkazují.

Zdá se mi, že právě tento transcendentní motiv rozhodující měrou dotváří či předurčuje ono zvláštní – jakoby osudové – ladění, které se tu pokouším popsat. Smutek z nenávratnosti času a ubohosti životů odsouzených k zániku a přitom naplněných pouhou starostí o své trvání se tu totiž trochu záhadně snoubí s jakýmsi usmířeným respektem k nevyzpytatelnému běhu věcí, k vyšší vůli, které je vše časné podřízeno, a s nevyslovenou důvěrou v trvalost stopy, kterou toto časné přeci jen kdesi zanechává, v dobrý konečný smysl všeho jsoucího, a tedy vlastně ve spásu.

Pochybuji, že jsi při psaní své hry uvažoval v takovýchto kategoriích; šlo Ti o veskrze konkrétní průzkum veskrze konkrétní míry mravního obstání či selhání veskrze konkrétních lidských bytostí. Právě proto Tě však chci zpravit o svém intenzívním pocitu, že jsi – možná bezděky, ale zákonitě – vyvolal z láhve metafyzického džina.

Člověk by musel být natvrdlý, aby nepostřehl, že jsi se chtěl vyrovnat s tématem velmi osobním. Přesto si myslím, že není – aspoň z hlediska posluchače či čtenáře – vůbec důležité, jak moc to je či není hra autobiografická. Důležitý je étos Tvého pátrání a obecně lidská platnost jeho výsledků.

Vlastní téma Tvé hry bych velmi zjednodušeně vymezil jako téma vztahu dějin k lidské bytosti a lidské bytosti k dějinám. Otec i Matka jsou tragičtí tím, jak jsou po celý život smýkáni pitvorností moderních dějin tohoto národa, a zároveň odpudiví svou neschopností se této pitvornosti vzepřít. Slepě se podřizují dějinným nesmyslům, čímž je (spolu s tisíci sobě podobných) vlastně umožňují. Vědí dobře, co je to slušnost, důstojnost a čest. Tyto hodnoty si však nedovedou uchránit před agresivitou dějin. I to vědí, mají však omluvu: oni přece nemohou za dějiny a tím méně za svou bezmoc. Za lepších okolností by obstáli jako mravně bezúhonní občané. Není jejich vina – a v tom mají pravdu – že je osud neuvrhl do „lepších okolností". Jejich vinou je – a to sami před sebou všemožně utajují – že neudělali nikdy nic pro to, aby se okolnosti zlepšily. Nikdy nepochopili, že člověk není jen hříčkou okolností, ale vždy i jejich tvůrcem.

Tvá hra zvolna, věcně, krok za krokem, ba řekl bych cudně – tedy bez sebemenší stopy exhibicionismu – rekonstruuje výslednou pravdu. Tento „technický klid" zdůrazňuje opravdovost Tvého autorského zaujetí.

Rekonstrukci provádí Syn. Vyústění je pozoruhodné: tváří v tvář chatrné životní bilanci svých rodičů dělá přesně to, čeho oni nebyli nikdy schopni: přijímá svůj díl odpovědnosti za svět. Tedy: nepodřizuje se špatným okolnostem, ale pokouší se okolnosti zlepšit. Vykupuje tím vlastně vinu svých rodičů. Ideálním hrdinou však rozhodně není; sám přece dobře ví, že jeho mravní a občanské napřímení je problematizováno svou negativní motivací: kdoví, zda by se byl schopen takto vzepnout prostě z principu, nekonfrontován každodenně s tristním rodičovským modelem a nehnán celoživotní potřebou protirodičovské vzpoury a trochu mstivou touhou usvědčit svého otce ze zbabělosti. Možná by se to dalo dokonce vyložit tak, že jeho protest proti rodičovské zbabělosti je ve skutečnosti jen kompenzací odporu ke zbabělosti vlastní, jejíž karikaturní zvětšeninou je mu ta rodičovská. Nepředpojaté vyváženosti pohledu, a tím i hlubšího mravního sebeuvědomění dosahuje až svým imaginárním rozhovorem s mrtvou matkou, tedy tváří v tvář smrti, znicotňující jeho vlastní hořkost a odvádějící si postupně ty, proti nimž se celý život – napůl zlostně a napůl nedůsledně (zlostně možná právě proto, že nedůsledně) – bouřil. Tedy vlastně tváří v tvář věčnosti.

I příběh Syna má tak svou dvojznačnost. Sám ji reflektuje až v okamžiku, kdy nazírá plně dvojznačnost svých rodičů. Přiblíživ se pravdě o nich, přiblížil se pravdě o sobě samém. Oproštěně spravedlivý vhled do příběhu rodičů, kterého byl schopen až ve světle smrti, umožnil mu i hlubší vhled do příběhu vlastního.

Vím, že vývoj Otce a Matky nejsou ani zcela paralelní, ani nikterak přímočaré, mají své rozmanité peripetie, aspekty, souvislosti, poměr manipulovanosti a vlastní iniciativy se proměňuje – o tom všem tu nepíšu, protože Ti přece nebudu popisovat Tvou vlastní hru.

Šlo mi, opakuji, o něco jiného: zkusmo se zamyslet o onom „metafyzickém rozměru" hry. A o něčem, co s ním těsně souvisí: ať už je ta hra autobiografická více či méně, v každém případě mám intenzívní pocit, že Ti byla čímsi víc než jen hrou mezi hrami a dalším českým pokusem o obraz českého mravního marasmu, onoho „čecháčkovství", jak by řekl Václav Černý. Cítím v ní touhu lidsky i autorsky zralého člověka pochopit znovu a hlouběji a jaksi „v celku" své vlastní zázemí a skrze ně i svět, v němž žije, své pravé postavení v něm i pravou genezi tohoto postavení. Jakousi potřebu znovu a důkladněji se vztáhnout k vlastnímu osudu. Cítím v té hře zkrátka něco tak říkajíc bilančního a bilancujícího. A zdá se mi, že to všechno se u Tebe právě v této době neobjevuje náhodou.

Bude nám oběma padesát let. Pociťuji to jako věk, který vyzývá člověka, aby se trochu zastavil, pohlédl na svou dosavadní cestu i na terén, po němž vede, a zvážil další směr. Nic naplat: nejsme věční jako Pánbůh a jsme ve věku, kdy je asi na místě si to uvědomit a přijmout to jako důvod k souvislejšímu zamyšlení o tom, zda se čas, který je nám dán, skrze nás nějak smysluplně strukturuje anebo zda jen tak bezstarostně uplývá. Nastal prostě čas jengibarovovsky důrazné připomínky, že život je mezi jiným také skladbou, která má svůj začátek, střed a konec, svůj nezastavitelný rytmus a hlubinné směřování, svůj řád a svou logiku – a skrze to všechno snad i nějaký smysl. Což neznamená, že naše životy jsou koncipovány jinde. Právě naopak: je to výzva, abychom se snažili té skladbě porozumět, co nejlépe ji zahrát a její původně neurčitý význam naplnit určitostí svých činů. Je to čas – jak mně se to aspoň jeví – vynořování „metafyzického rozměru".

Velice tiché Ave jsi napsal sice už před pěti lety, mně se však, jak vidíš, propojilo s Tvou padesátkou i s pozorováními učiněnými na okraj analogické vlastní příhody.

Přeju Ti dobré rozpoložení do dalšího průzkumu vnitřní skladby našich životů!

Tvůj Vašek Havel

(srpen 1986)

ODPOVĚDI NA OTÁZKY K PAŘÍŽSKÉ PREMIÉŘE „ŽEBRÁCKÉ OPERY“

Jaké je místo Žebrácké opery *ve Vašem díle?*
Žebráckou operu jsem psal už v době, kdy bylo v mé zemi uvádění mých her zakázáno. Původně si tuto hru ode mne objednalo jedno pražské divadlo, které ji chtělo uvést pod jiným jménem. Je to velmi volná variace na staré téma Johna Gaye, s Brechtovou *Žebráckou operou* nemá společného nic jiného než právě jen toto výchozí téma. Tato hra se mi psala lehce, bylo to poprvé, kdy jsem se opřel o převzaté téma, její psaní bylo pro mne určitým osvěžením po trápení s hrou, kterou jsem psal předtím. V Československu uvedl tuto hru v roce 1975 amatérský soubor v jedné vsi blízko Prahy, hrál ji pochopitelně jen jednou, bylo to moc dobré představení, byl z toho velký skandál, policejní vyšetřování, sankce a perzekuce. Bylo to jediné představení mé hry, které jsem v divadle viděl za posledních osmnáct let.

Co víte o inscenacích této hry?

V zahraničí se tato hra moc často nehraje, daleko míň než většina mých jiných her. Proč tomu tak je, nevím. Možná jí stojí v cestě její slavná Brechtova jmenovkyně. Můj nakladatel (Rowohlt v Hamburku) mne o významnějších uvedeních mých her informuje, někdy se ke mně dostávají informace i jinými cestami. Pokud jde o *Žebráckou operu,* vím, že poprvé ji v zahraničí uvedlo jedno divadlo v Terstu, později byla hrána ve Vídni a nedávno v Bělehradě. To bylo prý moc dobré a úspěšné představení.

Jaký je Váš názor na Bertolda Brechta a na jeho Žebráckou opera*? Domníváte se, že jeho hry mají stále co říci?*

Přiznám se, že žádným obzvláštním vyznavačem Brechta nejsem, je mi dost protivná jeho ideologičnost a didaktičnost. Nejvíc se mi Brecht líbí tehdy, kdy je nejméně brechtovský. Chápu velmi dobře, proč v duchovním kontextu dvacátých let a vybavena skvělou Weilovou hudbou byla Brechtova *Žebrácká opera* tak úspěšná a slavná. Když si ale od této hry odmyslím celou její velkou tradici a vše, co v dobovém kontextu znamenala, a čtu ji dnes zcela nezatíženě jako kterýkoliv jiný text, pak – musím se k tomu doznat – mi připadá dost slabá a dost mi u ní vadí jakási poetizace podsvětí a ovšem i to věčné ilustrování nějakých sociologických tezí.

Víte, že Vaše hry jsou velice oceňovány v nekomunistické Evropě? Jste informován o ohlasu Vašich děl?

Jak jsem už řekl, můj nakladatel mne o uvádění mých her v zahraničí informuje. Mé hry se nehrají pouze v „nekomunistické Evropě", ale také v Jugoslávii, Americe, občas i jinde, třeba v Izraeli nebo v zemích třetího světa. Jsem samozřejmě rád, píšu pro diváky a ne pro ty či ony vlády nebo politické systémy. Nejradši bych ovšem byl, kdyby se mé hry hrály v mé vlasti.

Můžete nám něco říci o svých posledních pracích? A na čem pracujete nyní?

Nedávno jsem dodělal s českým v exilu žijícím novinářem Karlem Hvížďalou knížku, jmenuje se *Dálkový výslech*. Hvížďala mi klade nejrůznější otázky týkající se mého dosavadního života i mých názorů na nejrůznější věci, já na jeho otázky odpovídám. Občas píšu nějaké články a jiné menší texty, na jaře se chystám začít psát novou hru. Mou zatím poslední hrou bylo *Pokoušení*, které jsem napsal na podzim roku 1985.

(leden 1987)

PAVEL Z TEPLIC

Někdy počátkem šedesátých let, tedy zhruba před pětadvaceti lety, přivedl Jaroslav Vízner, herec Divadla Na zábradlí, na nějaký večírek poněkud svérázného kamaráda: byl to hromotluk s orlím nosem, choval se neomaleně, neustále žvanil a Vízner se mi za něj neustále omlouval. Vzezřením i řečmi vyvolával hromotluk dojem, že je Víznerovým osobním instalatérem nebo automechanikem, kterého chtěl herec za jeho služby odměnit tím, že ho přivede na večírek mezi pražské divadelníky.

Hromotluk se brzy zaměřil na mne a brzy mě zcela dorazil: prý ho musíme angažovat do našeho divadla jako herce. „Pošuk", myslel jsem si.

Takto jsem se tedy seznámil s jedním z nejlepších herců mé generace, s jedním ze svých budoucích nejintimnějších přátel a dokonce s jedním ze svých budoucích „spolu-disidentů".

Orientovaný čtenář zajisté už tuší, kdo byl tím hromotlukem: dnešní člen vídeňského Burgtheateru a dramatik Pavel Landovský.

Od toho večírku se objevoval Lanďák s vytrvalou pravidelností a vytrvale nutil Grossmana a mne, abychom ho angažovali. Nadarmo jsme mu vysvětlovali, že nemáme směrné číslo a že žádného dalšího herce nemůžeme přijmout. Byl neodbytný. Způsoby, jakými na nás dorážel, nás ovšem fascinovaly:

Několik příkladů:

1. Jsem s divadlem na zájezdu v Plzni. Kde se vezme, tu se vezme, objeví se v zákulisí Lanďák, nařídí mi, abych si sedl za něj na motorku, o nic prý nejde, vrátím se ze zájezdu o den později než divadlo, musím s ním jet. Výmluvy a odmluvy neslyšel, takže jsem po chvíli zjistil, že sedím na motorce a řítím se do Klatov. Ošlehaného větrem a zdecimovaného mne Lanďák usadí v hledišti místního divadla a já jsem nucen shlédnout představení Březovského hry *Nebezpečný věk,* v němž on hrál hlavní roli. Nevím, jaké to představení bylo, asi nevalné, nevím, jaký byl on. Jen jedno jsem zjistil: že to není instalatér, ale opravdu herec, aspoň co se zaměstnání týče. Dozvěděl jsem se, že jsem to představení shlédl proto, abychom měli definitivní důvod ho angažovat.

2. Ukryjeme se s Grossmanem na týden do jakési zotavovny v Harrachově; já tam píšu svou *Zahradní slavnost,* napsané scény nosím Grossmanovi, on si mezitím pracuje na svých věcech. Místo našeho pobytu znala pod přísahou absolutního mlčení jen tajemnice divadla; nechtěli jsme být nikým a ničím vyrušováni. Jednou sejdeme dolů na snídani a zatají se nám dech: u našeho stolku sedí Lanďák, blbě se tlemí, pak zvážní a ptá se, kdy ho tedy konečně přijmeme.

3. Jan Grossman tráví s Marií Málkovou, svou budoucí ženou, dovolenou v severních Čechách, podnikají různé výlety, octnou se kdesi až v Hřensku, prohlížejí si městečko, Grossman vstoupí do trafiky, chce si koupit cigarety. Za pultem nikdo není. Grossman čeká. Po chvíli se zpod pultu vynoří Lanďák s krabičkou cigaret Grossmanovy značky, podá mu ji a zároveň se táže, zda může od nové sezóny nastoupit.

4. Jedu autostopem se svou ženou z dovolené. Auto, kterým se vezeme, je najednou divoce předjeto motocyklem se sajdkárou, který mu zkříží cestu. Motocyklista energicky zamává na řidiče, aby zajel ke kraji silnice a zastavil. Má to všechny znaky teroristického přepadu. Rozkaz zní: autostopaři vystoupit, věci s sebou. Je to samozřejmě Lanďák. Musím usednout za něho, Olga do sajdkáry. Odsvištíme a Lanďák na mne dozadu křičí, že se rozhodl od nové sezóny nastoupit do Divadla Na zábradlí. Na směrná čísla prý kašle.

Mám rád postavu Robinsona z Célinova románu *Cesta do hlubin noci*. Je to člověk, který se každých padesát stránek mihne knihou, hlavní hrdina ho letmo zahlédá či potkává na nejnepravděpodobnějších místech svého putování. Pochybuji, že to Lanďák četl. V každém případě si ale dokázal Robinsona vymyslet a zahrát. Z věci celkem normální – totiž ze své touhy dostat se nejen do Prahy, ale navíc do divadla blízkého jeho srdci – udělal tajemnou povídku. Jeho život je takových povídek plný. Nejsou to artefakty (jako různé performances nebo events) určené k dokumentaci v odborných revuích. Je to prostě jeho způsob bytí.

Časem jsme začali chápat, že Lanďák – navzdory všemu, včetně své nesnesitelnosti – je neobyčejně citlivý, čestný, jemný a dost komplikovaný člověk a že to je navíc skvělý herec. Našemu divadlu jsme moc nepomohli, že jsme si jeho angažování nějak nevybojovali. Jemu jsme tím ale, myslím, pomohli: Činoherní klub, který měl zřejmě slabší nervy a Lanďáka později přijal, umožnil jeho herectví rozkvést a rozvinout se tak, jak by mu to tehdejší Zábradlí ani nikdy neumožnilo. Estetika Činoherního klubu totiž stála a padala s herectvím; zatímco nám šlo v prvním plánu o rozvinutí dramatického tématu a významového apelu hry, Činohernímu klubu šlo především o rozvinutí osobnostních témat (termín Jaroslava Vostrého) a uplatnění osobnostních možností jeho herců. Takové divadlo mohlo Lanďáka jako herce opravdu objevit a udělat; na Zábradlí by se to těžko stalo.

Kdybych byl Lanďáka potkal dvakrát za život a pětkrát shlédl v divadle, uměl bych za odpoledne napsat jeho herecký portrét. Psát ale o člověku, kterého znáte lépe než své boty (málokteré boty vás totiž provázejí pětadvacet let životem) a o jehož nejtemnějších, nejpodivnějších a nejparadoxnějších stránkách přeci jen začínáte cosi podstatného tušit, to už věru tak snadno nejde! Musela by z toho být kniha a i tu knihu byste pouštěli do světa jen s velkými rozpaky, vědouce, že člověka (a samozřejmě i herce) proměnit v text prostě nejde. Čím víc o někom víme, tím tíž se nám o něm mluví, protože tím víc se děsíme nevyhnutelné simplifikace, s níž je takový úkol spojen.

Svou dnešní vzpomínku na Lanďákovu cestu do Prahy (z Teplic přes Pardubice a Klatovy) tedy rychle ukončím, dřív, než se začnu děsit brutálního zkreslení Lanďákova obrazu, kterým je stručný popis této vzpomínky nutně zaplacen.

Pavlu Landovskému bylo nedávno padesát let a má už šedivé vlasy. Leccos ale nasvědčuje tomu, že se od dob, kdy ho Vízner uváděl do pražské intelektuální společnosti, moc nezměnil.

Je to dobře. Nebo přesněji: existuje člověk, který je rád, když se tu a tam něco nemění. Tím člověkem je Landovského starý kamarád

VH

(únor 1987)

NA PREMIÉŘE

Shlédnuv shodou okolností odpoledne představení jednoho ze „studiových" divadel, octl jsem se večer (snad poprvé po osmnácti letech) na premiéře jistého divadla takzvaně „kamenného", v němž jsem, přiznávám, už také pěknou řádku let nebyl.

Hrála se velmi dobrá původní česká hra, možná jedna z nejlepších, které dnes putují po českých jevištích. Režie se mi zdála být – aspoň navenek – docela obratná: účelná scéna, dovednost co do scénických efektů (světlo, hudba), smysl pro gradaci a rytmus, aranžmá mělo logiku a vkus.

Přesto jsem prožil dosti absurdní večer, ba odvážil bych se říct, že můj zážitek se blížil proslulému zážitku Nataši v opeře z *Vojny a míru*.

Nevyzrazuji-li, o jaké představení šlo, pak z prostého důvodu: měl jsem dojem, že vskutku nebo výhradně vinen není nikdo z účastníků inscenace; všichni se mi zdáli být spíš oběťmi jakéhosi „vyššího" a hranice daného představení dalekosáhle přesahujícího průšvihu než bezprostředními tvůrci průšvihu konkrétního; navíc mi v této glose nejde vůbec o dané představení jako takové, ale o onen za ním či nad ním se vznášející „průšvih", s nímž jsem se zcela náhodou právě ten večer setkal právě v dotyčném divadle, ale s nímž jsem se mohl nepochybně stejně dobře, ne-li ještě intimněji, setkat i mnohý jiný večer v mnohém jiném divadle.

Začít musím ovšem bohužel tím, co jsem bezprostředně viděl a slyšel: hlavní herečka, nikoli špatná, hrála velmi dramaticky, ba ocitala se až na samém pomezí křeče, a tento druh hraní dal dosti nešťastně vyniknout jistému jejímu – jak bych to řekl? – sklonu nevyrovnávat se s některými hláskami způsobem, který by mi zajišťoval hladké porozumění a který by neodváděl mou pozornost trvale od obsahu řečeného k výslovnostnímu svérázu dotyčné. To, co by jinde mohlo být klidnějším a vnitřně ovládnutějším hereckým projevem potlačeno anebo aspoň znenápadněno, nebo na co by si člověk prostě zvykl (a byl to třeba schopen přijmout i jako onu rokokovou pihu, která dává dámě teprve šarm), narůstalo zde naopak do rozměrů, v nichž z elementu nanejvýš jen rušivého se nezadržitelně stával element komický. A ke všemu to ještě vyvolávalo – doufám, že pouze v mých atypických uších – podivnou zvukovou halucinaci: občas se mi zdálo, že tak mluví všichni.

Všichni tak samozřejmě nemluvili. Představitel hlavní mužské role ztělesňoval dokonce druhý extrém: artikuloval naopak tak dokonale a měl hlas tak nápadně znělý, zvučný a hluboký, že jím bezděky zastiňoval vše, včetně sebe samého a své lidské osobnosti; působil na mne dojmem pouhého nositele svého hlasu, uctivě pronášejícího představením dar, kterým ho Pánbůh obdařil. Takže – paradoxně – i u něho byla má pozornost nakonec odváděna od obsahu slov ke způsobu, jakým jsou vyslovována, dík čemuž mi pochopitelně unikal sám smysl počínání ztělesňované postavy (a možná by mi unikl docela, kdybych nebyl hru znal předem).

Podíl na celkově absurdním dojmu z představení, který měla dáma hrající dívku omamného kouzla a mnohaletou lásku mladého hrdiny, nebyl malý, ale ona sama za to mohla ze všech nejmíň: její plnoštíhlost, jež by skvěle odpovídala představě, kterou všichni máme například o Maryše, tu byla – nechápu proč – mnohonásobně zdůrazněna soustavou peřin, jimiž byla herečka obalena (snad to měly být takzvané nabírané sukně), takže z démonické krásky byla učiněna roztomilá kulička, poněkud se nehodící – navzdory tomu, že cesty lásky mohou být, jak víme, nevyzpytatelné – k tomu, čím tato postava měla ve hře a hlavně mladému hrdinovi být.

Herec, který hrál starého mudrce, ho hrál docela dobře, ale – pokud jde o mě osobně – i on měl smůlu: ať jsem dělal, co jsem dělal, nedokázal jsem si v mysli od něj odpárat jeho televizně figurkářskou žovialitu, kterou vleče už po desítiletí ze seriálu do seriálu. Těm, co hráli menší role, nejsem schopen nic konkrétního vytknout; hráli prostě jen jaksi do prázdna a jejich úctyhodné snažení se jen v jakémsi nešťastném kontextu zdálo být tak trochu zbytečné, úporné, oč energičtěji usilující o takzvanou nespoutanost, o to méně schopné člověka opravdu vtáhnout do zvláštního světa této hry a její osobité poetiky. A tak jsem byl nakonec nejvděčnější mladému představiteli mladého hrdiny kusu: osobnost, pravda, příliš výraznou neměl, byl to ale aspoň hezký statný chlapec, který mluvil srozumitelně a nepřehrával.

Kdyby šlo o jinou hru, třeba by to všechno tak zlé nebylo: tkanivo této hry je však tak jemné, že se s ním musí asi velmi chytře a opatrně nakládat: stačí, aby na chvíli ochabla pozornost, aby se člověk jen na chvíli soustředil na myšlenku některou postavou vyslovenou a přehlédl její dějový a situační kontext, stačí, aby se jen na okamžik nechal odvést k nějaké vnějškovosti, jako je artikulace jedné herečky nebo kostým druhé, a začne ztrácet vědomí souvislostí, a tím i smyslu celé věci.

Připouštím, že můj tristní dojem z herců mohl být zesílen zcela čerstvou vzpomínkou na odpolední představení, v němž se mi všichni herci zdáli být nejen nepoměrně výraznějšími osobnostmi, ale i nepoměrně lépe takzvaně „technicky" vybaveni: mluvili dobře, srozumitelně a tak, že člověk nezkoumal, jak mluví, ale sledoval, co říkají, pohybovali se přirozeněji a suverénněji, byli dokonce schopni pohybových výkonů ve večerním představení těžko myslitelných.

Pochmurný byl ovšem i pohled na publikum: strnulé a bledé tváře kulturních byrokratů převládaly; bylo tu však i značné množství vůdčích osob „kamenného" divadelnictví, ředitelů divadel, šéfů činoher, režisérů i herců. Ale i ti mi připadali jaksi podivně zachmuření. Dvacet let, která mne dělí od dob, kdy jsem se s nimi vídal nebo stýkal, se na jejich vzezření zapsalo mimo jiné i zřetelným zvážněním, zesolidněním a zdůležitěním jejich výrazu. Ve srovnání s veselým, bezprostředním, okamžitě chápajícím a okamžitě svůj zážitek veřejně vyjadřujícím publikem odpoledním jevilo se publikum večerní jako poněkud obskurní, ne-li přímo panoptikální sešlost jakýchsi stínů a masek. Toto publikum se tu a tam zasmálo vtipné větě, rozhodně se mi ale nezdálo, že by vnímalo smysl hry a její poselství. Bylo to publikum upjatě zdvořilé, formálně a ze zvyku sympatizující, téměř nic však neprožívající.

Když jsem divadlo opouštěl, měl jsem pocit, že tohle představení mohlo být, ale také být nemuselo, aniž by se tím cokoliv na světě nebo aspoň v jednom jediném člověku změnilo. Připadal jsem si, jako bych odcházel z krematoria; zdálo se mi, že jakýsi těžko popsatelný dech smrti vanul z jeviště do hlediště i z hlediště na jeviště. Herci se snažili hrát, diváci se snažili představení vnímat, ale vskutku živé divadlo to nebylo. Ani stopy po nějakém niternějším srozumění všech účastníků, ani stopy po nějaké osvobodivé radosti z „věci samé" jako něčeho, co herce i diváky přesahuje, protože se to dotýká lidského „bytí vůbec". Na jevišti toporné pachtění a umělá rozvernost, v hledišti hlubinná lhostejnost. Nebyla to sociální nebo kulturní nebo společenská nebo politická nebo jakákoli jiná událost, byl to jen další úkon stroje, který jako by pracoval jen proto, že se hodí, aby v civilizované zemi existovala i tak ekonomicky neproduktivní instituce, jakou je divadlo.

Přemýšleje o svém premiérovém zážitku, říkal jsem si, že není dost dobře možné,aby všichni tito herci jen tak z ničeho nic a sami od sebe začali ztrácet osobitost, věrohodnost, profesionalitu. To všechno jsou zřejmě jen vnějškové důsledky něčeho jiného: ztrácejí pocit smyslu divadla. Zdá se, že bez něčeho takového se divadlo, má-li být vskutku živé, neobejde. Tam, kde herci prostě jen „odevzdávají práci", aniž vědí, k čemu je ta práce dobrá (mimo jejich vlastní obživu), musí herectví nutně upadat.

Jsem opravdu přesvědčen, že vposledku za můj celkově smutný dojem nemohou ani snažící se sice, ale nikoho neelektrizující herci, ani ono škrobené a nezelektrizovatelné publikum (při vší škrobenosti přeci jen, předpokládám, vnímavější než publikum takzvaně „autobusové"). Neodbytně se mi naopak vnucuje pocit, že jedni i druzí – herci i diváci – jsou daleko spíš než spolutvůrci pouhými spoluoběťmi čehosi hlubšího a obecnějšího, čehosi, co je do značné míry jen vleče, onoho „vyššího průšvihu“: jakéhosi všeobecného duchovního úpadku. Jakési všeobecné banalizace. Jakéhosi znicotnění.

Divadlo vypovídá o své době nejen povahou svých úspěchů, ale i povahou své krize. Toto představení nebylo mrtvé jen proto, že herci byli slabí a diváci apatičtí. Bylo mrtvé především proto, že cosi mrtvolného je v obecném klimatu i v samotné „fyzičnosti“ všech společenských struktur, a tedy i divadla. Systematicky byrokratizováno a glajchšaltováno, trvale kontrolováno a kastrováno, ztělesňuje divadlo ve výkonech tohoto typu vlastně jen nejvnitřnější intence kastrující ho moci.

Přirozeně i v tomto dusivém prostředí vznikají občas živá představení a existují živá divadla; oč tíž jsou takové fenomény vyvzdorovány na entropickém tlaku celkové situace, o to větší je můj respekt k nim.

Odpolední představení bylo takovýmto respektabilním úkazem. Z čehož nemíním samozřejmě vyvozovat zjevně nesmyslný závěr, že takzvaná „studiová“ či „malá“ divadla jsou automaticky a vždy a ze samé své podstaty živá a divadla „kamenná“ jsou automaticky a vždy a ze samé své podstaty mrtvá. (Jen malý příklad komplikovanosti situace: v prostoru malých divadel vyrostly některé herecké osobnosti, jejichž tak či onak osobitý projev se zvolna a nenápadně proměnil v jakousi novou rafinovanější manýru, která viditelně zasahuje i divadla „kamenná“. Nešíří se vědomou vzájemnou imitací, ale prostě jako virus – herci ji „chytají“, aniž často vědí odkud, je zkrátka jaksi ve vzduchu. Mám teď konkrétně na mysli určité intonační návyky – řekl bych „pechovsko-suchařípovsko-bartoškovsko-heřmánkovské“, které lze dnes zaslechnout i z jevišť, kde by člověk takovouto inspiraci nejméně očekával, a které, posléze docela zautomatizovány, opět divadlo zmrtvují, byť třebas nově a jinak.)

Kdosi nedávno velmi výstižně upozornil na věc, která s tím vším neodmyslitelně souvisí, protože divadlo a publikum jsou spojité nádoby: přestává existovat publikum, protože přestává existovat veřejnost. Dlouhodobým potlačováním všech normálních možností veřejného sebe-vyjevování a sebe-sdružování je ničen sám fenomén veřejnosti a veřejného mínění (bez svobodné sebestrukturace společnosti nemyslitelný). A spolu s ním je nutně ničen i fenomén publika. Místo publika sedí v divadlech (hlavně těch velkých) povětšinou jen jakési zanonymizované obyvatelstvo, zaměnitelná množina nahodilých jedinců, masa bez tváře. Divadlo toto své „publikum“ po léta do jeho bezduché podoby formuje, toto „publikum“ naopak po léta formuje do jeho bezduché podoby divadlo. A divadlo i publikum jsou do této své podoby po léta formovány tím, co nazývá Vaculík – poněkud obecně, ale právě proto výstižně – „poměry“.

A tak nakonec i tak netypická věc, jako je premiéra dobré původní hry, je jaksi zevnitř požírána všepronikajícím vetřelcem „poměrů“.

Samozřejmě: poměry nemohou za hlasové zvláštnosti jisté herečky (mohu dosvědčit, že je měla i za poměrů docela jiných). Nesou však lví podíl na celkové mrtvolnosti divadla, která jako by i oněm hlasovým zvláštnostem dávala novou a depresívnější dimenzi, respektive do nich vdechovala svůj vlastní obsah, či se jich zmocňovala prostě jako nástroje svého sebevyjevení.

A ještě něco třeba dodat: poměry se nevznášejí v oblacích nad námi, ani nejsou kompletně soustředěny v budově ÚV KSČ. Tam mohou mít sice své ohnisko, ale jsou více či méně spolutvořeny celou společností. Jejich konstitutivní součástí je tudíž i otupělost těch divadelníků, kteří vědí, že by jim měli a mohli čelit, ale místo aby jim čelili, se jim přizpůsobují, a tím jejich neblahé účinky dál šíří. Čímž posléze způsobují, že čelit je stále těžší.

(duben 1988)

VI. DOPISY, PÍSEMNÁ PROHLÁŠENÍ, PROTESTY (1984-1988)

jak to trestní řád výslovně přikazuje, ačkoli jsem byl k dosažení (tj. přítomen v domě), že mi nebylo vyjeveno, co by konkrétně mělo být pro zmíněné trestní stíhání důležité, a že mi nebylo vůbec nic o tomto trestním stíhání řečeno, tedy ani co je konkrétně v souvislosti s ním u mne hledáno. Teprve po několika hodinách domovní prohlídky mi bylo na mé opětovné naléhání sděleno, jaká písemnost je vlastně hledána. Nalezena nejenže nebyla, nejenže nebyl žádný věcný důvod k domněnce, že by u mne mohla být, ale navíc nebylo ani jasné, proč vůbec byla hledána a proč měla být předmětem stíhání, když orgánům StB nebylo vůbec známo, zda opravdu existuje a co je v ní. Domnívám se, že pouhý nápad, že bych mohl třeba mít něco, co by mohlo třeba být hodnoceno jako potenciálně způsobilé pobouřit, je evidentně nedostačujícím důvodem k domovní prohlídce, a že je nezákonné provádět domovní prohlídku, aniž jsem o předmětu pátrání předem vyrozuměn a k jeho eventuálnímu vydání vyzván.

Přesto, že hledaná písemnost nebyla nalezena, bylo mi při domovní prohlídce jaksi mimochodem, bez jakéhokoli zdůvodnění a ze zcela libovolného uvážení jednotlivých příslušníků StB odebráno velké množství věcí (protokol obsahuje 215 položek, z nichž některé mají až 70 „podpoložek“), věcí, které zjevně nikterak nesouvisely ani s hledaným textem, ani s jakýmikoli státně bezpečnostními zájmy. Je pravda, že některé z těchto věcí jsem – v zájmu urychlení prohlídky a věda, že by mi beztak byly odňaty – vydal sám, nicméně do protokolu jsem výslovně uvedl, že je nepovažuji za pobuřující a neuznávám důvody, pro které jsou zabavovány. Bylo mi odňato mnoho knih, opisů, časopisů, různé dokumentace a archívních materiálů, magnetofonových pásků, fotografií, osobní korespondence atd. atd. Jak známo, nikde není taxativně vymezeno, co lze považovat za možný nástroj eventuálního pobuřování. Dík tomu orgány StB zabavují cokoli, co některého z nich z nějakého důvodu zaujme. (Malý příklad: proč by měly a jak by měly dopisy od přítele sdělující mi jeho názor na moji hru, rodinná fotografie, filozofická esej o povaze bytí nebo nahrávka veřejně zpívané písně sloužit k pobuřování? A i kdyby z hlediska té interpretace zákona, kterou dnes státní moc uplatňuje, takto použitelné přeci jen být mohly, jak může jejich pouhé vlastnictví zakládat podezření, že tak použity opravdu budou?) Nikdo nikdy při tom není zřejmě povinen zdůvodňovat, proč to či ono bylo zabaveno. Zabavování je tudíž zcela nahodilé a svévolné, jako možný nástroj pobuřování může být zabaveno prakticky cokoli, a já bych se vůbec nedivil, kdyby mi byl odebrán i balík čistého papíru jen proto, že by si nějaký příslušník StB myslel, že bych na něj mohl v budoucnosti napsat něco, co by mohlo sloužit k pobuřování.

Za zcela svévolné a žádnou zákonnou normou neobhajitelné považuji i to, že má žena, ačkoli je spolumajitelkou našeho domu, nesměla být při domovní prohlídce přítomna a byla naopak odvedena na okresní správu v Trutnově, kde byla dvanáct hodin bezdůvodně i bez jakékoli formálně právní záminky (jakou by mohlo být například předvedení k výslechu) zadržována.

Domovní prohlídka nebyla navíc vůbec povolena prokurátorem, ačkoli bylo zřejmé, že jeho povolení by bylo možné před ní nebo v jejím průběhu získat, tím spíš, že se konala v rámci trestního stíhání, které bylo a muselo být zahájeno dříve, než prohlídka začala. Zda dal prokurátor k prohlídce aspoň dodatečný souhlas, mi není známo, nedostal jsem v této věci žádné vyrozumění, takže dodnes nevím, zda prohlídka byla vůbec legální. Nedostane-li se mi aspoň dodatečné informace ani v tomto bodě, budu nucen se domnívat, že občan v naší zemi nemá právo vůbec se dozvědět, zda akt státní moci, kterým byl postižen, byl legální či nikoli a zda tedy má či nemá naději na jeho nápravu. Takový stav by ovšem prakticky znamenal, že z hlediska občana jsou zákony upravující výkon státní moci zcela zbytečné.

Žádám Vás proto, abyste celou věc náležitě přešetřil; abyste zjistil, zda prohlídka sama a její konkrétní průběh byly v souladu se všemi zákonnými ustanoveními, s Ústavou ČSSR a mezinárodními pakty o občanských právech; zda eventuální porušení těchto norem nepředstavuje trestné činy omezování domovní svobody a zneužití pravomoci veřejného činitele (par. 238 a par. 158 trestního zákona) a abyste v takovém případě zjednal nápravu. Ale i kdybyste shledal, že postup orgánů StB byl zákonný, žádám Vás, abyste mne o tom vyrozuměl a toto stanovisko věcně doložil. Domnívám se, že šlo-li zde opravdu – jak jsem já osobně přesvědčen – o akt čiré svévole, byl by ten akt napraven a obecný pocit právní jistoty upevněn, kdyby mi orgány StB neprodleně vrátily všechny zabavené věci. Nejen pro mne osobně, ale i pro veřejnost, která je pochopitelně o celé věci informována, by taková náprava znamenala nadějeplné utvrzení, že ani v naší zemi nemůže policie dělat, cokoli si zamane, a že i ona, pochybí-li, je nucena své pochybení napravit.

Václav Havel

(září 1984)

ODPOVĚĎ NA POZVÁNÍ K DISKUSI O MÍROVÉM HNUTÍ

Milí přátelé,

děkuji vám za vaše milé pozvání na *Round-table-Gespräch* o mírovém hnutí, který připravujete. Rád bych vaše pozvání přijal, ale nemohu z důvodů, které zajisté pochopíte: pokud by mi byl vydán cestovní pas (o čemž pochybuji), neměl bych jistotu, že se budu moci vrátit zpět do své země; spíš bych asi musel počítat s tím, že budu během své návštěvy Rakouska zbaven čs. občanství, a nebudu se tudíž moci vrátit. A to riskovat nechci.

Nezbývá mi tedy než přát aspoň touto cestou vašemu jednání úspěch. Jak jsem už vícekrát v různých svých projevech zdůraznil, se západním mírovým hnutím sympatizuji, protože si vážím jeho mravního étosu a toho, čeho je mi příznakem: že mnoha lidem – a hlavně mladým – není lhostejná budoucnost tohoto světa a jsou odhodláni překročit rámec pouhé starosti o vlastní hmotné zajištění a kariéru a angažovat se za to, aby svět byl lepší, než je. Zároveň ale musím dodat to, na co jsem rovněž už vícekrát upozorňoval a na co především ve svých četných vyjádřeních poukazovala i Charta 77, totiž že pouhý odpor k instalaci té či oné zbraně ještě nemusí k míru vést. Mír neohrožují zbraně jako takové, ale lidé, kteří je konstruují, instalují a jsou ochotni použít. A nejen oni: nejvíc ho ohrožují všichni, kteří způsobem své vlády a svou politikou prohlubují krizové prvky světové situace a vytvářejí tím klima, jež ospravedlňuje zbrojení i těm, kteří by za jiných okolností zbrojit nechtěli či prostě nemohli. To znamená, že boj za mír by vždy měl přihlížet k podstatě a příčinám stavu, který válečné nebezpečí vytváří, a že by se neměl omezovat jen na protesty proti důsledkům tohoto stavu.

Skutečný a trvalý mír nezajistí pouhé dohody a kompromisy mezi velmocemi, a tím méně jednostranné ústupky jedněch před druhými. Žádný mír, který by byl vybudován na úkor lidských svobod, práv, lidské důstojnosti a nezávislosti národů, by neměl dlouhého trvání a neznamenal by žádné skutečné řešení, protože by nebyl výrazem lidské přirozenosti, ale způsobem jejího potlačení.

Domnívám se, že jedinou cestou ke všeobecnému odzbrojení, po němž všichni toužíme, je radikální proměna celé soudobé mocenské praxe a způsobu politického myšlení, odvaha mocných tohoto světa překonat status quo, kterým je rozdělení světa do mocenských bloků, zříci se kategorie „mocenských zájmů" jako hlavní osy své politiky a podřídit vše jedinému cíli: ideálu svobody, politické a sociální spravedlnosti a národní nezávislosti pro všechny. Snížení stavu zbraní neudělá z Evropy ještě společenství svobodných, rovnoprávných a neangažovaných národů a nezaručí, že se zbrojení kdykoli opět nezrychlí. Ale stane-li se naopak Evropa oním společenstvím, které bude založeno na vzájemné toleranci, úctě a samostatnosti i těch nejmenších národů, pak budou vytvořeny reálné předpoklady k tomu, aby bylo natrvalo vyloučeno nebezpečí, že v Evropě vzplane nový světový válečný požár.

Přál bych si velice, aby tyto základní myšlenky byly na vašem setkání zdůrazněny a rozvinuty, a věřím, že se tak stane, protože se mi zdá, že stále víc lidí na Západě i na Východě si tyto souvislosti uvědomuje.

Zdraví vás Václav Havel

(říjen 1984)

ODPOVĚĎ NA POZVÁNÍ K MEZINÁRODNÍMU KOLOKVIU

Vážený pane prezidente,

děkuji Vám za Vaše pozvání na mezinárodní kolokvium, které chystá D. S. H. Vážím si tohoto pozvání z několika důvodů: nejen proto, že je pro mne osobní ctí být pozván k jednáním, jichž se účastní tolik významných osobností, ale i proto, že Vaše pozvání – podobně jako různá jiná pozvání tohoto druhu – chápu jako známku toho, že svobodomyslní lidé na Západě berou stále zřetelněji v potaz i nezávislé hlasy z východní Evropy. Myslím, že specifické zkušenosti, které zde denně činíme se společenským systémem, v němž žijeme, a s našimi pokusy obhajovat v něm svobody a práva člověka, mohou obohatit úsilí lidí i v jiných zemích a mohou jim posloužit k tomu, aby se vyvarovali rozmanitých iluzí. Nehledě k tomu, že krize dnešního světa má vskutku globální povahu, a nelze jí tudíž skutečně a trvale čelit jen v rámci určitých užších geografických či politických oblastí. Stále patrnější je rovněž, že různé dimenze této krize – od nebezpečí globální války přes ekologické ohrožení až po všechny složité sociální a ekonomické otázky – nelze už dnes asi zkoumat odděleně, ale je třeba hledat jejich společné a nejhlubší příčiny. Čím důkladněji budou přitom tyto příčiny prozkoumány, tím účinnější může být i boj za šťastný a důstojný život lidského rodu. Z programu Vašeho kolokvia mám dojem, že si toto všechno dobře uvědomujete, a už proto by mne Vaše jednání zajímala. Účastnit se jich ovšem nemohu, protože v případě, že bych dostal povolení k výjezdu, mohl bych téměř najisto počítat s tím, že by mi pak bylo znemožněno vrátit se do mé vlasti. Zdravím Vás tedy a přeji Vašim jednáním úspěch.

Váš Václav Havel

(leden 1985)

OTEVŘENÝ DOPIS MEZINÁRODNÍM DNŮM SVOBOD A LIDSKÝCH PRÁV

Děkuji vám za pozvání na pařížské „Mezinárodní dny svobod a lidských práv" a omlouvám se, že se jich nemohu zúčastnit. V okamžiku, kdy vám tento list píši, stojí u dveří mého domu automobil se čtyřmi policisty, kteří mají za úkol zjišťovat, s kým se setkám, a zabránit eventuální zahraniční návštěvě. Tento fakt je sám o sobě bezvýznamný; na světě se děje bezpočet nekonečně horších věcí a já se o tom teď nezmiňuji proto, abych si stěžoval. Jde mi o něco jiného: když uvažuji o tom, proč jsem takto střežen a proč našemu státu stojím za výdaje s tímto střežením spojené, uvědomuji si, že to má vlastně jediný důvod: vědí o mně, že se pokouším – tak jako mnoho mých přátel – uvažovat svým vlastním rozumem a říkat své názory nahlas. Nikdo z nás, kdo jsme v této situaci, nemá žádnou moc. A přece, jak patrno, se státní moc v naší zemi cítí být námi ohrožena. Čím ji ohrožujeme? Ničím jiným než tím, že se i v těchto ztížených podmínkách snažíme chovat svobodně. To ovšem znamená, že svobodný duch a hlas osobního svědomí mají v dnešním světě stále ještě jakousi reálnou váhu. Není v tom jiskra naděje? Že respekt k lidským svobodám a právům, cit pro spravedlnost a úcta k člověku jsou základním východiskem jakéhokoli úsilí o lepší svět – to dnes říká a verbálně uznává kdekdo, můžeme to dokonce slyšet z úst všech státníků světa a možná to dokonce slyšíme nejčastěji právě od nich. Řídí se tím ale skutečně všichni i ve své praxi? Kdyby se tím řídili, těžko by byl asi dnešní svět v tak hluboké krizi. Partikulární zájmy různých establishmentů, mocenských, politických i hospodářských elit, jednotlivých ideologických systémů, států či mocenských bloků vždy znovu převažují nad ohledem ke globálnímu zájmu lidstva, jakkoli energicky deklarovanému, k zájmu, který je totožný se zájmem člověka jako bytosti, která je nadána zvláštní schopností ve světě nejen žít, ale svět svým duchem reflektovat, a tím vlastně vždy znovu tvořit. Jak dosáhnout v této rozporné situaci zvratu? Jak dosáhnout toho, aby činy odpovídaly slovům? Podle mého mínění není jiné cesty než začít u sebe sama. Vnitřní svoboda, nezávislost rozumu a otevřenost nejhlubším hlasům vlastního svědomí jsou tím jediným, čím může každý z nás přispět k tomu, aby byl svět lepší. Dokud policejní auta hlídají domy těch, kteří se v rámci svých omezených sil o to snaží, není ještě vše ztraceno. Vím, že vašeho shromáždění se účastní mnoho skvělých osobností, které si právě takovýmto úsilím získaly respekt celého světa. V takových lidech vidím naději, že svobodný lidský duch přece jen zvítězí nad omezeností různých dílčích politických zájmů, ať už je střeží policejní auta či nikoli. Přeji vašim jednáním úspěch!

Václav Havel

(květen 1985)

OTEVŘENÝ DOPIS GENERÁLU W. JARUZELSKÉMU

Pane generále,

za několik dní bude v Gdaňsku obnoven proces s Adamem Michnikem, Bogdanem Lisem a Wladyslawem Frasyniukem. Připojuji se k mnoha svobodymilovným lidem na celém světě a žádám Vás spolu s nimi naléhavě, abyste využil své moci a zabránil tomuto procesu a zároveň nechal propustit i všechny ostatní politické vězně. Žádám Vás o to nejen proto, že Adam Michnik je můj osobní přítel, jehož práci znám a o němž vím, že to je statečný člověk a vlastenec, který dělá čest svému národu. Žádám Vás o to především proto, že on – stejně jako jeho spoluobžalovaní a jako další polští političtí vězňové – vyjadřuje skutečnou vůli polské společnosti. Dokud bude Vaše vláda mluvčí společnosti stále jen znovu a znovu zavírat, místo aby s nimi navázala důstojný dialog, nebudou podle mého názoru odstraněny z Vaší země napětí a hluboké společenské rozpory a Polsko bude jen dál trpět i se bouřit.

Václav Havel

(květen 1985)

DOPIS MÍROVÉMU SHROMÁŽDĚNÍ V HANNOVERU

Vážení přátelé,

když jsem byl před několika dny zatčen a na dva dny uvězněn, odňala mi policie mimo mnoho jiných věcí i kazetu s písničkami Johna Lennona, včetně jeho slavné písně *Dejte šanci míru.* A odebírajíc mi vítězoslavně kopii mého příspěvku nedávnému mírovému kongresu v Amsterodamu, komentovala ho urážlivými řečmi o tom, že takové texty píšu prý jen proto, že jsem za to placen jakýmisi blíže neurčenými nepřáteli. Když jsem pak v cele o těchto svých příhodách přemýšlel, nezmocnil se mne kupodivu vztek, ale lítost. Nelitoval jsem sebe sama, jsem na takové věci zvyklý, věděl jsem, že mne s největší pravděpodobností zase propustí, že si všechny zabavené nahrávky opět opatřím, stejně jako ten svůj text. Bylo mi najednou líto něčeho jiného: že každý zájem o osud světa, který není vládou dirigován, je v mé vlasti potlačován, urážen a vysmíván. Že mluvit, psát a zpívat o míru se tu smí jen tehdy a tak, kdy a jak určí vláda. Že tu jsou lidé pronásledováni za to, že se vyslovují proti zbrojení všude na světě, tedy i proti raketám umístěným v Československu. Bylo mi toho líto a styděl jsem se za vládu své země. A jak jsem tak o tom všem přemítal, s novou naléhavostí jsem si uvědomil, že skutečnou šanci dostane mír teprve tehdy, až dostane šanci člověk. Totiž až všechny vlády světa pochopí, že lidé, kteří nechtějí válku, odsuzují násilí a vyslovují se proti zbrojení, musí být přinejmenším slyšeni; že každá poctivá touha po lepším společenském uspořádání a spravedlivějším a důstojnějším životě musí být respektována – bez ohledu na to, zda její projev je či není v souladu s oficiálními stanovisky. Myslím, že velikost šance, kterou má v dnešním světě mír, nezávisí jen na armádách či vládách. Daleko víc závisí na odvaze všech lidí dobré vůle dávat své mínění najevo bez ohledu na následky, které to pro ně může mít. Což znamená, že se cosi musí změnit v samotném lidstvu, v člověku, v každém z nás, má-li se něco změnit i ve světě, v němž žijeme. Očekávat odzbrojení jako nějaký dar, který nám dříve nebo později padne do klína, bylo by pošetilé. Těžko dají míru šanci nějaká tajná jednání vládních expertů, nedá-li mu ji samo obyvatelstvo této planety.

Vaše shromáždění je dokladem tohoto hlubokého pocitu naší obecné spoluodpovědnosti. Přeji vašim jednáním úspěch.

Dejme šanci míru!

Václav Havel

(srpen 1985)

DOPIS GENERÁLNÍMU PROKURÁTOROVI (1985)

Pane generální prokurátore,

považuji za svou povinnost Vás informovat o akcích, které proti mně nedávno podnikly některé složky SNB, protože jsem přesvědčen, že šlo o akce bezdůvodné a svévolné, ne-li přímo protizákonné, které poškodily doma i v zahraničí pověst československého státního aparátu.

Už od jara jsem plánoval, že podniknu – po mnoha letech – týdenní prázdninovou cestu autem po ČSSR, navštívím při ní různá místa, která neznám, a navštívím různé své přátele na jejich rekreačních chalupách či v místech jejich trvalého bydliště, pokud žijí mimo Prahu. Domluvil jsem se se svou přítelkyní dr. Jitkou Vodňanskou, že tuto cestu podnikne se mnou, a s ohledem na její časové možnosti jsem termín cesty určil na dobu od 9. do 17. srpna 1985. O této cestě jsem dlouho napřed otevřeně mluvil a s přáteli, které jsem hodlal navštívit, ji vykorespondovával. Předpokládal jsem, že orgánům SNB je tedy můj plán dávno předem znám a nijak mi to nevadilo, protože jsem neměl důvod ho před nimi skrývat. (Možná tento předpoklad může být chápán jako výraz neopodstatněného podezření, že policie porušuje listovní tajemství; toto podezření však po mnoha mých předchozích zkušenostech neopodstatněné nebylo, což se ostatně i v daném případě potvrdilo například tím, že místa letního pobytu některých mých přátel byla přesně v den, kdy jsem je měl navštívit, obklíčena policií, anebo ještě průkazněji tím, že místní orgány SNB v některých místech byly předem upozorněny na mou plánovanou návštěvu a pověřeny hlásit okamžitě příjezd mého auta. Tato opatření nemohla být založena na ničem jiném než na informacích pocházejících z mé korespondence.)

Čtyři hodiny před mým plánovaným odjezdem z Prahy předjela před náš pražský dům Tatra 613 s třemi příslušníky SNB v civilu, kteří mi sdělili, že mají za úkol mne sledovat na území Prahy, což také činili. Když jsme pak s dr. Vodňanskou opouštěli Prahu a zahajovali tím náš výlet, opravdu nás opustili i oni, ale až v okamžiku, kdy nás začala sledovat jiná Tatra 613 s jinými třemi muži, kteří rovněž své poslání neskrývali a běžně se o něm se mnou bavili. První zastávkou naší cesty byla usedlost přítele dr. Ladislava Lise v Pekle u České Lípy. Když jsme tam dorazili, čekali nás tam už (další důkaz, že policie byla obeznámena přesně s naší trasou) příslušníci SNB z České Lípy, kteří převzali naše další sledování. Šli za námi při naší procházce lesem a pak hlídali před Lisovým domem. Asi kolem 2O. hodiny zaplnilo tento dům náhle velké množství dalších příslušníků SNB, kteří přišli prý provést domovní prohlídku, jejímž údajným cílem bylo nalézt dokument Charty 77 k sedmnáctému výročí invaze z roku 1968. Jak zákon vyžaduje, nejprve vyzvali dr. Ladislava Lise, aby jim zmíněný dokument dobrovolně vydal. Lis jim sdělil, že tento dokument nemá. Oni odpověděli, že tedy počkají na další instrukce. Jak se později ukázalo, přibližně v téže době přišli jiní příslušníci SNB do nedaleké chalupy Jiřího Dienstbiera, mluvčího Charty 77, s týmž požadavkem. Dienstbier jim žádaný dokument dobrovolně vydal, čímž domovní prohlídka u něj pozbyla svého údajného důvodu. Přesto byla provedena. My jsme zatím u Lisů večeřeli a bavili se, přičemž příslušníci SNB stále čekali na své instrukce. Po delším dohadování se podařilo dosáhnout aspoň toho, že většina jich čekala před domem a pouze čtyři seděli s námi v místnosti a tři hodiny mlčky přihlíželi naší zábavě. Asi ve 23 hodin přišli další a u Lisů byla zahájena domovní prohlídka (zjevně zbytečná, protože hledaný text v té době policie už měla). Já byl v téže chvíli zadržen a odvezen do Prahy do kanceláří SNB v Bartolomějské ulici. Byl jsem podroben krátkému výslechu, při němž mi byly položeny pouze dvě otázky: co vím o chystaném dokumentu Charty 77 a jaký je cíl mé prázdninové cesty. Vypověděl jsem po pravdě, že o dokumentu Charty 77 nevím nic a že má cesta má rekreační charakter a nijak nesouvisí s mou občanskou angažovaností a tím méně s Chartou 77 a jejím srpnovým dokumentem. Tento dokument nebyl u Lise ani u mne nalezen a nebylo tedy jakéhokoli důvodu naše setkání s ním nadále spojovat a tím méně – pakliže bychom vůbec přistoupili na to, že vlastnění takového dokumentu je něčím podezřelým – nás déle zadržovat. Přesto jsem se stal „podezřelým z přípravy trestného činu výtržnictví" (!) a byl na základě toho uvržen na 48 hodin do cely předběžného zadržení. Jak jsem později zjistil, zadrženi byli po tutéž dobu i dr. Ladislav Lis a Jiří Dienstbier.

Toto mé první zadržení nejen že tedy nemělo žádný věcný důvod, ale navíc nevedlo a ani nemohlo vést k odhalení nějakých nových skutečností, které by vznesené podezření potvrzovaly a otevíraly tím možnost případného obvinění. Proto jsem byl také po osmačtyřiceti hodinách propuštěn, čímž podezření proti mně vznesené formálně zaniklo.

Dne 12. 8. jsem se vrátil do Lisova domu v Pekle, kde mne čekala dr. Vodňanská a kde bylo rovněž mé auto. Po dvoudenním nesmyslném zdržení jsme pak – už nesledováni – pokračovali v načaté cestě. Měl jsem za to, poněkud předčasně, že policie se s mou turistickou cestou smířila a nepovažuje ji už nadále za „podezřelou". Týž den odpoledne jsme dorazili do rekreační chalupy Vlasty Chramostové a Stanislava Miloty v Prysku. Večer jsme zjistili, že dům je hlídán policejním autem s osádkou. Přespali jsme tam a já se ráno příslušníků SNB v civilu, kteří nás hlídali, dotázal, zda mne mají pouze sledovat nebo zda mají nastat nové komplikace. Jasně jsem jim řekl, že pakliže policie moji cestu považuje stále za podezřelou a hodlá ji i dále různě mařit, vyslýchat přátele, které navštívíme, zadržovat je nebo dělat u nich domovní prohlídky, jsem připraven svou cestu předčasně ukončit a vrátit se na svou chalupu v Krkonoších. Byl jsem ujištěn, že mohu normálně pokračovat v cestě, že komplikace už nebudou, pouze budu sledován.

mé cesty po ČSSR. Opět jsem se stal „podezřelým“, tentokrát pro změnu „z přípravy trestného činu pobuřování.“ Ačkoli mé předchozí zadržení jasně ukázalo, že jsem byl – i z hlediska představ StB o „podezřelosti“ – podezírán bezdůvodně a ačkoli mezitím policie (nepřetržitě mne sledující) neobjevila žádný nový fakt, který by mohl mou „podezřelost“ obnovit, stal jsem se už podruhé podezřelý z toho, z čeho jsem už jednou podezřelý byl: totiž z toho, že má cesta nějak souvisí s Chartou 77 a jejím srpnovým dokumentem. Tentokrát šlo tedy o podezřelost dvojnásob bezdůvodnou a nesmyslnou. Ani v tomto případě nebyl nikde a u nikoho inkriminovaný dokument nalezen, přičemž tentokrát bylo ještě zřejmější než před týdnem, že má cesta s ním nemá a nemůže mít nic společného. Nehledě k tomu, že pokud se policie navzdory všem faktům nezbavila svého obsedantního pocitu, že má cesta je celkově jaksi podezřelá, měla mezitím bezpočet nových příležitostí mé údajné „přípravě trestného činu“ zabránit, varovat mne před ním, resp. čelit mu preventivně, jak je její (tak často zdůrazňovanou) zákonnou povinností: oficiálně varován jsem přece mohl být už při svém prvním zadržení a prakticky kdykoliv během své cesty (provázené, jak jsem už popsal, trvalou fyzickou přítomností příslušníků SNB); výzva, abych v cestě nepokračoval a nějakého předpokládaného „trestného činu“ se tím nedopustil, mi mohla být konečně vzkázána i jako odpověď na můj dopis (který byl, mimo jiné, z mé strany velkým kompromisem: věda dobře, že se svou cestou ničeho trestného nedopouštím a nedopustím, de facto jsem se tázal policie, zda mne nechce před pokračováním v této cestě varovat, a zároveň jí dával najevo, že jsem ochoten se jejím eventuálním doporučením řídit).

Navzdory tomu všemu a navzdory tomu, že jsem to vše znovu trpělivě v úvodním výslechu vysvětlil a do protokolu nadiktoval, byl jsem opět – jakožto „podezřelý“ – uvržen do cely předběžného zadržení, kam byli postupně uvrženi i Miroslav Kusý, Tomáš Petřivý (který byl u Kusých v době příchodu policie) a tentokrát dokonce i dr. Vodňanská, která není signatářkou Charty 77 a evidentně se jí různá ta „podezření“ nemohou týkat. U Kusého a Petřivého byly opět domovní prohlídky. Mimo různé dokumenty o evropském mírovém hnutí, exilové a krajanské časopisy a knihy (včetně mé knihy zdejšími instancemi nejpřísněji prověřené, totiž knihy mých dopisů z vězení), což jsem si všechno převážel z Prahy na svou chalupu a což policie už tradičně zabavuje, bylo nám při důkladné prohlídce auta odebráno i mnoho dalších věcí, které obvykle odebírány nebývají: od pětadvaceti kazet s nahrávkami různých (veřejně působících) kapel a zpěváků (včetně skupiny Pink Floyd, Johna Lennona apod.), přes automobilní schránku na tyto kazety a adresář dr. Vodňanské až po nepopsané dopisní papíry a mapu ČSSR s vyznačením trasy naší právě se dovršující cesty.

Proti svému novému zadržení jsem pochopitelně protestoval a abych svůj protest zesílil, držel jsem protestní hladovku.

Když mé zadržení dne 18. 8. odpoledne skončilo a já byl převezen před budovu ministerstva vnitra ke svému autu, vyšel z této budovy starší muž (mohl to být náměstek ministra i vrátný, nepředstavil se mi) a autoritativně mi oznámil, že musím Bratislavu okamžitě opustit (ani zatelefonovat mi nedovolil), že se tam nemám prý dalších dvacet let objevovat a že totéž mám vzkázat všem svým přátelům. Zatímco dr. Vodňanská byla týž den ráno (proti své vůli: chtěla pochopitelně odjet se mnou a navíc měla v mém autě všechny své věci, včetně klíčů od bytu) vsazena do rychlíku a v doprovodu příslušníka SNB donucena odjet do Prahy, já byl v odpoledních hodinách menším konvojem policejních aut (jedno přede mnou a nevím kolik za mnou) vyvezen z Bratislavy (údajně na dvacet let) a pak sledován na cestě do Prahy, v Praze i na závěrečné cestě z Prahy na svou chalupu, kam jsem dorazil 19. 8.

Charta 77 od svého vzniku zdůrazňuje (a i já to mnohokrát řekl a napsal), že je občanskou iniciativou založenou na ústavně zaručeném petičním právu a že všechno pronásledování či kriminalizování její práce je v rozporu s Ústavou ČSSR, mezinárodními pakty o lidských právech, četnými dalšími zákony, jakož i se samotným zdravým rozumem. I kdyby tedy má prázdninová cesta byla s mým angažmá v Chartě 77 nějak souvisela, nebyl by to podle mého názoru důvod k jakýmkoliv bezpečnostním opatřením či zásahům. Má cesta ovšem, jak je zřejmé a jak ostatně ze všeho toho vyslýchání, hledání a sledování jasně vyplynulo, vůbec s Chartou 77 nesouvisela, takže ani z hlediska těch, kteří by rádi Chartu 77 za trestnou věc považovali, nebyly k jakýmkoliv zásahům důvody, natož k zásahům tak početným, rozsáhlým a bezduše se opakujícím.

Celková bilance mé prázdninové cesty je tedy tato:

1. Má cesta přímo či nepřímo a na různě dlouhou dobu zaměstnala – podle mého hrubého odhadu – na tři stovky příslušníků SNB a jen dík tomu (nepočítám-li výlohy na benzín apod.) stála československý stát nejméně stokrát víc než mne.

2. Tato cesta mi byla trochu zkažena, ale nikoli úplně: rozhodně na ni budu vzpomínat déle, než bych na ni vzpomínal, kdyby byla proběhla normálně.

3. Všechny bezdůvodné a nesmyslné zákroky s mou cestou související a k 21. srpnu policií výslovně vztahované, a mezi nimi především to, že jsem byl v jejím průběhu dvakrát ve vězení a že v něm mimo mne bylo ještě dalších pět občanů, znovu upozornily domácí i zahraniční veřejnost na pozapomínané výročí, na to, jaké praktiky režim intervencí Varšavské smlouvy u nás instalovaný používá, a samozřejmě také mnohonásobně zvýšily publicitu srpnového dokumentu Charty 77, na který vlastně teprve náležitě upozornily a který barvitou dokumentací doplnily (a s nímž jsem se já sám, mimochodem řečeno, seznámil až po návratu domů ze zahraničního rozhlasu). Oči mezinárodní veřejnosti byly zásluhou některých složek ministerstva vnitra opět upnuty k naší zemi, a to způsobem, který jí věru žádnou slávu neudělal.

4. Okolnost, že policie měla tolik snadných příležitostí mne od mé cesty odvrátit a že jich nevyužila, vyvolává ve mně nevyhnutelně dojem, že někomu – z důvodů, o nichž bych mohl pouze spekulovat – velmi záleželo na tom, aby k těmto pozornost vyvolávajícím konfrontacím došlo.

Vaším posláním je střežit dodržování zákonů v naší zemi. Žádám Vás proto, abyste i události, které jsem Vám tu vylíčil, posoudil z hlediska zákonnosti, tj. z hlediska zákonných úkolů a pravomocí SNB, a posléze i z hlediska širších politických zájmů československého státu.

Václav Havel

(srpen 1985)

DOPIS VÍDEŇSKÉ KONFERENCI

Vážení delegáti,

jen mnohonásobně ověřená nemožnost dosáhnout porozumění u československých instancí mne vede k tomu, že se obracím až k vám. Rád bych upoutal vaši pozornost k věci, kterou považuji za velmi závažnou přesto – ba možná právě proto – že na první pohled jako nejzávažnější nevypadá.

Jde o toto: za posledních devatenáct let zabavila československá policie u mnoha občanů při domovních a osobních prohlídkách tisíce různých rukopisů, opisů, rozmanitých dokumentů, časopisů, knih, stovky psacích strojů, magnetofonů, rádií, gramofonových desek, tisíce magnetofonových pásků, jakož i mnoho dalších věcí. To vše podnikla a podniká údajně proto, aby uchránila stát před projevy nepřátelského smýšlení. Dělá to částečně jako součást skutečného či jen k tomu účelu smyšleného trestního stíhání, částečně i bez toho, prostě jen proto, že se k tomu rozhodla. V takovém případě to zdůvodňuje tím, že jde o podezřelé věci a že je musí prozkoumat.

Rozhodování o tom, co je nepřátelské nebo podezřelé, a co je tudíž třeba zabavit, je přitom zcela libovolné: neexistuje žádný zákon, který by jakkoli konkrétně vymezoval, co je nepřátelské. Mnohokrát se stalo, že věci v jednom případě zabavené v jiném případě zabaveny nebyly; mnohokrát se stalo, že rozsah zabavených věcí závisel jen na okamžité náladě toho či onoho policisty či na velikosti auta určeného k odvozu zabavených věcí. Drtivá většina věcí, byť byly údajně zabaveny jen proto, aby byly prozkoumány, nikdy nebyla jejich majitelům vrácena, přičemž jim nikdy nebylo vysvětleno proč.

Jako nepatrnou ilustraci této svévole uvedu příklad ze své vlastní nedávné zkušenosti: před rokem jsem jel autem z jižních Čech do Prahy, na silnici mne čekala dopravní policie, ta mne donutila odjet před nejbližší policejní budovu, kde mi státní (tj. tajná) policie prohledala auto a vzala mi vše, co bylo z papíru, včetně rukopisného souboru gratulací k mým padesátinám z pera různých zahraničních spisovatelů a divadelníků. Prý to učinila proto, aby prozkoumala, zda nevezu něco nepřátelského. Nic z těchto papírů jsem pochopitelně od té doby neviděl a nic z nich pravděpodobně už nikdy neuvidím. Čili: mohou vzít kdykoli a komukoli naprosto cokoli, od kazet s písničkami Beatles až po oficiálně vydanou knihu, od osobních poznámek a korespondence až po telefonický aparát, od Verlainovy poezie (zabavené svého času – rovněž při kontrole auta – mé manželce) až po rukopis nového románu nebo soupravu bubnů. Vysvětlit nemusí nic a vrátit také nemusí nic. Práva se dovolat nelze.

Věci zabavené československou státní policií za posledních devatenáct let při její údajné ochraně státu před jeho nepřáteli mají hodnotu mnoha miliónů a je v nich uložena a jejich zabavením vniveč uvedena nepředstavitelná práce mnoha lidí, od autorů filozofických knih až po opisovačky a knihvazače, od hudebních tvůrců až po jejich fanoušky.

Já vám o tom všem teď ale nepíšu kvůli hmotným ztrátám, které toto vpravdě zlodějské podnikání policie mnoha občanům způsobilo. Píši vám o tom z jiného důvodu: chápu to jako dlouhotrvající vandalskou válku proti české a slovenské kultuře. Válka s národní kulturou je ovšem válkou se samotnou duchovní identitou národa. To si možná leckdos ihned neuvědomuje, o to je však tato nenápadná válka nebezpečnější.

Vaše konference se zabývá bezpečností v Evropě. Prosím vás snažně, pokuste se udělat něco pro bezpečnost kultury, a tím i národní identity Čechů a Slováků! Prosím vás, abyste si uvědomili, že útok na jejich duchovní svobodu je útokem přesně na ty hodnoty, které Evropa tak významně rozvinula a které patří neodmyslitelně k její dobré tradici. Nemlčte prosím k tomu, že v samém středu našeho kontinentu a na závěr dvacátého století je možné, aby kterýkoli strážmistr rozhodoval o tom, jaká báseň smí existovat na papíře a jaká nikoliv! Když na československou vládu nepůsobí hlasy československých občanů, snad by na ni mohl působit společný hlas všech Evropanů. Vůli k nápravě může tato vláda dokázat velmi snadným a snadno verifikovatelným způsobem: vrácením všech svévolně odňatých věcí a takovou úpravou zákona, která by v budoucnosti toto barbarství znemožňovala.

Václav Havel

(listopad 1987)

DOPIS PREZIDENTU MITTERRANDOVI

Vážený pane prezidente,

obracím se na Vás před Vaší blížící se návštěvou Československa, protože Vás chci aspoň stručně upozornit na neradostnou situaci v naší zemi a požádat Vás, abyste ji měl při svých jednáních v Praze na paměti a s našimi představiteli o ní otevřeně hovořil. Mám totiž jednu zvláštní zkušenost: mnozí západní politici k nám přijíždějí s jakousi podvědomou představou, že se tu setkají jen se sveřepými tvářemi tupých diktátorů. Jsou pak samozřejmě mile překvapeni, ba přímo okouzleni tím, že je přivítaly usměvavé tváře oholených, moderně oblečených a veskrze milých lidí, kteří mluví o svém dávném přátelství k zemi svých hostů, o svém hlubokém zájmu na všestranné spolupráci, o své touze po mírovém soužití a o své upřímné vůli zlepšit poměry v naší zemi a prohloubit v ní svobodu a demokracii. Je nepochybně radostné to všechno slyšet a je snadné tomu uvěřit; dobrý člověk vždycky raději věří milé tváři svého partnera než nějakým zprávám z druhé ruky o tom, jak se tento partner ve skutečnosti chová. Je to lidsky pochopitelné, ale v daném případě politicky neprozíravé: skutečného uvolnění nelze dosáhnout pouhou sázkou na hezká slova druhé strany a její neurčité sliby. Jsem dalek toho, abych právě Vás podezíral z politické naivity, nicméně právě Vaši návštěvu považuji za tak důležitou a tak snadno zdejšími vůdci proměnitelnou v definitivní důkaz všeobecného respektu k jejich politice, že cítím potřebu znovu zdůraznit smutný rozpor mezi tváří, kterou nastavují svým západním hostům, a tváří, kterou ukazují doma. Jsou-li má slova zbytečná, tím lépe.

Ve srovnání s politikou sovětské, maďarské, ba dokonce i polské vlády je politika našeho vedení neobyčejně konzervativní. I ono sice hovoří o přestavbě a demokracii, avšak smyslem takových řečí je pouze obléct do módního kabátu starý totalitní způsob vlády. Za novými slovy se totiž skrývá bohužel jen jediné: snaha uchovat za každou cenu moc těch, kteří – dosazeni před dvaceti lety Brežněvovými tanky proti vůli všeho lidu – dvacet let devastují tuto zemi. A tak zatímco v ostatních zemích sovětského bloku lze pozorovat vůli aspoň něco změnit k lepšímu, v Československu se jen dál a dál prohlubuje morální, sociální, hospodářská a ekologická krize a život v něm je pustý, nesvobodný, tísnivý a jeho každodenní součástí je nenápadné, ale komplexní ponižování člověka. Naši vládci sveřepě odmítají jakýkoli dialog se společností a zoufale věří, že se jim podaří konečnou katastrofu, k níž tato krize nevyhnutelně míří, odsunout až na dobu, kdy je jejich věk vyšle tam, kde jim vše pozemské už může být lhostejné.

Společnost si bezvýchodnost této politiky nejen dávno uvědomuje, ale stále zřetelněji se odvažuje na ni poukazovat. Což má za dané situace jediný možný následek: dál a dál je potlačován každý svobodný projev. Nezávislé iniciativy, jako je Charta 77, která už dvanáct let věcně a pokojně upozorňuje na všechny krizové jevy, jsou znovu tvrdě pronásledovány, o to tvrději, oč je zřejmější, že v nich už dávno nejde o nějaké izolované skupinky věčných nespokojenců, ale o hnutí, které nahlas říká to, co si myslí většina lidí, a které se těší stále širší podpoře obyvatelstva, jak to mimo jiné ukázaly nedávné – a ovšem brutálně potlačené – manifestace.

Moc a její všudypřítomná policie si počínají stále hysteričtěji. Jsou zavřeni představitelé Nezávislého mírového sdružení, protože připravovali pokojnou manifestaci k výročí našeho státu. Je zavřen básník Ivan Jirous spolu se svým přítelem Jiřím Tichým, protože vyjádřili své rozhořčení nad smrtí Pavla Wonky ve vězení. Jsou zavřeni Ivan Polanský, Petr Cibulka a Dušan Skála, protože šířili nezávislou literaturu. Zatímco člen vedení komunistické strany Maďarska Imre Poszgay říká, že v nové maďarské ústavě nemá být zakotvena vedoucí role komunistické strany, bylo proti nedávno vzniklému československému Hnutí za občanskou svobodu, které vyslovilo týž návrh, zahájeno trestní stíhání. Augustin Navrátil, autor katolické petice, kterou podepsalo přes půl miliónu občanů a kterou podpořil i český primas, byl odsouzen k pobytu v psychiatrické léčebně. Jsou zavíráni stateční lidé, rozháněna odborná sympozia, pronásledován nezávislý tisk, policie vyslýchá, dělá domovní prohlídky, vydírá a vyhrožuje. Tisíce umělců, vědců a novinářů stále nemohou působit ve svých oborech. Veškerou povolenou kulturu řídí stále táž nekvalifikovaná a leckdy téměř negramotná byrokracie. Občanům je upřeno dokonce i právo dozvědět se, že vláda chce získávat devizy dovozem toxického bahna ze Západu.

Vše, co se současnému vedení nelíbí nebo co se vzpírá jeho manipulaci, označuje za „antisocialistické", a tudíž nepřátelské. Antisocialistou už není jen člověk, který je pro politickou pluralitu, nebo ekonom, který kritizuje nesmyslné direktivní řízení veškerého hospodářství, není to už jen ten, kdo se zastává politických vězňů (za tento „zločin" jsem byl i já se svými přáteli několik let ve vězení), ale je to i zpěvák, který zpívá o chátrání lesů, nebo stařec, který dá v den sedmdesátého výročí našeho státu (oficiálně oslavovaného!) za okno portrét jeho prvního prezidenta. Antisocialistou byste v naší zemi byl samozřejmě i Vy, představitel socialistické strany, byli by jimi všichni členové Vaší vlády, téměř všichni francouzští novináři, vědci a umělci, byla by tak označována dokonce i většina francouzských komunistů.

To Vám samozřejmě naši představitelé při Vašich jednáních neřeknou. Nanejvýš se zmíní o jakýchsi „skupinkách disidentů", kteří otravují vzduch a maří úspěšnou „přestavbu" a „demokratizaci". Není to pravda. Maří je především vedení naší země a ohromný byrokratický aparát, který se nechce vzdát svých výsad. Maří je ti, které nikdo svobodně nezvolil a kteří se bojí, že jakýkoli náznak demokracie by mohl ohrozit jejich moc. I oni mluví samozřejmě o lidských právech. Jejich praxe však vyvolává dojem, že jim běží

VII. VEŘEJNÉ PROJEVY A PROHLÁŠENÍ (1988-1989)

PROJEV NA NEZÁVISLÉ MANIFESTACI V PRAZE

Vážení přátelé,

když jsem byl před třemi týdny, podobně jako mnoho mých přátel, na cele v Ruzyni, uvažoval jsem o různých věcech, například o tom, zda tam nezůstanu natrvalo. Kdyby mi tam někdo byl řekl, že za tři týdny budu snídat s francouzským prezidentem a den na to vystoupím na nezakázané manifestaci, myslel bych si, že žertuje. Což ale vůbec neznamená, že za pár hodin nemohu být opět na cele v Ruzyni. Proč ale o tom teď mluvím: zdá se, že žijeme v napínavé, pozoruhodné, ba řekl bych přímo dramatické době, v době plné protikladů. Na jedné straně státní moc zesiluje perzekuce všech svobodně se projevujících občanů, zavírá, stříká ze svých stříkaček, na druhé straně se společnost začíná zbavovat břemene strachu a lidé se stále méně bojí veřejně projevit své pravé smýšlení. Je velmi těžké odhadnout, co se bude v budoucnu dít, zda pod tlakem obecné nespokojenosti, prohlubující se hospodářské krize i mezinárodního vývoje se pokusí současné vedení přeci jen o něco liberálnější, tolerantnější a demokratičtější politiku, anebo zda bude na tento sílící tlak reagovat dalším zesilováním svého protitlaku, to znamená dalším upevňováním totalitního způsobu vlády.

Jinými slovy: situace je otevřená a zdá se, že dnes záleží víc než donedávna na nás všech, na celé společnosti, jak se bude dál vyvíjet.

Co to znamená, že se tu můžeme dnes takto sejít – bez asistence vodních děl? Může to být jakýsi výjimečný ústupek, vynucený různými okolnostmi, může to být ale i signál tolerantnějšího vztahu k nezávislým občanským iniciativám. Ať tak či onak, jedno je jisté: bez statečné účasti mnoha tisíc lidí na nezávislých manifestacích 21. srpna a 28. října na Václavském náměstí by tento dnešní kompromis proveden nebyl. Což znovu výmluvně potvrzuje, že nelze čekat jen na dary shora, ale že je třeba si svá práva prosazovat. Raději bychom se dnes samozřejmě sešli opět na Václavském náměstí a na svém názoru, že vyhláška o památkové rezervaci uprostřed Prahy je účelová a protiústavní, trváme. A doufáme, že dříve nebo později se budeme moci sejít na nezakázané manifestaci i na místě, které je s takovými setkáními tradičně spojeno.

Zatím tedy nevíme, zda možnost sejít se aspoň zde je podanou rukou a počátkem skutečného dialogu, anebo nikoliv. Ale čím se to stane, záleží do jisté míry opět na nás samotných. Pokusme se proto chápat dnešek jako první krok státní moci k uznání Charty 77 a dalších nezávislých iniciativ jako legitimních společenských hnutí, která je třeba brát vážně a jejichž hlasu je třeba naslouchat, a v duchu toho se pokusme dál si počínat. My přece opravdu nejsme žádní profesionální buřiči, i my jsme pro práci v klidu, chceme jen, aby ta práce měla smysl! Takové uznání by nebylo pochopitelně jen v zájmu těchto iniciativ jako takových. Bylo by v zájmu celé společnosti, protože míra respektu k nekonformním občanům je vždy zároveň ukazatelem respektu k veřejnému mínění vůbec.

Čili: snažme se vdechnout dnešnímu dni historický význam, udělejme z něho důležitý bod na cestě k občanské svobodě a politické demokracii v naší vlasti!

(prosinec 1988)

ROZHLASOVÁ VÝZVA

Dnes ráno v pondělí 9. ledna jsem dostal anonymní dopis, který mě velmi zneklidnil. Je psán jako stanovisko skupiny studentů, já si však myslím, že jde spíše o hlas jediného člověka. Celý dopis však na mne působí dost autentickým dojmem, a musím ho tudíž brát vážně.

Tento dopis zní takto:

„Pane Havel, plně se ztotožňujeme s činností Charty 77, která je světlem v této ponuré společnosti a obhajuje lidská práva, svobodu projevu a volnost církví. Řada z nás studentů je odhodlána rozhodujícími činy podpořit Vaši záslužnou práci a zasadit se o přiznání politických práv pro Vaše úsilí. Na důkaz těchto slov dne 15. 1. 1989 v odpoledních hodinách na Václaváku u koně opět zazáří jedna lidská pochodeň. Pevně věříme, že tento čin probudí celý národ ze společenské a politické letargie a vyburcuje všechny občany k veřejné otevřenosti a veřejným projevům národní identity, tak jak tomu bylo přesně před 20 lety. Za organizační výbor hromadných sebevražd opět pochodeň č. 1.“

Jelikož nemám jinou možnost, jak neznámého odesilatele oslovit, požádal jsem zahraniční rádia o pomoc. Obracím se touto cestou na tebe, příteli, který jsi mi tento dopis napsal, s naléhavou výzvou, abys to, co chceš učinit, nečinil. Chápu plně, že pocit bezvýchodnosti a beznaděje může i dnes vést člověka k rozhodnutí vyburcovat své spoluobčany mezním činem. Zároveň si ale myslím, že to je cesta nesprávná, cesta děsivá, cesta neopakovatelná. Sám Palach přece vyzval před smrtí své bližní, aby se snažili jeho čin pochopit jako apel k důstojnému životu, a nikoli k opakování. Soudě z tvého dopisu, jsi inteligentní, statečný mladý člověk. Přesně takové lidi však potřebujeme zde, mezi námi, aby svou každodenní prací usilovali o lepší život nás všech. Uvědom si, že první velkou prací T. G. Masaryka, zakladatele demokratického Československa, byla kniha o sebevraždě, v níž se pokusil dokázat, že odklon od Boha a vyšších mravních ideálů a jejich nadosobního původu vede k neúctě k lidskému životu, a tudíž i k sebevraždě. Chceme-li jednat v souladu s mravním imperativem, který je nad námi, nemůžeme život opustit, i kdybychom to dělali z navýsost ušlechtilé touhy, ale musíme na sebe vzít jeho břímě a usilovat živí o lepší svět. Z tohoto mravního ducha vznikla Charta 77, k níž se hlásíš. Je výzvou k životu, k životu hrdých a důstojných občanů, k životu v pravdě. Pochop ji tak i ty a nedělej to, co se chystáš udělat. Přijď se spolu s námi 15. ledna poklonit Palachově památce, ale nenos s sebou žádnou hořlavinu. Takových, jako jsi ty, je málo a potřebujeme je zde, mezi sebou. Máš jistě příbuzné a kamarády. Způsobil bys jim velikou bolest, kterou by sebevětší apel na společnost, kterým by tvá smrt byla, nemohl odstranit. Pamatuj i na ně.

Rád bych této příležitosti využil i k apelu na státní moc. Vy, všichni mocní, kteří rozhodujete o osudech této země, uvědomte si konečně tváří v tvář tomuto anonymnímu dopisu, že situace je vážná. Nechcete-li, aby se mladý člověk uchýlil k tak zoufalému činu, začněte si konečně počínat rozumně. Krátký pietní akt 15. ledna na Václavském náměstí nemařte demonstrací policejní síly. Tím tohoto neznámého člověka od jeho úmyslu neodradíte, ale naopak ho k jeho uskutečnění vyprovokujete. Autora tohoto dopisu odvrátíme od jeho rozhodnutí spíš my než vy. Neznemožňujte proto naši přítomnost na Václavském náměstí. Záleží-li vám na jeho životě, chovejte se rozumně. Ale nejen to. Zahajte konečně důstojný dialog se společností. Situace je vážnější, než si myslíte; neodkládejte tedy dialog na dobu, kdy bude nejhůř a kdy už bude pozdě. Pochopte, že tato společnost je sice schopna dlouho se nechat ponižovat, ale že ani její trpělivost není nekonečná.

(leden 1989)

ZÁVĚREČNÁ ŘEČ PŘED OBVODNÍM SOUDEM PRO PRAHU 3

Paní soudkyně,

k jednotlivým argumentům obžaloby jsem se dostatečně vyjádřil v průběhu přelíčení a vyšetřování, nebudu se tedy opakovat a shrnu své stanovisko: domnívám se, že mi nebylo prokázáno ani podněcování, ani ztěžování výkonu pravomoci veřejného činitele. Považuji se tedy za nevinného a žádám, abych byl osvobozen.

Rád bych se ale závěrem vyjádřil k jednomu aspektu celého případu, o němž dosud nebyla řeč. V obžalobě se říká, že jsem se snažil zastřít skutečný protistátní a protisocialistický charakter připravovaného shromáždění. Tímto tvrzením, které ostatně není a ani nemůže být něčím konkrétním doloženo, je mému jednání přisuzován politický cíl. To mne opravňuje k tomu, abych se zde i já zabýval chvíli politickou stránkou celé věci.

Především musím konstatovat, že slova „protistátní" a „protisocialistický" už dávno ztratila jakýkoliv sémantický smysl, protože se během svého mnohaletého a zcela svévolného používání stala jen hanlivou nálepkou pro všechny občany, kteří jsou moci – ať už z jakýchkoli důvodů – nepohodlní, a to zcela bez ohledu na jejich politické smýšlení. V různých fázích svého života byli těmito slovy charakterizováni dokonce i tři generální tajemníci KSČ, Slánský,

Husák a Dubček. Dnes jsou těmito epitety označovány Charta 77 a další nezávislé iniciativy, samozřejmě opět jen proto, že je vládě jejich působení nepříjemné a že cítí potřebu je nějak diskvalifikovat. Tomuto čistě jazykovému způsobu politického očernění se nevyhnula, jak patrno, ani má obžaloba.

Jaký je tedy skutečný politický smysl toho, co děláme? Charta 77 vznikla a působí jako neformální společenství, které se snaží sledovat, jak jsou v naší zemi respektována lidská práva a jak jsou dodržovány příslušné mezinárodní pakty, případně Ústava ČSSR. Dvanáct let Charta 77 upozorňuje státní orgány na vážné rozpory mezi přijatými závazky a společenskou praxí, dvanáct let poukazuje na různé nezdravé a krizové jevy, na porušování ústavních práv, na svévoli, nepořádky a nekompetentnost. Touto svou prací Charta vyjadřuje mínění značné části naší společnosti, jak mám příležitost se denně přesvědčovat. Dvanáct let nabízíme státní moci o těchto věcech dialog. Dvanáct let státní moc na naši iniciativu nereaguje a jen nás za ni zavírá a pronásleduje. Přitom sama dnes přiznává četné problémy, na které Charta poukazovala už před lety a které mohly být už dávno řešeny, kdyby byl k jejímu hlasu brán zřetel. Charta vždycky zdůrazňovala nenásilnost a zákonnost svého působení. Jejím programem nebylo a není organizovat pouliční nepokoje.

Nejednou jsem veřejně upozorňoval na to, že míra respektu k nekonformním a kriticky smýšlejícím občanům je ukazatelem míry respektu k veřejnému mínění vůbec. Nejednou jsem už řekl, že trvalá neúcta k pokojným projevům veřejného mínění může nakonec vyvolávat jen stále viditelnější a důraznější protesty společnosti. Nejednou jsem řekl, že nikomu nepomůže, bude-li vláda čekat na to, až začnou lidé demonstrovat a stávkovat, a že tomu všemu může snadno předejít věcným dialogem a dobrou vůlí slyšet i kritické hlasy.

Varovným úvahám tohoto druhu nebylo nasloucháno, a dnes tedy soudobá moc sklízí setbu svého vlastního pyšného postoje.

Přiznám se k jedné věci. V pondělí 16. ledna jsem chtěl opustit Václavské náměstí ihned poté, co budou u sochy svatého Václava položeny květiny k uctění památky Jana Palacha. Setrval jsem tam nakonec přes hodinu hlavně proto, že jsem nevěřil svým vlastním očím. Stalo se totiž něco, co by mě bývalo ani ve snu nenapadlo. Zcela zbytečný zásah Bezpečnosti proti těm, kdo chtěli v tichosti a bez jakékoli publicity květiny k soše položit, vytvořil okamžitě ze zcela nahodilých chodců protestující dav. Uvědomil jsem si najednou, jak hluboká asi musí být občanská nespokojenost, když se toto mohlo stát.

Obžaloba cituje můj výrok na adresu státních orgánů, že situace je vážná. Řekl jsem našim představitelům dokonce, že je vážnější, než si myslí. 16. ledna jsem náhle pochopil, že je vážnější, než jsem si myslel já sám.

Jako občan, kterému záleží na tom, aby se naše země rozvíjela v míru a pokoji, pevně věřím, že si státní moc z toho, co se stalo, vezme konečně poučení a zahájí důstojný dialog se všemi složkami společnosti a nikoho nebude z tohoto dialogu vyřazovat tím, že ho bude označovat za antisocialistu. Pevně věřím, že se státní moc přestane konečně chovat k nezávislým iniciativám jako ošklivá dívka, která rozbíjí zrcadlo v domnění, že je vinno jejím vzhledem. Proto také pevně věřím, že nebudu znovu bezdůvodně odsouzen.

●

POSLEDNÍ SLOVO

Necítím se vinen, nemám tedy, čeho bych litoval, a budu-li potrestán, přijmu svůj trest jako oběť dobré věci, oběť, která je nicotná ve světle absolutní oběti Jana Palacha, jejíž výročí jsme si chtěli připomenout.

(únor 1989)

ZÁVĚREČNÁ ŘEČ NA MĚSTSKÉM SOUDU V PRAZE

Vážený soude, vážení přítomní,

události posledních chvil před mým zatčením, průběh mého vyšetřování a průběh hlavního líčení před soudem první instance ve mně vyvolávají poměrně konzistentní představu o tom, proč jsem vlastně ve vězení. Přímé důkazy oprávněnosti této představy sice nemám, je to tedy jen hypotéza, nicméně vše do ní tak dobře zapadá, že cítím právo zde o ní mluvit.

Šestnáctého ledna po patnácté hodině došla StB zpráva, že se představitelé nezávislých iniciativ pokusili položit květiny k uctění Palachovy památky k soše sv. Václava. Příslušníci StB hned přijeli na Václavské náměstí a ve shluku osob, který se tam vytvořil, si v 15.25 všimli i mne a začali mě pak pozorovat.

Květiny k soše jsem nekladl. Nijak nápadně jsem se neprojevoval, do žádného kontaktu s Bezpečností jsem se nedostal. Proto se zřejmě kdesi delší dobu rozhodovalo, zda mám být také zadržen, či nikoli, a mimo to se zřejmě čekalo na příjezd příslušné skupiny, tj. těch, kteří mě mají tak říkajíc na starosti, respektive kteří něco o mně vědí a mohou mi klást při výslechu kvalifikované otázky. Tato fáze trvala asi hodinu a vyústila do mého zatčení v 16.30 u Pragoimpa ve chvíli, kdy jsem se už chystal Václavské náměstí opustit. Spěch, s jakým se ke mně davem prodírali příslušníci StB, svědčil o obavě, abych Václavské náměstí neopustil a svému zatčení tím neodňal aspoň formální důvod. Nebyl jsem zatčen jako někdo, kdo ztěžuje výkon pravomoci veřejného činitele, ale prostě proto, že jsem to já.

Asi osm hodin jsem pak čekal na okrsku SNB ve Školské ulici na rozhodnutí, co se mnou bude. Výslech, který byl se mnou proveden, byl dost všeobecný, týkal se různých věcí a nesměřoval k žádnému konkrétnímu podezření, které by měl potvrdit, nebo vyvrátit. Svědčil naopak o tom, že se zatím neví, budu-li z něčeho obviněn, a pokud ano, tak z čeho.

Rozhodnutí posléze padlo, a tak jsem byl zadržen a později obviněn a uvržen do vazby pro údajné výtržnictví. Jelikož ale má pouhá přítomnost na Václavském náměstí neskýtala dostatek konkrétních důvodů k obvinění, k vazbě, a tudíž i k odsouzení, byl k ní připojen další skutek, totiž mé výroky v zahraničních rádiích týkající se patnáctého ledna, za které bych jinak zřejmě stíhán nebyl. Tento druhý skutek byl tedy připojen k mému obvinění čistě účelově, prostě proto, aby se vůbec o něco mohlo opřít a aby se o ně mohla opřít i žaloba a rozsudek.

Několikeré překvalifikování mého případu i fakt, že nejprve o mně jednalo ministerské konzilium a teprve pak psal major Žák zprávu o mém zadržení, dost zoufalá a málo úspěšná snaha sehnat svědky, kteří by proti mně něco konkrétního řekli, stejně jako mnoho dalších věcí, to všechno ve mně vyvolává intenzívní pocit, že nejdříve bylo rozhodnuto, že půjdu do vězení, a teprve potom se k tomu hledaly nějaké právní důvody.

Hlavní líčení proběhlo objektivně a korektně. O to překvapivější byl rozsudek, který byl v naprostém rozporu s výsledky dokazování. Působilo to na mne tak, jako by bylo o něm rozhodnuto už před procesem a kdesi jinde než v soudní síni. Což mne jen utvrdilo v mém dojmu, že jsem byl zavřen jen proto, že jsem to já, a že jsem byl odsouzen jen proto, že jsem byl zavřen.

Rozsudek se mi dík tomu všemu jeví prostě jako akt odvety za to, že mám ty názory, které mám, a že se s nimi neskrývám. Jeho konkrétní obsah má v mých očích pouze zástupnou funkci, kterou navíc plní velmi chatrně. Připadalo by mi za tohoto stavu věcí poctivější, kdyby zněl pouze takto: „Václave Havle, celkově nás rozčiluješ, půjdeš proto na devět měsíců do vězení.“

V poslední době – a dokonce právě v souvislosti s mým případem – byla nejednou zdůrazněna nezávislost našeho soudnictví. Pevně věřím, že soud druhé instance tuto nezávislost dokáže osvobozujícím rozsudkem.

(březen 1989)

DODATKY

PROJEV NA KONFERENCI SVAZU ČESKOSLOVENSKÝCH SPISOVATELŮ V ČERVNU 1965

Vážení přátelé,

před časem, jak známo, se na jednom domě ve Vodičkově ulici utrhla římsa a zabila ženu. Krátce nato vyšel v Literárních novinách článek komentující tuto událost, respektive spontánní vlnu kritického rozhořčení, která po ní následovala. Autor začal ujištěním, že by římsy z domů padat neměly, že je zajisté správné, je-li taková věc veřejností kritizována a že je krásné, když dnes máme možnost podobné věci otevřeně kritizovat. Pak pokračoval úvahou o tom, jaký jsme vůbec celkově urazili ohromný kus cesty, což ilustroval několika příklady, jako třeba tím, že dřív nosily dívky hubertusy, zatímco dnes se strojí podle pařížské módy. Toto názorné ocenění vymožeností naší doby posléze autora dovedlo k otázce, není-li dnes té kritičnosti přeci jen trochu moc, a k výzvě, abychom se nadále už neomezovali pořád jen na kritiku nějakých, jak říká, lokálních záležitostí a abychom se soustředili na témata důstojnější lidského poslání a humanistického obsahu pojmu člověk. Článek ukončil posléze apelem na literaturu, aby i ona se už jednou odpoutala od všech podružných komunálních lokalit a začala se zabývat konečně člověkem v jeho celkových perspektivách.

Veřejné mínění, k němuž se článek obracel, si naštěstí z těchto rad nevzalo poučení, a když minulý týden spadla římsa ve Spálené ulici a zabila dalšího člověka, zvedla se ještě daleko rozhořčenější vlna protestů než po prvním případě. Veřejnost, jako ostatně už tolikrát, prokázala i teď více inteligence a lidskosti než spisovatel. Pochopila totiž, že takzvané perspektivy člověka jsou prázdnou frází, odvádějí-li nás od konkrétního strachu, koho zabije třetí římsa a co se stane, když spadne třebas na mateřskou školku.

Kdyby byl autor článku, o němž mluvím, chladný cynik, uvědomující si amorální dosah svých vývodů, šlo by o celkem neškodnou kuriozitu, která by nestála za pozornost. Jenomže – a to je na celé věci tragické – tenhle článek byl napsán s těmi nejčistšími úmysly a v upřímném přesvědčení, že pomáhá – byť taktickou formou – dobré věci.

Domnívám se, že tu stojíme před názornou ukázkou, jak se kterýkoli úmysl může obrátit ve svůj přímý opak, je-li rozvinut prostředky zkonvencionalizovaného pseudoideologického myšlení, zahnízděného dnes tak povážlivě ve všech oblastech společenského života a způsobujícího mu, podle mého názoru, nedozírné škody. Podstatou toho způsobu myšlení je, že určité osvědčené dialektické figury zformoval a zfetišizoval do tuhého systému myšlenkových a frazeologických schémat, jejichž aplikace na různé oblasti skutečnosti působí sice na první pohled dojmem jakéhosi chvályhodně zvýšeného ideologického vidění reality, ve skutečnosti však nepozorovaně zbavuje myšlení bezprostředního kontaktu s realitou, ochromujíc tak jeho schopnost do této reality účinně zasahovat.

Děje se to – především – jakousi *ritualizací jazyka:* z prostředku sloužícího k označování skutečnosti a dorozumívání se o ní, jako by se jazyk proměňoval ve svůj vlastní cíl. Zdánlivě tedy jazyk – a v závislosti na něm i myšlení – jaksi stoupá na významu (povinnost pojmenovat je vytlačována povinností ideologicky kvalifikovat), ve skutečnosti tím je však degradován: imputace funkcí, které mu nejsou vlastní, znemožňuje mu plnit funkce, k nimž je určen, a tím ho tedy nakonec jeho nejvlastnějšího významu zbavuje.

Všimněme si například jen toho, jak často je dnes důležitější to, jakých slov používáme, než to, o čem mluvíme! Slovo – jako takové – přestává být znakem pro kategorii; získává jakousi okultní moc proměňovat jednu skutečnost v druhou; neargumentuje se myšlenkami, ale pojmy. A tak najednou stačí, aby bylo použito čarovné slovo „disproporce", a neomluvitelný diletantismus je náhle nejen omluven, ale dokonce snad i povýšen na jakousi historickou nutnost; stačí, aby sadismus byl oblečen do honosného pojmu „porušování socialistické zákonnosti", a hned se nám už nejeví v tak zlém světle; stačí, aby se spadlá římsa nazvala lokalitou a kritika údržby domů kritikou komunální, a hned máme pocit, že se vlastně nic tak hrozného nestalo; stačí, aby starý dobrý hasič, jako celkem docela obyčejný člověk, který má za úkol hasit požáry, byl nazván požárníkem, a hned máme dojem jakési vyšší funkce a hned se ho začínáme i tak trochu bát; stačí konečně, aby potřeba ušetřit na domovníkovi tím, že se svěří domy nedělnímu fušování lékařů, právníků a úředníků, byla nazvána „socialistickou péčí nájemníků", a hned může lékaře, otloukající zpuchřelé římsy na svých domech, zahřívat pocit, že tím naplňují jakousi vyšší fázi rozvoje socialismu.

Tato mystika slov je ovšem pořád ještě trikem celkem jednoduchým a průhledným. Podstatně nebezpečnější je manipulace s jistými osvědčenými vztahovými schématy.

Typickým příkladem je tu likvidace skutečnosti pomocí jakési falešné *„kontextualizace":* záslužná snaha vidět věci vždycky v jejich širších kontextech se natolik formalizuje, že místo aby se uplatňovala vždycky právě jen tím jedinečným způsobem a v té konkrétní míře, jež si daná skutečnost vyžaduje, stává se jednotným a obecně závazným vzorcem myšlení, dosahujícím zvláštní schopnosti rozpustit v neurčitosti všech možných souvislostí všechno určité, co v sobě měla skutečnost, než byla zasazena do svých souvislostí. A tak nakonec domnělý pokus o komplexní vidění vyúsťuje do komplexní slepoty: nevidíme-li totiž jednotlivé, konkrétní věci, nevidíme nic. A čím víc toho zdánlivě o skutečnosti víme, tím o ní de facto víme méně.

V článku, o němž jsem mluvil, se tento mechanismus realizuje velmi názorně: padající římsy a kritika stavu fasád jsou v něm totiž tak skvěle zakomponovány do světových souvislostí, že nakonec musíme mít intenzívní pocit, že kdyby nepadaly v Praze římsy, byla by už dávno třetí světová válka, a že je tudíž nakonec vlastně cosi zdravého v tom, že padají.

Bylo-li samozřejmé, že prvobytně pospolný člověk si uplácal své doupě tak, aby mu nespadlo na hlavu, musí být pro vyspělý moderní socialistický stát stejně samozřejmé zajistit lidem bezpečnou chůzi po ulici. Tím pro mě celá věc končí a všechna další „ale", „sice" a „i když" považuji prostě za kalení vody, zamlžování věcí a nenormální odvádění řeči na jiné téma. Továrny, sídliště a přehrady jsou jistě krásné věci; i to, že dívky už nechodí v hubertusech, je třeba ocenit; ale s římsami – tvrdím – to nemá nic společného. Když je řeč o římsách, má se mluvit o římsách a nezaplétat do toho perspektivy člověka. A pokud, tak jen v tom smyslu, že člověk má v dané souvislosti jen dvě možné perspektivy: buď na něj římsa spadne, nebo nikoliv. Ostatně kdo ví, zda preventivní údržba pražských fasád nebyla zanedbána třeba zrovna tím, že kdysi pronášel někdo někde krásná slova o perspektivách člověka, místo aby se staral o to, v čem člověk bydlí.

Všechno souvisí se vším, zajisté. A přesto se obávám, že by Engels tuto myšlenku odvolal, kdyby věděl, čemu bude jednou sloužit – že každý bude totiž mluvit vždycky přesně o něčem jiném, než o čem by mluvit měl.

Uplatnění této falešné kontextualizace v oblasti *kauzální* je obvykle provázeno jejím uplatněním i v oblasti *historické:* radost z toho, že dnes lze – na rozdíl od doby nedávné – směle a veřejně kritizovat padání říms, vyrůstá sice ze srovnání historicky podepřeného, ale v dané souvislosti natolik bezúčelného, že nakonec musí nutně vést ke zcela ahistorickému a absurdnímu dojmu, jako by kritika takových věcí nebyla v každé společnosti něčím absolutně samozřejmým, ale jako by šlo o jakýsi obdivuhodný a originální výdobytek současné fáze vývoje socialismu. Pěkně děkuji za socialismus, který by takovéto samozřejmosti považoval za své vymoženosti!

Jiným charakteristickým mechanismem tohoto odvěcněného způsobu myšlení je něco, co si pro sebe nazývám *dialektickou metafyzikou.* Běží o ten typ zfetišizované dialektiky, která se – strnutím do formálních frazeologických schémat – zvrací (dialekticky) v ryzí metafyziku bezobsažné slovní ekvilibristiky vazeb jako „na jedné straně sice – na druhé straně však", „v určitém smyslu ano, v určitém smyslu ne", „nesmíme na jedné straně přeceňovat, ani na druhé zase podceňovat", „i když v určité situaci některé rysy – jiné rysy za jiné situace zas" atd. atd. atd. Myslím, že celkem dobrou ukázkou bezobsažnosti, k níž vede tento dialekticko-metafyzický způsob myšlení, byl dnešní hlavní referát.

Ztráta kontaktu s realitou vede zákonitě i ke ztrátě schopnosti do reality účinně zasahovat. A čím menší je tato schopnost, tím hlubší je provázena iluzí, že je do reality zasahováno. Stačí si například uvědomit, s jakou sebevědomou určitostí dovedeme dnes na jedné straně vynášet neomylné soudy o tom, co bude, a s jakou obdivuhodnou přesností umíme na straně druhé interpretovat, zdůvodňovat a zařazovat to, co bylo. Aniž si ovšem povšimneme, jak podezřele často to, co bylo, nesouhlasí s tím, co – podle našich prognóz – mělo být. Víme totiž s naprostou určitostí, co a jak má být – a když je to pak jinak, víme zase velice dobře, proč to muselo být jinak; jediné, co nám dělá potíže, je vědět, jak co opravdu bude. Vědět, jak věci opravdu budou, předpokládá totiž vědět, jak jsou. Jenomže v tom je právě háček: mezi podrobným odhadem budoucnosti a obsáhlou interpretací minulosti už jaksi nezbývá prostor na to, co je nejdůležitější – totiž na věcnou analýzu přítomnosti. A tak jediné, co nás nakonec neposlouchá, je skutečnost. Pochopitelně: nemáme na ni čas. Ostatně poznání, že je lépe plánovat míň, ale na pozadí reálného průzkumu, než plánovat bezbřeze a každých čtrnáct dní pak lidem vysvětlovat, proč ta nebo ona základní věc není k dostání, je dnes už obecně uznáno. Ono je skutečně asi důležitější, má-li někdo sice o něco menší schopnost nebo ochotu, když spadne římsa, světonázorově vysvětlit, proč spadla, ví-li však ale zato, co dělat, aby se za deset let nezřítil Jiráskův most. Ostatně kdo má druhou z těchto schopností, tu prvou pak už celkem ani moc nepotřebuje.

Kdybych měl okruh myšlenkových mechanismů, o němž jsem mluvil, nějak stručně pojmenovat, řekl bych asi, že běží o jakési *„úhybné myšlení"*. To jest myšlení, které vždycky nějakým způsobem uhne od jádra věci – ať už od spadlé římsy k perspektivám člověka, od slova lajdáctví ke slovu disproporce, od slova zbabělost ke slovu taktika, nebo od konkrétního faktu osobní viny k abstraktní kategorii „atmosféra kultu osobnosti". Když se totiž zcela logicky říká, že přehradu vybudovali lidé a nikoli atmosféra budování, musí se také přiznat, že falešná udání a fingované dokumenty neudělala atmosféra kultu osobnosti, ale rovněž konkrétní lidé. Všechno ostatní není nic jiného než úhyb.

Myslím, že naše doba je dobou tvrdého boje mezi dvěma způsoby myšlení: myšlením úhybným a myšlením věcným. Myšlením polovičatým a myšlením důsledným.

Žijeme v době konfliktu skutečnosti s frází, faktu s jeho apriorní interpretací, zdravého rozumu s rozumem deformovaným; v době konfliktu mezi teorií, která šikanuje praxi, a teorií, která se z praxe učí, konfliktu mezi dvěma gnoseologiemi: tou, která z určité apriorní interpretace světa odvozuje způsob, jakým je třeba vidět skutečnost, a tou, která z toho, jak vidí skutečnost, odvozuje způsob, jakým musí být tato skutečnost interpretována. Podle mého přesvědčení závisí rychlost rozvoje naší společnosti na tom, jak rychle se bude proti první gnoseologii – metafyzické – prosazovat druhá – dialektická.

Rád bych řekl teď několik slov o tom, jak se tento konflikt promítá do dvou oblastí, o nichž je, myslím, správné na tomto fóru mluvit: totiž – za prvé – do oblasti čehosi, co bych nazval literárním ovzduším, a – za druhé – do oblasti vlastní práce Svazu spisovatelů.

Nejprve tedy literární ovzduší. Hlavní část mé práce se váže k Divadlu Na zábradlí, kde jsem dramaturgem a pro něž píši. Mám tedy to štěstí, že se ocitám v jakési relativní oáze, kde – podle mého názoru – o cosi běží, a kde tudíž nezbývá mnoho času na sledování ovzduší – ať už literárního, divadelního nebo jakéhokoli jiného. Což je, jak jistě chápete, výhoda. O to ostřeji jsem si ovšem existenci literárního ovzduší uvědomil ve chvíli, kdy jsem s ním vstoupil do styku. Došlo k tomu před několika měsíci, kdy mě pozvali k práci v redakční radě časopisu *Tvář*. Tento časopis nemá rafinovanou koncepci. Nechce než nazývat určité věci pravým jménem, říkat to, co si jeho autoři skutečně myslí, a snažit se to říci tak, aby to nemuselo být zapleteno do rituálu všech těch „ale", „do jisté míry", „i když na druhé straně" apod.; chce tisknout věci, které pociťuje jako vnitřně autentické, neodvozené, důsledné v tom, čím chtějí být; chce se obejít bez kompromisů, povinných daní, kličkování a ústupků – ať na kteroukoli stranu. V oblasti kritiky nechce dělat nic víc než prostě brát věci jako to, co opravdu jsou – to jest báseň jako báseň, román jako román, literaturu jako literaturu – a vyprostit je tak ze zajetí všech falešných kontextů, tvářících se sice jako sama podstata díla, ale zamlžujících ve skutečnosti věcný pohled na ně. Jak se to snažení *Tváři* daří, může být samozřejmě předmětem sporu – časopis ostatně učinil na této cestě teprve prvních pět krůčků.

Nechtělo se mi věřit, jak těžko literární ovzduší uvyká něčemu tak přirozenému, jako je snaha mluvit bez ustálených frazeologických úhybů; jak tomuto ovzduší – úhybným myšlením stále ještě dost a dost zamořenému – najednou tyto úhyby scházejí; jak nerado se smiřuje s tím, že si někdo vůbec dopřává luxus otevřenosti; kolika podrážděnými reakcemi, ozvuky, atmosférami a úšklebky je doprovázen pokus tak samozřejmý, jako je pokus několika lidí být sami sebou – bez smlouvání s literárním ovzduším. Přičemž tu nejde zdaleka vždycky jen o úšklebky, ale často, jak se mi zdá, i o nedobrou vůli – jak jinak vysvětlit například to, že od doby, co se ve *Tváři* objevil článek o Florianovi, pořád je odněkud slyšet, že *Tvář* je vlastně ve skutečnosti katolický časopis? Kdyby nešlo celkem o vážnou věc, museli bychom se bavit představou, že vyjde-li studie o Masarykovi, stane se *Tvář* zřejmě časopisem katolicko-protestantským, a až se v ní někdy objeví Kerouacova povídka, půjde tu posléze, zdá se, o časopis katolicko-protestantsko-buddhistický. Že tato podrážděnost přichází ponejvíce ze strany literátů, je myslím symptomatické: lidé, kteří nežijí v každodenním styku s literárním zákulisím, a neznají tudíž nuance jeho interních vztahů, sil a kategorií, nemohli by asi s největší pravděpodobností nikdy pochopit, o co vlastně jde.

Kritika byla svého času nerozlučně spojena s mocí a měla obvykle také mocenské důsledky, takže slušní lidé nekritizovali často ani to, co se jim nelíbilo, aby neuškodili druhým, a zbabělci kritizovali často i to, co se jim líbilo, aby neuškodili sobě. Tato situace už sice dávno pominula, ale přesto se mnozí chovají tak, jako by trvala: každý pokus o otevřenou kritiku jsou ochotni vydávat za nepokrytý výraz teroru, každé vyhraněné stanovisko za novou podobu dogmatismu. A tak se například spisovatelů, kteří si zvykli na to, že je každý chválí, protože jsou proti dogmatismu, zmocňuje v okamžiku, kdy se stanou předmětem kritiky, nezadržitelný pocit, že se stali obětí štvanice, odstřelu, teroristického spiknutí a znovuzrozeného dogmatismu. A ačkoli jsou to často lidé vyznamenaní řády a poctění funkcemi, a ačkoli ten, co je kritizuje, nemá často žádnou jinou moc, než že může říct, co si myslí, spatřují ve svém kritikovi málem státního prokurátora.

Aby bylo jasné: riziko nesouhlasu je rizikem každé tvůrčí práce a já o těchhle věcech nemluvím v žádném případě proto, abych touto cestou žádal o laskavé porozumění. Mluvím o nich proto, že v nich nespatřuji pouze něco tak přirozeného a normálního, jako je nesouhlas, ale daleko víc důkaz, jak nenormální je situace, v níž stabilizovaný systém úhybného myšlení se jeví jako normální a něco skutečně normálního jako neodpustitelná drzost.

Druhou oblastí, o níž bych ještě rád pohovořil, je – jak jsem už řekl – praxe Svazu spisovatelů. Mohu tak ovšem učinit jedině na pozadí jisté představy o jeho poslání.

Hlavní referát, který tu byl pronesen, nesl titul *Úkoly literatury a práce SČSS*, což může působit dojmem, jako by posláním Svazu spisovatelů bylo dávat nebo předávat literatuře nějaké úkoly. Domnívám se, že ve skutečnosti by tomu mělo být naopak: literatura má dávat úkoly Svazu spisovatelů. Každý dobrý spisovatel ví totiž sám nejlépe, co je jeho úkolem. Svaz spisovatelů by měl pouze zajišťovat, aby spisovatelé a časopisy mohli co nejlépe plnit úkoly, které si před sebe – sami – kladou. Mám za to, že takto vymezená funkce Svazu spisovatelů nepředstavuje nic horšího nebo méně důstojného. Naopak – pomáhat dobře v plnění úkolů je vždycky těžší než úkoly vytyčovat.

Má práce v divadle – a mám teď na mysli práci autorskou – mi dala jednu zkušenost: skutečně dobrý dramaturg – takový, jakých je málo – nikdy nenutí autora, aby psal tak, jak by psal on, kdyby psal. Autora sice vede – ale k obrazu jeho, nikoli svému, což znamená, že mu prostředky sobě vlastními – tj. dramaturgicky – pomáhá, aby byl co nejvíc a co nejautentičtěji sám sebou, aby se co nejplněji realizoval a rozvinul v tom, co ho dělá jím samým.

Zdá se mi, že Svaz spisovatelů by měl mít tuto vlastnost dobrých dramaturgů: nikdy by se neměl stát institucí, která dává direktivy, jak psát, a vytyčuje literatuře jakékoli umělecké úkoly. Právě naopak: musí pomáhat literatuře, aby byla skutečně a co nejlépe literaturou, spisovatelům, aby byli co nejsvrchovaněji sami sebou, časopisům, aby byly tím, čím být chtějí a čím tedy jedině mohou být dobře. Nejde vůbec o to, vytyčit nějaký obecný program, natolik mlhavý, aby se do něj všichni vešli, ale jde naopak o to, každému pomáhat, aby byl maximálně svůj, jedinečný, vyhraněný a určitý v tom, jak plní svůj vlastní – jedinečný, vyhraněný a určitý – program. Literatura nemůže totiž ani být jiná (má-li být skutečně literaturou) než konkrétní, jedinečná, svá; autentická a neuhýbající ve své seberealizaci, svrchovaná a důsledná. Čím jiným vyhrává Holan, čím jiným vyhrává Hrabal než tím, jak důsledně jsou každý sám sebou, jak přímo posedlí jsou svou metodou, jak dokonale je nezajímá svět dobových kategorií, myšlenkových úhybů, norem a zájmů, jimiž budou poměřováni?

Myslím, že literatura vždycky byla, je a musí být svým způsobem intolerantní. A čím je vyhraněnější, tím je nutně také intolerantnější – patří to k její přirozenosti. Myslím, že kdokoli s kýmkoli může denně obědvat v Klubu spisovatelů a jezdit na ryby. Jakmile však začneme navzájem přimhuřovat oči nad tím, co se nám vzájemně na našem psaní nelíbí, jakmile začneme uhýbat od svých vnitřních norem, přizpůsobovat se jeden druhému, smlouvat vzájemně se svými poetikami, postavíme se každý sám proti sobě, protože začneme nutně slevovat ze své jedinečnosti a couvat tím jaksi sami od sebe – až jednoho dne ze sebe nadobro vycouváme a rozplyneme se ve všeobecné neurčitosti totálního vzájemného obdivu.

Jediný, kdo musí být v tomto varu vzájemné intolerance skutečně prozíravě tolerantní, je Svaz spisovatelů. Když dramatikovi jedno divadlo hru odmítne, může se uchýlit k jinému, případně založit vlastní. Vlastní Svaz spisovatelů nikdo z nás založit nemůže. O to lepším dramaturgem ovšem tento svaz musí být – což znamená, že tím víc intolerantních individualit musí tolerovat. Nikoli ovšem tak, že by je navzájem smiřoval – tím by šel proti jejich jedinečnosti, a tedy vlastně proti literatuře – ale naopak tím, že bude dělat všechno, aby jim umožnil plně se realizovat v jejich vyhraněnosti, a tedy i v jejich vzájemné intoleranci.

Ve vedení Svazu spisovatelů a na odpovědných místech ve svazových nakladatelstvích jsou lidé určitého životního, duchovního a uměleckého osudu, určité společenské zkušenosti. Dovedu si představit, jak asi těžké pro ně musí být, mají-li nejen tolerovat, ale dokonce podporovat něco, co je od začátku do konce projekcí lidí s docela jiným duchovním osudem a s docela jinou společenskou zkušeností – jako je, dejme tomu, *Tvář*. Něco, co je dokonce intolerantní k tomu, co dělají oni, a co samo sebe dokonce vymezuje v určitém smyslu jako přímou kontrapozici k nim. Tito spisovatelé přirozeně jsou a musí zůstat k této kontrapozici intolerantní. Jako spisovatelé. Jako představitelé Svazu spisovatelů však musí být v tomto případě – stejně jako v tisíci jiných – hluboce tolerantní, a to nikoli jen ve smyslu pasívního nechání na pokoji, ale naopak ve smyslu aktivní vůle porozumět. Tento rozštěp není vůbec nic jednoduchého – trochu ho znám z vlastní praxe autora a zároveň dramaturga – ale jinak to asi není možné.

Nemyslím si, že by Svaz spisovatelů takto vymezené poslání neplnil. Nemohu se však zbavit dojmu, že je velice často plní polovičatě, nedůsledně, ochable. A že se za touto polovičatostí nebezpečně často ukrývá náš starý známý – totiž úhyb. Nemám teď už na mysli *Tvář*, ale některé jiné věci. Jen namátkově: v roce 1957 zažádala skupina spisovatelů (Kolář, Hiršal, Grossman, Vladislav, Hrabal a další) o možnost vydávat ve svazu časopis. Nešlo o skupinu spojenou určitou společně vyhraněnou koncepcí umění, ale pouze podobnou literárně realizační situací: všichni byli totiž dlouhou dobu předtím víceméně vyřazeni z literatury a zbaveni možnosti publikovat. Tehdy nedostali na svou žádost žádnou odpověď. Asi před čtvrt rokem svou žádost obnovili. Odpověď sice dosud také nedostali, ale je celkem známo, že předsednictvo Svazu spisovatelů se touto věcí zabývalo a posléze rozhodlo, že bude vydávání tohoto časopisu podporovat, že ho však vydávat nebude. Jak jinak tohle nazvat než úhyb? Možná by bylo vydávání spojeno s nějakými těžkostmi. Nemá být ale v takovém případě předním úkolem, aby tyto těžkosti byly překonány? Připadá mi to, jako kdyby dramaturgie odmítla výbornou hru jen proto, aby divadlo nemělo práci s její inscenací. Anebo jsou nějaké obavy o zaměření tohoto časopisu? Nepochopím, jak může Svaz spisovatelů doporučit těmto spisovatelům, aby se pokusili najít jiného vydavatele, když přece jedině logické by bylo, aby je naopak přemlouval, aby svůj časopis nevydávali jinde než v něm – tak jako dramaturg přemlouvá autora, aby svou hru nedával jinému divadlu než jeho! Nezdá se mi, že by toto byl způsob, jak pomáhat literatuře!

Nebo jiný příklad: každý student literatury dnes ví, že dva nejlepší poválečné české literární časopisy byly *Kritický měsíčník* a *Listy pro umění a filosofii*. Tyto oba časopisy neměly spolu nic společného, ba stály v mnohém proti sobě – s onou zdravou intolerancí provázející všechno, co má koncepci. Později byly oba tyto časopisy zastaveny a jejich jména se stala synonymem všeho špatného. Čteme-li je dnes, můžeme s tím či oním nesouhlasit, ale marně bychom tam hledali něco, co by opravňovalo k tak drastickým represím – většina článků by naopak nejen mohla dnes docela dobře vyjít v *Plameni, Hostu do domu* nebo v *Tváři*, ale připadala by nám v mnohém i aktuálnější než leccos, co tyto časopisy tisknou, a v každém případě by zapadala do současné situace lépe než celé ročníky *Nového života*. A přes to všechno se nikdo nenamáhá, aby očistil jména těchto časopisů! Působí to na mě dokonce tak, jako by lidé, kteří tyto časopisy dělali, se provinili tím, že věděli určité věci dřív než jiní. Ze spolupracovníků těchto časopisů se dnes těší všem právům a pozornosti pouze ti, kteří od svých tehdejších názorů couvli, aby se k nim dnes opět zvolna vraceli. Ti, kteří neudělali nic horšího, než že si své názory zachovali – i přes nepřízeň doby – tato práva nemají. Václav Černý a Jindřich Chalupecký – šéfredaktoři obou časopisů – nejen že zůstávají mimo jakýkoli interes svazu, ale dodnes se nedočkali ani toho minima, aby byli vůbec přijati zpátky za jeho členy. Jindřich Chalupecký je přitom v předsednictvu Svazu výtvarných umělců a Václav Černý vydal od té doby několik důležitých vědeckých knih. Nechápu, když už nejde svazu o věc principiální, že mu nejde aspoň o věc praktickou: nevím, na podkladě čeho si dopřává luxus dobrovolně se zbavovat nejkvalitnějších lidí.

Jan Grossman, někdejší Chalupeckého spoluredaktor *Listů,* byl na osm let vyřazen z literatury, protože říkal už dávno o literatuře věci, které dnes neříkat by bylo takřka faux pas. Co chvíli slyším, jak mu lidé vyčítají, že píše tak málo o literatuře, prý v ní jeho hlas povážlivě schází. Co ale udělal Svaz spisovatelů pro jeho získání mimo to, že ho před časem uznal způsobilým státi se kandidátem? Grossman není typ, který dovede tu a tam něco hodit na papír a pak to někam poslat, jedno kam a jedno proč. Jako člověk, který má koncepci, může se realizovat leckde, ale musí se realizovat cele, bez polovičatosti, bez úhybu. Dnes je šéfem činohry Divadla Na zábradlí. Zdejší i zahraniční ohlas práce tohoto tělesa a Grossmanovy práce osobně je obecně znám. Grossman se v divadle plně realizuje, čas i kontinuita jeho práce plně potvrdily, že tehdy kdysi měl pravdu on a nikoli ti, kteří ho vyřadili z literatury. Grossman byl podepsán na obou dosud nezodpovězených žádostech o časopis, o nichž jsem mluvil. Snad je teď dost jasné, kam by se měli obracet všichni, kdo Grossmanovi vytýkají, že se málo zabývá literaturou.

Anebo: každý ví, že bylo ukřivděno Jiřímu Kolářovi, všichni si jeho práce váží, jeho uzlové místo v české poezii je opět obecně uznáno. A přece nemohou jeho nové rukopisy v Československu vycházet.

Anebo: konečně se může spravedlivě mluvit o básníkovi, bez něhož si českou poezii 20. století nelze představit, totiž Františku Halasovi. A přece rekonstrukce *Potopy,* básnických fragmentů z jeho pozůstalosti, nemůže vyjít v ústředním svazovém nakladatelství. Určitě nikoli z politických důvodů – vždyť vyjde v Brně, určitě nikoli z obavy o čtenářský zájem – vždyť je jasné, že by tahle kniha musela být první den rozebrána.

Nemluvím o těchto příkladech polovičatosti jenom proto, abych dokumentoval úhybné myšlení v praxi, ale především proto, abych nakonec položil tuto otázku: nenastal po všech kotrmelcích, popravách, rehabilitacích, nadšených vyznáních a schlíplých odvoláních, hysterických kritikách i sebekritikách, jež musela spisovatelská obec za poslední léta absolvovat, konečně čas k tomu, aby byl v klidu, čestně, věcným, ale přitom důsledným způsobem a tak říkajíc s konečnou platností – pročištěn vzduch? Nebyl by to ten nejlepší příspěvek k dvacátému výročí osvobození?

Nesmíme totiž zapomínat, že všechno dobré a pozitivní se dříve nebo později stejně prosadí, taková je historická nutnost. Čekal Holan, čekal Hrabal, čekal Škvorecký. Čeká Kolář, ale nejen Kolář. Čeká i Weiner, čeká Kabešův soubor Ladislava Klímy, čeká zredigované dílo Jakuba Demla. Holan čekáním neztratil – kdo ztratil, byla česká poezie. Kdyby totiž vycházely Holanovy knihy v době, kdy vycházet měly, byla by možná mladá česká poezie dnes původnější, než je. Když nic jiného, tak prostě proto, že by měla Holana dříve zažitého. Nemělo by být jedním z prvních úkolů Svazu spisovatelů probojovávat věci, probojovávat literaturu?

To, co jsem nazval vyčištěním vzduchu, neudělají za spisovatele politici, není to totiž jejich úkolem. A literatura by byla sama proti své podstatě, kdyby nespoléhala jen a jen na sebe. Myslím, že Svaz spisovatelů může mít smysl jedině tehdy, nebude-li smlouvat mezi literaturou a politikou, ale bude-li důsledně bránit právo literatury být literaturou, to jest nikoli přetlumočením už poznaného, ale zvláštním, svéprávným poznáním. Jedině tak může být totiž literatura zároveň v nejlepším slova smyslu politikum. Pokud to ještě někdo nechápe a chtěl by od literatury něco jiného, je nutno ho přesvědčit. Tohle všechno nemůže svaz ovšem dělat bez velké společenské autority. Ale i ta záleží na něm – každý má, jak známo, tu autoritu, kterou si sám vydobude. Série vyznání, která zazněla na svazových shromážděních a která byla po zchladnutí hlav a změně větru zase odvolána, jistě Svazu spisovatelů na autoritě nepřidala – u nikoho, tedy ani u těch, co vítali tato vyznání, ani nakonec u těch, co vítali jejich odvolání. Tím rozhodnější však musí být úsilí o znovudobytí této autority. Což se nepodaří ani hysterickými zpověďmi, ani zbrklými názorovými kotrmelci, ani věčnými kompromisy, sousedskou polovičatostí, pseudodialektickým a abstraktním kličkováním. Taktika je samozřejmě nutná, ale co je platná taktika, na jejímž konci nezbude nic ze zásady, která byla na jejím začátku a jíž měla taktika sloužit? Jedinou cestu vidím v klidné a důsledné věcnosti, v upřímnosti, v rozmyslu a nikoli odvaze, ale přirozené potřebě vidět věci tak, jak jsou, a nazývat je jménem, které neuhýbá žádným směrem od jejich živého jádra.

Nikdo asi nechce, aby padaly lidem na hlavy římsy. Dřív prý nebylo možné říct, že padají, když padaly. Dnes to lze říct, ale musí se k tomu dodat, že dívky už nenosí hubertusy. Tento frazeologický rituál je za prvé nedůstojný – a obyčejným lidem, kteří nemají důvod mluvit jinak, než jak jim zobák narostl, směšný – a za druhé zdržuje svět v jeho vývoji: tomu, kdo má v moci vyřešit problém pražských fasád, znemožňuje totiž, aby pochopil, že nese za cosi odpovědnost a že se z této odpovědnosti nemůže vylhat ani prostřednictvím vítězného boje s hubertusy, ani abstraktními řečmi o perspektivách člověka, ani odkazem na industrializaci Slovenska.

ovzduším, deprimujícími zablácenými sídlišti a nefungující dopravou.

Myslím, že tahle situace našeho hlavního města je v určitém smyslu symbolem, který můžeme v tuto chvíli vztáhnout i na sebe samé, respektive na náš svaz.

Dovolte mi, abych úvahu, ve které se o to pokusím, otevřel trochu osobně: toto je první spisovatelský sjezd, na němž jsem přítomen. A musím říct, že po včerejším jednání – hlavně dopoledním – jsem byl upřímně okouzlen statečnou otevřeností některých vystoupení, kulturou formulací, které z této tribuny zazněly, zápalem a opravdovostí, kterými se vyznačovala snaha postihnout jisté základní jistoty a základní pochybnosti, jimiž je naše práce dnes provázena. V době, která tak oplývá beznadějně nudnými schůzemi plnými beznadějně bezobsažných řečí, byla to opravdu nečekaná změna.

Když jsem se ovšem z tohoto prvního překvapení a okouzlení poněkud vzpamatoval a když mi některé odpolední diskusní příspěvky dovolily pohroužit se na chvíli do svých vlastních úvah, začaly se ve mně pozvolna rodit první otázky. Tázal jsem se sám sebe: je to všechno zvláštností právě tohoto sjezdu – anebo to takhle vypadalo vždycky? To, co bylo řečeno, má jistě svou váhu bez ohledu na všechny kontexty, přesto jsem si ale říkal, že by stálo za zjištění, zda takováhle atmosféra není na sjezdech něčím vlastně nakonec normálním a charakteristickým; zda to celé sugestivní divadlo není ve skutečnosti už jakýmsi rituálem – v dobrém slova smyslu – který se musí vždy znovu – a vždycky samozřejmě trochu jinak – odehrát, aby sjezd byl opravdu sjezdem. Vždyť koneckonců takhle nějak – napadlo mě – to přece muselo vypadat i na třetím sjezdu – a tím spíš na druhém – v určitém ohledu možná i na prvním! V této chvíli jsem se trochu zarazil: určitá tradice by byla sama o sobě zajisté hezká – ventilovat otevřeně a se zapálenou angažovaností jednou za čtyři roky všechny nashromážděné problémy a vyslovit odvážné požadavky, které by sotva kde jinde mohly být vysloveny – to by samo o sobě přece mohlo být velmi důstojným posláním – či chcete-li rituálem – spisovatelských sjezdů. Co mě na tom znervózňovalo, bylo pouze, že i když okamžitý společenský efekt má takovéhle sněmování vždycky, tento efekt záhy vyprchá – a má to pak všechno ještě nějakou závaznost? Jaká se tu vlastně dává záruka, že zítřejší praxe zase – jako už tolikrát – nepoplive dnešní krásná slova? Vždyť si stačí vzpomenout, kolik z těch krásných a odvážných vyznání, která zazněla ze sjezdových tribun, bylo dříve či později zase odvoláno; stačí si vzpomenout, kolik těch hezkých odhodlání záhy zase popřela praxe, jež po nich následovala! Kolikrát už byla různá sjezdová vystoupení krátce nato, co se odehrála – když hlavy zchladly a vrátily se ze sfér mírné davové psychózy zase do sfér každodenní praxe – omlouvána, vysvětlována a kritizována – a to právě často za asistence poukazu na tuhle davovou psychózu. Sjezdy zajisté nejsou jen davové psychózy a sugesce, má-li však sloužit odkaz k tomuto jejich průvodnímu znaku jako pravidelně se vracející záminka jejich dodatečného retušování a omlouvání, pak je z hlediska společenského kreditu spisovatelů taková psychóza luxus, na který prostě nemají. A jak jsem tak o těchto věcech přemítal, nabyl jsem zvolna jistoty, že lepší než zvolat tisíc odvážných slov, z nichž je pak postupně devět set odvoláno, je zvolat jich jenom sto, nicméně stát za všemi opravdu do konce.

Skutečně: patří-li k profesi spisovatele, že víc než kdokoli jiný klade svět vždy znovu do otázky a problematizuje ho, je logické, že právě on si musí také vždy znovu – pracněji než kdo jiný – dobývat důvěru tohoto světa. Tím spíš je ovšem sám proti sobě, když s touto důvěrou lehkomyslně hazarduje. A má-li svět právě na nás – což je třeba pojímat jako svým způsobem čest – tvrdší měřítka než na leckohos jiného, pak nějakými odkazy na psychózu a atmosféru se z jeho soudu zajisté nevylžeme ani ho jimi neuchlácholíme – vždycky se nakonec s chladnou krutostí každého z nás zeptá, co jsme řekli a co jsme pak dělali, zda to, co jsme dělali, bylo právo tomu, co jsme řekli, či zda jsme měli právo říct to, co jsme pak nedělali; jak jsme splnili očekávání, které jsme předtím vyvolali. Jde prostě o to, zda jsme opravdu všichni schopni nést až doposledka plnou odpovědnost za svá slova, zda jsme prostě opravdu a bez výhrad schopni zaručovat se sami za sebe, cele svou praxí a její kontinuitou ručit za své proklamace a nebýt nikdy zaskočeni v určité chvíli sami sebou, ať už svou ješitností, nebo svým strachem. Což není výzva ke kalkulaci, ale k autenticitě.

Nevyznám se v diplomatických pravidlech spisovatelských organizací a snažím se věřit, že je ku prospěchu věci držet čtení Solženicynova dopisu jako interní věc tohoto sjezdu. Byl-li však už dopis jednou čten, nenalézám důvodu, proč bych ho nemohl – opět interně – komentovat. Působil na mne totiž jako skvělý příklad právě autentického, tj. svým možnostem přiměřeného a jich si vědomého morálního postoje: i když nemám žádnou kontrolu, mám intenzívní pocit, že autor v něm řekl právě jen tolik, kolik toho může sám beze zbytku celým svým životem a až doposledka zaručit; nebývalá otevřenost je opřena o přesné vědomí hranic zaručitelného; jako by v tom nebylo o jediné slovo méně, než plná výpověď pravdy vyžaduje, ale zároveň ani o jediné slov víc, než za kolika může autor před sebou, před kýmkoli a kdykoli stát. Z tohoto hlediska bylo tedy, myslím, velice užitečné – odhlédnuto od všech diplomatických problémů – že se tu ten dopis četl; jeho morální síla, neopírající se o velká slova, ale o jejich velkou závaznost, a vydobývající si tudíž nutně respekt i u největších odpůrců, může nám všem být skvělou lekcí svrchovaně svéprávného spisovatelského postoje.

Jestliže jsem si tyhle své včerejší meditace nenechal pro sebe, bylo to hlavně proto, že právě dnešní situaci – jde-li nám opravdu o naše perspektivy – musíme chtě nechtě poměřit především nebezpečími, před nimiž nás varuje minulost, a která tudíž hrozí budoucnosti.

Zdá se mi totiž, že Svaz spisovatelů stanul dnes na podobném rozcestí, na němž stojí – a tím se vracím k původnímu symbolu – i město Praha. Nastala totiž chvíle, kdy máme po všem, co bylo, už asi neodvolatelně poslední příležitost se rozhodnout, co pro nás bude nadále důležitější: zda skutečnost nebo její fasáda. Jde o to, zda všechny ty hezké myšlenky o svobodě, demokracii, humanismu, diferenciaci a pokroku, obsažené ve *Stanovisku ÚV SČSS k některým otázkám čs. literatury,* učiníme přesvědčivým teoretickým výrazem skutečné situace ve svazu, anebo zda zůstanou zase jen – jako už tomu bylo mnohokrát a s deklaracemi méně slibujícími – sladce lhoucí fasádou, za kterou se skrývá neduživá, polovičatá, konformní a na všechny vytčené cíle rezignující praxe.

Jak známo, druhý sjezd Svazu spisovatelů se usnesl založit časopis *Květen,* tento časopis byl však záhy zlikvidován. Třetí sjezd Svazu spisovatelů se usnesl založit časopis *Tvář*, tento časopis však byl záhy zlikvidován.

Jak známo – a lze se o tom snadno přesvědčit srovnáním rezoluce III. sjezdu se současnou situací – mnoho závažných úkolů v téhle rezoluci uložených se nepodařilo splnit.

Jak známo, myšlenky vyřčené na posledním sjezdu a aplaudované v jeho uvolněné atmosféře nedočkaly se ani své posjezdové publikace, přestože se sjezd usnesl je v celém rozsahu publikovat.

I tyto docela letmo jmenované skutečnosti nasvědčují, že mezi hezkými předsevzetími sjezdů a jejich pozdější praktickou realizací – a mezi jejich nadšenou atmosférou a povahou práce svazu v údobí mezi nimi – jsou povážlivé rozpory.

K těm příčinám dané situace, které leží mimo svaz, mluvit nebudu, protože souhlasím s tím, co k tomu bylo řečeno a navrženo včera i dnes. Mimoto považuji to, co lze napravit vlastní přímou činností, za neméně důležité, jako to, na co lze působit jenom zprostředkovaně. Tím spíš, že neudělat to, znamenalo by v tuto chvíli rozptylovat bezprostředně zjistitelnou odpovědnost svazových orgánů na jejich široké a nepostihnutelné okolí. Mám za to, že nejprve se má vždycky zamést před vlastním prahem.

Zeptáte-li se některého svazového funkcionáře, proč se svazové orgány smířily s tou nebo onou situací, s níž neměly vlastně ani právo se smířit (např. proto, že byly vázány sjezdovými usneseními), odpoví vám většinou tím, že zachovat se jinak, radikálněji, by mohlo ohrozit existující stav, zvrátit věci zpět k minulosti, vyprovokovat nové zásahy.

Jsou případy, kdy tomu tak opravdu je a daná věc nestojí za rizika, jež by zásadní postoj vyvolal. Jenomže – jak já věci spíš zpovzdálí pozoruji – daleko častější jsou případy, kdy se tohoto argumentu používá i tam, kde není na místě, totiž kdy slouží jako pouhá zástěrka pro nerozhodnost, pohodlnost, pasivitu a nechuť se znovu a znovu v něčem důsledně angažovat, spojenou obvykle se skepsí k takovému počínání.

Právě v tomto bodě lze však tenhle postoj velmi dobře usvědčit z pokrytectví. Nelze-li totiž nic prosadit, jak slyšíme, probouzí-li každý tlak v tomto směru přímá odvetná opatření, nemá-li tedy svaz žádné možnosti určovat věci po svém, pak kde jinde se to především musí projevovat, než v tom, co údajně ochraňuje a co mu může co chvíli – když bude zlobit – být odňato? Je-li tomu opravdu tak, že o všem rozhodují beztak jiní a že se proti nim nic nezmůže, proč se potom vůbec ještě čehokoli držet? A naopak: je-li tak velký rozdíl mezi tím, co si svaz tak pečlivě ochraňuje, a vším ostatním, pak to dokazuje, že svaz svůj vliv na věci přeci jen dosud má – proč ale pak v případě prvním odmítá tohoto vlivu využít? Není tu zjevně zproblematizován vůbec smysl výdobytků, ve jménu jejichž ochrany nelze nic vydobývat?

Vedle toho tu je však problém nepoměrně hlubší. Je-li skutečným – byť jen neoficiálně přiznávaným – smyslem spisovatelské organizace chránit daný stav, pak ovšem těžko tvrdit, že to je ideově tvůrčí organizace – vždyť přece právě myšlení a tvorba jsou neustále novým a novým odvracením se od současného a přítomného; jeho neustálým zpochybňováním, otvírajícím před námi budoucí – jako dosud nejsoucí. Všechno, co je skutečně nové – skutečně, nikoli tedy jen tak, jak si staré nové představuje – je ovšem vždycky i vpádem do přítomnosti, jejím rozrušením, zproblematizováním, jejím otevřením budoucímu. Z toho vyplývá, že organizace, která má podporovat myšlení a tvorbu a dávat jim nové impulsy – a tak se vlastně zasluhovat o vznikání nového – ve skutečnosti právě něco takového ze své podstaty nemůže dost dobře dělat; musí se nutně novému bránit, udržovat za každou cenu status quo: klid, nehybnost, neměnnost, pasivitu.

V této perspektivě se ovšem jeví svaz jako organizace v jádře regresívní, konzervující, uzavírající se novému. Jestli se ovšem zároveň tatáž organizace vyhlašuje za probojovávače nového, mluví o rozvoji, rozkvětu a pokroku, dobývání prostoru pro tvorbu atd., rozprostírá před námi jen své staré téma – totiž téma rozporu mezi fasádou a tím, co je za ní. Jak vidět, tento rozpor není vázán jen na sjezdy; svaz má svou dynamicko-optimistickou fasádu i mezi nimi, kdy tato fasáda kryje nehybnost, strnulost a pasivitu.

Dovolte mi několik malých příkladů, o nichž nemluvím proto, že bych je považoval za nejdůležitější, ale proto, že jsem v nich hrál určitou úlohu, a tudíž je dobře znám.

Když byl svého času zpečetěn osud časopisu *Tvář,* uvědomili si někteří spisovatelé, že ústřední výbor není schopen vyrovnat se ani se zastaralou koncepcí svazového tisku, ani s jedním ze svých hlavních a nejodpovědnějších úkolů, totiž přičiňovat se o to, aby nejrůznější názorové a umělecké tendence měly na půdě svazu plnou svobodu projevu a maximální publikační možnosti. Tito spisovatelé se tehdy domnívali, že k tomu, aby blížící se IV. sjezd mohl odpovědně a důsledně uskutečnit již dlouho zamýšlenou a plánovanou přestavbu svazu, a zajistit mu tak základní předpoklady pro jeho řádnou práci, bude užitečné svolat mimořádnou celosvazovou konferenci. Široká rozprava pléna o těchto závažných problémech měla poskytnout ÚV SČSS vodítka k seriózní přípravě všech návrhů pro sjezd. Byla to ovšem iniciativa zdola, která nebyla naplánována shora. Co se stalo? Bylo rozvinuto neuvěřitelně důkladné úsilí směřující k tomu, aby se nepodařilo konferenci svolat. Toto úsilí bylo nakonec pochopitelně korunováno úspěchem. Dobrá věc se podařila, konference nebyla, problémy zůstaly nevyřešeny, všechno zůstalo při starém.

Když jsme tedy určité pozitivní návrhy, přichystané pro tuto konferenci a zvědavé na svou konfrontaci s členstvem, nemohli tímto způsobem svazu předat, shrnuli jsme je potom s Antonínem Brouskem do padesátistránkového elaborátu, podrobně se zamýšlejícího nad tím, jak by měl svaz vypadat a jak by měl pracovat, aby byl na úrovni své doby. Ač jsme byli jmenováni do jedné z komisí pro přípravu sjezdu, nikdy jsme se nedočkali jakéhokoliv rozboru či kritiky svých konceptů, částečně proto, že jsme byli takřka jediní návštěvníci schůzí zmíněné komise, čítající tuším asi 14 členů, částečně proto, že náš text vlastně nikdo pořádně nečetl. Jediné, co jsme se po četných dotazech na osud svých návrhů dozvěděli, bylo, že jsou příliš radikální, a tudíž málo reálné. Dobrá věc se podařila, všechno zůstalo při starém.

Když jsme se později ocitli s Brouskem na jedné ze závěrečných schůzek jiné komise, připravující návrh nových stanov, byli jsme s tímto návrhem seznámeni, a jelikož se nám zdál být ve své tehdejší podobě velmi popletený a jelikož – a to hlavně – neřešil podle našeho názoru právě ty ožehavé problémy, které bylo třeba řešit, vypracovali jsme návrh vlastní, promítající naše předchozí návrhy do konkrétních ustanovení. Netvrdím, že tento návrh byl bůhvíjaký, v řadě věcí však byl, a to vím, domyšlenější než návrh oficiální. Náš návrh byl nacyklostylován, nikdy jsme se však už o něm nic nedověděli. Dobrá věc se podařila, všechno zůstalo při starém. Pointou této historie je, jak se dočítáme dnes po jednom a půl roce ve zprávě o činnosti svazu, že ústřední výbor se nedokázal vyrovnat s otázkou časopisů a skupin, a tudíž věc postupuje příštímu ÚV. Stalo se tedy přesně to, čemu měla dávno předejít konference, o kterou jsme svého času žádali. Historie se uzavřela, jediné, co nám po ní zbylo, je pověst rozvraceců jednoty svazu, organizátorů pochybných politických akcí a občas i zaprodanců emigrace.

Nebo jiný příběh. Kdysi, ještě daleko dřív, žádala skupina mladých autorů o založení Aktivu mladých. Byla to iniciativa zdola, která však nebyla naplánována shora. Nejprve následovalo ze strany svazu mnohaměsíční houževnaté mlčení. Pak, když už se tento aktiv začal scházet a nebylo možné se k tomu nevyjádřit, přišlo od svazu neurčité uvítání této iniciativy. A opět nic. Nakonec, když jsme se pořád nemínili vzdát myšlenky, která se nám zdála být dobrá, a nepřestávali svaz bombardovat svými dopisy, takže už se s tím něco muselo udělat, založil svaz místo navrhovaného Aktivu mladých, který navštěvovalo v té době asi 60 mladých lidí a který měl umožňovat kontakty mladých autorů, kteří ještě nejsou členy svazu, s těmi, co jimi už jsou, i s umělci jiných disciplín, jakousi komisi pro mladou literaturu, do níž jmenoval několik svých mladých členů a kandidátů. Tato svazová komise existuje dodnes, jak potvrdila včerejší zpráva s. Hanzlíka. Má dokonce jakési generační potíže se Svazem spisovatelů. Dobrá věc se podařila, všechno zůstalo při starém, přibyla jedna komise.

Co je pro tyto příhody charakteristické? Iniciativa zdola, nenaplánovaná shora, se nepřijímá, a pokud se musí přijmout, udělá se to tak, aby její zaintegrování bylo zároveň její likvidací. Způsob se vždycky najde. Aktiv mladých nebylo možné založit, protože to odporovalo stanovám. Otevřít něčemu takovému ve stanovách rámcovou možnost nebylo zase možné, protože to bylo nereálné.

Zpráva o činnosti svazu se zmiňuje o tom, že členové ÚV se mnohdy těžko mohli sejít, že práci ÚV ztěžovala jejich neinformovanost, nezájem a pasivita. Kterýsi člen ÚV nám kdysi řekl, že usnesení o změně šéfredaktora, redakce a koncepce časopisu *Tvář* bylo vlastně přijato z únavy. Věřím tomu. Myslím si sice, že člověk má vykonávat funkci buď pořádně, nebo ji nepřijímat, chápu však, že situace svazu, o níž jsem mluvil, se přenáší i na členy jeho orgánů, kteří ji ovšem zase zpětně vytvářejí. Věřím tomu a vlastně se ani celkem nedivím, že tito unavení lidé, neinformovaní, bez zájmu a pasívní, těžko mohli pochopit, že zrovna přiškrcují – nic naplat – plamínek čehosi nového. I tento malý pokus naučit se pochybovat, a tedy myslet, musel se nezadržitelně vymykat z té přítomnosti, kterou jim bylo chránit. Jenomže chránit přítomnost znamená bohužel také chránit ji i před budoucností.

Aby bylo jasné, nemluvil jsem o tom všem proto, že bych snad chtěl oživovat nebo zde dokonce projednávat tyhle dávno zapomenuté věci. Zabývat se dnes jimi jako takovými by nemělo žádný smysl. Šlo mi jen a jen o ilustraci té potenciální tendence svazu, o které jsem mluvil, totiž o jeho nezadržitelném sklonu udržovat za fasádou proklamací o svobodě a pokroku status quo, umrtvovat v zárodku každou novou myšlenku, iniciativu, každý předem nedefinovaný, a proto jedině opravdu nový podnět, o jeho neschopnosti za cokoli se opravdu důsledně a beze zbytku postavit, podmíněné neschopností cokoli riskovat, obětovat, zkusit.

A ještě něco. Nemluvil jsem o této potenciální tendenci proto, že bych si chtěl na něco stěžovat, že bych chtěl žalovat. Není to žádné žehrání. Mluvil jsem o tom jen a jen s pohledem upřeným do budoucnosti, chtěje přispět svým malým dílem k tomu, aby byla lepší. Šlo mi pouze o varování před nebezpečím, které tu číhá a s nímž je třeba se utkat. Jak utkat? Na to recept neexistuje. Jediné, co pro to lze na tomto sjezdu udělat, je podepřít stanovisko, které přijme, maximem konkrétních a praktických usnesení, která sice opět sama o sobě nic nezaručí, ale která mohou vytvořit aspoň příznivější podmínky k tomu, aby toto stanovisko se nestalo zase jen hezkou fasádou, zakrývající prohnilý vnitřek, ale aby jeho řeč o svobodě byla zrcadlem vnitřní svobody a otevřenosti organizace, která je přijala.

Vážení přátelé, nyní bych chtěl na chvilku přeci jen vystoupit za hranice našeho svazu. Mám zde totiž otevřený dopis, jehož autoři, moji přátelé, mě požádali, abych ho zde přečetl, což samozřejmě rád činím. Tento dopis ukazuje, že nebezpečí regresívní praxe, ukryté za fasádou hezkých slov, neexistuje jen ve Svazu spisovatelů.

Ministr kultury a informací

s. ing. Karel Hoffmann.

Vážený soudruhu ministře, obracíme se na vás my, příslušníci nejmladší režisérské generace Československého filmu. Dne 17. května vyslovil v Národním shromáždění poslanec Pružinec jménem jedenadvaceti poslanců interpelaci, v níž napadl československé filmy Sedmikrásky, O slavnosti a hostech, Hotel pro cizince, Mučedníci lásky, Znamení raka. Z jeho řeči citujeme: „My se ptáme – těchto kulturních pracovníků – jak dlouho ještě všem poctivě pracujícím budou otravovat život, jak dlouho ještě budou šlapat po socialistických vymoženostech, jak dlouho si budou hrát s nervy dělníků a rolníků, a vůbec jakou demokracii zavádíte? My se vás ptáme, proč myslíte, že máme Pohraniční stráž, která plní bojový úkol, aby se k nám nedostali nepřátelé, zatímco my, soudruhu ministře národní obrany a ministře financí, platíme královské peníze vnitřním nepřátelům, necháváme je šlapat a ničit, soudruhu ministře zemědělství a výživy, v plodech naší práce.“

Vážený soudruhu ministře, domníváme se, že v historii československé kultury neexistuje případ, v němž by Národní shromáždění bylo vyzýváno k zákazu uměleckého díla. Ani za buržoazní republiky, ani za dob nejtěžších stalinských deformací veřejného života nedošlo k takto brutální výzvě dávající do souvislosti existenci uměleckého díla s odpovědností ministra národní obrany a posláním Pohraniční stráže. Vystoupením poslance Pružince vzniká nebezpečí legalizace pogromistických nálad vůči tvůrčí inteligenci. Důsledky těchto tendencí byly vždy hanbou každého národa. Nenormální situace vytvářená v posledních měsících kolem československé kinematografie začíná postupně znemožňovat tvůrčí práci, omezuje realizaci tvůr-

cích programů v samém jejich začátku a některé autory posléze vylučuje z tvorby vůbec. Je nám známo, že každé represívní opatření namířené proti kultuře sleduje okamžitý politický prospěch, avšak je nám rovněž známo, že žádná pozdější rehabilitace či napravování křivd nikomu nevrátily a nemohou nikdy vrátit tvůrčí schopnosti, jejichž rozvoj byl násilně přerušen.

Vážený soudruhu ministře, my, podepsaní českoslovenští filmoví režiséři, považujeme za nezbytné veřejně prohlásit, že jsme vyrostli, získali vzdělání i příležitost k tvůrčí práci v socialistickém Československu, považujeme svoji práci za organickou součást kultury této země a hluboce nás uráží, je-li kdokoliv z nás veřejně označován za nepřítele. Proto se rozhodně stavíme proti pokusům rozdělovat nás a stavět proti sobě podle zásady „Rozděl a panuj!“. Tvůrčí svoboda je nedělitelná. Je-li omezován jeden z nás, jsme omezováni všichni.

Proto kategoricky odmítáme projev poslance Pružince a upozorňujeme na nebezpečí ohrožení základních občanských svobod a práv, jejichž nedílnou součástí je možnost svobodného uměleckého projevu.

Hynek Bočan, Miloš Forman, Juraj Herz, Věra Chytilová, Jaromil Jireš, Pavel Juráček, Antonín Máša, Jiří Menzel, Jan Němec, Ivan Passer, Evald Schorm, Jan Schmidt, Peter Solan, Štefan Uher.

Myslím, vážení přátelé, že svoboda je opravdu nedělitelná: jsou-li omezováni filmaři, jsme omezováni i my, a naopak. Ani takto – podél hranic jednotlivých uměleckých disciplín – nesmí se uplatnit heslo „Rozděl a panuj“.

A teď bych rád přešel k několika konkrétním návrhům.

1. Navrhuji provést tuto změnu v návrhu nových stanov: místo nepraktického a komplikovaného třístupňového vedení svazu zavést vedení dvojstupňové, a to tak, že v čele svazu by byl jedenadvacetičlenný ústřední výbor s šesti náhradníky, který by nahradil dosavadní pětačtyřicetičlenný ústřední výbor a předsednictvo. Domnívám se, že daleko spíš lze najít 21 spisovatelů ochotných se scházet a aktivně pracovat než 45 a že menší orgán nutně musí být operativnější než orgán tak veliký.

2. Třetí odstavec druhé kapitoly návrhu stanov říká, že svaz má při sdružování spisovatelů vycházet z jejich talentu. Myslím, že tato věta nemá žádný smysluplný obsah, a navrhuji, aby byla nahrazena větou, která by Svaz spisovatelů otevřeně zavazovala k povinnosti umožňovat vznikání a podporovat práci uměleckých skupin podle zvláštních směrnic, které vydá ústřední výbor.

3. Navrhuji uložit ústřednímu výboru, aby vypracoval směrnice zakládání uměleckých skupin při svazu a aby při tom vycházel z těchto zásad:

a) Svaz spisovatelů je povinen registrovat každou uměleckou skupinu, která o to požádá, v níž je aspoň jeden člen svazu a aspoň tolik členů literárně činných, aby tvořili nadpoloviční většinu skupiny; skupinu svaz při splnění těchto podmínek registruje v tom složení, v jakém se sama k registraci přihlásila.

b) Svaz bude poskytovat skupinám místnosti ke schůzkám a neveřejným podnikům; veřejná vystoupení – mimo skupinové publikování – smí skupina pořádat jen se svolením svazových orgánů.

c) Umělecké skupiny registrované u Svazu spisovatelů nejsou jeho složkami, ale samostatnými tělesy, nad nimiž svaz pouze přebírá při jejich veřejném vystupování právní ochranu.

4. Navrhuji, aby sjezd uložil ústřednímu výboru vypracovat a posléze prakticky uskutečňovat novou koncepci ve vydávání svazového tisku, která by vycházela z těchto zásad:

a) Svazové časopisy se nebudou nadále rozdělovat na tzv. svazové a tzv. skupinové, protože všechny, které bude svaz vydávat, budou vzhledem k této okolnosti svazové a všechny budou – vzhledem k tomu, že je bude vždycky řídit, jak je zvykem, jen určitá menší či větší skupina lidí – zároveň skupinové. A i když se tyto svazové časopisy svou redakční organizací, statutem, nákladem, dotací apod. budou pochopitelně mezi sebou lišit co do svého zásadního poměru ke svazu, budou všechny rovnoprávné. Vydávat je bude Svaz čs. spisovatelů ve svých nakladatelstvích tak, jak tomu je dnes.

b) Pokud jde o nové časopisy, měl by se ústřední výbor především zabývat návrhy, které již byly v minulosti podány. Dále by měl vypracovat přesné pokyny, jak mají být žádosti o nové časopisy vybaveny. Všemi žádostmi by se měl odpovědně zabývat a vycházet jim maximálně vstříc. Žadatelům by zásadně umožňoval vydávat prostřednictvím svazových nakladatelství časopisy rotaprintované.

5. Kdyby plénum sjezdu projevilo zvláštní zájem o stanovisko skupiny *Tváře* k zániku jejího časopisu, které nesměla veřejně publikovat, a případně o výklad celé záležitosti, mohu jako člen bývalého redakčního kruhu *Tváře* věci z našeho hlediska vyložit; sám ovšem nepovažuji za nutné se k tomu všemu vracet i přesto, že ve *Zprávě o činnosti svazu* – celou záležitostí se podrobně zabývající – jsou v příslušné pasáži některé vážné věcné omyly a deformace, protože se mi zdá, že důležitější než rekriminovat minulost je připravovat budoucnost. Proto se tímto obracím k plénu s návrhem, aby do sjezdových usnesení byl včleněn odstavec, v němž by sjezd doporučil příslušným orgánům kladně vyřídit žádost o vydávání časopisu *Obratník,* která byla před časem podána ústřednímu výboru skupinou vzniklou kolem *Tváře.* Časopis *Obratník* by měl také na *Tvář* navázat a plnit onu po mém soudu velice ozdravující úlohu, kterou plnila svého času ona. Myslím, že naše skupina projevila vážnost svého úsilí a svou životaschopnost i tehdy, kdy *Tvář* nevycházela – odevzdali jsme v té době např. dva sborníky svých prací – takže tu existují dostatečné záruky, že náš časopis by mohl obohatit český literární tisk o osobitý hlas. Za vážným problémem, který *Zpráva o činnosti* správně označuje za stále otevřený, by povolení časopisu *Obratník* mohlo udělat definitivní tečku.

6. Navrhuji, aby sjezd uložil ústřednímu výboru vypracovat fundované stanovisko k české a slovenské literatuře za hranicemi státu a k jejímu eventuálním rozšiřování v Československu a zaslat toto stanovisko příslušným státním orgánům. Jde o problém, který – pokud vím – některé socialistické státy už úspěšně vyřešily.

7. Konečně poslední návrh: sjezd by měl uložit ústřednímu výboru, aby co nejdříve prozkoumal, kteří čeští a slovenští spisovatelé stojí ještě mimo svaz v důsledku dřívějších zásahů, a navrhnout jim členství spojené se satisfakcí. Myslím, že členství by mělo být navrženo Václavu Černému, Jindřichu Chalupeckému, Josefu Palivcovi, Bohuslavu Reynkovi, Janu Patočkovi, Josefu Šafaříkovi, Bedřichu Fučíkovi, Zdeňku Urbánkovi, případně dalším osobnostem.

Dovolte mi, dámy a pánové, abych se závěrem svého příspěvku vrátil k přirovnání, z něhož jsem vyšel na začátku. Jak jsem řekl, Prahu zaplnila lešení slibující, že nám už nebudou padat na hlavy římsy. Před několika dny však došlo na Žižkově k neobvyklé události: u jednoho domu se zřítilo celé lešení. Vyplývá z toho, myslím, jednoduché, leč důležité poučení: nikdy není vyhráno. S touhle devízou by měl počítat i Svaz spisovatelů; vždyť má-li mít například tenhle sjezd nějaký smysl, může ho mít jedině tehdy, když jím práce neskončí, ale teprve začne.

NA TÉMA OPOZICE

Pokud některé představy o možné podobě politické opozice v dnešním Československu, jež se zatím objevily v různých oficiálních projevech, působí trochu jako snaha, aby se vlk nažral a koza zůstala celá, pak se tomu nelze divit: mohou-li v komunistické straně v průběhu několika týdnů zvítězit progresívnější a demokratičtěji myslící lidé nad lidmi konzervativními, zdaleka to ještě neznamená, že ve stejně krátkém čase jsou příslušníci hnutí, v jehož celé dosavadní historii se neobjevil jediný pokus překročit v podmínkách, kde toto hnutí zvítězilo, princip jedné strany, schopni vážněji se konfrontovat s myšlenkou tak pro ně donedávna šokující, jako je myšlenka opozice. Jdou-li však přesto tak daleko, že umožňují o tomto bývalém tabu veřejně diskutovat, je asi dobré, aby všichni, kdo si o věci něco myslí, přijali tuto možnost jako výzvu k rozhovoru.

Tedy především: v čem vlastně tkví polovičatost dosavadních konceptů?

Poměrně často slýcháváme, že vzhledem k současné a budoucí svobodě slova (v níž údajně spočívá podstata demokracie) bude přirozenou kontrolní funkci opozice plnit prostě veřejné mínění, opírající se o prostředky masové komunikace. Takové pojetí předpokládá *víru,* že vláda bude z veřejné kritiky vyvozovat všechny patřičné konsekvence. Jenomže demokracie není věcí víry, ale *záruk.* A i když veřejná „soutěž názorů" je první podmínkou, nejdůležitějším prostředkem a samozřejmým důsledkem demokracie, její podstatou – totiž skutečným zdrojem našich záruk – je něco jiného: veřejná a zákonná *„soutěž o moc"*. Přičemž veřejné mínění (např. tisk) může účinně kontrolovat a tím zkvalitňovat moc jen tehdy, má-li na ni také *mocenský* vliv, může-li totiž vyústit do veřejného *rozhodování* (např. volbami). Moc prostě bere v potaz nakonec zase jen moc; vládu zkvalitňuje ohrožení její existence, nikoli její pověsti. Ostatně nakolik ztrácí veřejné mínění možnost mocensky působit na vládu, natolik narůstá možnost vlády mocensky působit na veřejné mínění „svobodným" omezováním jeho svobody (ať už nezákonně nebo cestou změny zákona). Ale nejen to: supluje-li „soutěž názorů" úlohu „soutěže o moc", otevírají se tím dokonce dveře právě naopak nedemokratickým formám (kdyby například odvolávala ministry místo parlamentu televize nebo veřejná shromáždění, neměl by občan zákonnou kontrolu moci a tedy preventivní ochranu proti jejímu zneužití).

Rovněž předpoklad, že dostatečná záruka demokracie je ve vnitřní demokratizaci vedoucí strany (ochotné tolerovat i cosi jako vnitrostranickou opozici), považuji za iluzorní. Nejen proto, že – zásadně – jedinou skutečnou demokracií je ta, jež platí ve stejné míře pro všechny, ale i z jiného důvodu: patří přece k hořké zkušenosti všech revolucí, že neobnoví-li politická skupina, která v nich převzala veškerou moc, zavčas svou *kontrolu zvenčí*, ztratí nutně dříve nebo později i svou vnitřní *sebekontrolu* a začne pomalu, ale jistě degenerovat. Neboť neživeny kontrolními tlaky zvenku zkvalitňujícími skupinu jako celek, odumírají nutně i všechny vnitřní kontrolní tlaky ve skupině zkvalitňující její vedení a skupina, místo aby se permanentně a přirozenou cestou regenerovala, nezadržitelně prokornatí, odcizujíc se stále hlouběji skutečnosti. Konce tohoto procesu jsou známé: když se situace stane neudržitelnou, vyvolá první náhodná porucha explozi – a nadchází krvavý čas palácových revolucí, pučů, kuloárových spiknutí, nesmyslných procesů, kontrarevolucí a sebevražd. „Soutěž o moc", zaniklá kdysi ve své otevřené podobě, je najednou opět zde a zasahuje všechno daleko zákeřnější formou své přítomnosti: je totiž skrytá. A absence právních jistot, které nedokázala skupina včas obnovit, vrací se teď k ní jako bumerang: vyhlazuje sebe samu. Jinými slovy: neumožní-li komunistická strana co nejrychlejší rozvoj své silné kontroly zvenčí, nebude mít záruku, že po nějakém čase opět zvolna nezdegeneruje. Jak vidět, bez celospolečenské demokracie nemůže nikdy natrvalo vydržet ani demokracie vnitrostranická. Nikoli tedy, že druhá zaručuje první, ale právě naopak: první zaručuje druhou.

Jiná myšlenka, která se objevuje, že by totiž ve volbách i různých orgánech mohli jako opozice fungovat nezávislí jednotlivci, je podle mého názoru přímo kabinetní ukázkou principu vyřizujícího opozici ještě dřív, než vznikla: proti dokonale organizované a disciplinované politické straně s ideologií, aparátem, tiskem, propagandou a programem dotýkajícím se celé společnosti stál by hlouček soukromých osob bez politického zázemí, zbavených možnosti jakékoliv kolektivní dohody o jednotě postupů, kandidátech a vůbec jakékoli komplexnější, koordinované a šířeji koncipované politické práce, obdařených jen jakýmisi lokálně komunálními povinnostmi a možnostmi. Ve volbách by se tito nezávislí kandidáti nemohli opřít o obecnou znalost celospolečenské aktivity, programu a možnosti skupiny, k níž patří a která je doporučuje, čímž by byli – na rozdíl od kandidátů vedoucí strany – připraveni o klasické a vyzkoušené vodítko pro voliče, kteří v drtivé většině nemohou srovnávat a nesrovnávají jednotlivé kandidáty, jsou však s to vždycky srovnat obecně známé politické koncepce. Podobně by i v nejrůznějších orgánech neměla tato „opozice" sebemenší šanci rozvinout při své atomizaci vedle komunistů jakoukoli důsažnější a koordinovanější politickou aktivitu. Prostě bez organizované politické síly, disponující právě skrze svou organizovanost zcela specifickou mocí, nemůže vedoucí strana mluvit vážně o jakékoli „soutěži o moc" a domnívat se, že vystavuje své monopolní postavení jakékoli vážnější zkoušce kvality.

Další typ eventuální kontroly nebo přímo opozice bývá spatřován ve společenských a zájmových organizacích; ani to však není – přes určitý politický vliv, kterého některé z nich mohou časem nabýt – žádné zásadní a skutečné řešení: budovány na jiném principu než na principu politického přesvědčení a určeny k jiným účelům než podílet se na politické moci ve státě, nemohou tyto organizace nikdy dost dobře sehrávat úlohu kontroly moci prostě proto, že nevyhovují jejímu základnímu předpokladu, totiž nezávislosti kontrolujícího na kontrolovaném: členství v nich se nejen nevylučuje s členstvím ve vedoucí nebo jiné straně, ale v jejich nejvyšších orgánech a funkcích jsou takřka výhradně straníci, podléhající vyšším stranickým orgánům a za svou vedoucí činnost v zájmových organizacích jim odpovídající. Přičteme-li k tomu známý systém stranických skupin, stranických kandidátek a stranickou disciplínou vázaného hlasování (včetně obvyklého volebního řádu, prakticky neumožňujícího i v případě většiny nestraníků zvolit protikandidáta), pak opravdu pochopíme, že by tu – i při všech změnách této manipulovací praxe, kterých se jistě brzy dočkáme – opravdu těžko mohlo jít o skutečnou kontrolu zvenčí. A jelikož, jak se ukazuje, bude teď vývoj směřovat zřejmě k rozkladu řady uměle jednotných a nepružných kolosů a k větší diferenciaci organizací, každý pokus o politickou integraci nebo koalici těchto organizací do jakéhosi „politicko-kontrolního“ bloku by směřoval proti tendenci vývoje a nemohl by k ničemu dobrému vést.

Logickým a prakticky nejschůdnějším řešením by bylo konstituování opozice způsobem, který bývá z oficiálních míst nejčastěji navrhován: obrodou dnes existujících nekomunistických stran NF. Není samozřejmě a priori vyloučeno, že v těchto stranách se mohou skutečně prosadit síly schopné takovou opozici vést, já osobně však přesto všechno na toto řešení příliš nevěřím: obávám se, že tyto strany se za posledních dvacet let, kdy se jejich orgány nezmohly na nic jiného než na otrocké přizvukování všemu, co dělala vedoucí strana, natolik zkompromitovaly, že výhoda této cesty (existující aparát, tisk apod.) nemůže vyvážit její nevýhodu: obtížnost znovunabytí ztracené důvěry. Nehledě k tomu, že právě na adresu této koncepce by bylo možné poměrně snadno a právem obrátit výtku „návratu k překonaným a nemoderním formám buržoazní demokracie“, kterou je možné občas slyšet z oficiálních míst proti myšlence opozice: vždyť by tu v podstatě nešlo o moc víc než o pokus vytáhnout opět na světlo mumifikované pozůstatky předúnorového –

ostatně už tehdy značně problematického – rozvrstvení politických sil.

•

Polovičatost všech těchto koncepcí má tedy, jak se ukazuje, společnou příčinu: žádná z nich neumožňuje skutečnou *volbu.* Opravdu: o demokracii lze vážně mluvit jen tam, kde má lid možnost – jednou za čas – svobodně si zvolit, kdo mu má vládnout. Což předpokládá existenci aspoň *dvou souměřitelných alternativ.* Totiž dvou svéprávných, rovnoprávných a navzájem na sobě nezávislých politických sil, z nichž obě mají tutéž šanci stát se vedoucí silou ve státě, rozhodne-li tak lid. (...)

•

(...) Závěrem bych se rád zmínil o věci, kterou považuji za velice závažnou: obávám se, že v nekomunistické většině národa se nikdy určitá širší a aktivnější politická síla nezformuje, dokud se nepodaří nekomunistickému stanovisku dosáhnout určitého základního *politicko-morálního uznání,* vyrůstajícího z přijetí jistých evidentních pravd a projevujícího se v určitých jednoznačných praktických aktech směřujících k nápravě křivd, jež se dosud nikdo napravit nepokusil. Zdá se mi, že bez takového uznání – jako určitého morálního předpokladu každé další aktivity – nemohou nekomunisté nikdy získat důvěru v smysl a šance svého dalšího podnikání. Nedivte se: je opravdu těžké se jakkoli významněji a po svém angažovat bez minimální záruky, že komunistický omyl není jednou provždy a zásadně čímsi víc než nekomunistická pravda. A viděl-li mnohý nekomunista komunistický omyl jako omyl už v době, kdy komunista neměl o jeho pomýlenosti ani tušení, je třeba mu to – aspoň dodatečně – přiznat, ať to je jakkoli nepříjemné; nejde-li to, pak to znamená, že komunisté jsou jistým zvláštním druhem nadlidí, kteří mají – z principu – pravdu i tehdy, když se mýlí, zatímco nekomunisté se – z principu – mýlí i tehdy, když mají pravdu; za takové situace by ovšem nekomunisté byli bláhoví, kdyby se v čemkoli angažovali.

Mají-li komunisté zaručeno právo na občasný omyl, musí mít nekomunisté zaručeno právo na občasnou pravdu; jinak to všechno nemá smysl.

O co konkrétně jde? O nic jiného než o požadavek důsledné rehabilitace všech nekomunistů, kteří museli léta trpět (a kteří dodnes mají na čele zbytky Kainova znamení) za to, že některé věci věděli dříve, než k nim dospěli komunisté. Což je mimořádně aktuální právě dnes, kdy mezi těmi, kteří byli svého času trestáni za přesvědčení, že nebude dobrý takový socialismus, který bude ochoten obětovat – domněle svému vlastnímu rozvoji – demokracii a svobodu, objevuje se právem určitá zahořklost, dospívá-li naše zřízení po létech přesně k téže jistotě, dává-li jim tedy za pravdu, neprojevuje-li však zároveň ochotu přiznat to a vyvodit z toho – vzhledem k nim – určité praktické konsekvence.

Jen malý příklad: v létech 1949 a 1950 musely v důsledku čistek opustit vysokoškolská studia tisíce talentovaných studentů, kteří se nedopustili ničeho jiného, než že nesouhlasili (resp. podle názorů svých zfanatizovaných kolegů v prověrkových komisích by mohli nesouhlasit) s tehdejší politickou praxí komunistické strany, anebo že prostě nebyli komunisty. (Není asi třeba zdůrazňovat, jakou škodu takové a podobné akce znamenaly pro národ; ti, kteří zůstali zde a byli rozptýleni do různých zaměstnání, většinou se už nemohli vrátit k původnímu oboru a takřka dodnes musí zápasit se situací kádrově sporných případů; ti, kteří emigrovali, jsou pro nás rovněž ztraceni, byť mnozí z nich už jako vysokoškolští profesoři na různých amerických a západoevropských univerzitách.) Nejde mi v této souvislosti o nic víc než o přesvědčení, že by bylo na místě, aby ti, kteří tyto čistky kdysi prováděli a kteří dnes – plni znovuvzkříšené svazácké euforie – hřímají na schůzích a studentských mítinzích o „době temna", o svobodě, demokracii a spravedlnosti, obrátili se také ke gestu méně atraktivnímu, ale hlouběji stvrzujícímu jejich progresivitu, a zasadili se o práva svých někdejších „ideových odpůrců", kteří dík ironii dějin dodnes doplácejí na to, že v tyhle hodnoty věřili už před dvaceti lety.

Jsou věci, které napravit nikdy nelze. Ale je ještě mnoho, mnoho věcí, které by napravit šly. Analogicky by bylo možné hovořit o řadě příkladů jiných, o křivdách drastičtějších, které zasáhly nejrůznější sociální vrstvy, od zemědělců až po drobné živnostníky, od univerzitních profesorů a spisovatelů až po venkovské kněze. (Zvlášť významnou a dosud politicky takřka nevyužitou sílu lze v této souvislosti spatřovat i v oněch snad osmdesáti tisících politických vězňů z padesátých let: běží o lidi nejrůznějších sociálních vrstev, jejichž společný osud byl zřejmě takovou zkouškou mravní pevnosti a sounáležitosti, že by bylo neodpustitelným hříchem, kdyby se tato síla nezačlenila pozitivně do politického života národa.)

S tím souvisí i další věc, která se nás netýká jen zdánlivě: problém československé politické i nepolitické poúnorové emigrace. Všichni tito lidé jsou dodnes chápáni převážně jako sbírka nepřátel země a lidu přesto, že většina z nich se nedopustila opět ničeho horšího, než že už před dvaceti lety byla přesvědčena, že socialistickému systému by neměla být obětována demokracie. Mnozí z nich přitom emigrovali jen proto, že jim zde hrozilo vězení a perzekuce, anebo prostě proto, že tu neměli možnost pracovat ve svém oboru; pokud odešli ilegálně, je sporné, zda to lze – z hlediska Deklarace lidských práv – považovat za zločin v podmínkách, kde legální možnost vystěhování neexistuje. Dokud nebude vztah státu k této emigraci velkoryse revidován, nebude ani zde, mezi námi, situace zcela normalizována: patří přece k chloubě demokratického státu, že nemá na svém mezinárodním kontě položku emigrace.

Prostě a dobře: myslím, že je dnes už neúnosné a nehistorické vidět tento národ stále jen očima únorového konfliktu – což platí samozřejmě pro oba tábory, které se tehdy střetly. Neříkám to proto, že bych bojoval o rekonstituci předúnorové situace (i když k řadě tehdejších samozřejmostí se dnes namáhavě dopracováváme), ale právě naopak: proto, že její rekonstituce není už prostě možná.

Důsledné politicko-morální uznání nekomunistické pozice nebude asi záležitostí nikterak jednoduchou a práva z takového uznání vyplývající nespadnou asi nikomu z nebe: je především na iniciativě nekomunistů samých, aby si je postupně vydobyli. Možná také, že se mohou různé nekomunistické politické síly zformovat i bez takového uznání. Mně se však zdá, že bez toho to bude vždycky nutně aktivita polovičatá, obložená rezervami a distancemi, ne zcela au-

PROJEV NA USTAVUJÍCÍM SJEZDU SVAZU ČESKÝCH SPISOVATELŮ V ČERVNU 1969

Vážení přátelé,

všichni víme, že spisovatelský svaz v době, kdy byl založen, byl něčím jiným, než čím je dnes. Organizace kdysi ochotně přenášející mezi spisovatele a do literatury vůli vlády, živě organizující jejich slepou loajalitu a bohatě odměňující ty, kteří byli ochotni, ať už z přesvědčení nebo ze strachu, aktivně sloužit oficiální politice, ideologii a estetice, a naopak potírající ty, kteří se podřídit nehodlali, se změnila během své dvacetileté existence v organizaci, která se snažila, byť často špatně, polovičatě a nedůsledně, zájmy spisovatelů obhajovat, respektovat jejich různost a vydobývat jim právo na svobodné uplatnění. Nástroj moci se tedy zvolna změnil v jejího oponenta, potlačovatel literatury v jejího, byť nesmělého, ochránce, vykladač vládní ideologie v tlumočníka, byť mnohdy nepřesného, spisovatelských zájmů.

Přes to všechno jsme neměli mnoho důvodů ke spokojenosti v posledních letech. Příčina byla prostá: náš svaz se nikdy nedokázal jednoznačně rozejít s koncepcí, která stála u jeho zrodu, a se všemi jejími zřejmými i skrytými důsledky. Nové pojetí této organizace se rodilo tak říkajíc načerno, uvnitř starých forem. Boj o dobré věci byl často veden způsobem, který pocházel od věcí nedobrých. Co se dělo stále častěji de facto, nebylo nikdy stvrzeno de jure, protože náš svaz se nikdy neodhodlal otevřeně přiznat své nové poslání a vyvodit z něj nemilosrdně všechny nutné konsekvence.

Zdá se mi, že právě dík těmto okolnostem se pohyboval svaz poslední léta stále zřetelněji v začarovaném kruhu kompromisů mezi starými dogmaty a novými potřebami, mezi přežívající tendencí k loajalitě a probouzející se tendencí k pravdě. Dík tomu byl boj o přijatelné věci neustále vykupován ústupem na nejpřijatelnější formu argumentace. Pravdu bylo nutno podpírat polopravdou a polopravdu lží. Směšování zájmů stavovských a ideologických ohledů vedlo k bezkoncepčnímu taktizování, které ústilo začasté do úplné ztráty všech jistot, k polovičatosti jako programu, k zrelativizování všech hodnot a z toho pramenícímu nihilismu. Dobré plnění současných funkcí přitom bylo, víc než mnozí z nás přiznávali, ztotožňováno s dědictvím funkcí starých.

Myslím, že význam tohoto sjezdu mimo to, že má konečně splnit úkoly dané federalizací, je v tom, že má před sebou důležitou příležitost postavit naši organizaci na nové základy. Nastal čas, kdy je možné a potřebné poprvé jasně formulovat takovou koncepci a poslání našeho svazu, jež budou v souladu s jeho skutečnými dnešními potřebami, a vyvodit z toho všechny praktické důsledky.

Myslím, že předložené programové zásady a nové návrhy stanov vytvářejí dobré podmínky k tomuto závažnému kroku. Věřím, že sjezd vytvořené příležitosti využije a tento důležitý úkol splní. Zároveň se ovšem domnívám, že vnitřní zdokonalování svazu nikdo z nás nechápe jako samoúčelný cíl naší práce, ale jen a jen jako samozřejmý a nezbytný předpoklad k tomu, aby byla naše práce lepší. Mělo by to platit i pro tento sjezd. Zdá se mi, že vyřešení našich interních svazových věcí se nám nesmí stát záminkou k úniku od naší přirozené povinnosti vyjádřit se k různým důležitým věcem společenského života, které nás trápí a které nás jako jednotlivce i jako organizaci konkrétně zasahují. A co hlavně, domnívám se, že tento sjezd by měl na pozadí nově zformulované koncepce českého svazu vytyčit budoucímu výboru konkrétní úkoly a naznačit způsob, jak má pracovat v té situaci, v níž se ocitáme.

Náš svaz vstupuje do života v době, kdy je většina z nás pravděpodobně vážně znepokojena vývojem politických poměrů v naší zemi. Ve všech oblastech života je totiž znovu upevňován systém centralistického řízení společnosti i přesto, že právě takový systém už jednou společnost přivedl do hluboké krize. Představitelé starého režimu, kteří už tolikrát a tak zřetelně prokázali svou neschopnost, se vracejí zpět do nejvyšších funkcí, přestože si to většina občanů nepřeje. Byla znovu zavedena cenzura. Opakují se zákazy časopisů. Je znemožňována činnost nově vzniklých nebo zreformovaných organizací. Sdělovací prostředky jsou opět nuceny pečlivě skrývat skutečné mínění lidí. Není brán zřetel na vůli různých vrstev obyvatelstva, ba dokonce často ani na vůli dělníků, ačkoli jsou prohlašováni za vedoucí třídu. V oficiálním tisku jsou rozpoutávány štvavé kampaně proti představitelům reformních snah, aniž je jim umožněna obhajoba. Mnoho čestných lidí, kteří nedovedou na povel změnit své názory, musí opouštět odpovědná místa. Jsou napadáni občané, kteří se zachovali v srpnových dnech jako vlastenci a aktivně podporovali zákonné představitele státu. Ve jménu vnějškového klidu jsou lidé opět systematicky nuceni k slepé poslušnosti; je jim znemožňováno projevit své mínění; žádá se od nich, aby dělali věci, jimž nevěří a s nimiž nesouhlasí. Je ostře potlačována kritika oficiálních stanovisek; skutečnost je překrucována; rozmáhá se politická demagogie. Tento stav vyvolává nebezpečí všeobecné apatie, prohlubuje v lidech pocit bezmoci, podporuje bezzásadovost a konformismus, vede k mravnímu rozkladu. Roste nebezpečí, že pod povrchem zdánlivě zkonsolidovaného života se budou rychle hromadit další uměle zastírané rozpory, které budou dříve nebo později propukat v novou otevřenou krizi.

Co můžeme jako spisovatelé v této situaci dělat? Myslím, že oč větší je naše znepokojení, o to naléhavěji bychom si měli uvědomit, že nemůžeme odstoupit od svého nejvlastnějšího poslání, jak jsme si je mnohokrát v poslední době formulovali, a zříci se mravních nároků, které toto poslání na nás klade. Nesmíme se dobrovolně vzdát svého práva vyjadřovat se ke všemu kolem nás, co nás zneklidňuje, práva tvořivou prací prosazovat především v okruhu své působnosti všechno, co považujeme za správné. Usnadňovat si život pod tlakem situace únikem do závětří jakési ryze profesionální činnosti znamenalo by slevovat ze své vnitřní, a tím i vnější nezávislosti, obelhávat se iluzí svobody v rámci předepsaných mezí a popírat tím posléze skutečný smysl spisovatelské profese. Musíme si na tomto sjezdu znovu jasně říci, že naše organizace už nikdy nesmí podporovat věci, za nimiž nestojíme, anebo mlčet k věcem, které považujeme za škodlivé. Rezignace by znamenala kapitulaci a na takovou kapitulaci bychom doplatili my sami.

Vycházeje z představy, že se mnou sdílíte toto odhodlání, dovolím si vám teď předložit některé konkrétní návrhy, které by směřovaly ke konkrétnímu naplnění této naší společné vůle a zároveň našemu budoucímu výboru naznačovaly, jakým způsobem by měl pracovat, co dělat a z čeho vycházet.

Návrh první: navrhuji, aby do závěrečného usnesení sjezdu byla včleněna pasáž, která by vztah budoucího Svazu spisovatelů k institucionální struktuře společnosti, do níž se svou prací vřazuje, formulovala asi takto:

SČS bude respektovat jako pro sebe závazná všechna legální rozhodnutí státních orgánů, která se ho týkají; pokud s nimi nebude souhlasit, bude své nároky uplatňovat všemi zákonnými cestami od protestů a stížností u výkonných orgánů státní moci, přes interpelace v orgánech zastupitelských, jednání s orgány politickými až po použití soudní cesty.

SČS se přitom bude ucházet o styky s různými orgány a organizacemi politickými a společenskými, žádné z nich nebude předem vylučovat. Přirozený smysl svých kontaktů s nimi však bude spatřovat především v otevřené a rovnoprávné výměně stanovisek, přičemž pro sebe za závazné bude považovat jen takové výsledky těchto jednání, s nimiž sám bude souhlasit nebo které budou mít povahu dohody zúčastněných stran. Se všemi politickými orgány budou jednat především volené orgány svazu.

Své členství v Národní frontě – v souladu s jejím statutem – bude svaz považovat za příležitost ke své aktivní účasti na politickém životě země v rámci existujícího politického systému. SČS se bude v rámci NF angažovat, přicházet zde s pozitivními návrhy vycházejícími z návrhů a zájmů jeho členstva. Usnesení orgánů NF bude považovat pro sebe za závazná ve všech případech, kdy sám s nimi na půdě NF vysloví souhlas.

SČS bude svou práci i nadále těsně koordinovat s prací ostatních tvůrčích svazů, neboť tuto koordinaci považuje za neobyčejně prospěšnou a užitečnou.

S tím souvisí můj druhý návrh: navrhuji, aby návrhová komise vypracovala a sjezd schválil dopis ústřednímu výboru české NF, v němž vysloví svůj zásadní nesouhlas s tím, že za aktivního přispění orgánů NF byla znemožněna činnost bývalého koordinačního výboru tvůrčích svazů. Je to akt protiprávní a hluboce škodlivý. Orgány NF nemají právo považovat koordinační výbor za nepřípustný typ koordinace členských organizací NF, protože statut NF nejen takovou dílčí spolupráci a přímou koordinaci členských organizací nevylučuje, ale navíc ji přímo doporučuje. Sjezd by měl v tomto dopise také jasně říci, že za prací, kterou bývalý koordinační výbor vykonal, pevně stojí a plně ji schvaluje.

Dále: Jeden z nejdůležitějších výsledků demokratizačního procesu je, že po letech uměle budovaných přehrad byla obnovena vzájemná důvěra mezi dělnictvem a inteligencí, že se začaly mezi nimi rozvíjet partnerské kontakty, že jejich organizace začaly spolupracovat, vzájemně si pomáhat a podporovat se. Nesmíme dopustit, aby dík naší liknavosti, nezájmu nebo obavám z následků byl znovu vražen klín mezi inteligenci a dělníky, oddělující je a orientující proti sobě.

Proto navrhuji – to je můj třetí návrh – aby sjezd pověřil ve svém závěrečném usnesení orgány SČS úkolem upevňovat a rozvíjet přátelské a pracovní kontakty našeho svazu se závody, se závodními odborovými organizacemi a vyššími odborovými orgány. V témž ustanovení by měl sjezd uložit orgánům svazu, aby navázaly přímé pracovní kontakty i se Svazem vysokoškolského studentstva Čech a Moravy jako reprezentantem českého studentstva. Tvořivá spolupráce mezi umělci a studenty – jako budoucí inteligencí národa – přinese nepochybně prospěch oběma stranám.

Čtvrtý návrh: navrhuji, aby návrhová komise vypracovala a sjezd přijal jako součást svého usnesení stanovisko k cenzuře, její současné praxi a v souvislosti s tím k zákazu *Listů*. Protestovali jsme proti cenzuře už častokrát, i na posledním sjezdu, přesto však považuji za důležité, abychom znovu a jasně vyslovili svůj odmítavý názor na cenzuru. Mělo by to být ovšem tentokrát stanovisko konkrétní, které by ukázalo na protiprávnost řady usnesení a směrnic Českého úřadu pro tisk a informace. Dokázalo by, že tento úřad překračuje své zákonem vymezené kompetence, vysvětlilo by absurditu toho, že cenzura nejen zakazuje, ale i přikazuje, neudržitelnost stavu, kdy je sama nejvyšším rozhodčím ve věci interpretace vlastních právně neohraničených směrnic a dokonce i v interpretaci státních a společenských zájmů.

Sjezd by měl též zásadně odsoudit zákrok proti *Listům*, zdůraznit, že svaz byl připraven o svůj nejdůležitější publikační prostor a společnost o důležité ohnisko své sebereflexe. Sjezd by měl zároveň pověřit orgány svazu, aby své nároky proti rozhodnutí o *Listech* uplatňovaly též soudní cestou, na což má svaz jako vydavatel zákonné právo.

Potud mé návrhy. Myslím, že nikdy nemůžeme ztrácet naději na lepší budoucnost a že se musíme za všech okolností zúčastnit svou prací její přípravy. Musíme v rámci svých specifických možností, práv a sil dělat všechno, co směřuje k nápravě společných věcí. Opírajíce se o ústavu a zákony, měli bychom využívat všech zákonných cest k obhajobě a prosazování věcí, za nimiž stojíme.

Jsme přece pro konsolidaci poměrů v naší zemi, ale – jak předpokládám – pro konsolidaci skutečnou, nikoli zdánlivou, pro konsolidaci vnitřní, nikoli vnější, pro konsolidaci přirozenou, nikoli umělou, založenou na diktátu.

Nejsme politickou organizací, nemůžeme hrát úlohu politické opozice, nechceme s nikým soutěžit o moc. Svá stanoviska však skrývat za žádných okolností nesmíme, musíme pracovat s otevřeným hledím, stát za svými požadavky a plnit své poslání, jak jsme si je formulovali v programových zásadách.

Ubírat se touto cestou nebude lehké, bude to vyžadovat mnoho nenápadné, každodenní a důsledné práce, bude to předpokládat různé oběti a bude to možná spojeno i s různými riziky. Kdo však není ochoten přiměřeně riskovat, nemůže dosahovat ani přiměřených úspěchů. Latentní napětí mezi tím, co chtějí, a tím, co jest, patří k obecnému údělu intelektuálů v moderním světě. Postavení českého spisovatele v dnešní době není tedy svou podstatou výjimečné, spíš je jen výjimečně náročným případem obecného spisovatelského osudu.

DOPIS ALEXANDRU DUBČEKOVI Z 9. SRPNA 1969

Vážený pane Dubčeku,

nevím, zda si na mne pamatujete (mluvili jsme spolu jen jednou: před rokem na jednom užším setkání politiků se spisovateli); nevím, zda mne znáte jako spisovatele, a nevím přirozeně také, zda můj dopis budete brát tak, jak je myšlen, totiž jako upřímný výraz upřímného přesvědčení. Přesto všechno jsem se po delší úvaze rozhodl Vám napsat, protože jsem dospěl k názoru, že to je v tuto chvíli asi jediný způsob, jak mohu – v rámci svých nepatrných možností – udělat něco pro věc, kterou považuji za osudově důležitou pro celou zemi, v níž žiji a v jejímž jazyku tvořím. Ostatně vždycky jste lidem spíš věřil, než nevěřil (někdy jste jim dokonce věřil víc, než bylo přiměřené), a tak mám snad alespoň naději, že mé úvahy nebudete přijímat s tím předpojatým odporem, s nímž je dnes přijímáno vše, co nechválí oficiální politickou linii.

Člověk nemusí být příliš zkušeným politickým pozorovatelem (a já jím rozhodně nejsem) k tomu, aby pochopil, že schválení sovětské intervence a bezvýhradné přijetí sovětského výkladu československých událostí z roku 1968 nejvyššími stranickými (a tím i státními) orgány je otázkou několika týdnů, ne-li několika dnů, a že současná oficiální propaganda není ničím jiným než ideologickou přípravou tohoto kroku, který má definitivně proměnit celou posrpnovou československou politiku v politickou, ideologickou a morální kapitulaci. A oč menší je naděje, že se tlaku lidových vrstev, inteligence či určitých sil v politickém vedení přeci jen ještě podaří tento ostudný krok odvrátit, o to víc se zraky všech Čechů a Slováků (a spolu s nimi i světové veřejnosti) upírají dnes k Vám a k některým Vašim druhům v napjatém očekávání, jak se – postaveni před nutnost zaujmout k celé věci stanovisko – zachováte.

Vaše situace je pravděpodobně velice těžká – snad ani z lidského hlediska není spravedlivé, že tak vážné rozhodnutí je vloženo na bedra jediného člověka – a přece je nesmírně důležité, abyste se právě Vy a právě teď zachoval tak, jak stále ještě většina z nás doufá, že se zachováte. Možná to zní nadneseně, ale ať se na to dívám z kterékoliv strany, ať o tom mluvím s kýmkoliv, vždy znovu si musím uvědomovat, že v jistém ohledu teď závisí naděje na smysluplnou budoucnost nás všech právě na Vašem postoji. Vědomí tohoto významu je také bezprostřední pohnutkou tohoto mého dopisu, kterým na Vás chci se vší naléhavostí, jíž jsem schopen, apelovat, abyste nezklamal poslední naději, kterou dnes lidé mají a která se jim soustřeďuje právě ve Vás. Neosobuji si přitom právo Vás poučovat, ani si nemíním hrát na „svědomí národa“ – mým úmyslem není nic víc než vnést do úvah, kterými se asi v této době zabýváte, poněkud jiné pohledy a argumenty, než jsou ty, jimiž jste asi ve svém bezprostředním okolí zaplavován, a posílit ty Vaše vnitřní jistoty, které jsou asi dnes podrobovány nejsilnějším vnějším útokům a vnitřním pochybnostem. Můj apel není tedy projevem nedůvěry, ale naopak důvěry: bez důvěry ve Vaši soudnost a poctivost bych se k takovémuto dopisu asi nikdy neodhodlal.

Pro oba naše národy jste symbolem všech nadějí na lepší, důstojnější a svobodnější život, s nimiž byla spojena první polovina roku 1968; pro světovou veřejnost jste symbolem československého pokusu o „socialismus s lidskou tváří“. Lidé ve Vás vidí čestného, poctivého a odvážného člověka; jste pro ně politikem zaníceným pro spravedlivou věc; mají rádi Váš upřímný pohled a lidský úsměv; věří, že nejste schopen zrady. To všechno samozřejmě dobře vědí i ti, kteří dnes pod ochranou sovětských děl obnovují v naší zemi staré pořádky a likvidují postupně vše, co československé jaro 1968 přineslo. Proto je dnes pravděpodobně jedním z jejich hlavních cílů nejen donutit Vás k tomu, abyste se podřídil jejich ideologii, ale dosáhnout i toho, abyste to byl právě Vy, kdo řekne rozhodující slovo ve prospěch jejich politiky. Nevím, co je na tom pravdy, ale slyšel jsem dokonce, že máte být hlavním žalobcem své vlastní politiky, který poprvé veřejně vysloví souhlas se zásahem, jenž měl tuto politiku zmařit.

Myslím, že něco takového nesmíte za žádnou cenu udělat. Už dávno totiž nejde jen o Vaši osobní čest, hrdost a důstojnost. Běží dnes o mnohem víc: o čest a hrdost všech, kteří Vaší politice dali svou důvěru a kteří dnes – umlčeni – se k Vám upínají jako k poslední šanci, doufajíce, že československému pokusu zachráníte – a Vy jediný k tomu máte možnost – to, co jediné mu zřejmě lze ještě zachránit: sebeúctu.

Důvody, které Vaše odpůrce vedou k tomu, aby se ucházeli o Váš hlas, jsou průhledné: svou nečistou práci chtějí zaštítit Vaším čistým jménem a něčemu, co pramení jen z neschopnosti a bezmoci, chtějí Vaším prostřednictvím dodat zdání jakési skryté politické prozíravosti; zároveň však – a právě tím – Vás chtějí veřejně zdiskreditovat, ponížit a připravit o to, co jim na Vás nejvíc vadí a čím se od nich nejvíc lišíte: totiž o důvěru lidí. Jejich touze srazit Vás na kolena nemůže stačit, že jste ztratil moc; potřebuje víc: abyste ztratil tvář – teprve tím může být skutečně ukojena. Celé toto úsilí je ovšem přitom nerozlučně spojeno s něčím ještě horším: se zcela chladnokrevnou snahou vzít lidem poslední naději a vyvolat v nich hlubokou depresi, lhostejnost a skepsi – tedy přesně to, co Vaši nástupci potřebují k nerušenému výkonu své moci. Jejich cíle jsou jasné: pomstít se Vám za vše, čím je převyšujete; vymazat Vás z mysli lidí; zmanipulovat Vaším prostřednictvím národ. (A tím vším si přirozeně – mezi jiným – připravit posléze i podmínky k Vašemu konečnému a ničím už nerušenému odsouzení.)

Argumentaci Vašich odpůrců si dovedu živě představit: především asi zneužívají Vaší komunistické víry – zdůrazňují zájem strany, zájem hnutí, zájem socialismu; apelují na Vaši stranickou disciplínu; a to, co od Vás žádají, žádají jako službu věci, která Vám je nejdražší a které jste zasvětil svůj život (jak nápadně se to podobá způsobům, jimiž byly v letech procesů vymáhány na disciplinovaných komunistech jménem strany sebeobviňující výpovědi, určené k zmatení veřejnosti a k jejich snazšímu odsouzení!). Zároveň se určitě snaží využít i Vašeho odpovědného vztahu k zájmům našich národů: zdůrazňují, že když neuděláte to, co máte udělat, vyvoláte novou krizi; znemožníte konsolidaci poměrů; uvrhnete zemi do nových zmatků, ne-li na pokraj občanské války; přivoláte novou intervenci, masové deportace a případné připojení k SSSR; budete hazardovat s existencí a životy miliónů lidí, kteří o Vaše gesto nestojí a chtějí v pokoji pracovat. Svůj nárok na Vaši podporu se možná nestydí opírat i o argument, že oni také dávali svou podporu Vám (byla to pěkná podpora, jež pod rouškou vnějšího souhlasu organizovala dávno před intervencí dělnicko-rolnickou vládu a revoluční tribunál nad Vámi!).

Ať to bude pro Vás jakkoli těžké, nesmíte této demagogické argumentaci podlehnout. Vzpomeňte na dilema, v němž byl Edvard Beneš v době Mnichova: tehdy nešlo o pouhou demagogii, ale o reálné nebezpečí, že bude národ vyhlazen. A byli jste to právě vy, komunisté, kteří jste tehdy dokázali odolat sugestivní kapitulantské argumentaci a kteří jste správně pochopili, že faktická prohra nemusí být prohrou morální a že morální vítězství se může později obrátit i ve vítězství faktické, zatímco morální prohra nikdy.

Vzepřete-li se a setrváte-li u své pravdy, zasadíte tím možná úder politice dnešního vedení své strany, nikoli však své straně jako takové: té prokážete takovým postojem naopak – z hlediska budoucnosti – velkou službu: vrátíte lidem kus naděje v tuto stranu, protože jasně ukážete, že komunismus není nerozlučně spjat se lží a bezcharakterností. Možná pomůžete k diskreditaci některých osob z dnešního vedení strany, určitě však nebudete diskreditovat komunismus a jeho ideály: ty můžete naopak jedině rehabilitovat, naznačíte-li, že i komunisté mohou mít páteř a že pravda pro ně může být důležitější než stranická disciplína a vůle stranických orgánů. Odvoláte-li naopak, můžete tím komunismus zdiskreditovat víc než kdokoliv jiný: definitivně byste tím demonstroval, že v rámci této strany a tohoto hnutí jsou hodnoty jako pravda, charakter a svoboda nesmyslnými iluzemi.

Nemám přirozeně žádné informace o poměrech uvnitř stranického vedení, o jeho chystaném postupu a o jeho objektivní situaci. Přesto se však pokusím zamyslet nad jednotlivými alternativami, které – jako prostý občan – jsem s to předpokládat:

Vaše první možnost – ta, o níž předpokládám, že je Vám vnucována – je provést obsáhlou sebekritiku, přiznat slabost a zaslepenost svého vedení, přistoupit kompletně na sovětskou interpretaci československého vývoje, přiznat, že jste „nepochopil" skutečnou podstatu a směr tohoto vývoje, zanedbal svou povinnost, přihrál tím kontrarevolučním silám, což jste pak dovršil odsouzením sovětské intervence. A pak zdůraznit, že teprve s odstupem času jste si uvědomil nevyhnutelnost tohoto zákroku a pochopil, že ve skutečnosti musíme být vděčni sovětskému vedení za „bratrskou pomoc", kterou představovaly tanky, vyslané k nám, aby tu zachránily naše socialistické vymoženosti.

Jít touto cestou by znamenalo popřít „v zájmu strany" sebe sama, svou pravdu, své přesvědčení, svou práci, své ideály; poplivat vlastní dílo a zradit všechny naděje s Vaším jménem spojené; ponížit sám sebe a hluboce urazit většinu Čechů a Slováků, kteří vědí, jak věci skutečně byly; vzít lidem poslední jistotu, poslední ideál, poslední zbytky víry v lidskou čest, ve smysluplnost charakterního chování, v lepší budoucnost a ve smysl jakékoli oběti pro celek a uvrhnout je tím hluboko do morální bídy, provázené ztrátou všech vyšších hodnot a vedoucí k všeobecnému rozvoji sobectví, přizpůsobivosti, kariérismu a lhostejnosti k osudům druhých.

Tímto postupem byste samozřejmě velice pomohl dnešnímu stranickému vedení, avšak za tu cenu, že byste jím zasadil strašlivou ránu mravní konzistenci našich národů: šok z pádu posledního ideálu by nemohl vést k ničemu jinému než k mravní kocovině a marasmu, z nichž bychom se možná nevzpamatovali po celou generaci; byla by to likvidace jak posledních zbytků národního sebevědomí, tak i posledních zbytků důvěry v komunismus. Byl byste pravděpodobně ponechán – aspoň určitý čas – ve významnějších stranických a státních funkcích (jsa přitom přirozeně zbaven reálného politického vlivu); naše národy by Vás však odsoudily jako zrádce, který nemá v dějinách české a slovenské politiky obdoby (já si aspoň nevzpomínám na případ, že by byl kdy u nás představitel určité politiky aktivně schválil vojenský zásah proti této své politice).

Druhou možností, která se Vám nabízí, je, že budete mlčet: ani neprovedete sebekritiku, ale ani na druhé straně nevstoupíte do polemiky s návrhem na schválení okupace – prostě se jen tiše podrobíte přijatému usnesení a budete vyčkávat věcí příštích.

Nevěřím, že tato alternativa je reálná, připusťme však, že je. K čemu by vedla? Z významnějších funkcí byste byl odstraněn asi podstatně rychleji než v případě prvním a asi daleko dřív a daleko nešetrněji byste byl odsouzen jako hlavní viník. V očích lidí byste ovšem na tom také nebyl lépe: Vaše „řešení" by sice snad nevyvolalo tak silný a bezprostřední otřes jako aktivní schválení okupace, nicméně důvěru národa by Vám nezachránilo: tento dosti trapný pokus skrýt se v davu a vykličkovat bez zranění by těžko mohl probudit něco jiného než všeobecné opovržení. Stranickému vedení byste takovým postupem ani příliš nepomohl, ani příliš neuškodil a Vaše snaha přelstít mlčenlivým souhlasem sebe sama a švejkovsky probruslit historií by přitom nakonec mohla vést jen ke stejné mravní krizi, k jaké by vedla alternativa první.

Třetí postoj, který můžete zaujmout – totiž ten, který Vám doporučuji a který je také od Vás, jak se mi zdá, většinou lidí očekáván – je nejnáročnější: spočívá totiž v tom, že navzdory všem vykonávaným tlakům znovu věcně, otevřeně a pravdivě vyložíte své záměry, svou politiku i své pojetí polednového vývoje; zdůrazníte jasně své přesvědčení, že demokratizační proces nebyl spojen s existenčním ohrožením socialismu, ale sliboval naopak jeho regeneraci; a i pokud jde o sovětskou intervenci, vylíčíte svůj vztah k ní zcela otevřeně a pravdivě: od začátku jste ji chápal a dodnes chápete jako neoprávněný a nezdůvodněný zásah proti demokratizačnímu procesu (zásah, který byl navíc v hrubém rozporu s principy soužití socialistických států a s mezinárodním právem, jak konstatovalo srpnové prohlášení předsednictva ÚV KSČ); přičemž nejprve jste byl vpádem vojsk především šokován jako velikou křivdou, zradou a bezprávím, později jste však přítomnost vojsk přijal jako realitu a snažil se najít taková politická východiska, která by umožňovala i v této nové „realitě" konsolidovat vnitřní poměry i mezinárodní vztahy, aniž by to muselo být zaplaceno ústupem od Vašeho přesvědčení o neoprávněnosti intervence. Jde tedy jinými slovy o to říci pravdu, trvat na ní a odmítnout vše, co ji staví na hlavu.

Co se stane, zachováte-li se tímto nejnáročnějším, ale zároveň v určitém ohledu nejpřirozenějším způsobem?

Pokud svým vystoupením nedosáhnete stažení celé této otázky z pořadu jednání – což je velice nepravděpodobné – budete zřejmě ihned po schválení okupace ústředním výborem vyloučen (spolu s několika dalšími, kteří se k Vám přidají) z ÚV a nejspíš i z KSČ a budete odsouzen přinejmenším tak, jako před časem dr. Kriegel. Stranickému vedení a jeho politice tím zasadíte tvrdou ránu, neboť je usvědčíte z bezcharakterního a žádnými politickými taktikami neomluvitelného zkreslování skutečnosti; konsolidační proces, jak je mu dnes rozuměno, vážně ztížíte; pravděpodobně vyvoláte novou „krizi": možná propuknou nepokoje a uskuteční se stávky na Vaši podporu. Nakonec se ovšem podaří vše jakž takž „uklidnit", nepokoje budou potlačeny (někteří další funkcionáři budou na toto konto vystřídáni a několik desítek lidí se ocitne v kriminále) a po několika týdnech vše opět vpluje do poměrů, jaké známe a jaké si umíme představit. Z hlediska okamžité situace Váš čin tedy nic pozitivního nepřinese, spíš naopak: bude zneužit k dalším represím. To všechno je však zcela zanedbatelné ve srovnání s nesmírným mravním – a tím z hlediska dlouhodobého vývoje i společenským a politickým – významem, který by tento Váš postup měl pro budoucí osud našich národů: lidé by pochopili, že si lze vždycky zachovat své ideály a páteř; že lze čelit lži; že jsou hodnoty, za něž má smysl se bít; že existují ještě vůdci, jimž lze věřit; že žádná okamžitá politická prohra neopravňuje k totální historické skepsi, dokáží-li postižení svou prohru důstojně nést. Svým činem byste nám všem nastavil morální zrcadlo podobně mocné, jako bylo to, jež nám před časem nastavil Jan Palach – účinnost Vašeho kroku by však byla zřejmě dlouhodobější. Váš čin by se stal pro mnohé spoluobčany měřítkem vlastního chování, střelkou ukazující ke smysluplnější budoucnosti, trvalou a konkrétní politickou i lidskou posilou. Nebyl byste zapomenut, ale žil naopak – byť v ústraní – jako živá a průběžně působící naděje poctivých občanů a zároveň permanentní a neodstranitelná výčitka všem kariéristům, těžícím z okupační situace. Nesmírně byste posílil prestiž československého zápasu před světovou veřejností; komunistickému hnutí byste zachoval naživu dimenzi jedné z jeho lepších perspektiv. Po několika letech (zvláště v případě mocenských přesunů v KSSS) byste byl zřejmě – i když asi dost nenápadně, jak to v dějinách komunistického hnutí bývá – rehabilitován, protože dějiny zastavit nelze a čas by Vám musel dříve nebo později nutně dát za pravdu. A až by se jednou otevřely možnosti znovu – možná pozvolněji, ale možná o to důsledněji – se pokusit o to, co se nepodařilo v roce 1968, mohla by společnost produktivně využít právě toho ohromného morálně politického potenciálu, který by v ní – dík Vašemu pevnému postoji – zůstal uchován, působil a rozvíjel se. Pro světovou veřejnost a pro mezinárodní komunistické hnutí by přitom zásluhou Vašeho činu nezůstal československý pokus z roku 1968 uzavřenou a zapomenutou historickou epizodou, ale byl by naopak průběžně přítomnou alternativou, s níž by se mnozí, kteří by jinak celou věc rádi z pohodlnosti smetli se stolu, byli nuceni znovu a znovu konfrontovat.

Ano, vím, že se mi to snadno radí, když nejsem ve Vaší kůži a nenesu Vaši odpovědnost. Avšak to, že nejsem Vámi, mne nijak nevyvazuje – aspoň před mým svědomím – z povinnosti zaujmout stanovisko a seznámit Vás s ním, tím spíš, že nezdráhal-li jsem se užívat možností, které mi Vaše politická koncepce v lepších dobách dávala, pociťuji navíc přirozenou nutnost přihlásit se i v dobách zlých ke svému skromnému dílu spoluodpovědnosti za její osud. Ostatně myslím, že jako dramatický autor se dovedu – dovolíte-li – do Vaší kůže aspoň do jisté míry vžít: zdá se mi, že chápu leccos z Vaší mentality, z Vašich problémů, z Vašich trpkostí, z Vašich ohledů, z Vašich myšlenkových a politických tradic, vztahů, předsudků, úvah a pocitů.

Přesto však, že se snažím vžít do Vaší situace, a právě proto, že se snažím pojímat věci i ze své perspektivy co nejodpovědněji, musím mluvit tak, jak mluvím, a jako jedinou skutečně smysluplnou cestu Vám doporučovat tu, která je pro Vás – bohužel – asi nejtěžší a nejnebezpečnější: cestu pravdy.

Na druhé straně ovšem musím v zájmu objektivity otevřeně přiznat své přesvědčení, že v jistém ohledu nesete i Vy sám kus viny na tom, že se ocitáte v té situaci, v níž se ocitáte; je-li na Vás dnes žádáno rozhodnutí za tak mimořádně těžkých okolností, je v tom bohužel zároveň kus nemilosrdné dějinné spravedlnosti: Váš posrpnový pokus vyhnout se jednoznačné odpovědi na otázku intervence se nezdařil nejen vinou nezodpovědného národa, jak jste možná ve slabších chvilkách ochoten si namlouvat, ale i vinou Vaší: nezlobte se, že se odvolávám sám k sobě, ale nemohu si nevzpomenout v této souvislosti na svou reakci na Váš návrat z Moskvy v srpnu loňského roku: hluboce sice dojat vším, co jste fyzicky i psychicky museli podstoupit, ani na okamžik nepochybuje o Vašich krajně čestných úmyslech a odpovědných úvahách, hluboce chápaje složitost situace, v níž Vám bylo se rozhodovat, a skláněje se před Vaší houževnatou snahou nevzdat svůj boj – tedy navzdory tomu všemu – byl jsem od první chvíle přesvědčen, že podpisem moskevských dohod jste se dopustili strašlivého omylu, za který budete muset dříve nebo později krutě platit. Můj předpoklad se nyní bohužel naplňuje. Moskevské dohody nebyly totiž ničím jiným než pouhým odkladem nutnosti říci k intervenci buď „ano", nebo „ne"; úhyb od této otázky mohl vést pouze k provizóriu, nemohl však nikdy být východiskem jakékoli dlouhodobější politické koncepce; schizofrenní napětí, které se v prvních měsících po intervenci vytvořilo, muselo dříve nebo později vyústit – buď do nového střetnutí, nebo do definitivní kapitulace, přičemž druhá možnost byla z mnoha různých důvodů nepoměrně pravděpodobnější. Sám akt odkladu obecně samozřejmě neodsuzuji – odklad na pravém místě a v pravou chvíli může být velmi efektivní politickou zbraní – jenomže v tomto případě šlo – a v tom bylo právě podle mého názoru jádro Vašeho omylu – o odklad pro československou stranu krajně nevýhodný: totiž takový, který nemohl pracovat pro Vás, ale jedině proti Vám. Mohla-li totiž určitá forma Vašeho „ne" (byť spočívající třeba jen v tom, že budete žádat před podpisem dohod konzultaci s národem) v té době ještě mít určité reálné šance na konkrétní politický výsledek (krach vnitrostranického puče, fiasko politického zajištění okupace a bezradnost sovětského vedení pracovaly pro Vás), pak ten způsob úniku od jednoznačné odpovědi, který jste zvolili, nemohl vést k ničemu jinému, než že nutnost takové odpovědi byla odkládána na dobu pro Vás stále méně příznivou, až – dnes – může mít Vaše eventuální „ne“ už jenom ten perspektivní význam, o němž jsem mluvil. Je to pochopitelné: moskevské dohody byly de facto nástrojem Vašeho sebeobelhání – nevyslovujíce jasné „ano“, poskytovaly Vám iluzi úspěchu, přitom však zároveň zajišťovaly všechny faktické předpoklady budoucí nutnosti říci „ano“ zcela nedvojsmyslně, anulací 14. sjezdu a jeho odkladem počínaje a úmluvou o brzké okupační smlouvě konče. Moskevský protokol dal čas a vytvořil všechny náležité podmínky k nerušené a klidné stabilizaci všech těch regresívních struktur, které se pod Vaší ochranou připravovaly k Vašemu pohlcení a které v srpnu loňského roku neexistovaly a existovat nemohly. Pozvolný psychologický a organizační rozklad akční jednoty, o níž jste se v srpnu mohli tak účinně opírat, byl jen přirozeným a plánovaným důsledkem budování právě těchto struktur, připravujících Vás Vaším jménem a pod Vaší záštitou o všechny nejdůležitější zdroje Vaší autority a moci. Abyste mi dobře rozuměl: to vše neříkám proto, abych rekriminoval minulost, dělal dodatečně chytrého a vyzbrojen všemi zkušenostmi, které jste tehdy ještě neměli, vysvětloval Vám, co všechno jste dělali špatně a mohli a měli dělat lépe. O to dnes vůbec nejde a já o tom mluvím jen a jen proto, abych naznačil, že mimořádně tíživé okolnosti Vaší dnešní povinnosti rozhodnout se nespadly z nebe, ale vyrůstají zákonitě z věcí minulých jako nechtěný důsledek Vašich vlastních dřívějších politických rozhodnutí, záměrů a iluzí. (A to ovšem záměrně nerozvádím – abych nezacházel ještě dál od otázek, jež je třeba řešit dnes – některé vážné chyby Vaší politiky předsrpnové, která z naivní důvěry v „rozumnost“ sovětského vedení nepodnikla žádné z reálných opatření – nikoli ovšem „brzdících “ lidové hnutí, ale opírajících se naopak o ně – jež by mohla preventivně možnost vojenského zásahu odvrátit nebo aspoň ztížit, a tím Vás uvarovat i všech hrozných dilemat, do nichž Vás sovětská intervence dostala.) Poctivost Vašich úvah a čestnost Vašich úmyslů na této Vaší spoluodpovědnosti – bohužel – mnoho nemění: v politice nerozhodují úmysly, ale výsledky.

Ostatně přesto, že koncem srpna loňského roku většina našich občanů sdílela se mnou zřejmě kritický vztah ke zvolenému řešení, všichni toto řešení zároveň respektovali jako alternativu možnou, i když ne nejšťastnější, pochopitelnou, čestně míněnou. A proto i po všech těch posrpnových opatřeních, která jste se zaťatými zuby museli dělat, abyste dostáli svým úvazkům, zachovali si Češi i Slováci svou důvěru ve Vás, podporovali Vás a Vaše opatření – rovněž se zaťatými zuby – přijímali. Nicméně nemilosrdné kolo dějinné logiky se nezadržitelně točilo dál a vynášelo postupně na povrch všechny ty neradostné – zprvu nezřetelné, v jádře však bohužel zákonité – důsledky postupu, který byl zvolen.

Takže vlastně teprve dnes nastává onen osudný okamžik, který na Vás žádá, abyste vydal definitivní počet ze svého konání, odkryl skutečné zázemí toho, čeho jste se stal představitelem, a buď svým postojem udělal za celým československým demokratizačním pokusem tečku jako za neodpovědně umožněným nedopatřením, anebo naopak odvážným, těžkým a riskantním rozhodnutím stvrdil jeho opravdovost a neporaženou a neporazitelnou inspirativnost, která stojí za to, aby jejím jménem se politik vzepřel autoritě své vlastní strany, svého vlastního hnutí, svých soudruhů.

Zdá se, že nastal čas, kdy už se nelze vyhnout odpovědi, obejít ono osudové dilema, přelstít historii. Zajisté jste se svými druhy chybovali – jako každý z nás chybuje. Nyní běží o to, zda bude vše, v čem jste se mýlili nebo v čem jste neuspěli, tisíckrát vykoupeno faktem Vašeho odhodlání osobně ručit za svou pravdu a svým lidským osudem stvrdit opravdovost svých ideálů, anebo zda naopak neochotou svou existencí a možná i svým životem se za loňský pokus zaručit donutíte široké vrstvy lidí k tomu, aby tento pokus začali považovat za gigantický podvod, který byl na nich spáchán a na který se naivně nachytali.

Možná Vás napadá na tomto místě, že na Vás vlastně žádám, abyste smýval vinu za nás všechny a abyste svým činem přinesl vykupující symbolickou oběť, kterou naše národy samy nejsou schopny – nesymbolicky – nést; možná Vás napadne, že ti, kteří na Vás tohle žádají, činí tak jen z vlastního alibismu, chtějíce si Vaším prostřednictvím bezbolestně uklidnit své svědomí. V mnoha ohledech je taková úvaha jistě oprávněná – a přece nemění nic na tom, že se musíte zachovat tak, jak je od Vás očekáváno: politik – a vůbec každá společenská elita – není totiž nikdy pouze „funkcí" společnosti, ale společnost je vždycky zároveň do jisté míry zpětně „funkcí" svých politiků a svých elit: elity na ni působí a mobilizují ty její síly, které jsou s to mobilizovat: zbabělá politika rozvíjí zbabělost i ve společnosti, statečná politika mobilizuje naopak lidskou statečnost. Naše národy jsou schopny chovat se zbaběle i odvážně, projevovat svaté zanícení i řídit se sobeckou lhostejností, Češi a Slováci dokážou hrdinsky bojovat i zákeřně denuncovat – a co z toho opravdu v tu kterou dobu ve společnosti i v každém jejím příslušníkovi převáží, to záleží do značné míry právě na tom, jakou situaci v tom kterém okamžiku politická elita vytvoří, před jaké alternativy lidi postaví, kterým vlastnostem dá či nedá příležitost k uplatnění a rozvoji, co prostě v lidech bude svou prací a svým vlastním příkladem stimulovat. Proto také klade politika zvýšené nároky na lidské a morální kvality těch, kdož ji dělají; čím větší má politik moc, tím vyšší jsou i tyto nároky – jako integrální součást a důsledek jeho povolání.

Dává-li dnešní režim především příležitost k rozvoji sobectví, zbabělé přizpůsobivosti a kariérismu, zakládá-li dokonce právě na existenci těchto vlastností do značné míry svou moc, pak tím spíš záleží v této chvíli právě na Vás, zda československá politika, resp. komunistické hnutí, dokáží nabídnout i jiný model chování a zmobilizovat v lidech i společnosti jejich jiné, lepší síly. Ostatně ani na tom, že se v tak tíživé situaci ocitáte dnes sám, nejste tak docela bez viny: sám jste přece – byť zajisté v dobrém úmyslu – umožňoval svou politikou proces systematické demobilizace celé té nebývale silné fronty širokých vrstev, jež se tu spontánně zformovala právě proto, aby šla – spolu s Vámi – za společnou věcí bez ohledu na nebezpečí s touto cestou spojená. Jako přesvědčený zastánce vedoucí úlohy strany a jejího demokraticko-centralistického principu jste přitom zároveň sám, dobrovolně a v duchu svého přesvědčení bral na sebe – i ve chvílích největšího rozmachu demokratizačních reforem – velký kus rozhodovacích pravomocí od nás všech, obyčejných občanů (navíc většinou nestraníků); nyní se pouze vytvořila situace, kdy vedoucí postavení, jež jste si nárokoval a jež jste také – byť daleko zaslouženěji než jiní – měl, staví před Vás povinnost jednat za nás ostatní i v jiném smyslu, než v jakém jste byl zvyklý: nikoli ve výkonu moci, ale ve vzdoru proti ní.

Úkol, který před Vás tyto úvahy staví, je jasný: věříte-li, že pokus humanizovat a demokratizovat socialismus v souladu s podmínkami, jaké jsou v průmyslově a kulturně vyspělé evropské zemi, který byl pod Vaším vedením na jaře roku 1968 v Československu podniknut, byl pokusem oprávněným a spravedlivým, vycházejícím z vůle lidu a neohrožujícím jeho vymoženosti, a jste-li přesvědčen, že náhlý vpád sovětských armád do Československa v srpnu 1968 byl neoprávněným a nespravedlivým zásahem proti tomuto pokusu, pak to musíte jasně říct. Bez ohledu na ohromné politické těžkosti, které tím dnešnímu vedení KSČ způsobíte, bez ohledu na následky, které to pro Vás bude mít, a dokonce i bez ohledu na konkrétní politickou situaci, kterou tím vyvoláte. Neřeknete-li to, budete muset říci opak: a to by mělo následky nekonečně zhoubnější.

Československý pokus o reformu byl poražen. Tím spíš by neměla být poražena pravda tohoto pokusu, jeho idea. Socialismus v Československu ztrácí opět lidskou tvář. Tím spíš ji nesmí ztratit myšlenka jeho polidštění. Je nyní především na Vás, zda se tak stane či nikoliv.

Nemám v úmyslu vystupovat jako samozvaný mluvčí zájmů lidu. Avšak je-li dnes něco jistého, pak je to skutečnost, že tak jako já smýšlí většina Čechů a Slováků. Nelze totiž dost dobře smýšlet jinak. Věci jsou v podstatě prosté. Vy jste ovšem v průsečíku velice složitých tlaků, sil, vlivů a ohledů. Jde o to, abyste si z této složité a temné houštiny dokázal proklestit cestu na světlo tak říkajíc „prosté lidské úvahy“. Abyste myslel tak, jak myslí každý obyčejný, poctivý člověk. Jsou občas okamžiky, kdy může politik dosáhnout skutečného politického úspěchu jedině tak, že zapomene na celou tu propletenou síť zrelativizovaných politických ohledů, analýz a kalkulací a zachová se prostě jako čestný člověk. Náhlé uplatnění bezprostředně lidských měřítek uprostřed odlidšťujícího světa politických manipulací může působit jako blesk, který tuto nepřehlednou krajinu ozáří jasným světlem. A pravda je najednou zase pravdou, rozum rozumem a čest ctí.

Vážený pane Dubčeku, v nejbližších dnech a týdnech budu na Vás – spolu s tisíci svých spoluobčanů – hodně myslet, budu se o Vás hodně strachovat a zároveň od Vás hodně očekávat.

Váš Václav Havel

DVA DOPISY Z VĚZENÍ

22. ledna 1983

Čas od času ke mně dolétne něčí katastrofický hlas: že v našich kruzích se všichni jen hádají, nic pořádného nedělají, stále jen flámují, vystěhovávají se (aby venku dělali jen hanbu), starají se jen o sebe, přivlastňují si peníze, které nejsou jejich, ti známější pečují jen o svou známost a kašlou na ty ostatní atd. atd. Zda to je pravda, nevím, a beru to přirozeně s rezervou: umím si dobře představit, jak snadno se dvě tři nahodilé a povrchní zkušenosti generalizují, zvlášť v tomto případě, kdy jde o fenomén tak různotvárný, rozptýlený, neorganizovaný a v úplnosti vlastně nepoznatelný, a zvlášť tehdy, kdy člověk určitého vyhraněného založení staví svůj obraz situace na nahodilé a povrchní konfrontaci s lidmi založenými úplně jinak a třeba protichůdně. Nepíšu o tom teď taky proto, že bych těmto a podobným zprávám dával bůhví jakou váhu, trápil se jimi nebo z nich dokonce vyvozoval nějaké závěry. Jak se věci skutečně mají, poznám, až budu venku: možná to není tak zlé, možná to je ještě horší. Teď mi jde ale o něco jiného: chci říci, že i když člověku přirozeně není a nemůže být lhostejné, jak to všechno kolem něj je, přeci jen to není to hlavní a nejdůležitější, to, o co opravdu jde. Což musím poněkud vysvětlit.

Začal bych třeba takhle: když člověk zaujme v životě určitý postoj, když svému životu vdechne nějaký smysl, dá mu perspektivu, naději, poslání, když se dobere určité pravdy a rozhodne se „žít v ní", je to akt jeho a jen jeho, akt existenciální, mravní a vposledku metafyzický, z „hlubin srdce" vyrůstající a k naplnění vlastního bytí orientovaný, tedy akt v určitém ohledu „soběstačný", nezávislý ve své podstatě na přesunech a přelivech ve vnějším okolí, na takzvané „obecné situaci", natož na jejím okamžitém vzezření. K takové orientaci, je-li vskutku pravá a hluboká, člověk dospívá vždycky – v jakékoli době, v jakýchkoli podmínkách a víceméně nezávisle na nich – a proto nemůže taky jakákoli změna vnějších podmínek a okolností jeho volbu v jejím hlubinném základě změnit (změnit může nanejvýš způsoby jeho chování). Jen ten, kdo nečerpá sílu sám ze sebe a kdo není s to sám v sobě nalézt smysl svého života, spoléhá na své okolí, vkládá klíč k vlastní orientaci někam ven – do nějaké ideologie, organizace či společenství – a pak, byť by byl navenek jakkoli aktivní, jen čeká a spoléhá. Čeká na to, co udělají jiní nebo jaké úlohy mu zadají, a spoléhá na ně – a když oni náhodou zrovna nedělají nic nebo dělají všechno špatně, propadá deziluzi, zoufalství, a posléze na všechno rezignuje. Jeho sekta ho zklamala a souběžně s její krizí splaskne i on sám jako propíchnutý balón. Je to přístup v jádře fanatický: neschopen čelit sám cizotě světa, dává člověk plně svůj osud do rukou nějaké zbožštělé instituce a slepě se s ní identifikuje – aby při prvních známkách toho, že neodpovídá jeho zidealizované představě, začal propadat panice: má dojem, že se mu hroutí svět, vytrácí smysl života, a je najednou ochoten udělat přesně to, co po dlouhá léta sám tak vehementně (je to přece fanatik!) odsuzoval: starat se sám o sebe, vystěhovat se, přizpůsobit. Takový člověk je nešťastný: je totiž permanentně nadšený a zároveň permanentně zklamaný, je trvale naivním optimistou a zároveň v trvalém nebezpečí, že jakákoli vnější nahodilost ho uvrhne do propasti nejhlubší skepse. Je to člověk schopný velmi snadno, velmi rychle, velmi bouřlivě a bez sebemenší vnitřní kontroly a rezervy se něčemu oddat (a každého, kdo se tomu neoddá s ním, energicky odsuzovat), ale stejně snadno schopný se od téhož ve chvíli, kdy to začíná skřípat, odvrátit a stejně rychle propadnout pesimistickému náhledu, že nic nemá cenu (což drží – v lepším případě – až do chvíle, kdy se objeví – totiž: někdo jiný objeví – něco nového, s čím by bylo možno se znovu identifikovat a do čeho by bylo možno opět beze zbytku delegovat svůj rozum, své svědomí, svou odpovědnost). Opravdovou setrvalost a výdrž má jen ten, kdo se opírá sám o sebe a nespoléhá na druhé, má dost síly k tomu, aby si zachoval vždy střízlivého ducha, vlastní rozum a zdravou kontrolu nad sebou, i vždy původní, tj. nezprostředkovaný pohled na svět. Což platí i opačně: jen ten, kdo si takový trvalý nadhled dokáže zachovat, skutečně věří – ve smyslu víry jako stavu ducha, jako „orientace k bytí“, a nikoli víry jako slepé identifikace s něčím, co se zvenčí nabízí.

Jinými slovy: kdyby se všichni vystěhovali, všichni všechno opustili, kdyby všichni propadli „pobytu“, není to sebemenší důvod k tomu, aby člověk – jen proto – udělal totéž: jeho postoj nevznikl z nutkání udělat to, co ostatní, a nemůže se ho proto vzdát z tak nicotného důvodu, že se ho vzdali ostatní.

Samozřejmě: radujeme se, když všechno funguje, všichni kolem nás se pořád a statečně a neúnavně obětují pro ideály, všichni jsou k sobě navzájem dobrotiví a nepřetržitě se milují – a deprimuje nás, když je tomu naopak. Toto radování a tento smutek se však nemohou – tak ani onak – dotýkat toho základního, jádra věci, totiž toho, jak jsme sami sebe zvolili, kým jsme se rozhodli být.

Abych se ale vrátil k začátku: zdá se mi, že ty rozmanité katastrofické zprávy, nebo aspoň některé z nich, daleko víc než o objektivním stavu věcí vypovídají o stavu toho, kdo je přináší, totiž o jeho neschopnosti opřít se sám o sebe a odtud hledat teprve spojence, vedoucí k smutné závislosti na „spojencích“, od nichž jedině a výhradně čeká spásu, na něž je cele odkázán a s jejichž krachem se automaticky hroutí i sám. Přičemž mám podezření, že v případech, které mám na mysli, tenhle vnitřní stav – nastane-li – dokonce začne jaksi nenápadně předcházet všem těm zprávám o vnějším stavu a ovlivňovat je; až to je posléze především tenhle nedostatek „soběstačnosti“, síly, výdrže, nezávislosti, veselého nadhledu, tolerance a vlídného pochopení – nezadržitelně vedoucí (cestou bolestínské sebelítosti) k rezignaci, co určuje perspektivu pohledu, výběr faktů, způsob jejich hodnocení i zobecňování – a že tím, co člověka („podvedeného", a proto ukřivděného) nutí vidět všude demoralizaci, není ani tak tato všeobecná demoralizace sama, jako spíš jeho vlastní ztráta životních jistot a životního smyslu. Opět tedy to, o čem jsem psal už kdysi: kdo nevydrží a selže, obvykle nejvíc zdůrazňuje, že celý svět selhal, a na toto obecné selhání světa se nejvíc odvolává a nejčastěji vymlouvá. Abych citoval sám sebe: svět je ztracen jen do té míry, do jaké já sám jsem ztracen.

Je to možná legrační, ale kdykoli slyším, že je určitá naše věc v krizi, beru si z toho radostnou informaci, že tato věc ještě existuje – kdyby neexistovala, nemohla by přece být v krizi. Mám tedy, jak patrno, méně iluzí než mnozí, protože je méně než mnozí potřebuji: věřím totiž. V co? Těžko říci. Snad v život.

●

5. února 1983

Nedílnou součástí onoho katastrofického poselství, které ke mně pravidelně tak dvakrát třikrát do roka odněkud dolétne, je stížnost, že se „nic neděje" nebo že se „nic nedělá". Dalo by se čekat, že taková zpráva zde člověka obzvlášť raní, rozruší, deprimuje a že ho přímo donutí, aby zoufale zvolal: proč tu vlastně jsem? Jaký to má všechno smysl – když se nic neděje?

Nemíním nic zjednodušovat: neskrývám, že každá zpráva, že se něco smysluplného podniklo, tu člověka po čertech potěší; nechci také ty zprávy házet všechny do jednoho pytle – mohou být věcné, přesné, výstižné, i potrhlé a popletené. Přesto se však musím přiznat, že už dlouho na tenhle druh poselství reaguji vždy znovu a zcela spontánně právě opačným způsobem, než by se očekávalo: obvykle s větší či menší podrážděností odseknu: a co by se mělo dít? A proč by se vlastně mělo něco dít? A proč by musel pořád někdo „něco dělat"? A co vlastně?

Tato moje podrážděná reakce není ovšem reakcí na tu či onu konkrétní zprávu jako takovou, ale na určité poněkud zvrácené pojetí, které mi tenhle druh zpráv – ať už právem či neprávem – vždy znovu připomíná. Totiž pojetí založené na bludu, že vše stojí a padá s takzvaným „děním", tj. děním jako takovým, neboť jakékoli dění je z principu lepší než jakékoli nedění. Jde tedy o jakýsi kult „dění pro dění", „dělání pro dělání", důležité je pouze, že „se" „něco" dělá – méně důležité nebo zcela pominutelné už pak je, co je to, kdo a proč to dělá, co to znamená či vyvolává, z čeho to vyrůstá. Smysl události se vyčerpává už prostě tím, že tato událost je: a není-li už tak důležité, čím je, je naopak pochopitelně velmi důležité, aby událostí bylo co nejvíc a aby byly co nejčastěji: jejich množství a frekvence jsou totiž mírou života. Mezi nimi je nicota rostoucí z dojmu, že „když se nic neděje, tak se nic neděje". Život se tak stává de facto trvalým umíráním, přerušovaným jen tu a tam nějakou událostí. Je-li událostí víc, zdá se, že víc žijeme, je-li jich méně nebo nejsou-li žádné, smrt se zdá být neodvratná. Nepovažuji – samo o sobě – vůbec za důležité, zda se děje hodně nebo málo věcí, a vůbec se mi nezdá, že kvantita vnějškového dění sama cokoli podstatnějšího říká. Důležité je podle mého názoru pouze, zda to, co se děje či neděje, má smysl, nebo nemá. Dojem, že „když se nic neděje, tak se nic neděje", je předsudkem ducha povrchního, nesamostatného a dutého, propadlého době, která sama sobě dokáže vykazovat svou výtečnost jen kvantitou pseudodění, které si trvale – jako včelička – k tomu účelu organizuje. Jak často je přece ve skutečnosti ticho výmluvnější než sebevýmluvnější řeč! Jak často má jedno dobře zvolené a správně umístěné slovo silnější očistný účinek než desítky a stovky stran dobře míněného tlachání! Jak často mlčky, jen se skromným a smutně sebeironickým úsměvem držený postoj má nepoměrně vyšší stupeň duchovní emanace než všechna agilní upovídanost, všechna ta neustálá verbální sebekomentace, všechno to úsilí každou věc donekonečna rozžvatlávat, a tím nakonec jedině usmrtit.

Bývaly zřejmě heroické doby krásně zmateného těkání, kmitání, poletování, hektické aktivity, kdy každý dělal všechno, všichni byli na sebe hodní a společně a vesele všechno snášeli, každý každému pomáhal a nikdo nikomu nic neodmítl. Každé společenství má takovou dobu mladosti. Zřejmě se tu a tam objeví nostalgická vzpomínka – a na jejím pozadí pocit, že se „nic neděje“. Jenže to je přesně onen bod, kdy je třeba zmobilizovat veškerou ostražitost a zreflektovat zavčas nebezpečí, které tu hrozí a které by mohlo povážlivě připomenout ten známý tobogan od nadšenectví k nihilismu, po kterém se svého času zhouply celé šiky našich o něco málo starších spoluobčanů. Věru smutná představa, že takhle by měli končit ti, kteří celou podstatou svého antifanatického a antiiluzionistického postoje se zdáli být proti čemukoli takovému imunní!

Zkrátka a dobře: je mi jedno, zda se toho děje hodně nebo málo; zajímá mě jen, zda to, co se děje – anebo neděje! – má svůj smysl, a jaký. Jsem pro věci, které mají smysl: autenticitu, zakotvenost, originalitu, švih, přiměřenost, vkus, sdělnost, apelativnost, srozumění se svou chvílí, prostě hlavu a patu. Jedna taková věc – třeba za půl roku nebo za rok – mi je milejší než všechna eventuální dřina, byť byla vedena úmysly sebešlechetnějšími, pokud jejím smyslem není nic jiného, než aby se něco dělo. To většinou jen devalvuje stanoviska, vyčerpává (a ohrožuje) lidi, a beztak nakonec zanechává jen pocit marnosti. A vůbec: tam, kde není život zazděn do vnějškovosti „dění“ a kde jakékoli „nedění“ není automaticky pociťováno jako smrt, tam může přece smysluplně zaznít i mlčení – hrdé, důstojné, sebevědomé, svobodné. Mlčení nikoli jako prázdnota, ale jako svrchované a přitom pokorné vědění. Mlčení jako smysluplnost. Mlčení jako ono heideggerovské tiché usebrání, v němž se setkávají věci se světem, odkazují navzájem k sobě a stávají se tím teprve bytostně samy sebou. Anebo jako ta levinasovská „předpůvodní“ vystavenost, předcházející zradě slov. Držet postoj mlčky a trvale je opravdu víc než ho křičet a záhy opustit! Nehledě k tomu, že mlčenlivý partner, o němž nelze nikdy tušit napřed, kdy se ozve a k čemu, ale u něhož je jisté, že ozve-li se, bude to úder zvonu, je přece schopen daleko lépe zneklidňovat svět než ten, kterého mají takříkajíc už všichni dávno přečteného.

O ŽIVOTĚ A DÍLE VÁCLAVA HAVLA

Václav Havel psal ve svých statích, esejích a článcích často o životě v pravdě. Jeho dosavadní život je pokusem o autentický lidský život, v němž člověk odpovídá v každém okamžiku za každé své rozhodnutí. Bez ohledu na obecnou situaci samostatně a svobodně vytváří svůj život. Taková volba se nedá vnějším zásahem nijak změnit a za takový vnější zásah považoval Havel i své uvěznění. „Svět je ztracen jen do té míry, do jaké míry já sám jsem ztracen," napsal.

Je spisovatelem a politikem. V poslední době jeho občanská odpovědnost za zemi, v níž se v roce 1936 narodil a kterou nikdy nezradil, přerostla v odpovědnost spisovatele, ta není menší, ale je jiná, a přijal funkci prezidenta republiky. To neznamená, že přestává být spisovatelem. Chtěl psát už v dětství, když si četl díla z evropské i světové literatury a filozofie. Měli je doma v knihovně. To byla jeho výhoda, protože mnohé z těchto knih byly v té době staženy z knihoven a zakázány. Brzy se, jako syn buržoazní rodiny, který nesměl studovat, seznámil s životem obyčejných lidí a s manuální prací. Pracoval jako chemický laborant, složil maturitu při zaměstnání, byl jevištním technikem, asistentem režie, dramaturgem. Později se mu podařilo vystudovat dálkově dramaturgii na DAMU. Uprostřed padesátých let začal publikovat články v literárních revuích a časopisech, v roce 1963 byla v Divadle Na zábradlí uvedena jeho první samostatná celovečerní hra Zahradní slavnost. Až do roku 1989 byla inscenována třicetkrát v šesti zemích, Vernisáž dvaačtyřicetkrát v třinácti zemích a Audience se hrála ve čtyřiceti inscenacích v jedenácti zemích. Z Havlových esejistických knih jsou ve světě nejznámější Dopisy Olze, u nás publikovány ve strojopisné edici v roce 1983. Jedná se o sto čtyřicet čtyři dopisy z vězení z let 1979—1982. Václav Havel byl celkem čtyřikrát uvězněn, dohromady strávil ve vězení přes pět let. Byl spoluzakladatelem a jedním z prvních tří mluvčích občanského hnutí za svobodu Charta 77.

Za svá literární díla a za svou občanskou statečnost byl Václav Havel několikrát odměněn významnými světovými cenami — Rakouskou státní cenou za literaturu (1969), Cenou Erasma Rotterdamského (1987), Mírovou cenou německých knihkupců, Cenou Olofa Palmeho a Cenou města Vídně (všechny tři 1989).

Eda Kriseová

Prosinec 1989

EDIČNÍ POZNÁMKY

Následující ediční poznámky mají několikerý cíl: 1. slouží k osvětlení okolností, za nichž příslušný text vznikl, nebo účelu, pro který byl napsán, pokud je takový údaj pro lepší porozumění nezbytný; 2. podle potřeby obsahují bližší informace o adresátech textů, zpřesnění data jejich napsání apod.; 3. poskytují informace o předloze, z níž se text přetiskuje, případně o tom, zda se příslušný text zveřejňuje v úplnosti, a informují o eventuálním podtitulku textu, byl-li v záhlaví vynechán; 4. obsahují bibliografické záznamy o tom, kde byl text už publikován.

Pokud není v příslušné ediční poznámce výslovně uvedeno něco jiného, přetiskují se texty v úplnosti z původních předloh, které jsou uloženy v archívu ČSDS jako autorské rukopisy. Předlohy tohoto druhu jsou většinou psány na stroji a jsou v archívu k dispozici buď jako originál, nebo strojopisný průpis, jak vzešel z autorovy dílny, to znamená jím přehlédnutý a často s jeho rukopisnými opravami, škrty či doplňky. Několik málo kratších textů napsal autor rukou.

S výjimkou textů z roku 1989 v VII. oddílu autor přehlédl rukopis celého souboru vlastních textů zveřejněných v této knize a autorizoval je. Drobné jazykové a pravopisné úpravy (týkající se například sjednocení interpunkce) byly provedeny s jeho souhlasem, aniž by se na ně v edičních poznámkách upozorňovalo.

Ediční poznámky následují za sebou přesně v tom pořadí, jak jsou řazeny texty v knize, a jsou sestaveny podle tohoto schématu: Na prvním místě stojí název, který je totožný se záhlavím textu otištěného na příslušném místě knihy. (Pokud původní text neměl nadpis, bylo po dohodě s autorem zvoleno ad hoc pro toto vydání pokud možno výstižné a stručné označení.) Za názvem následuje v závorce časový údaj o době vzniku textu; tyto časové údaje obsahují v souladu s autorovým přáním pouze měsíc a rok vzniku. Posledním údajem v titulní řádce každé jednotlivé ediční poznámky jsou čísla stránek této knihy, kde je text otištěn.

Za touto titulní řádkou (eventuálně – při delším názvu – za prvními dvěma řádkami) následují původní autorovy poznámky, pokud byly na předlohách uvedeny; vlastní text autorových poznámek je v uvozovkách. Součástí rubriky „autorská poznámka" je upřesňující údaj o datování, pokud autor původní text předlohy datoval přesně na den. (Jméno autora se uvádí pouze zkratkou V. H.) Všechny další poznámky pocházejí od editora. Bibliografické údaje o předchozím publikování textů jsou seřazeny takto: Byl-li text zveřejněn v domácím samizdatovém prostředí, uvádí se to na prvním místě. Poté následují údaje o předchozí publikaci textu tiskem, a to nejprve česky, a po nich v abecedním pořadí bibliografické záznamy cizojazyčných publikací; uvnitř jednotlivých jazykových verzí se zachovává chronologické pořadí.

Výslovně se uvádějí případy, kdy se text zveřejňuje vůbec poprvé, anebo kdy se zveřejňuje poprvé tiskem. Eventuální údaje o tom, v jaké podobě byl text zveřejněn (například o tom, že jde o výňatky, zkrácené znění atd.), se v tomto oddílu edičních poznámek dávají do hranatých závorek. V bibliografických záznamech českých vydání se titul tiskem zveřejněného textu uvádí pouze tehdy, jestliže se odlišuje od původního titulu, který zvolil autor.

V bibliografických údajích jsou bezpochyby četné mezery; při neexistenci specializovaného bibliografického pracoviště, které by zpracovávalo články českých a slovenských autorů v exilových i v cizojazyčných periodikách, je nad síly jednotlivce evidovat všechna vydání textů autora, který je ve světě publikován tak hojně jako právě Václav Havel. Editor se omlouvá také za to, že z technických důvodů chybějí u bibliografických záznamů o polských publikacích příslušná diakritická znaménka; podobné potíže byly s některými znaky norskými.

Srpen 1989

Vilém Prečan

ROZHOVOR S VÁCLAVEM HAVLEM (duben 1983) 11–23

Šlo o první interview, který V. H. poskytl po přerušení výkonu trestu na začátku února 1983. Francouzský novinář Antoine Spire navštívil tehdy

H. v Praze, a tak vznikl česky psaný text otázek a odpovědí s H. rukopisnými vpisky a opravami, datovaný v Praze 3. dubna 1983. Tento text sloužil jako předloha pro všechny tiskem zveřejněné verze rozhovoru; v plném znění byl poprvé publikován francouzsky v pařížském deníku *Le Monde.*

SAMIZDAT: Informace o Chartě 77, 6 (1983), duben.

TISKEM: **Česky:** Listy, č. 2, duben 1983, příloha; České slovo, č. 4 a 5, duben a květen 1983; *S Václavem Havlem hovoří Antoine Spire:* Nový Domov (Kanada), 19. května, 2. června, 16. června 1983. **Anglicky:** *Interview with Václav Havel:* Help & Action Newsletter, No. 26, May-June 1983; *I take the side of truth:* Index on Censorship, No. 6, December 1983. **Francouzsky:** *Ma prison, mon pays...:* Le Monde, No. 11881, 10-11 avril 1983. **Holandsky:** *Interview met Václav Havel.* Uitgave AIDA–Nederland [nedatovaná brožura]. **Italsky:** *Il Prometeo liberato:* Il Sabato VI, Nu. 25, 18–24 giugno 1983. **Německy:** *Ich bin einfach auf der Seite der Wahrheit gegen die Lüge:* Frankfurter Rundschau, Nr. 84, 12. April 1983 [poněkud zkráceno]; *Auf der Seite der Wahrheit und gegen die Lüge:* Tages-Anzeiger, 6. Juli 1983. **Polsky:** *Nienawidzic nie umiem i ciesze sie z tego* v publikaci: Václav Havel, Thriller i inne eseje. Przelozyl Pawel Heartman. Warszawa: Niezalezna Oficyna Wydawnicza, 1988. **Norsky:** *Mit faengsel, mit land:* Information, Nr. 94, 25. april 1983; *Fengslet et totalitaert fremtidslaboratorium:* Aftenposten, 7. juli 1983. **Švédsky:** *Jag måste lära mig att andas i takt med tiden:* Dagens Nyheter, 8 maj 1983.

NECHCI EMIGROVAT (srpen 1983) 24–28

Text interview pro rakouský nezávislý týdeník *Profil.* Otázky byly sepsány německy, odpovědi napsal V. H. česky vlastní rukou. Existuje také strojopisné znění celého interview v českém jazyce, datované 19. 8. 1983, které pořídila tisková služba Ivana Medka ve Vídni. Tohoto znění spolu s rukopisem H. odpovědí bylo použito jako předlohy pro tuto publikaci.

TISKEM: **Česky:** Listy, č. 5, říjen 1983. **Německy:** *Ich will nicht emigrieren:* Profil, Nr. 34, 22. August 1983.

ODPOVĚDI NA OTÁZKY SKANDINÁVSKÉHO NOVINÁŘE (říjen 1983) 29–30

Text interview byl rekonstruován z anglicky psaných otázek, přiložených k dopisu, který v Praze 9. října 1983 vlastnoručně napsal nepodepsaný skandinávský novinář, a z odpovědí psaných na stroji, které jsou podepsány V. H. Nepodařilo se mi zjistit, kde byl interview publikován. **Česky se zveřejňuje poprvé.**

ODPOVĚDI NA OTÁZKY ČASOPISU „DER SPIEGEL“ (prosinec 1983) 31–37

Výměna otázek a odpovědí pro připravovaný interview, který nebyl nikdy zveřejněn, se uskutečnila v prosinci 1983. Český překlad německy psaných otázek redakce *Der Spiegel* pořídil tehdy Přemysl Janýr ve Vídni, který s V. H. o interview jednal. H. napsal své odpovědi česky; přetiskují se ze strojopisu jím vlastnoručně opraveného.
Při jednání o tom, zda má být text do této publikace zařazen, vyslovil V. H. pochybnost o vhodnosti přetiskovat interview, který nebyl zveřejněn. Domnívám se, že jde o text důležitý v mnoha ohledech a že i otázky jsou četbou velmi poučnou. To ostatně tehdy cítil i H., když mi v průvodním dopise z prosince 1983 napsal: „Žádnou zvláštní potřebu poskytovat pořád jen samé interview nemám, nicméně ... k něčemu je to [v tomto případě] dobré: možná to umožňuje názorněji konfrontovat účelové politicko-mocenské myšlení s myšlením naším.“
Zveřejňuje se poprvé.

POLITIKA A SVĚDOMÍ (únor 1984) 41–59

Autorská pozn.: „Tato řeč je určena univerzitě v Toulouse, kde bych ji přednesl při slavnostním předávání doktorátu h. c., kdybych se ho zúčastnil. Do odvolání platí zákaz jakéhokoli publikování či dalšího opisování.“ Datováno v Praze, únor 1984.
Slavnostní ceremoniál udělení čestného doktorátu se konal v Toulouse (Université de Toulouse-Le Mirail) 14. května 1984; V. H. při tom zastupoval anglický dramatik Tom Stoppard.
SAMIZDAT: Ve sborníku *Přirozený svět jako politický problém (eseje o člověku pozdní doby).* Edice Expedice, sv. 188, Praha 1984.
***TISKEM:* Česky:** Svědectví, č. 72, 1984; České slovo, č. 6, červen 1984; Listy, č. 4, červenec 1984; Rozmluvy, č. 3, 1984. **Anglicky:** *Politics and conscience* v publikaci: Václav Havel or living in truth, ed. by Jan Vladislav. London–Boston: Faber and Faber, 1986; *In search of Central Europe: politics and conscience:* The Salisbury Review, No. 2, January 1985; *Politics and conscience* (Voices from Czechoslovakia, 2). Stockholm: The Charta 77 Foundation, 1986; *Anti-Political Politics* [revidovaný a doplněný překlad] v publikaci: Civil society and state, ed. by John Keane. London–New York: Verso, 1988. **Dánsky:** *Politik og samvittighed* v publikaci: Politik og samvittighed: essays af Václav Havel. Kobenhavn: Nej til Atomvåbens debatserie, nr. 9. [1987]. **Německy:** *Politik und Gewissen:* Kontinent, Nr. 38, Heft 3, Juli–August–September 1986. **Francouzsky:** *La politique et la conscience.* Centre de promotion culturelle Université Toulouse-Le Mirail, 14 Mai 1984 [rozmnožený strojopis]; *La politique et la conscience: Tché-*

coslovaquie: devant le pouvoir impersonnel: Le Monde, 15. mai 1984 [výňatky]; *La politique et la conscience:* Projet, no. 187, juillet–août 1984 [zkráceno o první část eseje]. **Norsky:** Politikk og samvittighet. Oslo: TANO, 1985. **Polsky:** *Polityka a sumienie* v publikaci: Václav Havel, Thriller i inne eseje. **Rusky:** *Politika i sovesť:* Russkaja mysl, no. 3533–3535, 6, 13, 20. senťabrja 1984. **Švédsky:** *Politik och samvete* (Röster från Tjeckoslovakien, 1). Stockholm: Charta 77-stiftelsen, 1984.

THRILLER (listopad 1984) 60–64

Autorská pozn.: „Napsáno na žádost Hesenského rozhlasu pro jeho cyklus o problematice mýtu."

SAMIZDAT: Obsah, listopad 1984; Jednou nohou (Revolver revue), č. 2, 1985.

TISKEM: **Česky:** Paternoster, č. 8, 1984; Listy, č. 3 (Čtení na léto), červen 1985; Rozmluvy, č. 5, 1985. **Anglicky:** *Thriller:* Idler, June–July 1985; *Evil in a rational age:* Harper's, No. 1625, October 1985 [zkráceno]; *Thriller* v publikaci: Václav Havel or living in truth, ed. by Jan Vladislav. London– Boston: Faber and Faber, 1986. **Polsky:** *Thriller* v publikaci: Václav Havel, Thriller i inne eseje.

ANATOMIE JEDNÉ ZDRŽENLIVOSTI (duben 1985) 65–91

Autorská pozn.: „Určeno mírovému kongresu v Amsterodamu náhradou za osobní účast a zároveň mezinárodnímu sborníku o evropské identitě připravovanému nakladatelstvím Suhrkamp." Datováno v Praze, duben 1985. Mírový kongres – 4. mezinárodní konvent za jaderné odzbrojení v Evropě – se konal 3.–6. července 1985 v Amsterodamu za účasti více než 1000 osob z mnoha zemí Evropy, avšak bez účasti oficiálních „mírových" výborů zemí sovětského bloku. (Viz např. Listy, č. 5, říjen 1985.)

SAMIZDAT: Obsah, duben 1985.

TISKEM: **Česky:** Listy, č. 2, duben 1985, příloha; Svědectví, č. 75, 1985. **Anglicky:** *The anatomy of a reticence* (Voices from Czechoslovakia, 1). Stockholm: The Charta 77 Foundation, 1985; *An anatomy of reticence* v publikaci: Václav Havel or living in truth, ed. by Jan Vladislav. London–Boston: Faber and Faber, 1986; *An anatomy of reticence:* Cross Currents (A yearbook of Central European culture), 5 (1986); *Peace: the view from Prague:* The New York Review of Books, XXXII, No. 18, November 21, 1985 [výňatky]. **Dánsky:** *Reservationens anatomi* v publikaci: Stemmer fra ost, ed. by Per Stig Moller. Kopenhagen: Gyldendal, 1987. **Holandsky:** *De anatomie van terughoudendheid:* Intermediair, nr. 7, 14 Februari 1986. **Italsky:** Lettera Internazionale [číslo nezjištěno]. **Německy:** *Euer Frieden und unsrer: Anatomie einer Zurückhaltung:* Kursbuch, Nr. 81, September

1985. **Polsky:** *Anatomia powsciagliwosci jednej ze stron* v publikaci: Václav Havel, Thriller i inne eseje. **Švédsky:** *Förbehållets anatomi:* Sydsvenska Dagbladet, 3, 5, 7, 9 februari 1986 [zkráceno]; *En reservationens anatomi:* Agora, Nr. 1, 1987.

DĚKOVNÁ ŘEČ (březen 1986) 92–98

Napsáno v březnu 1986 k přednesu při slavnostním ceremoniálu udělení Erasmovy ceny, který se konal v Rotterdamu 13. listopadu 1986. Za nepřítomného V. H. přednesl řeč anglicky český herec Jan Tříska. Slavnosti byla přítomna holandská královna a členové královské rodiny, odtud oslovení na počátku projevu.

SAMIZDAT: Obsah, listopad 1986; Informace o Chartě 77, 9 (1986), č. 13.

TISKEM: **Česky:** Bez titulu v publikaci: Acceptance speech written on the occasion of the award of the Erasmus Prize 1986. Foundation Praemium Erasmianum, 1986; *Chvála bláznovství:* Svědectví, č. 79, 1986; *Vzniká evropské vědomí:* České slovo, č. 11, listopad 1986; *Děkovná řeč při udělení Erasmovy ceny:* Listy, č. 6, prosinec 1986. **Anglicky:** V publikaci: Acceptance speech (viz výše); dále v publikaci: Praemium Erasmianum MCMLXXXVI. Amsterdam: Stichting Praemium Erasmianum, 1986; *The power of folly: acceptance of the Erasmus Prize:* Cross Currents, No. 6, 1987. **Francouzsky:** *La communauté des ébranlés:* Lettre internationale, No. 12, printemps 1987. **Holandsky:** *Dankwoord van Václav Havel* v publikaci: Praemium Erasmianum MCMLXXXVI [srv. viz výše uvedené anglické vydání]; *De lof der zotheid van één, vredelievend Europa:* NRC Handelsblad, 13 November 1986. **Německy:** *Geteilt zwar in der Politik, doch ungeteilt und unteilbar im Geiste: von der Vision einer friedvollen gesamteuropäischen Gemeinschaft:* Frankfurter Allgemeine Zeitung, Nr. 265, 14. November 1986. **Polsky:** *Pochwala glupoty* v publikaci: Václav Havel, Thriller i inne eseje. **Švédsky:** *Dårarnas gemenskap:* Dagens Nyheter, 13 november 1986.

O SMYSLU CHARTY 77 (červenec 1986) 99–115

Napsáno v červenci 1986 pro publikaci k 10. výročí vzniku Charty 77 připravovanou tehdy Československým dokumentačním střediskem nezávislé literatury.

TISKEM: **Česky:** Listy, č. 4, srpen 1987. **Anglicky:** *The meaning of Charter 77* v publikaci: Ten years of Charter 77, ed. by Vilém Prečan. Hanover: CSDS, 1987. **Dánsky:** *Historien er kommet tilbage til os:* Information, 17.–18. Januar 1987. **Německy:** *Wofür es sich zu leiden lohnt: die Charta 77 und die Würde des Menschen im Totalitarismus:* Die Welt, Nr. 44, 21.–22. 2. 1987 [zkrácené znění]. **Švédsky:** *Václav Havel skriver om den förbjudna* *rörelsen:* Dagens Nyheter, 18 januar 1987; *Om Charta 77: s betydelse* v publikaci: Charta 77 tio år (Röster från Tjeckoslovakien, 9–10). Stockholm: Charta 77- stiftelsen, 1987.

PŘÍBĚH A TOTALITA (duben 1987) 116–137

Autorská pozn.: „Napsáno v dubnu 1987 pro *Revolver revue* a věnováno Ladislavu Hejdánkovi k šedesátinám."

SAMIZDAT: Revolver revue, č. 7, 1987.

TISKEM: **Česky:** Svědectví, č. 81, 1987. **Anglicky:** *Stories and totalitarianism:* Index on Censorship, No. 3, March 1988; Idler (Toronto), No. 18, July–August 1988. **Dánsky:** *Historierne og det totalitaere* v publikaci: Politik og samvittighed: Essays af Václav Havel. Kobenhavn: Nej til Atomvåbens debatserie, nr. 9. [1987]. **Holandsky:** *Het isolement van een astma-patiënt:* Elsevier (Kunstbijlage), 12 December 1987; *Story en totalitarisme:* Info over Charta 77, Jaargang 7, Nr. 3, Februari 1988. **Norsky:** *Hendelse og herredomme: har den totalitaere stat utrydet begivenheten i menneskenes liv?:* Arken, Nr. 4, 1987.

ŠEST POZNÁMEK O KULTUŘE (srpen 1984) 141–152

Autorská pozn.: Rukopis datován „Hrádeček, 11. 8. 1984".

SAMIZDAT: Jednou nohou (Revolver revue), č. 1, 1985.

TISKEM: **Česky:** Listy, č. 5, říjen 1984. **Anglicky:** *Six asides about culture* v publikaci: Václav Havel or living in truth, ed. by Jan Vladislav. London– Boston: Faber and Faber, 1986; dále v publikaci: A besieged culture: Czechoslovakia ten years after Helsinki, ed. by A. Heneka, F. Janouch, V. Prečan, J. Vladislav. Stockholm–Vienna: The Charta 77 Foundation and International Helsinki Federation for Human Rights, 1985. **Francouzsky:** Jako součást článku *Vu de Budapest, Rabat, Prague, Montréal:* Lettre internationale, No. 3, hiver 1984–85. **Polsky:** *Szesc uwag o kulturze* v publikaci: Václav Havel, Thriller i inne eseje. **Švédsky:** *Tankar om kulturen:* Sydsvenska Dagbladet, 16, 18, 20, 21 februari 1985 [zkráceno].

ODPOVĚĎ DO ANKETY LENKY PROCHÁZKOVÉ (březen 1985) 153–155

V březnové složce 1985 samizdatového periodika *Obsah* uveřejnila spisovatelka Lenka Procházková text ... *a co si o tom myslíte Vy,* v němž vysvětlila, proč se rozhodla uspořádat anketu se dvěma otázkami: 1. Co jste dělal(a) a v co jste věřil(a), když Vám bylo dvacet? 2. Jakou radu byste dal(a) dnešním dvacetiletým lidem žijícím v Československu?

Ankety se ujal *Obsah* a exilový časopis *Obrys*. Celkový výsledek – 51 odpovědí domácích i zahraničních respondentů – byl publikován v knížce mnichovského nakladatelství Obrys/Kontur.
Přetiskuje se ve znění zveřejněném v *Obsahu*, jež bylo datováno 11. 3. 1985.
SAMIZDAT: Obsah, březen 1985.
***TISKEM:* Česky:** Obrys, roč. 5, č. 4, prosinec 1985; v publikaci: Lenka Procházková, ... a co si o tom myslíte Vy?: odpovědi na anketu. München: Obrys/Kontur–PmD, 1986.

ODPOVĚĎ DO ANKETY PRO EVROPSKÉ KULTURNÍ FÓRUM (duben 1985) 156–160

Na podzim 1985 se konalo v Budapešti v rámci tzv. helsinského procesu Evropské kulturní fórum za účasti delegací všech signatářských zemí Závěrečného aktu z Helsink. Souběžně s touto šestitýdenní oficiální schůzkou uspořádala v Budapešti 15.–17. října 1985 Mezinárodní helsinská federace pro lidská práva kulturní sympozium občanů. Pro obě tyto příležitosti byla připravena a Nadací Charty 77 a Mezinárodní helsinskou federací vydána v angličtině publikace *Obležená kultura: Československo deset let po Helsinkách*. Součástí knížky byla anketa o duchovní situaci a tvůrčí svobodě v Československu, do níž přispělo 18 domácích autorů, mezi nimi V. H. Jeho odpověď byla napsána v první polovině dubna 1985.
Přetiskuje se ze strojopisu podepsaného autorem. Stručná charakteristika situace z pera organizátorů ankety (František Janouch a Vilém Prečan) a pět anketních otázek, po nichž následují odpovědi V. H., jsou tištěny kurzívou.
***TISKEM:* Česky:** Listy, č. 5, říjen 1986, příloha *Budapešťská anketa*. **Anglicky:** V knize A besieged culture: Czechoslovakia ten years after Helsinki, ed. by A. Heneka, F. Janouch, V. Prečan, J. Vladislav. Stockholm–Vienna: The Charta 77 Foundation and International Helsinki Federation for Human Rights, 1985; dále *A besieged culture (Czechoslovakia): what's it really like?:* Index on Censorship, No. 1, January 1986. **Německy:** *Über die Unzeit schreiben...:* Gegenstimmen, Nr. 22, Winter 1985.

ODPOVĚĎ MLADÝM KŘESŤANŮM (listopad 1985) 161–167

V srpnu 1985 se skupina „mladých do třiceti let", později označená jako „mladí křesťané z Moravy", obrátila letákovou výzvou na řadu osobností z prostředí Charty 77 s žádostí o bližší vysvětlení jejich vztahu k politice a jejich odpovědnosti za politické působení v minulosti. V textu podepsaném „Vaši mladí přátelé" byly mj. formulovány dvě konkrétní anketní otázky (zde se přetiskují kurzívou). Z dvanácti odpovědí, mezi nimi V. H., byl sestaven sborník, který později vydali mluvčí Charty 77 pod titulem *O odpovědnosti v politice a za politiku.*

Text odpovědi V. H., nadepsaný „Odpověď mladým křesťanům" a datovaný 12. 11. 1985, byl nejprve zveřejněn v *Obsahu,* odkud se přetiskuje.

SAMIZDAT: Obsah, leden 1986; v publikaci: O odpovědnosti v politice a za politiku. Praha: 1986.

TISKEM: Zveřejňuje se poprvé.

DVĚ POZNÁMKY O CHARTĚ 77 (březen 1986) 168–172

Autorská pozn.: „Psáno pro *Infoch* a jeho chystanou diskusi." Datováno 29. 3. 1986.

Samizdatové periodikum *Informace o Chartě 77* uspořádalo koncem dubna 1986 besedu o Chartě 77 s Václavem Bendou, Jiřím Hájkem, Václavem Havlem a Ladislavem Hejdánkem. Autorizovaný záznam besedy byl věnován Československé společnosti pro vědy a umění (SVU) jako příspěvek pro jednání sekce o Chartě 77 na kongresu SVU pořádaném v září 1986 v Bostonu.

SAMIZDAT: Informace o Chartě 77, 9 (1986), mimořádné číslo, květen.

TISKEM: **Česky:** Listy, č. 4, červenec 1986; jako součást článku *Co je a co není Charta 77:* Proměny, 24 (1987), č. 2. **Francouzsky:** Jako součást článku *Un bilan de la Charte 77:* L'autre Europe, No. 11–12, 1986. **Polsky:** *Dwie uwagi o Karcie 77* v publikaci: Václav Havel, Thriller i inne eseje.

ODPOVĚĎ DO ANKETY H. GORDONA SKILLINGA (duben 1986) 173–176

V rámci výzkumu pro připravovanou knihu o samizdatu a nezávislé společnosti ve střední a východní Evropě (vyšla v dubnu 1989, viz dále) obrátil se H. G. Skilling v březnu 1986 na řadu osobností československého disentu dopisem, v němž formuloval čtyři otázky své ankety takto:

1. Myslíte, že termín „nezávislá společnost" je v současných podmínkách Vaší země relevantní a smysluplný?
2. Jestliže ano, co považujete za podstatné znaky „nezávislé společnosti"?
3. Jaké jsou bezprostřední cíle takto pojímaných nezávislých aktivit a organizací?
4. Jaké jsou dlouhodobé důsledky a dosah takové nezávislé společnosti?

Odpověď V. H. se publikuje podle kopie strojopisu z dubna 1986 nadepsaného „pro prof. Skillinga".

Výsledky ankety publikoval S. nejprve časopisecky.

TISKEM: **Česky** se zveřejňuje poprvé. **Anglicky:** Jako součást článku *Parallel polis, or an independent society in Central and Eastern Europe: an inquiry:* Social research, No. 1–2, Spring–Summer 1988; dále v publikaci: H. Gordon Skilling, Samizdat and independent society in Central and Eastern Europe. London: Macmillan, 1989.

SETKÁNÍ S GORBAČOVEM (červenec 1987) 177–179

Autorská pozn.: „Psáno pro mezinárodní sborník Rowohlt Verlagu o Gorbačovovi."

Napsáno před 20. červencem 1987.

SAMIZDAT: Obsah, září 1987.

TISKEM: **Česky:** Listy, č. 5, říjen 1987. **Anglicky:** *Meeting Gorbachev* v publikaci: Granta, 23, Spring 1988. Cambridge: Granta, 1988. **Dánsky:** *Mit mode med Gorbatjov:* Fredag, 3 (1988), Nr. 18. **Německy:** *Treffen mit Gorbatschow* v publikaci: Freimut Duve (Hrsg.), Aufbrüche: die Chronik der Republik 1961 bis 1986. Hamburg: Rowohlt, 1987. **Norsky:** v časopise Arken, bližší údaje nezjištěny. **Švédsky:** *Möte med Gorbatjov:* Sydsvenska Dagbladet, 4 mars 1989.

FRAŠKA, REFORMOVATELNOST A BUDOUCNOST SVĚTA (říjen 1987) 180–187

Autorská pozn.: „Napsáno na Hrádečku 27. října 1987. Věnováno Jaroslavu Šabatovi k šedesátinám. Určeno československo-německému sborníku k dvacátému výročí pražského jara."

TISKEM: **Česky** se zveřejňuje poprvé. **Dánsky:** *Farcen og fremtiden:* Fredag, 3 (1988), Nr. 18. **Německy:** *Die Posse, die Reformierbarkeit und die Zukunft der Welt* v publikaci: Jiří Gruša, Tomas Kosta (Hrsg.): Prager Frühling – Prager Herbst: Blicke zurück und nach vorn. Köln: Bund-Verlag, 1988. **Švédsky:** *Prag 1968–88:* Sydsvenska Dagbladet, 18, 20, 21 augusti 1988 [zkráceno].

NOVINY JAKO ŠKOLA (prosinec 1987) 188–189

Autorská pozn.: Datováno 24. 12. 1987.

Psáno pro první číslo nezávislých, v samizdatu vydávaných *Lidových novin,* kde vyšlo jako úvodník na titulní straně prvního regulérního čísla. Pro zveřejnění v LN byl text oproti rukopisu zkrácen o dva odstavce. Pro tzv. nulté číslo LN v září 1987 napsal V. H. článek *Co lze a nelze očekávat,* pro obdobný obsah do této publikace nezařazený.

SAMIZDAT: Lidové noviny, č. 1, leden 1988.

TISKEM: **Česky** se zveřejňuje poprvé, a to v zkráceném znění uveřejněném v *Lidových novinách.*

PŘEMÝŠLENÍ O FRANTIŠKOVI K. (leden 1988) 190–198
Autorská pozn.: „Napsáno k nedožitým osmdesátinám Františka Kriegla.“ Datováno 23. 1. 1988.
SAMIZDAT: Obsah, únor 1988; sborník *K nedožitým osmdesátinám.*
TISKEM: **Česky:** Listy, č. 2, duben 1988. **Anglicky:** *Thinking about František K.:* Listy, Journal of the Czechoslovak socialist opposition, No. 1, 1988. **Švédsky:** *Funderingar över František K.:* Fenix, Nr. 1, 1989.

DŮVODY KE SKEPSI A ZDROJE NADĚJE (únor 1988) 199–201
Původní rukopis není datován; autor text datoval až v rukopise této knihy.
SAMIZDAT: Lidové noviny, č. 3, březen 1988.
TISKEM: **Česky** se zveřejňuje po prvé. **Anglicky:** *Skepticism and hope:* Uncaptive Minds (New York), no. 2, June–July–August 1988.

ŠIFRA SOCIALISMUS (červen 1988) 202–204
Autorská pozn.: „Psáno pro *Lidové noviny.*“ Datováno 7. 6. 1988.
SAMIZDAT: Lidové noviny, č. 7–8, červenec–srpen 1988.
TISKEM: **Česky:** Svědectví, č. 85, 1988. **Německy:** *Sozialismus ist nur ein Wort: ein regimekritisches Plädoyer für die Eliminierung dieses Begriffs aus dem allgemeinen Sprachgebrauch:* Der Standard (Wien), 22. Februar 1989.

BŘEMENO 21. SRPNA (srpen 1988) 205–207
Autorská pozn.: „Psáno pro The Times.“
TISKEM: **Česky:** 150.000 slov, č. 21, 1988; Listy, č. 6, prosinec 1988. **Anglicky:** *Where Brezhnev still rules:* The Times (London), 12 August 1988. **Rusky:** *Tam, gdě Brežněv ješče u vlasti:* Russkaja mysl, no. 3738, avgust 1988.

OPOMÍJENÁ GENERACE (srpen 1988) 208–212
Autor text nadepsal „Příspěvek pro literární sekci torontské konference o Československu“. Šlo o konferenci „Československo 1918–1988: sedmdesát let od nezávislosti“, již pořádala University of Toronto 28.–30. října 1988. H. příspěvek byl zařazen na program sekce „Svobodná, oficiální a nezávislá literatura“ a byl k dispozici účastníkům konference česky i v anglickém překladu pod titulem „A neglected generation“.
SAMIZDAT: *Dopis do Toronta:* Revolver revue, č. 11, 1988.
TISKEM: **Česky:** *Opomíjená generace:* Acta. Čtvrtletník Čs. dokumentačního střediska nezávislé literatury, č. 5–8, zima 1988. **Anglicky:** *A neglected generation:* Acta. Quarterly of the Documentation centre for the promotion of independent Czechoslovak literature, no. 5–8, Winter 1988.

POZDRAV K 70. VÝROČÍ VZNIKU
ČESKOSLOVENSKA (září 1988) 213–215

Text byl poslán jako pozdravná adresa k oslavě 70. výročí vzniku Československé republiky, kterou pořádalo 27. října 1988 v Mnichově československé oddělení rozhlasu Svobodná Evropa.
TISKEM: Zveřejňuje se poprvé.

VYLOŽENÉ KARTY (prosinec 1988) 216–219

Autorská pozn.: „Psáno pro *Lidové noviny.*" V LN datováno 1. 12. 1988.
SAMIZDAT: Lidové noviny, č. 12, prosinec 1988.
TISKEM: **Česky:** Acta. Čtvrtletník Čs. dokumentačního střediska nezávislé literatury, č. 5–8, zima 1988; Listy, č. 1, únor 1989; Obrys, č. 1, březen 1989. **Anglicky:** *Cards on the table:* Acta. Quarterly of the Documentation centre for the promotion of independent Czechoslovak literature, no. 5–8, Winter 1988; New Statesman & Society, 3 March 1988; Listy, Journal of the Czechoslovak socialist opposition, No. 3, 1989. **Norsky:** *Vannkanonenes avmakt:* Aftenposten, 21. 3. 1989. **Švédsky:** *Korten på bordet!:* Expressen, 23 mars 1989.

PRAVDA A PERZEKUCE (prosinec 1988) 220–222

Přetiskuje se podle znění uveřejněného v *Lidových novinách.*
SAMIZDAT: Lidové noviny, roč. 2, č. 1, leden 1989.
TISKEM: Zveřejňuje se poprvé.

DAJ TO SEM! (únor 1983) 225–227

Autorská pozn.: „Praha, nemocnice Pod Petřínem." Datováno 19. 2. 1983. Psáno k sedmdesátinám Dominika Tatarky (14. března 1983). Zveřejňuje se podle znění otištěného v *Listech* s autorovými opravami tiskových chyb.
TISKEM: **Česky:** Listy, č. 4, červenec 1983.

ODPOVĚDNOST JAKO OSUD (říjen 1983) 228–239

Autorská pozn.: Podtitul v rukopise a v samizdatovém vydání: „Předmluva k anglickému a francouzskému vydání Českého snáře." Datováno na Hrádečku 15. 10. 1983.
SAMIZDAT: Obsah, listopad 1983.
TISKEM: **Česky:** Listy, č. 3 (Čtení na léto), květen 1984. **Polsky:** *Odpowiedzialnosc jako los:* Zeszyty literackie, no. 19, lato 1987; dále v publikaci: Václav Havel, Thriller a inne eseje. **Švédsky:** Jako předmluva v švédském vydání Vaculíkova Českého snáře: Tjeckisk Drömbok av Ludvík Vaculík. Stockholm: Bonniers, 1987.

HOVĚZÍ PORÁŽKA (únor 1984) 240–247

Autorská pozn.: „Sleevnote."
Popis na obálku gramofonové desky připravené hudební skupinou The Plastic People.
SAMIZDAT: Obsah, únor 1984.
TISKEM: **Česky:** Listy, č. 4, červenec 1984; Paternoster, č. 17, 1987.

ŽIVOT NA VIDRHOLCI (červenec 1984) 245–252

Autorská pozn.: Podtitul rukopisu a samizdatového vydání: „Sedmero zastavení při vzpomínkách na Bedřicha Fučíka." Datováno 5. 7. 1984.
SAMIZDAT: Obsah, září 1984.
TISKEM: Svědectví, č. 73, 1984.

EDIČNÍ POZNÁMKA KE SBORNÍKU „PŘIROZENÝ SVĚT JAKO POLITICKÝ PROBLÉM" (červenec 1984) 253–256

Sborník byl zveřejněn jako svazek 188 samizdatové řady Edice Expedice v roce 1984. Plný titul a tiráž knihy jsou uvedeny takto: „Přirozený svět jako politický problém (Eseje o člověku pozdní doby). Z textů Václava Bělohradského a dalších autorů sestavil Václav Havel. Praha 1984." Strojopisně vydaný svazek má 434 stran formátu B5. Obsah sborníku odpovídá ve všech jednotlivostech popisu v ediční poznámce V. H., jež byla zařazena na závěr knihy.
TISKEM: Zveřejňuje se poprvé.

PŘEDMLUVA K FILOZOFICKÉMU SBORNÍKU „HOSTINA" (květen 1985) 257–261

Sborník vyšel strojopisem jako svazek 209 samizdatové řady Edice Expedice v roce 1985; má 328 stran formátu B5. V impresu se uvádí, že ho uspořádal Václav Havel. Sborník je dedikován památce Jana Patočky a má pět oddílů, do nichž jsou seřazeny příspěvky těchto autorů: 1. Milan Šimečka, Radim Palouš, Ladislav Hejdánek, Stanislav Soukeník, Martin Hýbler; 2. Erazim Kohák, Egon Bondy, Zdeněk Neubauer, Ivan Dubský; 3. Ivan M. Havel, Tomáš Halík, Václav Bělohradský; 4. Martin Palouš, Miroslav Kusý, Jaroslav Krejčí, Rio Preisner, Pavel Bratinka; 5. Jiří Michálek, Ivan Sviták, Miroslav Petříček jr., Bohumír Janát.
TISKEM: Zveřejňuje se poprvé.

VÝKŘIK PROZŘENÍ (říjen 1985) 262–265

Autorská pozn.: „Předmluva k francouzskému vydání Tatarkova *Démona souhlasu.*"
SAMIZDAT: Obsah, říjen 1985.

TISKEM: **Česky:** Listy, č. 3, květen 1986. **Francouzsky:** *Préface* v publikaci: Dominik Tatarka: Le démon du consentement. La fin d'une époque. Traité fantastique. Le Roeulx: Editions Talus d'Approche, 1986.

ZEMŘEL JAROSLAV SEIFERT (leden 1986) 266–267
Autorská pozn.: „*Tageszeitung*, 13. 1. 1986."
Strojopisná předloha textu nemá nadpis ani název.
SAMIZDAT: V publikaci: Jaroslav Seifert 1986, studie a dokumenty. Praha: Edice Expedice (svazek 208), 1986.
TISKEM: **Česky** se zveřejňuje poprvé. **Německy:** *Persönliche Erinnerungen an Jaroslav Seifert:* Tageszeitung, 13. Januar 1986.

FEJETONY LUDVÍKA VACULÍKA (březen 1986) 268–271
Autorská pozn.: Podtitul rukopisu a samizdatového vydání: „Předmluva k zahraničnímu vydání jejich výběru."
SAMIZDAT: Obsah, březen 1986.
TISKEM: **Česky:** Obrys, č. 2, červen 1986. **Anglicky:** *Introduction* v publikaci: Ludvík Vaculík, A cup of coffee with my interrogator: the Prague chronicles of Ludvík Vaculík. London: Readers International, 1987.

POZNÁMKA K DESETI BÁSNÍM
JIŘÍHO KUBĚNY (květen 1986) 272–273
H. text byl zveřejněn pod titulem „poznámka" jako doslov za Deseti básněmi J. K. publikovanými v složce periodika *Obsah* za květen 1986.
SAMIZDAT: Obsah, květen 1986.
TISKEM: Zveřejňuje se poprvé.

CESTOU K POSLEDNÍMU (prosinec 1986) 274–276
Poznámka o filozofu Josefu Šafaříkovi a jeho díle *Cestou k poslednímu* byla napsána v prosinci 1986, Šafaříkova kniha, jež dostala v samizdatové Edici Expedici číslo 242, je však ještě stále v ediční přípravě a dosud nevyšla.
SAMIZDAT: Paraf, č. 5, 1986.
TISKEM: Zveřejňuje se poprvé.

PŘÍTELKYNĚ EVY KANTŮRKOVÉ (únor 1987) 277–279
Autorská pozn.: „Předmluva k zahraničnímu vydání knihy Evy Kantůrkové *Přítelkyně z domu smutku*." Datováno 22. 2. 1987.
SAMIZDAT: Obsah, březen 1987.

TISKEM: **Česky:** Listy, č. 4, srpen 1987. **Anglicky:** *Préface* v publikaci: Eva Kantůrková, My companions in the bleak house. New York: The Overlook Press, 1987.

DVĚ POZNÁMKY K „MILIÓNOVÉMU JEEPU"
JANA NOVÁKA (březen 1988) 280–282

Autorská pozn.: „Psáno pro *Revolver revue*."
SAMIZDAT: Revolver revue, č. 10, 1988.
TISKEM: Zveřejňuje se poprvé.

ZA PAVLEM WONKOU (květen 1988) 283–284

Projev přečetl nad hrobem P. Wonky ve Vrchlabí 6. května 1988 místo V. H., jemuž policie zabránila v účasti na pohřbu, jeden z trojice mluvčích Charty 77 na rok 1988 Stanislav Devátý.– Zveřejňuje se podle znění publikovaného v Informacích o Chartě 77.
SAMIZDAT: Informace o Chartě 77, 11 (1988), č. 10.
TISKEM: **Česky:** Listy, č. 4, červenec 1988.

ZA JIŘÍM THEINEREM (červenec 1988) 285

Původní české znění se nezachovalo, V. H. předal český text určený pro časopis *Index on Censorship* do Londýna telefonicky a koncept neuschoval. Český překlad byl pořízen na podzim 1988 pro zveřejnění v časopise *Acta* a byl telefonicky konzultován s V. H.
TISKEM: **Česky:** Acta, č. 5–8, zima 1988. **Anglicky:** V článku *In memoriam George Theiner:* Index on Censorship, No. 7, August 1988; dále Acta, No. 5–8, Winter 1988.

POZNÁMKA K INSCENACI HRY „VYROZUMĚNÍ"
V BURGTHEATRU (srpen 1983) 289–291

Autorská pozn.: „Die Benachrichtigung – für Programmheft. Neue Version." Datováno 27. 8. 1983.
Psáno pro premiérový programový sešit hry *Vyrozumění* ve vídeňském divadle Burgtheater (Akademietheater). Premiéra se konala 7. října 1983.
TISKEM: **Česky** se zveřejňuje poprvé. **Německy:** Bez titulu v publikaci: Akademietheater, Saison 1983/84, Heft 2; *Beitrag von Václav Havel für das Programmheft des Wiener Burgtheaters aus Anlaß der Premiere „Die Benachrichtigung" in der ergänzten und korrigierten neuen Textfassung am 7. Oktober 1983;* v novém vydání knížky Das Gartenfest – Die Benachrichtigung: zwei Dramen; Essays; Antikoden (Reinbek: Rowohlt, 1989).

POZNÁMKY KE HŘE LARGO DESOLATO (říjen 1984) 292–298
Autorská pozn.: „Určené výhradně jejím inscenátorům (překladatelům, režisérům, hercům apod.), v žádném případě tedy veřejnosti nebo publiku.“
TISKEM: **Česky:** Části 1–3 byly publikovány v knižním vydání H. hry v publikaci: Václav Havel, Largo desolato. München: Obrys/Kontur–PmD, 1985.

DOVĚTEK AUTORA KE KNIZE ZTÍŽENÉ MOŽNOSTI (březen 1985) 299–301
Autorská pozn.: Datováno v Praze 17. 3. 1985.
Psáno pro reedici prvních tří her V. H. v exilovém nakladatelství Rozmluvy.
TISKEM: **Česky:** V knize Ztížené možnosti: tři hry z šedesátých let. Purley: Rozmluvy, 1986.

O VAŇKOVSKÝCH AKTOVKÁCH (červenec 1985) 302–305
Autorská pozn.: Datováno 25. 7. 1985.
Psáno pro anglické vydání souboru jednoaktovek s postavou Vaňka autorů Václava Havla, Pavla Kohouta, Pavla Landovského a Jiřího Dienstbiera.
TISKEM: **Česky** se zveřejňuje poprvé. **Anglicky:** *Light on a landscape* v publikaci: The Vaněk plays: four authors one character, ed. by Marketa Goetz-Stankiewicz. Vancouver: University of British Columbia Press, 1987.

DALEKO OD DIVADLA (březen 1986) 306–312
Autorská pozn.: „Napsáno pro sborník o vídeňském Burgtheatru.“
SAMIZDAT: O divadle I, červenec 1986 [zkráceno].
TISKEM: **Česky:** Jako součást článku *Dramatik bez divadla:* Proměny, 24 (1987), č. 2 [podle znění zveřejněného v samizdatovém časopise O divadle]. **Německy:** *Fern vom Theater* v publikaci: Burgtheater, Saison 1986/87, Heft 7, Teil I. **Norsky:** *Fjernt fra teateret:* Arken, Nr. 3, 1986.

RADOK DNES (duben 1986) 313–320
SAMIZDAT: O divadle I, červenec 1986.
TISKEM: **Česky:** Listy, č. 3 (Čtení na léto), červen 1987. **Anglicky:** *Radok today* v publikaci: About theatre: texts from the samizdat periodical with the same name (Voices from Czechoslovakia, 3–4). Stockholm: The Charta 77 Foundation, 1988. **Švédsky:** *Radok idag* v publikaci: Om theatern: texter från samizdattidskriften med samma namn (Röster från Tjeckoslovakien, 15). Stockholm: Charta 77–stiftelsen, 1988.

DOPIS MILANU UHDEMU (srpen 1986) 321–326
Autorská pozn.: Datováno 22. 8. 1986.
Psáno k padesátinám Milana Uhdeho.

SAMIZDAT: O divadle II, únor 1987.
TISKEM: Zveřejňuje se poprvé.

ODPOVĚDI NA OTÁZKY K PAŘÍŽSKÉ PREMIÉŘE „ŽEBRÁCKÉ OPERY" (leden 1987) 327–328

Otázky položil V. H. v listopadu 1986 písemně novinář Gilles Costaz z pařížského deníku *Le Matin* pro zveřejnění u příležitosti uvedení H. hry *Žebrácká opera* v Paříži-Ivry. Odpovědi V. H. byly psány v lednu 1987 a došly do Paříže až po premiéře. Zveřejňuje se podle kopie strojopisného originálu psaného česky a vlastnoručně opraveného autorem.
TISKEM: **Česky** se zveřejňuje poprvé. – Nepodařilo se zjistit, zda byl text publikován francouzsky.

PAVEL Z TEPLIC (únor 1987) 329–332

Pavel Landovský, jehož padesátiny se v závěru článku připomínají, se narodil 11. září 1936.– Přetiskuje se podle znění zveřejněného v časopise *O divadle.* Datováno autorem v rukopise této knihy.
SAMIZDAT: O divadle II, únor 1987.
TISKEM: Zveřejňuje se poprvé.

NA PREMIÉŘE (duben 1988) 333–338

Přetiskuje se podle znění zveřejněného v časopise *O divadle*. Text datoval autor v rukopise této knihy.
SAMIZDAT: O divadle IV [v rubrice fejeton], říjen 1988.
TISKEM: Zveřejňuje se poprvé.

DOPIS GENERÁLNÍMU PROKURÁTOROVI (září 1984) 341–344

Přetiskuje se podle znění zveřejněného v *Informacích o Chartě 77,* kde byl dopis datován 26. září 1984 a adresován dr. Jánu Feješovi, generálnímu prokurátoru ČSSR.
SAMIZDAT: Informace o Chartě 77, říjen 1984.
TISKEM: **Česky:** Studie (Řím), č. 96, VI/1984.

ODPOVĚĎ NA POZVÁNÍ K DISKUSI O MÍROVÉM HNUTÍ (říjen 1984) 345–346

Dopis byl adresován „Junge Generation Wien", mládežnické organizaci rakouské socialistické strany (SPÖ), která pořádala ve dnech 1. a 2. prosince 1985 mezinárodní seminář k problematice mírového hnutí a pozvala na něj také několik signatářů Charty 77, mezi nimi V. H.– Odpověď V. H. je datována 1. 10. 1984.
SAMIZDAT: Informace o Chartě 77, 7 (1984), říjen.

TISKEM: **Česky:** *Dopis mládežnické organizaci do Vídně:* Studie (Řím), č. 96, VI/1984.

ODPOVĚĎ NA POZVÁNÍ K MEZINÁRODNÍMU KOLOKVIU (leden 1985) 347–348

Dopis byl adresován předsedovi francouzské organizace Socialistická práva člověka (Droits Socialistes de l'Homme – D. S. H.) Pierru Bercisovi. Mezinárodní kolokvium na téma „Za novou společnost – obrana, přijetí a rozšiřování lidských práv" se konalo v Paříži ve dnech 25.–27. ledna 1985 a bylo na ně pozváno také několik signatářů Charty 77, mezi nimi V. H. – Odpověď je datována 8. 1. 1985.
Zveřejňuje se poprvé.

OTEVŘENÝ DOPIS MEZINÁRODNÍM DNŮM SVOBOD A LIDSKÝCH PRÁV (květen 1985) 349–350

Francouzská socialistická strana uspořádala ve dnech 30. a 31. května 1985 v Paříži Mezinárodní dny svobod a lidských práv, na něž ministerský předseda L. Fabius pozval i V. H. a Lecha Walesu. – Otevřený dopis je datován 25. 5. 1985.
SAMIZDAT: Informace o Chartě 77, 8 (1985), č. 7.
TISKEM: **Česky:** České slovo, č. 6, červen 1985.

OTEVŘENÝ DOPIS GENERÁLU W. JARUZELSKÉMU (květen 1985) 351

Datováno v Praze 27. 5. 1985.
SAMIZDAT: Informace o Chartě 77, 8 (1985), č. 7.
TISKEM: **Česky** se zveřejňuje poprvé. **Francouzsky:** *L'écrivain tchèque Václav Havel demande au général Jaruzelski...:* Le Monde, 1. 6. 1985. **Německy:** *Václav Havel an General W. Jaruzelski:* Kontinent, Nr. 35, Heft 4, November–Dezember 1985.

DOPIS MÍROVÉMU SHROMÁŽDĚNÍ V HANNOVERU (srpen 1985) 352–353

Dne 14. 9. 1985 se konalo pod záštitou starosty severoněmeckého města Hannoveru a starosty japonské Hirošimy mírové shromáždění na téma „Hirošima nás nabádá: zastavte šílené zbrojení" spojené s kulturním programem, jehož se zúčastnili umělci ze sedmi zemí. Organizátoři se obrátili na V. H. s žádostí o prohlášení určené pro tuto příležitost.– Dopis je datován 22. 8. 1985.
SAMIZDAT: Informace o Chartě 77, 8 (1985), č. 9.
TISKEM: Zveřejňuje se poprvé.

DOPIS GENERÁLNÍMU PROKURÁTOROVI (srpen 1985) 354–361

V průběhu srpna a počátkem září 1985 provedla čs. policie řadu akcí proti aktivistům Charty 77, aby zmařila nebo aspoň znesnadnila publikaci prohlášení Charty 77 k 17. výročí invaze do Československa. Tento dokument získala policie už 9. srpna, a posléze zahájila trestní stíhání pro přípravu pobuřování proti osobám, které dokument sepsaly a rozšířily. Policejní šikanování V. H. bylo organizováno v rámci uvedených akcí.

Strojopisný průpis dopisu, z něhož se text přetiskuje, je nadepsán „Generální prokurátor ČSSR" a pod textem je datován 25. 8. 1985; na místě podpisu je uvedena plná tehdejší pražská adresa V. H.

SAMIZDAT: Informace o Chartě 77, 8 (1985), č. 9, příloha sdělení Výboru na obranu nespravedlivě stíhaných č. 465 ze 6. 9. 1985 (policejní represe k srpnovému výročí).

TISKEM: **Česky:** Listy, č. 5, říjen 1985; České slovo, č. 10, říjen 1985. **Anglicky:** *Václav Havel's letter to the Czechoslovak general public prosecutor:* East European Reporter, No. 3, Automn 1985; *Wish you were here?:* New Statesman & Society, 24 February 1989. **Švédsky:** *Václav Havel berättar om en misslyckad semesterresa:* Tempus, December 1985.

DOPIS VÍDEŇSKÉ KONFERENCI (listopad 1987) 362–364

Autorská pozn.: Datováno v Praze 28. 11. 1987.

Dopis byl adresován vídeňské následné schůzce Konference pro bezpečnost a spolupráci v Evropě; konala se od listopadu 1986 do ledna 1989. Anglický a německý překlad dopisu byl odevzdán všem delegacím signatářských států Závěrečného aktu z Helsink účastnícím se jednání ve Vídni.

Prohlídka auta, o níž se V. H. v dopise zmiňuje, se odehrála koncem roku 1986. Policie tehdy pásla především po textech dokumentů připravených k 10. výročí Charty 77 (*Slovo ke spoluobčanům* a *Dopis signatářům Charty 77*), těch se jí však zmocnit nepodařilo.

SAMIZDAT: Informace o Chartě 77, 10 (1987), č. 17.

TISKEM: **Česky:** České slovo, č. 12, prosinec 1987; Listy, č. 1, únor 1988. **Anglicky:** *The war of cultural attrition: an open letter by Václav Havel to the Vienna conference on security and cooperation in Europe:* East European Reporter, No. 2, March 1988; *Letter to Vienna:* Index on Censorship, No. 5, May 1988. **Německy:** *Václav Havel an KSZE: Krieg gegen geistige Identität:* Frankfurter Rundschau, 5. Dezember 1987.

DOPIS PREZIDENTU MITTERRANDOVI (listopad 1988) 365–368

Dopis je datován 29. 11. 1988 a byl napsán v předvečer návštěvy prezidenta Mitterranda v Praze, ohlášené na 8. a 9. prosince 1988.

TISKEM: **Česky** se zveřejňuje poprvé. **Anglicky:** *When you visit Prague:* Harper's Magazine, May 1989 [výňatky]. **Francouzsky:** *Tchécoslovaquie, le masque et le visage:* Le Monde, 2. 12. 1988 [francouzský překlad byl poněkud upraven, takže nezní jako přímé oslovení francouzského prezidenta].

PROJEV NA NEZÁVISLÉ MANIFESTACI
V PRAZE (prosinec 1988) 371–372

Přetiskuje se podle strojopisné předlohy projevu předneseného na shromáždění občanů k Mezinárodnímu dni lidských práv na Škroupově náměstí v Praze-Žižkově 10. prosince 1988. Manifestace byla společně organizována několika nezávislými občanskými iniciativami a pražské úřady ji povolily, když organizátoři souhlasili s tím, že se nebude konat na Václavském náměstí, kam byla původně svolána.
TISKEM: **Česky** se zveřejňuje poprvé. **Anglicky:** *Václav Havel's speech on International Human Rights Day:* Uncaptive Minds (New York), no. 1 (5), January–February 1989.

ROZHLASOVÁ VÝZVA (leden 1989) 373–374

Autor výzvu napsal a telefonicky sdělil do zahraničí 9. ledna 1989; téhož dne večer ji vysílaly rozhlasové stanice Svobodná Evropa, BBC a Hlas Ameriky. Tomu předcházelo bezvýsledné telefonické jednání V. H. s Československou televizí o anonymním dopisu. V soudním procesu z února 1988 byla výzva označena za jeden z aktů, jimiž V. H. spáchal ve dnech 9.–13. 1. 1989 trestný čin „podněcování k hromadnému neplnění důležité povinnosti, uložené podle zákona". Městský soud v Praze se v odvolacím řízení v březnu 1989 této kvalifikace přidržel.
Přetiskuje se podle dochovaných záznamů telefonátu ze dne 9. ledna 1989, porovnaných se „Zápisem hlavního líčení ve věci Václava Havla ze dne 21. února 1989 u obvodního soudu pro Prahu 3"; zápis v rozsahu 84 stran formátu A4 byl pořízen neoficiálně v Praze a je uložen v archívu ČSDS. Text anonymního dopisu byl ověřen podle faksimile přetištěného pražským deníkem *Večerní Praha* 12. ledna 1989.
TISKEM: Zveřejňuje se poprvé .

ZÁVĚREČNÁ ŘEČ PŘED OBVODNÍM SOUDEM
PRO PRAHU 3 (únor 1989) 375–377

Přetiskuje se podle ověřeného záznamu telefonátu z 21. února 1989, který byl porovnán se „Zápisem hlavního líčení", zmíněným v ediční poznámce k Rozhlasové výzvě z ledna 1989.
SAMIZDAT: *Závěrečná řeč:* Alternativa, č. 2, duben 1989.

TISKEM: **Česky:** Listy, č. 2, duben 1989. V únoru a březnu 1989 byla řeč publikována řadou novin a časopisů v překladech do mnoha jazyků, německy m. j. v novém vydání brožury *Versuch, in der Wahrheit zu leben* (srv. údaj v oddílu Bibliografie).

ZÁVĚREČNÁ ŘEČ NA MĚSTSKÉM SOUDU V PRAZE (březen 1989) 378–380

Přetiskuje se podle ověřeného záznamu telefonátu z 22. března 1989, který byl porovnán se „Zprávou o veřejném zasedání o odvolání ve věci Václava Havla dne 21. března 1989 u městského soudu v Praze"; zpráva v rozsahu 4 strany formátu A4 byla pořízena neoficiálně v Praze a je uložena v archívu ČSDS.

TISKEM: **Česky:** Listy, č. 2, duben 1989. Výňatky z řeči byly publikovány ve zprávách četných tiskových agentur.

PROJEV NA KONFERENCI SVAZU ČESKOSLOVENSKÝCH SPISOVATELŮ V ČERVNU 1965 385–398

Spisovatelská konference k 20. výročí osvobození Československa byla uspořádána 9. června 1965 jako plenární chůze Svazu československých spisovatelů. V diskusi k referátu Jiřího Šotoly vystoupilo pouze 5 přítomných, mezi nimi V. H. Z jeho projevu uveřejnily *Literární noviny* asi třetinu (pasáž od slov „... kterýkoli úmysl" ve čtvrtém odstavci až do konce odstavce začínajícího slovy „Žijeme v době konfliktů skutečností s frází") s tím, že jde o úryvky z první části jeho příspěvku; ve zprávě se dále uvádělo, že „v další části se Havel pokusil dokumentovat 'úhybné myšlení' na některých konkrétních příkladech z činnosti Svazu spisovatelů". (*Literární noviny*, č. 25, 19. června 1965.)

Plné znění projevu bylo zveřejněno až o tři roky později pod titulkem *O úhybném myšlení* v časopise *Sešity pro mladou literaturu*, č. 21, květen 1968, s poznámkou, že „text nesměl ve své době časopisecky vyjít". Text projevu se přetiskuje ve znění uveřejněném v *Sešitech*.

PROJEV NA SJEZDU SVAZU ČESKOSLOVENSKÝCH SPISOVATELŮ V ČERVNU 1967 399–412

Jak známo, byly materiály památného spisovatelského sjezdu z června 1967 zveřejněny až o rok později ve sjezdovém protokolu. Havlův projev byl v přehledu sjezdové diskuse zveřejněné v *Literárních novinách* č. 27 z 8. července 1967 shrnut takto: „Václav Havel mluvil se značnou dávkou skepse o zasedání spisovatelských sjezdů, které jednou za čtyři roky projednají nashromážděné problémy, vysloví odvážné požadavky, a po nichž následuje praxe, jež je popře. Svaz spisovatelů stojí před volbou, zda uplatní myšlenky o svobodě, demokracii, humanismu ve své vlastní praxi, anebo zda budou tyto myšlenky dále jen pouhou fasádou, za níž bude praxe neduživá, polovičatá a konformní. Kritizoval pasivitu některých svazových orgánů." Přetiskuje se ve znění otištěném v publikaci: IV. sjezd Svazu československých spisovatelů: Praha 27.–29. června 1967. Praha: Československý spisovatel, 1968.

NA TÉMA OPOZICE (duben 1968) 413–420
Přetiskuje se ve znění otištěném v týdeníku *Literární listy*, roč. I, č. 6, 4. dubna 1968.

Z původního článku V. H. byly pro tuto publikaci vypuštěny tři odstavce, které reflektovaly situaci a pohled na danou otázku v dubnu 1968, po jedenadvaceti letech jsou však nečasové a ztěžují sledování hlavní autorovy myšlenky. Na straně 409, na místě označeném třemi tečkami byl za slovy „rozhodne-li tak lid" tento text:

„Dokud bude v naší zemi moderní, aby existovala komunistická strana jako strana, dotud bude moderní i požadavek *druhé politické strany* jako jejího důstojného a svéprávného partnera v „soutěži o moc", a tudíž i jako trvalé záruky její kontroly zvenčí. Jedinou skutečně konsekventní a v našich podmínkách skutečně účinnou cestu k ideálu demokratického socialismu spatřuji tedy (samozřejmě: jen do chvíle, než mě někdo přesvědčí o nějakém lepším řešení) v obrozeném a socialistické společenské struktuře odpovídajícím *modelu dvou stran.* A jelikož by pochopitelně už nešlo o strany stojící na třídním základě a prosazující tedy různé, třídním zájmem diktované, a proto konfliktní představy o hospodářském a společenském uspořádání země, mohl by jejich vztah být založen na historicky novém typu *koaliční spolupráce:* při plné politické svéprávnosti ve výkonu vzájemné kontroly mohly by být tyto strany zároveň svázány dohodou o základních obrysech společného cíle, totiž humánní, sociálně spravedlivé a civilizované seberealizace národa cestou demokratického socialismu. Což by mohlo být zakotveno a rozvedeno i v jakémsi zásadním „národním programu" (formulujícím např. i základní orientaci zahraniční politiky apod.) přijatém oběma stranami (eventuálně dalšími společenskými organizacemi) a pro jejich činnost závazném. Míra a způsob plnění či neplnění tohoto programu, stejně jako jeho eventuální budoucí modifikace, by byly posuzovány lidem ve všeobecných volbách, zrcadlících i míru jeho důvěry oběma stranám (celku koalice) i každé z nich zvlášť.

Ačkoliv by mě to jako spisovatele, tedy člověka pracujícího ve sféře fikcí a fantazií, docela bavilo, jsem přece jen natolik soudný, že tu nebudu vymýšlet takzvaný „pozitivní" program nějaké dosud neexistující strany a promítat ho do různých sfér společenského života; nelze dělat strategii bez vojska: politické programy se nerodí za psacími stoly spisovatelů, ale jen z každodenní politické praxe těch, kteří je uskutečňují, z jejich trvalé reflexe zájmů, jež má hnutí vyjadřovat, z jejich trvalé konfrontace se společenskou skutečností, veřejným míněním, odbornými analýzami atd. Omezím se proto na jednu celkovou poznámku.

Často se dnes zdůrazňuje silná a specificky československá demokratická a humanistická tradice. Přitom se ale zapomíná, co to konkrétně znamená: že u nás existuje mnoho skutečně demokraticky a humanisticky založených lidí, kteří nejsou do politického života (v rámci KSČ) zapojeni, ať už z důvodů názorových, anebo prostě proto, že jim dosavadní praxe komunistické strany byla právě málo demokratická a humanistická. Toto potenciální zázemí nové strany nabízí i její možný duchovní rámec: mohl by jím být právě tento tradiční demokratismus a humanismus, mohlo by jít tedy o jakousi *stranu demokratickou*. Což přirozeně neznamená, že by si tato strana měla přisvojovat práva jediného skutečně legitimního stoupence demokracie, podobně jako si komunistická strana nemůže přisvojovat pozici jediné skutečně socialistické síly: demokracie i socialismus mohou být jedině kategoriemi celospolečenskými, o jejichž rozvoj jde všem. A pakliže by dvěma hlavními partnery byly strana komunistická a demokratická, znamenalo by to pouze, že jejich jmény jsou symbolicky zaručovány oba póly společného „koaličního“ úkolu: demokratického socialismu. Pozitivní duchovní východisko takto se formující demokratické strany bych přitom viděl v koncepci jakési, pateticky řečeno, *morální obrody národa.* Důraz na váhu nadosobních kategorií a obecných společenských ideálů, jejichž jménem byl v letech diktatury potlačován nárok člověka na jeho individuální osud, přivedl totiž, jak je dnes častokrát konstatováno, tento národ – zvláště v době postupné degenerace systému vyznačující se direktivním řízením společnosti odosobněnou stranickou byrokracií s jejím všeuchvacujícím a skutečnosti odcizeným frazeologickým rituálem – na pokraj morální krize; všeobecná pracovní demoralizace je jen přirozeným produktem tohoto degenerujícího systému ve sféře hospodářské. Nezatížena všemi předpoklady a důsledky tohoto procesu, s nimiž se bude muset komunistická strana ještě dlouho a složitě – sama v sobě – potýkat, mohla by tato nová strana daleko rychleji a radikálněji postavit do středu zájmu opět lidskou individualitu, a konkrétního jedince udělat opět *mírou společnosti a systému.* Nikoli ovšem tak, že by si abstraktum člověka vybrala jako východisko nového frazeologického rituálu, ale docela jednoduše a prakticky: zájmem o konkrétní lidské osudy, nefiltrovaným různými apriorními ideologickými distancemi od jeho bezprostřední a bezvýhradné naléhavosti; bojem o konkrétní lidská práva, nároky a zájmy; konkrétní, aktivní a opět bezvýhradnou rehabilitací takových donedávna „metafyzických“ hodnot, jako je svědomí, láska k bližnímu, upřímnost, soucit, důvěra, pochopení apod.; novým pojetím lidské důstojnosti; ohledem na osobnost a mravní kontinuitu vůdců atd. atd. Zdá se mi, že právě dík takovýmto nárokům by se tu otevíraly možnosti nejen pro ty lidi nejrůznějšího věku, sociálního postavení, víry a světového názoru, které pro jejich konkrétní a radikální humanismus vyvrhla doba neprávem na periférii společenského uplatnění, ale ve významné míře i nejmladší generaci: z toho, co o jejím sebeuvědomovacím procesu tuším (např. z různých koncepčních projevů studentského hnutí, jež považuji, mimo jiné, za jednu z mála společenských sil usilujících dnes o svou skutečnou politickou nezávislost), usuzuji, že z různých důvodů právě takové duchovní klima by jí mohlo být blízké. Nejde ovšem o to mladé lidi „podchytit" pro politickou práci (KSČ mladé lidi nepodchytila právě proto, že je pořád jen usilovala podchytit), ale umožnit jim naopak stát se z objektu politické aktivity politickým subjektem: nevnucovat jim jen vůli a koncepty jiných, ale přijímat také vůli a koncepty jejich.– Tolik tedy na téma „druhé strany"."

PROJEV NA USTAVUJÍCÍM SJEZDU SVAZU ČESKÝCH SPISOVATELŮ V ČERVNU 1969 421–427
Přetiskuje se ve znění zveřejněném v periodiku *Bulletin SČS: interní zprávy Svazu českých spisovatelů*, č. 2, červenec 1969.

DOPIS ALEXANDRU DUBČEKOVI Z 9. SRPNA 1969 428–441
Zveřejňuje se poprvé, a to podle strojopisného průpisu uloženého v archívu ČSDS, datovaného 9. 8. 1969.

DVA DOPISY Z VĚZENÍ (leden–únor 1983) 442–447
Přetiskuje se podle znění otištěného v *Listech* s opravami, které provedl autor podle originálu dopisů. Tyto dva dopisy nebyly zahrnuty do knihy *Dopisy Olze*.
SAMIZDAT: Informace o Chartě 77, únor 1983.
TISKEM: **Česky:** Listy, č. 3 (Čtení na léto), červen 1983.

BIBLIOGRAFIE DÍLA VÁCLAVA HAVLA

Při uspořádání bibliografie byla zásada chronologického řazení (v případě her podle časové posloupnosti jejich vzniku, u ostatních děl podle doby prvního zveřejnění, ať už tiskem, nebo ve vydání samizdatovém) kombinována s uspořádáním jazykovým. Dále se vždy uvádějí nejdříve vydání v jazyce originálu – v češtině a potom vydání překladová v chronologické posloupnosti; pokud pak existuje více vydání téhož díla v jednom jazyce, vytváří se z příslušných záznamů jedna jazyková skupina řazená chronologicky podle data vydání.

Rozdělení bibliografie na divadelní hry a ostatní tvorbu nemohlo být vždy striktně dodrženo, protože některé knihy obsahují nejen hry, ale i díla esejistická.

Vzhledem k tomu, že od začátku roku 1989 vychází mnoho nových vydání nebo reedic děl V. H. v řadě jazyků, je tato bibliografie v některých ohledech neúplná.

Až na výjimky se v této bibliografii neuvádějí cizojazyčné brožury obsahující pouze jediný esej V. H.; bibliografické údaje o takových vydáních H. textů z let 1983–1989 lze najít v edičních poznámkách.

Zkratka „S. l.“ (sine loco) = bez místa vydání; „S. n.“ (sine nomine) = bez udání nakladatele.

Srpen 1989

Vilém Prečan

I. DIVADELNÍ HRY VÁCLAVA HAVLA 1963 – 1989

1. Zahradní slavnost (1963)

Zahradní slavnost: hra o 4 dějstvích / Václav Havel; doslov Jan Grossman.– Praha: Dilia, 1964.– 80 s. [rozmnoženo]

Zahradní slavnost: hra o 4 dějstvích / Václav Havel; doslov Jan Grossman.– Praha: Orbis, 1964.– 78 s.– (Divadlo; 64)

Zahradní slavnost v knize: *Ztížené možnosti*, viz níže (***).

Das Gartenfest v knize: *Das Gartenfest – Die Benachrichtigung*, viz níže (***).

Das Gartenfest: Spiel / Václav Havel; deutsch von August Scholtis.– Reinbek bei Hamburg: Rowohlt Theater Verlag, 1970.– 104 s.

The garden party / Václav Havel; transl. and adapted by Vera Blackwell.– London: Cape, 1969.– 79 s.– (Cape editions, 37)

La fête en plain air / Václav Havel; trad. du tchèque par François Kérel.– Paris: Gallimard, 1969.– 75 s.– (Théâtre du monde entier)

Italsky v knize: *Dissenzo culturale e politico*, viz níže (***).

2. Vyrozumění (1965)

Vyrozumění: hra o 12 obrazech / Václav Havel.– Praha: Dilia, 1965.– 95 s. [rozmnoženo]

Vyrozumění v knize: *Protokoly* / Václav Havel.– Praha: Mladá fronta, 1966.– 266 s.– (Mladé cesty; 16)

Vyrozumění v knize: *Ztížené možnosti*, viz níže (***).

Die Benachrichtigung v knize: *Das Gartenfest – Die Benachrichtigung*, viz níže (***).

Die Benachrichtigung / Václav Havel; deutsch von Eva Berkmann.– Reinbek bei Hamburg: Rowohlt Theater Verlag, 1983.– 78 s. [Ergänzte und korrigierte Textfassung]

Die Benachrichtigung: eine satirische Komedie v knize: *Drei Stücke*, viz níže (***).

The memorandum v knize: *Three East European plays* / Václav Havel; Julius Hay [and] Slawomir Mrozek.– London: Pinguin Books, 1970.

The memorandum / Václav Havel; transl. from the Czech by Vera Blackwell; introd. by Tom Stoppard.– New York: Grove Press, 1980. 96 s.

The memorandum / Václav Havel; transl. from the Czech by Vera Blackwell; introd. by Tom Stoppard.– London: Methuen, 1981.– VIII, 88 s. ISBN 0 413 48310 X

Sirkulaeret / Václav Havel; overs. av Carl Frederik Prytz.– Oslo: S. n., 1972.– 99 s.

Italsky v knize: *Dissenzo culturale e politico,* viz níže (***).

3. Ztížená možnost soustředění (1968)

Ztížená možnost soustředění: hra o 2 dějstvích / Václav Havel.– Praha: Dilia, 1968.– 63 s. [rozmnoženo]

Ztížená možnost soustředění: hra o dvou dějstvích / Václav Havel.– *Divadlo,* květen 1968.

Ztížená možnost soustředění: hra o 2 dějstvích / Václav Havel; doslov Josef Šafařík.– Praha: Orbis, 1969.– 77 s.– (Divadlo; 115)

Ztížená možnost soustředění v knize: *Ztížené možnosti,* viz výše.

Erschwerte Möglichkeit der Konzentration: Stück in zwei Akten / Václav Havel; deutsch von Franz Peter Künzel.– Reinbek bei Hamburg: Rowohlt Theater Verlag [1968].– 117 s. [Korrigierte deutsche Fassung]

The increased difficulty of concentration / Václav Havel; transl. from Czech by Vera Blackwell.– London: Cape, 1972.– 78 s.– (Cape editions, 49)

The increased difficulty of concentration: a play in two acts / Václav Havel; transl. from Czech by Vera Blackwell.– New York (etc.): French, 1976.– 58 s.

Italsky v knize: *Dissenzo culturale e politico,* viz níže (***).

4. Spiklenci (1970, 1971)

Spiklenci: hra / Václav Havel.– S. l., 1971.– 124 s. A4.
[Toto samizdatové vydání, jehož výtisk je uložen ve sbírkách ČSDS, je hra o patnácti obrazech, zatímco verze *Spiklenců* datovaná 1970 a vydaná v knize *Hry 1979–1976* má pouze osm obrazů a je bezpochyby jednou z pracovních verzí.]

Spiklenci (1971) / Václav Havel.– S. l., 1979.– 137 s. A5.
Samizdat: Edice Expedice, sv. 86.

Spiklenci v knize *Hry 1970–1976,* viz níže (***).

Die Retter / Václav Havel; deutsch von Franz Peter Künzel.– Reinbek bei Hamburg: Rowohlt Theater Verlag, 1972.– 162 s.

I congiurati: dramma i otto quadri / Václav Havel; traduzione dal ceco di Gianlorenzo Pacini.– Bologna: Centro studi Europa orientale, 1980.– 110 s.– (CSEO outprints; 7)

Italsky též v knize: *Dissenzo culturale e politico,* viz níže (***).

Spiskowcy v knize *Spiskowcy i inne utwory dramatyczne*, viz níže (***).

5. Žebrácká opera (1972)

Žebrácká opera: na téma Johna Gaye (1972) / Václav Havel.– 118 s. A4. Samizdat: Edice Petlice, č. 046.

Žebrácká opera / Václav Havel. – 1. vydání. – S. 1., 1976. – 184 s. A5. Samizdat: Edice Expedice, sv. 10.

Žebrácká opera v knize *Hry 1970–1976*, viz níže (***).

Die Gauneroper: nach John Gay / Václav Havel; deutsch von Franz Peter Künzel.– Reinbek bei Hamburg: Rowohlt Theater Verlag, 1974.– 161 s.

La grande roue / Václav Havel; traduction-adaptation de Ivan Palec. – Paris: L'Avant-Scène, 1987. – 64 s. – (L'Avant Scène: Théâtre; no. 803)

La grande roue: sur les motifs de John Gay: pièce en quatorze tableaux / Václav Havel; trad. du tchèque par Ivan Palec.– Paris: Gallimard, 1987.– 152 s. – (Le manteau d'Arlequin) ISBN 2-07-070991-4

6. Audience (1975)

Audience: jednoaktová hra / Václav Havel.– S. l., 1975.– 47 s. A5. Samizdat: Edice Petlice, č. 047.

Audience / Václav Havel.– *Svědectví*, roč. XIII, 1976, č. 51.

Audience v knize: *Hry 1970–1976*, viz níže (***).

Audienz: Einakter / Václav Havel; deutsch von Gabriel Laub.– Reinbek bei Hamburg: Rowohlt Theater Verlag, 1975.– 34 s.

Conversation: a one-act play / Václav Havel; transl. by George Theiner.– *Index on Censorship*, vol. 5, Nr. 3, Autumn 1976.

Innvielse / Václav Havel.– Oslo: Norsk pikskringkasting, 1977.– 67 s.

Audience / Václav Havel.– Paris: L'Avant-Scène, 1979.– 40 s.– (L'Avant-Scène: Théâtre; no. 653)

Audiensen / Václav Havel.– Helsinki: Yleisradio, 1980.– 41 s.

Audiencja / Václav Havel; tlumaczyl z czeskiego Andrzej Slawomir Jagodzinski.– *Zeszyty literackie*, nr. 1, zima 1983.

7. Vernisáž (1975)

Vernisáž: jednoaktová hra / Václav Havel.– S. l., 1975, s. 49–92 A5. Samizdat: Edice Petlice, č. 051.

[V jednom svazku spolu s *Audiencí;* jako doslov rozbor Ivana Kadlečíka *Dve sýte skice.*]

Vernisáž v knize: *Hry 1970–1976,* viz níže (***).

Vernissage: Einakter / Václav Havel; deutsch von Gabriel Laub.– Reinbek bei Hamburg: Rowohlt Theater Verlag, 1976.– 26 s.

Private view v společném vydání *Sorry...: two plays,* viz níže (6.–7).

Vernissage / Václav Havel; vert. door Kees de Vries.– Bussum: De Toneelcentrale, 1979.– 28 s.

Unveiling v knize *The Vaněk plays,* viz níže (6.–7. a 9.).

6.–7. Společná vydání Audience a Vernisáže

Dvě aktovky: Audience, Vernisáž / Václav Havel.– S. l., 1975.– 108 s. A5.
Samizdat: Edice Expedice, sv. 3.

Audience: jednoaktová hra / Václav Havel.– S. l., 1975, s. 1–48. *Vernisáž: jednoaktová hra* / Václav Havel.– S. l., 1975, s. 49–92. [Doslov] *Dve sýte skice* / Ivan Kadlečík.– S. l., 1975, s. 93–100.
Samizdat: Edice Petlice, č. 047 a 051 [v jednom svazku].

Audienz und Vernissage: 2 Einakter / Václav Havel; deutsch von Gabriel Laub.– Reinbek bei Hamburg: Rowohlt Theater Verlag, 1976.– 34 + 26 s./ 60 s.

Audienz, Vernissage v knize *Drei Stücke,* viz níže (***).

Sorry...: two plays / Václav Havel; transl. and adapted by Vera Blackwell.– London: Evre Methuen, 1978.– 64 s.– (Play for today)
ISBN 0-413-45630-7 [Audience, Private view]

Audience & Vernissage: tva enaktare / Václav Havel.– *Radix,* no. 1, 1978.

8. Horský hotel (1976)

Horský hotel: hra o pěti dějstvích / Václav Havel.– S. l., 1976.– 99 s. A5.
Samizdat: Edice Petlice, č. 062.

Horský hotel / Václav Havel.– S. l., 1979.– 91 s. A5.
Samizdat: Edice Expedice, sv. 87.

Horský hotel v knize *Hry 1970–76,* viz níže (***).

Das Berghotel: ein Schauspiel in fünf Akten / Václav Havel; deutsch von Gabriel Laub.– Reinbek bei Hamburg: Rowohlt Theater Verlag, 1976.– 56 s.

Bjerghotellet: skuespil i fem akter / Václav Havel; overs. af Karel Müller.– [Graasten]: Drama, 1977.– 71 s. ISBN 87-7419-170-5

9. Protest (1978)

Protest: jednoaktová hra (1978) / Václav Havel.– S. l., 1979.– 51 s. A5. Samizdat: Edice Expedice, sv. 89.

Protest: Einakter / Václav Havel; deutsch von Gabriel Laub.–Reinbek bei Hamburg: Rowohlt Theater Verlag, 1978.– 57 s.

Pétition v publikaci *Audience, Vernissage, Pétition,* viz níže (6.–7. a 9).

La firma v publikaci: *La firma* / Václav Havel. *L'attestato* / Pavel Kohout.– Bologna: Centro studi Europa orientale, 1980.– (CSEO outprints; 4)

Protest / Václav Havel.– Helsinki: Yleisradio, 1980.– 30 s.

Protest v knize *The Vaněk plays,* viz níže (6.–7. a 9.).

6.–7. a 9. Společná vydání jednoaktovek Audience, Vernisáž, Protest

Audience, Vernissage, Pétition / Václav Havel; trad. du tchèque par Marcel Aymossin et Stephan Meldegg. – Paris: Gallimard, 1980. – 243 s. – (Du monde entier)

Audience, Unveiling [Vernisáž], Protest v knize: *The Vaněk plays: four authors, one character* / ed. by Marketa Goetz-Stankiewicz.– Vancouver: University of Columbia Press, 1987.
[Audienci a Vernisáž přeložil Jan Novák, Protest Věra Blackwellová.]

Vaněk–Trilogie, viz níže (***).

10. Chyba (1983)

Chyba / Václav Havel.
Samizdat: *Obsah,* květen 1983.

Chyba / Václav Havel.– *Svědectví,* roč. XVIII, č. 69, 1983.

Der Fehler / Václav Havel; deutsch von Joachim Bruss.– Reinbek bei Hamburg: Rowohlt Theater Verlag, 1983.– 6 s.

Mistake: a sketch by Czechoslovakia's top banned playwright / Václav Havel; translated by George Theiner.– *Index on Censorship,* vol. 13, no. 1, Febr. 1984.

Jego brocha / Václav Havel; z czeskiego tlumaczyli Janusz Anderman i Andrej Černý.– *Zeszyty literackie,* rok II, nr. 6, wiosna 1984.

Tant pis / Václav Havel; adapté du tchèque par Erika Abrams.– *Théâtre en Europe,* no. 11, juillet 1986.

11. Largo desolato (1984)

Largo desolato: hra o sedmi obrazech / Václav Havel.– S. l., 1984.– 110 s. A5. Samizdat: Edice Petlice, č. 281.

Largo desolato / Václav Havel.– Praha, 1984.– 94 s. B5. Samizdat: Edice Expedice, sv. 195.

Largo desolato: hra o sedmi obrazech / Václav Havel.– *Svědectví,* roč. XIX, 1985, č. 74.

Largo desolato: hra o sedmi obrazech / Václav Havel.– München: Obrys-/Kontur–PmD, 1985.– 99 s.– (Beletrie v PmD; 1)

Largo Desolato: Schauspiel in sieben Bildern / Václav Havel; aus dem Tschechischen von Joachim Bruss.– Reinbek bei Hamburg: Rowohlt Theater Verlag, 1984.– 98 s.

Largo Desolato: Schauspiel in sieben Bildern / Václav Havel; mit einem Vorwort von Siegfried Lenz; aus dem Tschechischen von Joachim Bruss.– Reinbek bei Hamburg: Rowohlt Taschenbuch Verlag, 1985.– 97 s.– (rororo; 5666) ISBN 3 499 15666 0

Largo desolato / Václav Havel; a cura di Gianlorenzo Pacini.– Milano: Ubulibri, 1985.– 143 s.– (I testi Ubulibri)

Largo desolato: pièce en sept tableaux / Václav Havel; trad. du tchèque par Erika Abrams et Stephan Meldegg.– Paris: Gallimard, 1985.– 144 s.– (Le manteau d'Arlequin) ISBN 2-07-070559-5

Largo desolato: a play in seven scenes / Václav Havel; English version by Tom Stoppard.– New York: Grove Press, 1987.– 56 s. ISBN 0-394-55554-6

Largo desolato: a play in seven scenes / Václav Havel; English version by Tom Stoppard.– London: Faber and Faber, 1987.– 56 s. ISBN 0-571-13777-6

Largo desolato: een toneelstuk in zeven taferelen / Václav Havel; vert. Sjoerd de Jong en Kees Mercks.– Amsterdam: International theatre bookshop, 1987.– 94 s.– (Tekstboekjes Publiekstheater; no. 68) ISBN 90-6403 155-X

12. Pokoušení (1985)

Pokoušení: hra o deseti obrazech / Václav Havel.– S. l., 1985.– 171 s. A5. Samizdat: Edice Petlice, č. 306.

Pokoušení: hra o deseti obrazech / Václav Havel.– Praha, 1985.–131 s. B5. Samizdat: Edice Expedice, sv. 223.

Pokoušení: hra o deseti obrazech / Václav Havel.– München: Obrys/Kontur–PmD, 1986.– 109 s.– (Beletrie v PmD; 4)

Die Versuchung: Schauspiel in zehn Bildern / Václav Havel; aus dem Tschechischen von Joachim Bruss.– Reinbek bei Hamburg: Rowohlt Theater Verlag, 1986.– 108 s.

Versuchung v knize *Vaněk–Trilogie*, viz níže (***).

Temptation: a play in ten scenes / Václav Havel; transl. by George Theiner.– *Index on Censorship*, vol. 15, no. 10, Nov/Dec 1986.

Temptation / Václav Havel; transl. by George Theiner.– London: Faber and Faber, 1988.– 71 s. ISBN 0-571-15105-1

Temptation: a play in ten scenes / Václav Havel; translated from the Czech by Marie Winn.– New York: Grove Press, 1989.– 102 s. ISBN 0-8021-3100-X (pbk.)

Kuszenie / Václav Havel; przel. Andrzej S. Jagodzinski.– Warszawa: Nowa, 1987.– 58 s.

Fristelse / Václav Havel; oversat fra tjekkisk af Peter Bugge.– Viby: Kimaere, 1988.– 119 s. ISBN 87 7711 036 6

13. Asanace (1987)

Asanace: hra o pěti jednáních / Václav Havel.– S. l., 1987.– 135 s. A5. Samizdat: Edice Petlice, č. 361.

Asanace: hra o pěti jednáních / Václav Havel.– Praha, 1987.– 134 s. B5. Samizdat: Edice Expedice, sv. 255.

Asanace: hra o pěti jednáních / Václav Havel.– München: Obrys/Kontur–PmD, 1988.– 97 s.– (Beletrie v PmD; 6)

Sanierung: Schauspiel in fünf Akten / Václav Havel; deutsch von Joachim Bruss.– Reinbek bei Hamburg: Rowohlt Theater Verlag, 1989.– 88 s.

Sanierung v knize *Vaněk–Trilogie*, viz níže (***).

Slum clearance / Václav Havel; translated from the Czech by Marie Winn.– Reinbek bei Hamburg: Rowohlt Theater Verlag, [1988].
[Rukopis překladu rozmnožený pro interní potřeby nakladatelství.]

Knižní vydání několika her (***)

Das Gartenfest – Die Benachrichtigung: zwei Dramen; Essays; Antikoden / Václav Havel; aus dem Tschechischen von August Scholtis, Eva Berkmann, Franz Peter Künzel übertragen.– Reinbek bei Hamburg: Rowohlt, 1967.– 188 s.– (ro- ro-ro Taschenbuch)

Das Gartenfest – Die Benachrichtigung: zwei Dramen; Essays; Antikoden / Václav Havel; aus dem Tschechischen von August Scholtis, Eva Berkmann, Franz Peter Künzel übertragen.– Reinbek bei Hamburg: Rowohlt, 1989.– 245 s.– (rororo; 12736)
[Nové vydání publikace z roku 1967, rozšířené o Havlův příspěvek napsaný v srpnu 1983 pro programový sešit k vídeňské premiéře *Vyrozumění* 7. října 1983; *Vyrozumění* se publikuje v doplněném a opraveném překladu Evy Berkmannové z r. 1983.]

o

Hry 1970–1976: z doby zakázanosti / Václav Havel.– Toronto: Sixty-Eight Publishers, 1977.– 311 s. ISBN 0-88781-042-X
[Obsahuje pracovní verzi *Spiklenců* z roku 1970 o osmi obrazech, *Žebráckou operu, Horský hotel, Audienci, Vernisáž*.]

Drei Stücke / Václav Havel; Nachw. von Gabriel Laub.– Reinbek bei Hamburg: Rowohlt, 1977.– 152 s.– (rororo : Theater; 4123) ISBN 3-499-14123 X
[Audienz, Vernissage, Die Benachrichtigung (Vyrozumění), Offener Brief an Gustáv Husák (Otevřený dopis G. Husákovi z dubna 1975.]

Dissenzo culturale e politico in Cecoslovacchia: per una decifrazione teatrale del codice del potere / Václav Havel; a cura di Claudio Guenzani; con saggi di Giancarlo Romani Adami e Gianlorenzo Pacini; trad. dal cecoslovacco di Gianlorenzo Pacini.– Venezia: Marsilio, 1977.– 362 s.
[Obsahuje všechny Havlovy hry napsané v šedesátých a sedmdesátých letech s výjimkou jednoaktovky Protest.]

Spiskowcy i inne utwory dramatyczne / Václav Havel; [przetlum.] Andrzej S. Jagodzinski.– [Warszawa]: Oficyna WE [Wydawnictwo Enklawa. Druk:] Niezalezna Oficyna Wydawnicza N[owa, 1984].– 273 s.
[Obsahuje překlady her *Spiklenci, Horský hotel, Audience, Vernisáž, Protest*, doslov autora a překladatele. Kniha byla připravena k vydání koncem roku 1981, vyhlášení stanného práva v Polsku však znemožnilo vydání v plánovaném termínu. Publikace vyšla jako xerokopie strojopisu, zmenšená na formát 13,8 x 10 cm.]

Ztížené možnosti: tři hry z šedesátých let / Václav Havel.– Purley: Rozmluvy, 1986.– 218 s. ISBN 0-946352-26-7

[Obsahuje hry *Zahradní slavnost, Vyrozumění, Ztížená možnost soustředění* a *Dovětek autora*.]

Vaněk-Trilogie: Audienz, Vernissage, Protest und Versuchung, Sanierung: Theaterstücke / Václav Havel; mit einem Vorwort von Marketa Goetz-Stankiewicz.– Reinbek bei Hamburg: Rowohlt, 1989.– 281 s.– (rororo; 12737) ISBN 3 499 12737 7

Poznámka: Publikace vydané nakladatelstvím „Rowohlt Theater Verlag" jsou vesměs rukopisná vydání sloužící pro potřeby divadelních souborů (jde o tzv. Bühnenmanuskripte)

II. KNIŽNÍ DÍLA A SBORNÍKY TEXTŮ VÁCLAVA HAVLA

Josef Čapek: dramatik a jevištní výtvarník / Václav Havel [a] Věra Ptáčková.– Praha: Divadelní ústav, 1963.– 83 s.– (Drama, divadlo, dokumentace; 4)

o

Protokoly / Václav Havel; předmluvu napsal Jan Grossman.– Praha: Mladá fronta, 1966.– 266 s. (Mladé cesty; 16)
[Obsahuje hry Zahradní slavnost (1963) a Vyrozumění (1965), eseje O dialektické metafyzice (1964) a Anatomie gagu (1963) a sbírku typogramů Antikódy (1964).]

o

Versuch, in der Wahrheit zu leben: von der Macht der Ohnmächtigen / Václav Havel; mit einem Vorwort von Hans-Peter Riese; aus dem Tschechischen von Gabriel Laub.– Reinbek bei Hamburg: Rowohlt Taschenbuch Verlag, 1980.– 91 s.– (rororo aktuell; 4624) ISBN 3 499 1 4624 X
[Německý překlad eseje V. H. *Moc bezmocných* z října 1978.]

Versuch, in der Wahrheit zu leben / Václav Havel; aus dem Tschechischen von Gabriel Laub.– Reinbek bei Hamburg: Rowohlt Taschenbuch Verlag, 1989.– 96 s.– (rororo aktuell Essay; 1200)
[Nové vydání knížky z roku 1989; publikace je opatřena kratičkým úvodním slovem Freimuta Duveho a před německý překlad eseje V. H. *Moc bezmocných* je umístěn německý překlad jeho závěrečné soudní řeči z 21. února 1989; dřívější předmluva Hanse-Petra Rieseho z října 1979 je zařazena na konec publikace.]

o

Šestnáct dopisů / Václav Havel; úvodní studii napsal Sidonius.– Praha, 1983.– 35 + 90 s. B5 : 1 il.
Samizdat: Edice Expedice, sv. 157.
[Soubor vězeňských dopisů č. 129–144 z května až září 1982, které byly koncipovány jako ucelený esej. Srv. *Dopisy Olze.*]

Výzva k transcendenci / Václav Havel. *Consolatio philosophiae hodierna* / Sidonius.– Londýn: Rozmluvy, 1984.– 95 s.
[Kromě *Šestnácti dopisů* a studie Sidonia (pseud.) obsahuje publikace esej *Politika a svědomí,* přetištěný z časopisu *Svědectví.*]

Lettere a Olga / Václav Havel.– Bologna: Centro studi Europa orientale, 1983.– 125 s.– (CSEO outprints. La cultura dei senza potere; 24)
[Obsahuje soubor dopisů č. 129–144 a studii Sidonia.]

o

Dopisy Olze: červen 1979 – září 1982 / Václav Havel; z autorových dopisů odesílaných v letech 1979–1982 z vyšetřovací vazby a věznic uspořádal Jan Lopatka; doslov Jiří Dienstbier.– Praha: leden 1983.– 451 s. A4 : 1 il.
Samizdat: Edice Petlice, č. 261; Edice Expedice, sv. 166.
[Soubor 144 dopisů z vězení doplněný oddílem Reálie: informace o zatčení a procesu, doslovem Jiřího Dienstbiera (436–442) a poznámkou editora (443– 451).]

Dopisy Olze: červen 1979 – září 1982 / Václav Havel.– Toronto: Sixty-Eight Publishers, 1985.– 456 s.

Briefe an Olga: Identität und Existenz: Betrachtungen aus dem Gefängnis / Václav Havel; aus dem Tschechischen von Joachim Bruss; für die deutsche Ausgabe bearbeitet von Jiří Gruša.– Reinbek bei Hamburg: Rowohlt Taschenbuch Verlag, 1984.– 327 s.– (rororo aktuell; 5340) ISBN 3 499 15340 8
[V době uzávěrky této bibliografie bylo ohlášeno nové německé vydání Dopisů Olze: *Briefe an Olga,* Rowohlt, 1989 (rororo aktuell-Essay; 12732).]

Brieven aan Olga: overdenkingen uit de gevangenis / Václav Havel; vert. uit het Tsjechisch door P. L. Vrba.– Baarn: De Prom, 1986.– 192 s.

Brev til Olga: tanker fra fengslet / Václav Havel; oversatt av Milada Blekastad.– Oslo: Aschehoug, 1987.– 376 s. ISBN 82-03-15786-6

Lettres to Olga: June 1979–September 1982 / Václav Havel; translated from the Czech with an introduction by Paul Wilson.– New York: Knopf, 1988.– 397 s. ISBN 0-394-54795-0

Lettres to Olga: June 1979–September 1982 / Václav Havel; translated from the Czech with an introduction by Paul Wilson.– London: Faber and Faber, 1988.– 397 s. ISBN 0-571-13702-4
[Některé z dopisů V. H. vydaných v knize *Dopisy Olze* jsou obsaženy v italském vydání vězeňských dopisů tří autorů – V. H., Václava Bendy a Františka Lízny: *Gli ostaggi sono fuggiti: lettere dalle carceri cecoslovacche* / Václav Havel, Václav Benda [e] František Lízna.– Bologna: Centro studi Europa orientale, 1982.– 156 s.– (CSEO outprints. La cultura dei senza potere; 18)]

o

O lidskou identitu: úvahy, fejetony, protesty, polemiky, prohlášení a rozhovory z let 1969–1979 / Václav Havel; sest. Vilém Prečan a Alexander Tomský.– London: Rozmluvy, 1984.– 394 s. ISBN 0-946352-04-6

o

Eseje polityczne: List do Husaka, Rozmowa z Ledererem, Sila bezsilnych / Václav Havel; przelozyl Pawel Heartman.– Warszawa: Krag, 1984.– 85 s.

The power of the powerless: citizens against the state in Central-Eastern Europe / Václav Havel [et al.]; introd. by Steven Lukes; ed. by John Keane; transl. by A. G. Brain and Paul Wilson.– London [etc.]: Hutchinson, 1985.– 228 s.– (Contemporary politics; 4) ISBN 0 09 160630 6
[Obsahuje esej V. H. *Moc bezmocných* a příspěvky dalších 11 autorů ze samizdatové publikace *O svobodě a moci*, jež vyšla česky knižně v nakladatelství Index (Köln) v roce 1980.]

o

Dálkový výslech: rozhovor s Karlem Hvížďalou: Bonn–Praha 1985–1986 / Václav Havel.– Praha, 1986.– 236 s. B5.
Samizdat: Edice Expedice, sv. 233.

Dálkový výslech: rozhovor s Karlem Hvížďalou / Václav Havel. – Purley: Rozmluvy, 1986.– 230 s. ISBN 0-946352-36-4

Fernverhör: ein Gespräch mit Karel Hvížďala / Václav Havel; aus dem Tschechischen von Joachim Bruss.– Reinbek bei Hamburg: Rowohlt Verlag, 1987.– 279 s. ISBN 3 498 02882 0

Fjärrförhör: Samtal med Karel Hvížďala Bonn–Prag 1985–86 / Václav Havel; översätt. Karin Mossdal i samarbete med Miloslava Slavíčková.– Stockholm: Ordfronts Förlag, 1987.– 183 s. ISBN 91 7324 288 8

o

Václav Havel, or, Living in truth: twenty-two essays published on the occasion of the award of the Erasmus Prize to Václav Havel / edited by Jan Vladislav.–
a) Amsterdam: Meulenhoff, 1986.– XIX, 315 s. ISBN 90-290-2079-2
b) London–Boston: Faber and Faber, 1987.– XIX, 315 s. ISBN 0-571-14874-3
[Publikace, vydaná v Holandsku a ve Velké Británii u příležitosti udělení Erasmovy ceny V. H., má dvě části: První obsahuje šest esejů V. H.: Dopis dr. G. Husákovi z dubna 1975, Moc bezmocných, Šest poznámek o kultuře, Politika a svědomí, Thriller, Anatomie jedné zdrženlivosti; do druhé přispěli: Samuel Beckett, Heinrich Böll, Timothy Garton Ash, Jiří Gruša, Ladislav Hejdánek, Harry Järv, Iva Kotrlá, Milan Kundera, Arthur Miller, Zdena Salivarová, Milan Šimečka, Josef Škvorecký, Tom Stoppard, Zdeněk Urbánek, Ludvík Vaculík.]

o

Thriller i inne eseje / Václav Havel; przelozyl Pawel Heartman.– Warszawa: Niezalezna Oficyna Wydawnicza, 1988.– 184 s.
[Sborník třinácti textů V. H., uvedený Adamem Michnikem. Mimo jiné obsahuje tyto eseje V. H.: Dopis dr. G. Husákovi z dubna 1975, Moc bezmocných, Politika a svědomí, Anatomie jedné zdrženlivosti, Děkovná řeč (Erasmovská cena), Thriller.]

III. SBORNÍKY USPOŘÁDANÉ VÁCLAVEM HAVLEM

Podoby 2: literární sborník / uspořádal a úvod napsal Václav Havel.– Praha: Československý spisovatel, 1969.– 190 s. : 10 obr. příl.

o

Pohledy 1: literární sborník (1976) / uspořádal Václav Havel.– Praha, 1976.– 577 s. A5.
Samizdat: Edice Petlice, č. 074.

Pohledy 1: literární sborník (1976) / uspořádal Václav Havel.– Praha, 1980.– 581 s. A5.
Samizdat: Edice Expedice, sv. 47.

o

Přirozený svět jako politický problém: eseje o člověku pozdní doby / z textů Václava Bělohradského a dalších autorů sestavil Václav Havel.– Praha,

1984.– 434 s. B5.
Samizdat: Edice Expedice, sv. 188.

Hostina: filozofický sborník / sestavil a předmluvu napsal Václav Havel.– Praha, 1985.– 327 s. B5.
Samizdat: Edice Expedice, sv. 209.

CHRONOLOGICKÝ PŘEHLED
hlavních údajů o životě, literárním díle, kulturní a společenské aktivitě Václava Havla (1936 —srpen 1989)

Zkušenost s prvním pokusem o chronologický přehled životopisných údajů týkajících se Václava Havla, který byl zařazen do knihy *O lidskou identitu,* prokázala užitečnost a mnohostrannou použitelnost takové pomůcky; proto byl podobný přehled, revidovaný, rozšířený a dovedený takřka až do současnosti, připraven i pro sborník *Do různých stran.* Chronologicky řazené údaje z mnoha vrstev a oblastí Havlovy všestranné aktivity tvůrčí a společenské nemohou nahradit ani jeho životopis, ani studie hodnotící jednotlivé stránky jeho působení, napomáhají však tomu, že jednotlivé stránky jeho života a díla mohou být sledovány současně ve všech podstatných souvislostech.

V centru pozornosti jsou informace o tom, v jakém časovém sledu a dobovém kontextu či v jaké autorově životní situaci vznikly jeho jednotlivé texty a divadelní hry. Čísla v závorkách uvedená slovem „viz" odkazují na stránky této knihy, kde jsou otištěny texty citované v příslušném chronologickém údaji. Podobně odkazují čísla v závorkách uvedená názvem *Identita* na stránky knihy *O lidskou identitu,* sborník Havlových úvah, fejetonů, protestů, polemik, prohlášení a rozhovorů z let 1969—1979, který vyšel v roce 1984 jako předchůdce tohoto sborníku z roku 1989.

Pokud jde o inscenace Havlových dramatických děl, uvádí se zásadně datum prvního uvedení na profesionální scéně (tzv. světová premiéra). Informace o dalších inscenacích se uvádějí jen tehdy, byly-li mimořádné svým kulturním či politickým významem anebo došlo-li k nim za mimořádných okolností. Jinak to ani nebylo možné. Vždyť jen do začátku roku 1989 byla dramatická díla Václava Havla uvedena v asi 230 premiérách; narychlo sestavený a zřejmě ne zcela úplný přehled poskytnutý nakladatelstvím Rowohlt Theater Verlag uvádí, že nejúspěšnější Havlovy hry byly podle stavu ke konci února 1989 hrány takto:

Zahradní slavnost: 30 inscenací v šesti zemích
Vyrozumění: 28 inscenací v osmi zemích
Ztížená možnost soustředění: 14 inscenací ve třech zemích

Žebrácká opera: 9 inscenací v šesti zemích
Audience: 40 inscenací v jedenácti zemích
Vernisáž: 42 inscenací ve třinácti zemích
Largo desolato: 12 inscenací v devíti zemích
Pokoušení: 6 inscenací v pěti zemích
Chyba byla uvedena rozhlasem ve čtyřech zemích, Anděl strážný měl 14 vysílání v pěti zemích.

Chronologický přehled byl sestaven na základě údajů dostupných v literatuře, v samizdatových publikacích, v československém a zahraničním tisku; některé údaje pocházejí z korespondence či telefonických sdělení autora.

Případné doplňky informací chronologického přehledu najde čtenář v edičních poznámkách a v bibliografii. Informace o knižním vydání Havlových her a o překladových vydáních jeho knih jsou uvedeny — až na několik málo výjimek — pouze v oddílu bibliografie. Až na výjimky nemohly být v přehledu zaznamenány Havlovy interview v cizím tisku a vystoupení v zahraničním rozhlasu a televizi.

Všude, kde to není na závadu srozumitelnosti, nahrazuje se v chronologickém přehledu plné jméno Václava Havla zkratkou „V. H.", přivlastňovací zájmeno Havlův (-ova, -ovo) zkratkou „H.".

Srpen 1989 Vilém Prečan

5. října 1936 narodil se v Praze v rodině ing. Václava M. Havla a Boženy roz. Vavrečkové

1951 skončil povinnou školní docházku; současně s tím vyvstaly potíže — vyplývající z tzv. třídního původu a z jiných „kádrových" důvodů — při získávání vyššího školního vzdělání nebo při volbě studia či povolání, které trvaly následujících deset let

1951–1955 pracoval jako učeň-chemický laborant a potom jako laborant na Vysoké škole chemicko-technologické; současně navštěvoval večerní gymnázium (maturita v r. 1954)

1955 debutoval v časopise *Květen* (kritika); publikoval pak do r. 1969 v časopisech *Divadelní noviny, Divadlo, Host do domu, Listy, Literární listy, Literární noviny, Sešity pro mladou literaturu (Sešity pro literaturu a diskusi), Tvář, Zítřek* aj.

podzim 1956 na aktivu mladých začínajících autorů konaném na Dobříši pronesl V. H. rebelantský projev, své první veřejné vystoupení

1955–1957 po řadě neúspěšných pokusů o přijetí na vysokou školu humanitního zaměření studoval na ekonomické fakultě Českého vysokého učení technického v Praze; při pokusu o přijetí na filmovou fakultu Akademie múzických umění (AMU) byl odmítnut a nebyl přijat zpět na Techniku

1957—1959 dva roky základní vojenské služby

1959—1960 hlásil se o přijetí na divadelní fakultu AMU a byl odmítnut; na přímluvu Jana Wericha byl přijat jako jevištní technik v pražském Divadle ABC

v roce 1959 napsal V. H. svou první divadelní hru, jednoaktovku *Rodinný večer*

1960 začal působit v Divadle Na zábradlí, zprvu jako jevištní technik, posléze jako dramaturg (do léta 1968); autorsky spolupracoval na několika divadelních hrách či pásmech (*Autostop, Nejlepší rocky paní Hermannové, Vyšinutá hrdlička*)

v šedesátých letech současně pracoval jako asistent režie při několika inscenacích Alfréda Radoka v Městských divadlech pražských (mj. inscenace *Švédské zápalky* a *Zlodějky z města Londýna*), při té příležitosti napsal rozsáhlý rukopis — rozbor Radokovy režijní práce a záznam zkoušek (o osudu rukopisu není nic známo)

3. prosince 1963 v Divadle Na zábradlí byla poprvé uvedena první samostatná celovečerní H. hra *Zahradní slavnost*

9. července 1964 sňatek V. H. s Olgou Šplíchalovou

2. října 1964 německá premiéra hry *Zahradní slavnost* v Schillerově divadle v Západním Berlíně

v roce 1964 dokončil sbírku typogramů *Antikódy;* Divadelní ústav v Praze vydal knihu V. H. a Věry Ptáčkové *Josef Čapek, dramatik a jevištní výtvarník*

1965 stal se členem redakční rady literárního měsíčníku Svazu čs. spisovatelů *Tvář* na počátku 2. ročníku jeho existence; pod tlakem aparátu KSČ a vedení Svazu spisovatelů redakční rada časopis na podzim 1965 rozpustila, odmítnuvši přijmout diktované podmínky pro další existenci; v této souvislosti sbíral V. H. podpisy za svolání mimořádného sjezdu spisovatelů, který by se zabýval problematikou časopisu *Tvář* (srv. 225—227); jako člen redakční rady *Tváře* začal být činný ve Svazu čs. spisovatelů ve funkci předsedy aktivu mladých spisovatelů

9. června 1965 na plenární schůzi (konferenci) Svazu čs. spisovatelů k 20. výročí osvobození Československa přednesl kritický projev o práci spisovatelské organizace a diskriminovaných spisovatelích (viz 385—398)

26. července 1965 v Divadle Na zábradlí poprvé uvedena H. hra *Vyrozumění*

12. prosince 1965 německá premiéra hry *Vyrozumění* v Schillerově divadle v Západním Berlíně

1966 ukončil dálkové studium na divadelní fakultě AMU v Praze, obor dramaturgie

v roce 1966 vyšla H. kniha *Protokoly* v pražském nakladatelství Mladá fronta

28. června 1967 přednesl projev na IV. sjezdu Svazu čs. spisovatelů (viz 399 až 412); diktátem tajemníka ÚV KSČ Hendrycha a pod hrozbou administrativních zásahů byl V. H. spolu s I. Klímou, P. Kohoutem a L. Vaculíkem škrtnut z kandidátky pro volbu ústředního výboru Svazu spisovatelů

koncem března 1968 podepsal otevřený dopis 150 spisovatelů a kulturních pracovníků k aktuálním otázkám tzv. demokratizačního procesu adresovaný ústřednímu výboru KSČ

29.–30. března 1968 na první plenární schůzi Svazu čs. spisovatelů (SČSS) konané od IV. sjezdu přednesl A. Kliment prohlášení dvaceti spisovatelů (včetně V. H.) o ustavení Kruhu nezávislých spisovatelů v rámci SČSS; v diskusi navrhl V. H. svolat mimořádný sjezd Svazu spisovatelů místo navrhované národní konference

4. dubna 1968 v diskusní tribuně týdeníku *Literární listy* publikoval stať *Na téma opozice* (viz 413–420)

11. dubna 1968 v Divadle Na zábradlí byla poprvé uvedena H. hra *Ztížená možnost soustředění*

duben 1968 Kruh nezávislých spisovatelů (sdružoval členy a kandidáty SČSS a členy jeho překladatelské sekce, kteří nebyli členy KSČ) zvolil tajným hlasováním sedmičlenný výbor; V. H. byl zvolen do tohoto výboru největším počtem hlasů a výbor ho zvolil za svého předsedu; Kruh čítal při svém ustavení 58 členů a existoval jako volné iniciativní sdružení uvnitř SČSS, později Svazu českých spisovatelů až do jeho zániku v roce 1970

květen–červen 1968 V. H. strávil šest týdnů v USA a v západní Evropě; v New Yorku se zúčastnil premiéry *Vyrozumění*

červen 1968 podepsal prohlášení signované cca 30 kulturními osobnostmi, jež se obracelo k Národní frontě, vládě a sdělovacím prostředkům, aby umožnily přípravným výborům pro obnovení činnosti sociálně demokratické strany vysvětlit veřejnosti svá stanoviska a aby pomohly obnovit spoluúčast této strany v politickém životě země

červenec 1968 článek deníku *Neues Deutschland* (NDR) nazvaný *Strategie imperialismu a Československá socialistická republika,* který byl přetištěn také moskevskou *Pravdou,* jmenoval mezi antisocialistickými silami v Československu také V. H.

v létě 1968 (ještě před srpnovou invazí) odešel V. H. z vlastního rozhodnutí z místa dramaturga Divadla Na zábradlí

21.–27. srpna 1968 v libereckém krajském studiu se podílel na vysílání svobodného Čs. rozhlasu — denně psal komentáře k situaci (do rozhlasu je četl herec Jan Tříska); současně se podílel na protiokupační aktivitě občanů v Liberci

září 1968 sovětská tzv. Bílá kniha (*K událostem v Československu. Fakta, dokumenty, svědectví tisku a očitých svědků*) napadla V. H. za článek o funkci opozice v demokratickém systému (4. dubna 1968)

září–říjen 1968 v rámci změn ve vedení Svazu spisovatelů byl V. H. kooptován do jednačtyřicetičlenné české části ústředního výboru SČSS; jako předseda Kruhu nezávislých spisovatelů byl pravidelně zván na porady vedení sekretariátu SČSS

podzim 1968 převzal funkci předsedy redakční rady obnoveného měsíčníku *Tvář* (v listopadu a prosinci 1968 vyšla dvě čísla a do června 1969, kdy byl časopis zastaven, dalších šest čísel)

14. listopadu 1968 německá premiéra hry *Ztížená možnost soustředění* v Schillerově divadle v Západním Berlíně

18.–21. listopadu 1968 v době protestní stávky vysokoškoláků navštívil V. H. mnoho studentských schůzí a shromáždění

3. prosince 1968 hovořil v Čs. rozhlase o Kruhu nezávislých spisovatelů; zdůraznil, že Kruh nezměnil nic na svém programu

v roce 1968 byla V. H. udělena Velká rakouská státní cena za evropskou literaturu za rok 1968

v roce 1968 obdržel americkou cenu Obie za pronikavý úspěch hry *Vyrozumění* v Off-Broadway Theatre v New Yorku

v roce 1968 (bližší datum nezjištěno) byla v Čs. rozhlase poprvé uvedena rozhlasová hra V. H. *Anděl strážný*

v roce 1968 napsal televizní hru *Motýl na anténě*, za niž dostal cenu Čs. televize, avšak v Československu nebyla uvedena (viz dále 25. února 1975)

únor 1969 v časopise *Tvář* publikoval polemiku s článkem M. Kundery *Český úděl* (Identita, 187—200)

2. března 1969 rozhlasová hra *Anděl strážný* byla poprvé uvedena německy (Süddeutscher Rundfunk: *Der Schutzengel*)

březen 1969 objevil V. H. ve svém pražském bytě odposlouchávací zařízení instalované Státní bezpečností

jaro 1969 aktivně se podílel na přípravách ustavujícího sjezdu Svazu českých spisovatelů

10. června 1969 zúčastnil se ustavujícího sjezdu Svazu českých spisovatelů a přednesl diskusní příspěvek (viz 421—427)

19. června 1969 zúčastnil se s L. Pachmanem a M. Lakatošem politického mítinku v zahradě Kulturního domu Nové huti Klementa Gottwalda v Ostravě; mítink byl veřejně označen za „provokaci pravicových živlů"; pro příštích více než 19 let to bylo jeho poslední veřejné vystoupení (viz 3. září 1988)

červenec—srpen 1969 zúčastnil se rozhovorů, jež vedly ke vzniku prohlášení *Deset bodů adresovaných federální vládě, Federálnímu shromáždění, vládě ČSR, České národní radě a ústřednímu výboru KSČ;* toto prohlášení, datované 21. srpna 1969 a podepsané deseti signatáři (mezi nimi V. H.), odmítalo politiku tzv. normalizace

9. srpna 1969 datoval dopis Alexandru Dubčekovi (viz 428—441)

podzim 1969 vyslýchán nejprve jako svědek a posléze obviněn z trestného činu přípravy podvracení republiky (§ 7/1 k 98/1 tr. zákona) v souvislosti se stanoviskem *Deset bodů*

koncem roku 1969 vyšel v pražském nakladatelství Čs. spisovatel Václavem Havlem uspořádaný literární sborník *Podoby 2,* soubor prací osmnácti autorů, vesměs postižených v následující normalizaci zákazem publikování

srpen 1970 v seriálu *Rudého práva,* Čs. televize a rozhlasu proti prof. V. Černému ostouzen jmenovitě i V. H.

14. října 1970 hlavní líčení v trestním řízení proti osmi signatářům prohlášení *Deset bodů* (mezi nimi i V. H.), obeslané na 15. a 16. října 1970, bylo odloženo na neurčito

prosinec 1970 tzv. *Poučení z krizového vývoje ve straně a ve společnosti po XIII. sjezdu KSČ,* schválené na zasedání ÚV KSČ, jmenovitě obviňovalo a ostouzelo také V. H.

v roce 1970 znovu obdržel americkou cenu Obie, a to za pronikavý úspěch hry *Ztížená možnost soustředění* v Off-Broadway Theatre v New Yorku

v roce 1970 napsal první verzi divadelní hry *Spiklenci*

1971—1972 v tajných úředních směrnicích byl V. H. uváděn mezi autory, jejichž všechny knihy se v čs. školních, lidových a ostatních veřejných knihovnách vyřazovaly z fondu knih půjčovaných čtenářům

31. května 1972 v referátu J. Kozáka na ustavujícím sjezdu normalizovaného Svazu českých spisovatelů byl terčem útoků jmenovitě také V. H.

4. prosince 1972 podepsal petici 35 českých spisovatelů prezidentu republiky za amnestii pro čs. politické vězně; předtím se aktivně účastnil této petiční akce

v průběhu roku 1972 dokončil hru *Žebrácká opera* na téma Johna Gaye

8. února 1974 poprvé byla uvedena H. hra *Spiklenci (Die Retter)* v Theater der Stadt Baden-Baden

v roce 1974 pracoval devět měsíců jako dělník v trutnovském pivovaru

25. února 1975 poprvé byla uvedena H. televizní hra *Motýl na anténě* napsaná v šedesátých letech (*Fledermaus auf der Antenne,* Norddeutscher Rundfunk)

8. dubna 1975 datoval dopis G. Husákovi (Identita, 19—49)

29. dubna 1975 rozhovor V. H. s J. Ledererem na Hrádečku u Trutnova, který pak byl literárně zpracován a publikován v knize *České rozhovory* (Identita, 221—249)

v létě 1975 napsal jednoaktovou hru *Audience*

25. srpna 1975 datoval fejeton *Zpívá celá rodina* (Identita, 137—140)

v druhé polovině roku 1975 napsal jednoaktovou hru *Vernisáž*

1. listopadu 1975 se konalo ochotnické představení H. hry *Žebrácká opera* v Horních Počernicích, jež se stalo záminkou pro rozsáhlou policejní akci proti autorovi, ochotníkům i některým divákům (Identita, 173—180)

listopad–prosinec 1975 založil strojopisnou ediční řadu pro nezávislou literaturu *Edice Expedice*

4. března 1976 poprvé byla profesionálním divadlem uvedena H. hra *Žebrácká opera* (Teatro Stabile v Terstu)

26. dubna 1976 datoval fejeton napsaný k úmrtí A. Radoka (Identita, 141 až 145)

květen 1976 datoval ediční úvod k literárnímu sborníku *Pohledy I,* který uspořádal (Identita, 181—184)

16. srpna 1976 spolupodepsal dopis sedmi spisovatelů a filozofů (J. Seifert a druhové) H. Böllovi s žádostí o solidaritu se skupinou mladých hudebníků, kteří byli v Československu postaveni před soud

23. září 1976 spolu s V. Jirousovou a J. Němcem zaslal dopis gen. řediteli Čs. televize J. Zelenkovi k procesu se čtyřmi členy skupiny The Plastic People a k tendenčnímu zpravodajství televize v této věci

konec září 1976 byl pozván rakouským ministrem školství Sinowatzem na premiéru svých jednoaktových her *Audience* a *Vernisáž* ve Vídni; čs. úřady odmítly vydat V. H. cestovní pas; na protest rakouské strany sdělilo čs. ministerstvo zahraničí, že V. H. „není reprezentantem české kultury"

7. října 1976 poskytl rozhovor dopisovateli agentury Reuter o svém postavení umělce a neochotě čs. úřadů umožnit mu účast na premiéře jeho her ve Vídni

9. října 1976 poprvé uvedeny na divadelní scéně H. jednoaktové hry *Audience* a *Vernisáž* (Akademietheater des Burgtheaters ve Vídni)

11. října 1976 datoval fejeton *Proces* napsaný na okraj soudního procesu s členy hudebních skupin The Plastic People a DG 307 (Identita, 146—151)

prosinec 1976 datoval doslov ke knižnímu vydání vlastních divadelních her z let 1970—76 (Identita, 11—16)

v roce 1976 dokončil hru *Horský hotel*

listopad–prosinec 1976 zúčastnil se rozhovorů, jež vedly ke vzniku Charty 77 a k zveřejnění jejího *Prohlášení* z 1. ledna 1977; podílel se na sbírání podpisů pod *Prohlášení* a stal se spolu s Janem Patočkou a Jiřím Hájkem mluvčím Charty 77

6. ledna 1977 před polednem na živé pražské křižovatce obklíčily vozy Státní bezpečnosti osobní automobil, v němž jeli V. H., L. Vaculík a P. Landovský, aby doručili vládě, Federálnímu shromáždění a Čs. tiskové kanceláři *Prohlášení Charty 77* s podpisy 241 signatářů; všichni byli zadrženi, podrobeni výslechům a domovním prohlídkám

8. ledna 1977 spolu s oběma dalšími mluvčími signoval dok. č. 2 Charty 77

10. a 11. ledna 1977 byl po celý den vyslýchán v centrále Státní bezpečnosti v Praze

12. ledna 1977 článkem *Ztroskotanci a samozvanci* zahájilo *Rudé právo* společně s bratislavskou *Pravdou* pomlouvačnou kampaň proti Chartě 77 a jejím nejznámějším signatářům; V. H. byl v článku označen jako „zavilý antisocialista“ (o den později byl článek přetištěn v ostatním denním tisku)

14. ledna 1977 byl V. H. odveden k výslechu, z něhož se už nevrátil; ráno 15. ledna bylo na telefonický dotaz sděleno jeho manželce, že se „vzdal Bezpečnosti“, posléze na něho byla uvalena vyšetřovací vazba, z níž byl propuštěn 20. května 1977; byl obviněn z trestného činu podvracení republiky (§ 98/1,2) za otevřený dopis G. Husákovi z dubna 1975 a jako „hlavní iniciátor a organizátor Charty 77“; později byla tato obvinění vyčleněna k samostatnému trestnímu stíhání a V. H. byl bezprostředně trestně stíhán a v říjnu 1977 odsouzen pro údajný pokus poškození zájmu republiky v zahraničí (§ 112 tr. zákona)

9. března 1977 Čs. rozhlas vysílal pásmo *Kdo je Václav Havel*, jež bylo vydáno Čs. tiskovou kanceláří a v následujících dnech přetištěno v původní nebo zkrácené verzi většinou čs. deníků (Identita, 392—394, faksimile)

13. března 1977 datoval ve vyšetřovací vazbě dopis adresovaný redakcím novin a ostatních sdělovacích prostředků, které zveřejnily text *Kdo je Václav Havel* (Identita, 269—277)

29. března 1977 H. obhájce rozeslal redakcím dopis V. H. z 13. března 1977

20. dubna 1977 v 16 hodin bylo v podchodu na Václavském náměstí v Praze vypuštěno větší množství dětských balónků s letáčky; mezi požadavky této demonstrace bylo okamžité propuštění V. H. na svobodu

1. května 1977 datoval ve vyšetřovací vazbě v Ruzyni fejeton *Poslední rozhovor* napsaný k úmrtí Jana Patočky (Identita, 152—155)

2. května 1977 prostřednictvím svého obhájce požádal T. Řezáče, aby do 15. května veřejně odvolal svá tvrzení použitá v relaci Čs. rozhlasu *Kdo je Václav Havel*

20. května 1977 byl propuštěn z vyšetřovací vazby; Čs. tisková kancelář uveřejnila při této příležitosti sdělení, jímž se pokusila V. H. diskreditovat

21. května 1977 zveřejnil V. H. prohlášení, jímž reagoval na sdělení Čs. tiskové kanceláře z 20. května, a vysvětlil okolnosti, za nichž se vzdal funkce mluvčího Charty 77

26. května 1977 Charta 77 zveřejnila sdělení k H. rezignaci na funkci mluvčího, v níž akceptovala jeho postoj jako pochopitelný, a jeho interpretaci v čs. sdělovacích prostředcích označila za „tendenční pokus pošpinit pověst čestného člověka“

1. června 1977 požádal obvodní prokuraturu pro Prahu 2, aby zahájila trestní stíhání T. Řezáče pro pomluvu za výroky v rozhlasové relaci *Kdo je Václav Havel* (Identita, 278)

v srpnu 1977 vyšel v exilovém nakladatelství Sixty-Eight Publishers v Torontu soubor H. her „z doby zakázanosti“ pod názvem *Hry 1970—1976*

konec září—začátek října 1977 poskytl rozsáhlý rozhovor o svém trestním stíhání a nadcházejícím procesu, o Chartě 77 a nezávislé kultuře, který byl později publikován v Londýně (Identita, 250—56)

1. října 1977 v H. usedlosti na Hrádečku u Trutnova se uskutečnil III. festival druhé hudební kultury

17.—18. října 1977 hlavní líčení u městského soudu v Praze v trestní věci proti O. Ornestovi, J. Ledererovi, V. Havlovi a F. Pavlíčkovi; V. H. byl odsouzen pro údajný pokus o poškozování zájmů republiky v cizině (§ 8/1 k § 112/1 tr. zákona) k trestu odnětí svobody na 14 měsíců s podmíněným odkladem na tři roky (závěrečné slovo V. H. před soudem: Identita, 327—330); rozsudek potvrdil Nejvyšší soud ČSR 12. ledna 1978

prosinec 1977 podepsal otevřený dopis 13 českých spisovatelů kolegům v zahraničí, aby u příležitosti bělehradské schůzky signatářských států Závěrečného aktu z Helsink požadovali přesnější formulování zásady svobodné výměny informací a podpořili uznání práva na publikaci děl, která jsou v některých zemích zakazována

9. ledna 1978 podepsal dopis 67 českých občanů apelující na generálního prokurátora Feješe, aby bylo zastaveno trestní stíhání proti I. Jirousovi (zadržen 25. října 1977 v Praze při vernisáži výstavy a posléze odsouzen k 18 měsícům vězení)

17. ledna 1978 datoval fejeton *Paragraf 202* (Identita, 156—162)

28. ledna 1978 policie zadržela V. H. před plesem železničářů v Praze, kterého se chtěli zúčastnit někteří signatáři Charty 77; byl obviněn z maření výkonu pravomoci veřejného činitele a z útoku na veřejného činitele a držen ve vyšetřovací vazbě do 13. března 1978 (Identita, 280—290); trestní stíhání v dané věci bylo zastaveno 21. dubna 1979

17. února 1978 signatáři Charty 77 založili Výbor pro propuštění V. Havla, J. Kukala a P. Landovského, uvězněných v souvislosti s policejní akcí na plese železničářů

20. března 1978 datoval *Zprávu o mém případu,* v níž vylíčil okolnosti svého zadržení a vazby v lednu až březnu 1978 (Identita, 280—290)

21. března 1978 spolupodepsal petici 298 čs. občanů za zrušení trestu smrti, adresovanou Federálnímu shromáždění ČSSR

konec března 1978 poskytl rakouskému deníku *Kurier* obsáhlý rozhovor o stavu Charty 77, o čs. disentu a své tvůrčí práci (Identita, 257—261)

1. dubna 1978 datoval úvahu *Paragraf 203* o tom, jak se policejní a soudní svévolí s použitím trestního zákona o tzv. příživnictví dělají z občanů zločinci (Identita, 163—170)

7. dubna 1978 spolupodepsal prohlášení 23 signatářů Charty 77 k stému výročí ustavujícího sjezdu Československé sociálně demokratické strany, nazvané *Sto let českého socialismu*

27. dubna 1978 po několika měsících příprav vyhlásil své ustavení Výbor na obranu nespravedlivě stíhaných (VONS) složený ze signatářů Charty 77, kteří zveřejnili v programovém prohlášení svá jména i adresy, mezi nimi V. H.; až do zatčení 29. května 1979 se aktivně zúčastnil práce VONS (od propuštění z vězení v roce 1983 se na práci VONS opět podílí)

22. května 1978 zaslal telefonicky poselství 43. světovému kongresu PEN-klubu ve Stockholmu; věnoval se v něm případu tří mladých lidí z Brna, kteří byli uvězněni za to, že si opisovali neuveřejněné texty českých spisovatelů (Identita, 293—294)

30. května—2. června 1978 mezi několika desítkami čs. občanů, kteří byli policejně zadrženi na 48 hodin a déle v době návštěvy L. Brežněva v Československu, byl také V. H. (zadržen na Hrádečku u Trutnova a převezen do policejní věznice v Praze)

23. června 1978 spolu s K. Sidonem a L. Vaculíkem navštívil sekretariát Svazu českých spisovatelů, aby upozornil na případ uvězněného spisovatele J. Gruši

26. července 1978 domovní prohlídka v pražském bytě V. H., údajně v souvislosti s trestním stíháním proti J. Grušovi

srpen 1978 zúčastnil se první pracovní schůzky představitelů polského Výboru společenské sebeobrany-KOR (VSS-KOR) a Charty 77 na československo-polských hranicích

srpen 1978 byl jmenován členem švédského PEN-klubu

září 1978 zúčastnil se druhé schůzky zástupců VSS-KOR a Charty 77 na československo-polských hranicích; spolupodepsal *Společný dopis obráncům lidských práv ve východní Evropě* signovaný 21 účastníky schůzky

1. října 1978 koordinovaným zásahem čs. a polské policie byla znemožněna třetí schůzka zástupců VSS-KOR a Charty 77, jíž se měl zúčastnit také V. H.; o policejní akci napsal 3. října 1978 zprávu pro veřejnost (Identita, 291—292)

27. října 1978 datoval zprávu pro veřejnost o výsledku žaloby pro pomluvu, podané na T. Řezáče (Identita, 278)

říjen 1978 datoval esej *Moc bezmocných* (Identita, 55—133)

6. listopadu 1978 přijal funkci mluvčího Charty 77 a vykonával ji — spolu s L. Hejdánkem — do 8. února 1979

7. listopadu 1978 Státní bezpečnost zahájila tzv. operativní sledování V. H. (*Zpráva o mém domácím vězení:* Identita, 303—309)

10. listopadu 1978 spolupodepsal otevřený dopis 59 čs. občanů představitelům Socialistické internacionály o připravovaném procesu proti vězněnému mluvčímu Charty 77 J. Šabatovi

27. listopadu 1978 západoněmecký časopis *Der Spiegel* uveřejnil rozhovor s V. Havlem (Identita, 262—266)

6. prosince 1978 u krajského soudu v Ústí nad Labem se zúčastnil odvolacího soudního řízení jako důvěrník signatáře Charty 77 Jiřího Chmela, odsouzeného k osmnáctiměsíčnímu trestu odnětí svobody

7. prosince 1978 spolupodepsal dopis 32 bývalých vězňů prezidentu Husákovi s prosbou, aby se také on jako bývalý politický vězeň solidarizoval s žádostí o přerušení trestu nemocnému Janu Šimsovi

7. prosince1978 Státní bezpečnost zřídila stálý dozor na schodišti H. pražského bydliště

28. prosince 1978 Státní bezpečnost postavila zvláštní strážní domek proti H. domu na Hrádečku u Trutnova

30. prosince 1978 poskytl západoněmeckému deníku *Frankfurter Rundschau* rozhovor o zvláštním druhu domácího vězení, které na něho policie uvalila (Identita, 303—304)

v průběhu roku 1978 dokončil jednoaktovku *Protest*

6. ledna 1979 datoval *Zprávu o mém domácím vězení a jevech s ním souvisejících* (Identita, 303—309)

25. ledna 1979 datoval text *Milý pane Ludvíku,* polemickou reakci na *Poznámky o statečnosti* L. Vaculíka (Identita, 204—206)

1. února 1979 datoval text *Milý pane Pitharte,* polemickou reakci na úvahu *Bedra některých* P. Pitharta (Identita, 211—217)

27. února 1979 datoval a odeslal dopis rakouskému prezidentu R. Kirchschlägerovi s prosbou, aby za své návštěvy v Československu intervenoval ve prospěch čs. politických vězňů (Identita, 295—298)

1. března 1979 spolu s J. Hájkem a L. Hejdánkem převzal správu Fondu občanské pomoci zřízeného Chartou 77

3. března 1979 datoval a odeslal ministru vnitra J. Obzinovi protest proti postupu policie vůči jeho osobě (Identita, 310—311)

8. března 1979 prostřednictvím svého právního zástupce podal u obvodové vojenské prokuratury v Praze žalobu na původce a vykonavatele nezákonných policejních akcí proti jeho osobě (Identita, 312—314)

23. března 1979 datoval *Druhou zprávu o mém domácím vězení a jevech s ním souvisejících* (Identita, 315—323)

21. dubna 1979 bylo zastaveno trestní stíhání vedené proti V. H. v souvislosti s plesem železničářů 28. ledna 1978

květen 1979 krátce před svým zatčením pořídil magnetofonový záznam své úvahy o situaci, v níž se zrodila myšlenka Charty 77, a o jejích počátcích (Identita, 50—54)

29. května 1979 v pět hodin ráno zahájila Státní bezpečnost rozsáhlou akci proti Výboru na obranu nespravedlivě stíhaných (VONS), v jejímž průběhu bylo zadrženo 15 členů VONS, vykonány domovní prohlídky apod.; posléze byla uvalena vyšetřovací vazba na 10 členů VONS (mezi nimi V. H.), kteří byli obviněni z trestného činu podvracení republiky (§ 98 tr. zákona); šest z nich bylo postaveno před soud v říjnu 1979, čtyři další byli bez soudu propuštěni na svobodu 22. prosince 1979

druhá polovina srpna 1979 vedoucí odboru v čs. ministerstvu zahraničí informoval V. H. ve vyšetřovací vazbě, že pro něho přišla nabídka k ročnímu pobytu v New Yorku, kde by působil jako dramatik; V. H. odmítl o nabídce jednat

22.—23. října 1979 hlavní líčení u městského soudu v Praze v trestní věci proti „ing. P. Uhlovi a spol." (tj. proti P. Uhlovi, J. Dienstbierovi, O. Bednářové, V. Bendovi, V. Havlovi a D. Němcové), obžalovaným z trestného činu podvracení republiky v souvislosti s jejich činností ve VONS; v rámci své obhajoby přednesl V. H. 23. října závěrečnou řeč a poslední slovo (Identita, 331 až 341); byl odsouzen k trestu vězení na čtyři a půl roku nepodmíněně

říjen 1979 byl přijat za mimořádného člena francouzského PEN-klubu

28. října 1979 podle dřívější dohody byl H. podpis uveden na *Prohlášení spoluobčanů* — stanovisku skupiny českých spisovatelů k odnětí čs. státního občanství P. Kohoutovi

17. listopadu 1979 poprvé byla na scéně uvedena jednoaktová hra *Protest,* a to společně s jednoaktovkou P. Kohouta *Atest* (Burgtheater ve Vídni)

19. prosince 1979 z iniciativy AIDA (Mezinárodního sdružení na obranu pronásledovaných umělců) uvedlo pařížské divadlo Cartoucherie zdramatizovanou rekonstrukci pražského procesu s šesti členy VONS v říjnu 1979

20. prosince 1979 odvolací řízení v trestní věci „ing. P. Uhl a spol." u Nejvyššího soudu ČSR; V. H. přednesl připravenou závěrečnou řeč (Identita, 342 až 345); rozsudek městského soudu byl v plném rozsahu potvrzen

7. ledna 1980 převezen z pražské věznice do vězení v Heřmanicích u Ostravy

9. února 1980 jevištní rekonstrukce pražského procesu z října 1979 předvedena německy v Mnichově

13. února 1980 západoněmecká a rakouská televize uvedly německou verzi jevištní rekonstrukce pražského procesu

v únoru 1980 byl jmenován čestným členem Svobodné akademie umění v Hamburku (Freie Akademie der Künste der Hansestadt Hamburg)

březen 1980 v samizdatovém časopise *Informace o Chartě 77* bylo zveřejněno poděkování V. Bendy, J. Dienstbiera a V. Havla z vězení v Heřmanicích za všechny projevy solidarity v Československu i v zahraničí

27. října 1980 podal V. H. u Generální prokuratury ČSR podnět ke stížnosti pro porušení zákona rozsudkem městského soudu v Praze ze dne 23. října 1979 a rozsudkem Nejvyššího soudu ČSR ze dne 20. prosince 1979

začátek ledna 1981 ve východních Krkonoších se uskutečnil druhý ročník neoficiálního lyžařského závodu Stopou Václava Havla

23. května 1981 byla poprvé uvedena hra *Horský hotel* (Das Berghotel: Akademietheater Wien)

červen 1981 za svou hru *Protest* byl vyznamenán pařížskou divadelní cenou „Prix plaisir du théâtre 1981"

18. června 1981 v rezoluci týkající se čs. občanů zatčených a uvězněných z politických důvodů vyslovil Evropský parlament požadavek propuštění na svobodu jmenovitě také pro V. H.

červenec 1981 po týdenním pobytu ve vězeňské nemocnici v Praze byl V. H. přeložen do věznice v Plzni-Borech, kde byl až do ledna 1983

21. listopadu 1981 varšavské divadlo Mala scena Teatru powszechnego uvedla tři H. jednoaktové hry — *Audienci, Vernisáž, Protest* — které zůstaly na programu až do vyhlášení stanného práva 13. prosince 1981

8. prosince 1981 okresní soud v Plzni zamítl H. žádost o podmínečné propuštění z vězení po odpykání poloviny trestu

17. února 1982 se v Paříži konal slavnostní akt udělení Ceny Jana Palacha za rok 1981 Václavu Havlovi (za jeho literární dílo a obhajobu lidských práv); laudatio přednesl anglický dramatik Tom Stoppard

10. června 1982 York University v Torontu udělila V. H. čestný doktorát; nepřítomného V. H. zastupovala Zdena Salivarová-Škvorecká

21. července 1982 na 36. mezinárodním divadelním festivalu ve francouzském Avignonu byla inscenována *Noc za Václava Havla;* v šestihodinovém dramatickém pásmu byla mj. sehrána *Katastrofa* Samuela Becketta, napsaná pro V. H., a přednesen monolog Arthura Millera o osudu vězněného kolegy *I think about you a great deal*

17. srpna 1982 univerzita v Toulouse-Le Mirail udělila V. H. čestný doktorát; slavnostní obřad udělení se konal 14. května 1984

1. října 1982 Lidové divadlo v Bělehradě, největší jugoslávská činoherní scéna, uvedlo hru *Vyrozumění*

začátek listopadu 1982 krátce před státní návštěvou G. Husáka v Rakousku navrhli zástupci ministerstva vnitra V. H., aby si podal žádost o milost; V. H. se rozhodl žádost nepodat

12. listopadu 1982 divadlo Greenwich House Theatre v New Yorku uvedlo americkou premiéru jevištní rekonstrukce procesu s členy VONS (*Ceremony in Bohemia*)

22. ledna 1983 napsal ve vězení dopis k situaci v disentu (viz 442—444)

23. ledna 1983 ve věznici Plzeň-Bory V. H. náhle onemocněl těžkým zápalem plic

28. ledna 1983 těžce nemocný převezen v poutech z Plzně do vězeňské nemocnice v Praze

30. ledna 1983 ve vězeňské nemocnici napsal dopis o svém onemocnění (srv. *Listy,* roč. XIII, č. 2, duben 1983)

v lednu 1983 byla datována samizdatová publikace *Dopisy Olze;* knihu sestavil Jan Lopatka ze souboru 144 dopisů V. H. napsaných ve vězení od června 1979 do září 1982

5. února 1983 v dalším dopise z vězeňské nemocnice se vyjádřil k tematice, jíž se zabýval v dopise 22. ledna 1983 (viz 445—447)

7. února 1983 doručeno V. H. ve vězeňské nemocnici rozhodnutí městského soudu v Praze o přerušení výkonu trestu ze zdravotních důvodů; ihned byl převezen do civilní pražské nemocnice Pod Petřínem

19. února 1983 datoval v nemocnici Pod Petřínem text *Daj to sem!* k sedmdesátinám Dominika Tatarky (viz 225—227)

2. března 1983 spolupodepsal dopis občanů prezidentu republiky za propuštění Rudolfa Battěka, Ladislava Lise a Jaromíra Šavrdy

4. března 1983 propuštěn z nemocnice do domácího ošetřování

jaro 1983 napsal předmluvu k holandskému vydání hry P. Landovského *Objížďka* (srv. *Listy*, roč. XIII, č. 4, červenec 1983)

3. dubna 1983 datoval text prvního interview poskytnutého po propuštění z vězení (viz 11—23)

10. dubna 1983 interview z 3. dubna byl publikován francouzským deníkem *Le Monde*

17. května 1983 jako člen kolektivu mluvčích Charty 77 spolupodepsal dopis Mezinárodnímu PEN-klubu o zabavování literatury v Československu (dok. Charty 77 č. 14/1983)

květen 1983 napsal mikrohru *Chyba* pro „večer solidarity" ve Stockholmu ohlášený na 29. listopadu 1983

15. června 1983 spolu se všemi dosavadními mluvčími Charty 77 podepsal dopis Charty „Světovému shromáždění za mír a život, proti jaderné válce" v Praze (dok. Charty 77 č. 20/1983)

16. června 1983 byl předvolán k výslechu a varován v souvislosti se „Světovým shromážděním" v Praze

23. června 1983 zúčastnil se schůzky představitelů Charty 77 se zahraničními účastníky „Světového shromáždění", jež se konala v pražské oboře Hvězda a byla rozehnána policií

5. srpna 1983 spolupodepsal dopis pěti signatářů Charty 77 prezidentu republiky za propuštění vězněného Petra Uhla

22. srpna 1983 vídeňský časopis *Profil* otiskl interview s V. H. (*Nechci emigrovat*, viz 24—28)

27. srpna 1983 datoval poznámku k inscenaci hry *Vyrozumění* ve vídeňském Burgtheatru (viz 289—291) (obnovená premiéra se konala 7. října 1983)

po 10. říjnu 1983 odpověděl na otázky skandinávského novináře (viz 29 až 30)

15. října 1983 datoval předmluvu určenou pro anglické a francouzské vydání Vaculíkova *Českého snáře (Odpovědnost jako osud*, viz 228—239)

20. listopadu 1983 americká premiéra aktovek *Audience, Vernisáž, Protest* v newyorském Public Theatre (New York Shakespeare Production) pod společným názvem *A private view*

29. listopadu 1983 byla poprvé jevištně uvedena mikrohra *Chyba* na večeru solidarity s V. H. a s Chartou 77 ve Stadsteater ve Stockholmu; představení bylo uvedeno poselstvím V. H. z magnetofonového záznamu

prosinec 1983 odpověděl na otázky časopisu *Der Spiegel* (viz 31—37)

únor 1984 napsal esej *Politika a svědomí* (viz 41—59)

únor 1984 napsal text určený na obálku gramofonové desky *Hovězí porážka* (viz 240—244)

duben 1984 byl zvolen dopisujícím členem Bavorské akademie krásných umění (Bayerische Akademie der Schönen Künste)

14. května 1984 se konal slavnostní ceremoniál udělení doktorátu honoris causa univerzitou Toulouse-Le Mirail; V. H. v jeho nepřítomnosti zastupoval anglický dramatik Tom Stoppard

30. června 1984 jako člen širšího kolektivu mluvčích Charty 77 spolupodepsal otevřený dopis 3. konferenci za evropské jaderné odzbrojení, konané v Perugii (dok. Charty 77 č. 13/1984)

5. července 1984 datoval vzpomínku na Bedřicha Fučíka (*Život na vidrholci*, viz 245—252)

červenec 1984 napsal ediční poznámku ke sborníku *Přirozený svět jako politický problém* (viz 253—256)

červenec 1984 napsal divadelní hru *Largo desolato*

11. srpna 1984 datoval *Šest poznámek o kultuře* (viz 141—152)

16. srpna 1984 domovní prohlídka v letním sídle V. H. na Hrádečku u Trutnova, při níž policie zabavila velké množství knih, časopisů, magnetofonových pásků, fotografií, osobní korespondence a jiné dokumentace (viz dále 26. září 1984)

26. září 1984 odeslal dopis generálnímu prokurátotovi ČSSR o domovní prohlídce 16. srpna 1984 (viz 341—344)

v září 1984 vyšel v exilovém nakladatelství Rozmluvy v Londýně sborník H. úvah, fejetonů, protestů, polemik a prohlášení z let 1969—1979 pod názvem *O lidskou identitu*

1. října 1984 odpověděl na pozvání k diskusi o mírovém hnutí uspořádané organizací Junge Generation Wien (viz 345—346)

říjen 1984 napsal poznámky ke hře *Largo desolato* (viz 292—298)

listopad 1984 napsal úvahu *Thriller* (viz 60—64)

18.–21. prosince 1984 v době návštěvy západoněmeckého ministra zahraničí Genschera byl V. H. spolu s několika dalšími aktivisty Charty 77 předmětem mimořádných policejních opatření

3.–5. ledna 1985 zadržen policií na 48 hodin v rámci policejního zákroku proti kolektivu mluvčích Charty 77

6. ledna 1985 jako první mluvčí Charty 77 spolupodepsal dokument Charty analyzující osm let její existence (dok. Charty 77 č. 2/1985)

8. ledna 1985 odeslal odpověď na pozvání k mezinárodnímu kolokviu o lidských právech (viz 347—348)

11. března 1985 spolupodepsal Pražskou výzvu — prohlášení k otázkám míru a odzbrojení v Evorpě

11. března 1985 datoval odpověď do ankety L. Procházkové „*...a co si o tom myslíte Vy?*" (viz 153—155)

17. března 1985 datoval dovětek ke knize *Ztížené možnosti* (viz 299—301)

10.–11. dubna 1985 za návštěvy britského ministra zahraničí v Praze byl předmětem mimořádných policejních opatření

13. dubna 1985 světová premiéra hry *Largo desolato* ve vídeňském Burgtheatru

duben 1985 napsal esej *Anatomie jedné zdrženlivosti* (viz 65—91)

duben 1985 odpověděl na anketu pro Evropské kulturní fórum v Budapešti (viz 156—160)

22.–23. května 1985 za návštěvy francouzského ministra zahraničí v Praze byl předmětem mimořádných policejních opatření

25. května 1985 datoval otevřený dopis Mezinárodním dnům svobod a lidských práv v Paříži (viz 349—350)

27. května 1985 napsal otevřený dopis generálu Jaruzelskému (viz 351)

květen 1985 napsal předmluvu k filozofickému sborníku *Hostina* (viz 257 až 261)

červen 1985 francouzský filozof André Glucksmann navštívil Prahu na pozvání V. H.

25. července 1985 datoval předmluvu k „vaňkovským" aktovkám (viz 302 až 305)

9.–19. srpna 1985 za své cesty po Čechách, v Bratislavě a na Moravě byl předmětem mimořádných policejních opatření směřujících proti aktivistům Charty 77 v souvislosti s prohlášením k 17. výročí invaze do Československa (dok. Charty 77 č. 20/1985); byl přitom dvakrát zadržen na 48 hodin (10. až 12. a 16.—18. srpna) (viz 25. srpna 1985)

22. srpna 1985 napsal dopis mírovému shromáždění v Hannoveru (viz 352 až 353)

25. srpna 1985 odeslal dopis generálnímu prokurátorovi ČSSR o policejních šikanách, jimž byl vystaven ve dnech 9. až 19. srpna 1985 (viz 354—361)

25. září 1985 spolupodepsal poselství spisovatelů a Charty 77 o represívní politice československého státu v oblasti kultury adresované Evropskému kulturnímu fóru v Budapešti (dok. Charty 77 č. 24/1985)

říjen 1985 napsal předmluvu k francouzskému vydání Tatarkova *Démona souhlasu (Výkřik prozření,* viz 262—265)

říjen 1985 napsal divadelní hru *Pokoušení*

12. listopadu 1985 datoval odpověď do ankety mladých křesťanů (viz 161 až 167)

11.–12. ledna 1986 napsal nekrolog k úmrtí Jaroslava Seiferta pro západoberlínský deník *Tageszeitung* (viz 266—267)

22. ledna 1986 Nadace Erasmovy ceny (Praemium Erasmianum) zveřejnila zprávu o udělení Ceny Erasma Rotterdamského za rok 1986 V. H.; téhož dne V. H. zveřejnil prohlášení k udělení Erasmovy ceny (Informace o Chartě 77, roč. 1986, č. 2)

leden 1986 napsal zprávu o návštěvě německého politika českého původu Milana Horáčka v Československu (byla zveřejněna v *Informacích o Chartě 77*, č. 2 z ledna 1986, a poté v časopise *Listy*, č. 2, duben 1986)

16. února 1986 přední německá herečka Maria Beckerová uspořádala v pohostinském vystoupení ve vídeňském divadle Akademietheater matiné z textů V. H.

22. února 1986 francouzská premiéra *Larga desolata* v divadle La Bruyère v Paříži

3. března 1986 poslal soustrastný telegram k zavraždění švédského ministerského předsedy Olofa Palmeho

25. března 1986 americká premiéra *Larga desolata* v New Yorku (Shakespeare Festival Public Theater); v předvečer uvedení hry deník *The New York Times* uveřejnil rozsáhlý článek *Portrait of a playwright as an enemy of the state* (23. 3. 1986)

29. března 1986 datoval *Dvě poznámky o Chartě* (viz 168—172)

březen 1986 napsal předmluvu k zahraničnímu vydání výběru fejetonů L. Vaculíka (viz 268—271)

březen 1986 napsal děkovnou řeč pro ceremoniál udělení Erasmovy ceny za rok 1986 (viz 92—98)

březen 1986 napsal text *Daleko od divadla* (viz 306—312)

14. dubna 1986 spolupodepsal dopis 30 signatářů Charty 77 redakci exilového časopisu *Právo lidu* (vyvolaný útoky na aktivistu Charty Jiřího Hájka) a převzal záruku za správnost ostatních podpisů

25. dubna 1986 spolupodepsal stanovisko 43 signatářů Charty 77 k otázkám bezpečnosti a spolupráce v Evropě určené mezinárodnímu fóru v Miláně na téma „Helsinské dohody — naděje pro Evropu, nebo iluze?“

duben 1986 napsal vzpomínku na Alfréda Radoka *Radok dnes* (viz 313 až 320)

duben 1986 odpověděl do ankety H. G. Skillinga o nezávislé společnosti (viz 173—176)

koncem dubna 1986 zúčastnil se spolu s Václavem Bendou, Ladislavem Hejdánkem, Jiřím Hájkem a Petrem Uhlem besedy o Chartě 77 (srv. *Dvě poznámky o Chartě* z 29. března 1986)

květen 1986 napsal poznámku k *Deseti básním* Jiřího Kuběny (viz 272—273)

23. května 1986 světová premiéra *Pokoušení* ve vídeňském Burgtheatru

na začátku června 1986 dokončil redakci knihy *Dálkový výslech* (Rozhovor s Karlem Hvížďalou); kniha vyšla nejprve jako samizdatová publikace (svazek 233 ediční řady Edice Expedice v červenci 1986)

koncem června 1986 skupina pražských přátel V. H. dokončila sborník k jeho padesátinám *Faustování s Havlem,* který pak vyšel v samizdatových edicích Nové cesty myšlení a Edice Expedice (sv. 232); součástí sborníku byl záznam diskuse s autorem o jeho hře *Pokoušení* (do sborníku byl záznam zařazen jako appendix pod názvem *O Pokoušení s Václavem Havlem*); diskuse se konala 29. června 1986

3. července 1986 spolupodepsal dopis 79 občanů prezidentovi republiky ve věci uvězněného Jana Duse

4. července 1986 za pobytu na Hrádečku u Trutnova byl předmětem mimořádných policejních opatření, jež měla zabránit signatářům Charty 77 v účasti na recepci v rezidenci velvyslanectví USA v Praze

červenec 1986 napsal esej *O smyslu Charty 77* (viz 99—115)

22. srpna 1986 odeslal dopis Milanu Uhdemu k jeho padesátým narozeninám (viz 321—326)

12.—13. září 1986 dvakrát předveden k policejnímu výslechu v souvislosti se zadržením amerického novináře na letišti v Praze-Ruzyni v červenci téhož roku při dovážení literatury do Československa (srv. sdělení VONS č. 588 z 3. 11. 1986); současně byl pod hrozbou zadržení varován, aby v nejbližších dnech neopouštěl byt

4. října 1986 v pražském bytě oslavil — výjimečně bez policejní asistence

—své padesáté narozeniny, k nimž mu přišlo blahopřát na 400 přátel; k této příležitosti dostal sborník blahopřání kolegů a přátel ze zahraničí

16. října 1986 byl z Československa vypovězen holandský spisovatel Theo de Boer ihned poté, co přiletěl do Prahy, aby v bytě V. H. přednesl přednášku o díle německého básníka M. R. Kunzeho; téhož dne večer se za asistence policie dostavilo do bytu V. H. 16 hostů, kteří vyslechli přednášku v českém překladu

23. října 1986 spolupodepsal výzvu 118 občanů z Československa, Maďarska, Polska a Německé demokratické republiky nazvanou „K třicátému výročí maďarské revoluce"

25. října 1986 mluvčí Charty 77 zaslali dopis Nadaci Erasmovy ceny u příležitosti udělení tohoto vysokého vyznamenání V. H. (dok. Charty 77 č. 30/1986)

13. listopadu 1986 se konal ceremoniál udělení Erasmovy ceny v Rotterdamu; Havlovu děkovnou řeč v jeho nepřítomnosti přednesl herec Jan Tříska (viz *Děkovná řeč,* březen 1986, 92—98); z této příležitosti vyšla kniha *Václav Havel or Living in truth,* připravená k vydání Janem Vladislavem

4. listopadu 1986 západoněmecká služebna pro oceňování hodnoty filmů zařadila krátký film *Der Fehler,* natočený podle H. *Chyby,* do kategorie „obzvlášť hodnotných filmů"

15. listopadu 1986 se v Mnichově konala premiéra krátkého filmu *Der Fehler* podle mikrohry *Chyba*

24. listopadu 1986 poskytl odpověď dopisovatelce AFP v Praze k pomlouvačnému článku Rudého práva *Tučná výslužka z Holandska* z 22. listopadu 1986 (H. odpověď byla uveřejněna např. *v Listech,* č. 1 z února 1987)

prosinec 1986 napsal předmluvu k filozofické knize J. Šafaříka *Cestou k poslednímu* (viz 274—276)

koncem prosince 1986 při návratu z pobytu v jižních Čechách byl zadržen policií, při prohlídce osobního vozu mu byly zabaveny všechny písemnosti (srv. 363)

5.—7. ledna 1987 podobně jako řada dalších aktivistů Charty 77 byl střežen policií ve svém bytě, aby se nemohl zúčastnit setkání k 10. výročí vzniku Charty 77

6. ledna 1987 spolupodepsal *Slovo k spoluobčanům* (dok. Charty 77 č. 2/1987) a *Dopis signatářům Charty* (dok. č. 3/1987)

14. ledna 1987 spolupodepsal poděkování Charty 77 za Cenu svobody, kterou Chartě 77 udělily deníky *Politiken* (Dánsko) a *Dagens Nyheter* (Švédsko)

18. ledna 1987 se v Kodani konala slavnost předání Ceny svobody Chartě 77, v jejímž průběhu byly předvedeny ukázky z díla V. H. a jeho pozdravný projev z videozáznamu

leden 1987 odpověděl na otázky k pařížské premiéře Žebrácké opery (viz 327 až 328)

23. ledna 1987 londýnský týdeník *Times Literary Supplement* uveřejnil obsáhlý interview o utopismu, politice, totalitarismu, literatuře a divadle, který s V. H. udělal v listopadu 1986 v Praze anglický politický filozof John Keane (vystupující při této příležitosti pod pseudonymem Erica Blaire); rozhovor byl v průběhu roku 1987 přetištěn v řadě západních časopisů a také například v bělehradském časopise *Kniževne novine*

31. ledna až 4. února 1987 byl spolu s deseti dalšími aktivisty Charty 77 předmětem mimořádných policejních opatření, jež měla zabránit setkání s delegacemi britského a amerického ministerstva zahraničí za jejich oficiální návštěvy v Praze

7. února 1987 převzal na slavnostní večeři v rezidenci holandského velvyslance v Praze diplom o udělení Erasmovy ceny za rok 1986

20. února 1987 spolupodepsal dopis Charty 77 s blahopřáním H. Gordonu Skillingovi k jeho pětasedmdesátým narozeninám (dok. Charty 77 č. 12/1987)

únor 1987 napsal text *Pavel z Teplic* k padesátinám herce Pavla Landovského (viz 329—332)

12. února 1987 spolupodepsal ustavující prohlášení Výboru za osvobození Petra Pospíchala

22. února 1987 datoval předmluvu k zahraničnímu vydání knihy Evy Kantůrkové *Přítelkyně z domu smutku* (viz 277—279)

3. března 1987 spolupodepsal prohlášení Charty 77 k desátému výročí smrti Jana Patočky (dok. Charty 77 č. 15/1987)

23. března 1987 spolu se všemi dosavadními mluvčími Charty 77 podepsal dopis generálnímu tajemníku Gorbačovovi v předvečer jeho návštěvy v Československu (dok. Charty 77 č. 20/1987); spolu s třemi mluvčími Charty a Jiřím Hájkem podepsal dopis československým ústavním činitelům u příležitosti blížící se návštěvy Gorbačova

březen 1987 zúčastnil se po tři dny řetězové protestní hladovky za uvězněného Petra Pospíchala

duben 1987 napsal esej *Příběh a totalita* (viz 116—137)

30. dubna 1987 britská premiéra hry *Pokoušení* na scéně Royal Shakespeare Company ve Stratfordu; inscenace zaznamenala obrovský úspěch u publika i v britském tisku

17. května 1987 zúčastnil se rozhovoru skupiny signatářů Charty 77 s australským ministrem zahraničí za jeho oficiální návštěvy v Československu

17. července 1987 byl přijat rakouským vicekancléřem a ministrem zahraničí Mockem za jeho oficiální návštěvy v Československu

červenec 1987 napsal článek *Setkání s Gorbačovem* (viz 177—179)

před 6. srpnem 1987 podepsal prohlášení aktivistů nezávislých hnutí a iniciativ v Polsku a Československu k práci Polsko-československé solidarity (*Informace o Chartě 77,* 10 (1987), č. 10)

21. srpna 1987 zúčastnil se setkání příslušníků československých a polských nezávislých iniciativ na československo-polských hranicích a podepsal dopis z tohoto setkání, adresovaný akademiku Sacharovovi

13. září 1987 se zúčastnil v Lánech pietního aktu k 50. výročí smrti T. G. Masaryka, který se konal z iniciativy mluvčích Charty 77

25. září 1987 zúčastnil se večeře, kterou pro mluvčí a některé signatáře Charty 77 uspořádal u příležitosti 200. výročí americké ústavy velvyslanec USA v Praze

září 1987 stal se členem redakční rady samizdatového měsíčníku *Lidové noviny* a napsal pro jejich tzv. první nulté číslo článek *Co lze a nelze očekávat*

říjen 1987 dokončil divadelní hru *Asanace*

27. října 1987 datoval článek *Fraška, reformovatelnost a budoucnost světa* (viz 180—187)

22. listopadu 1987 jako člen VONS spolupodepsal dva dopisy protestující proti vraždám latinsko-amerických obránců lidských práv

22. listopadu 1987 zúčastnil se schůze pětadvacetičlenného kolektivu mluvčích Charty 77 v bytě Libuše Šilhánové, kam vtrhla policie a schůzi znemožnila

28. listopadu 1987 zúčastnil se druhého fóra Charty 77, jež se zabývalo činností Charty

28. listopadu 1987 datoval dopis vídeňské následné schůzce KBSE (viz 362 až 364)

2. prosince 1987 spolupodepsal za VONS ohlášení manifestace ke Dni lidských práv (dok. Charty 77 č. 71/1987)

8. prosince 1987 předvolán k policejnímu výslechu spolu s dalšími pěti signatáři oznámení o manifestaci ke Dni lidských práv; všichni byli vyzváni, aby manifestaci odvolali

10. prosince 1987 mimořádná policejní opatření znemožnila V. H. zúčastnit se zakázané manifestace ke Dni lidských práv na Staroměstském náměstí

17. prosince 1987 spolupodepsal za VONS odvolání proti zákazu manifestace ke Dni lidských práv

24. prosince 1987 datoval článek *Noviny jako škola* (viz 188—189)

17. ledna 1988 ráno policie předvedla V. H. spolu s mluvčími Charty 77 a dalšími jejími aktivisty a zadržovala je v policejních úřadovnách, aby zabránila jejich účasti na třetím fóru Charty svolaném na týž den odpoledne (V. H. byl zadržen 12 hodin)

23. ledna 1988 datoval článek *Přemýšlení o Františkovi K.* k nedožitým osmdesátinám F. Kriegla (viz 190—198)

7. února 1988 spolu se skupinou dalších signatářů Charty 77 se setkal k informativnímu rohovoru s náměstkem ministra zahraničí USA Johnem Whiteheadem a jeho doprovodem

14. února 1988 zúčastnil se zasedání pětatřicetičlenného kolektivu mluvčích Charty 77

únor 1988 napsal článek *Důvody ke skepsi a zdroje naděje* (viz 199—201)

28. února 1988 premiéra jednoaktovky *Audience* na scéně krakovského univerzitního divadla Teatr 38; první inscenace hry V. H. v Polsku od prosince 1981

4. března 1988 v předvečer mše v chrámu sv. Víta v Praze, jíž vyvrcholila národní pouť zasvěcená blahoslavené Anežce Přemyslovně, policie zadržela na 48 hodin početnou skupinu signatářů Charty 77, mezi nimi V. H.

12. dubna 1988 zúčastnil se besedy zástupců Charty 77 s nizozemskými poslanci za jejich oficiální návštěvy v Československu

18. dubna 1988 spolupodepsal dopis 17 signatářů Charty 77 československým a zahraničním sdělovacím prostředkům na podporu pronásledovaného mluvčího Charty 77 Stanislava Devátého

22. dubna 1988 zúčastnil se oběda, k němuž pozval představitele Charty 77 holandský ministr zahraničí Hans van der Broek za návštěvy v Československu

6. května 1988 policie zadržela V. H. a jeho manželku v Trutnově, aby jim znemožnila účast na pohřbu Pavla Wonky; připravený projev V. H. přečetl na pohřbu mluvčí Charty 77 Stanislav Devátý (viz 283—284)

26. května 1988 spolupodepsal zprávu o svolání mezinárodního sympozia „Československo v evropském dění 1918—1988“ („Československo 88“) (viz dále 5. září 1988)

29. května 1988 napsal polemickou poznámku o poslání Charty 77 jako odpověď na dopis Miloše Rejchrta a Jana Duse mluvčím Charty 77 z 18. května (srv. *Informace o Chartě 77,* 11 (1988), č. 11; otištěno v *Listech,* č. 5, září 1988, s. 74n.); M. R. a J. D. odpověděli V. H. dopisem z 15. června, který byl zveřejněn opět v *Informacích o Chartě 77* (č. 13 ročníku 1988)

7. června 1988 datoval článek *Šifra socialismus* (viz 202—204)

23. června 1988 zúčastnil se večeře, na niž pozval zástupce Charty 77 britský ministr David Mallor za oficiální návštěvy v Československu

28. června 1988 podepsal dopis 47 čs. občanů redakci *Rudého práva* protestující proti článku, který napadl Petra Uhla; zúčastnil se oběda na rakouském velvyslanectví v Praze, při němž se sešli zástupci Charty 77 se členy doprovodu rakouského kancléře Vranitzkého, s rakouským velvyslancem a jeho spolupracovníky

10. července 1988 zúčastnil se schůzky 26 aktivistů nezávislých společenských hnutí a iniciativ z Polska a Československa na československo-polských hranicích a spolupodepsal při té příležitosti prohlášení Polsko-československé solidarity a prohlášení o Rumunsku

červenec 1988 napsal vzpomínku k úmrtí Jiřího Theinera (viz 285)

před 12. srpnem 1988 napsal článek *Břemeno 21. srpna* pro londýnský deník *The Times* (viz 205—207)

21. srpna 1988 signoval společné východoevropské prohlášení k 20. výročí invaze vojsk Varšavské smlouvy do Československa, které podepsali představitelé nezávislých hnutí a občanských iniciativ z Československa, Maďarska, NDR, Polska a SSSR

srpen 1988 napsal příspěvek pro torontskou konferenci k 70. výročí vzniku Československa (*Opomíjená generace,* viz 208—212)

3. září 1988 na folkovém festivalu v Lipnici vystoupil jako host v krátkém rozhovoru s konferenciérem; toto veřejné vystoupení („naposledy před devatenácti lety a třemi měsíci" — V. H.) vyvolalo obrovský spontánní ohlas publika a následně nelibost oficiálních činitelů

5. září 1988 jako předseda přípravného výboru spolupodepsal s mluvčími Charty 77 a představiteli dalších spoluzúčastněných občanských iniciativ oznámení o svolání sympozia „Československo 88" na 11.—13. listopadu 1988 (dok. Charty 77 č. 45/1988)

7. září 1988 zúčastnil se schůzky představitelů československých nezávislých iniciativ s poradcem prezidenta a ministra zahraničí USA pro otázky odzbrojení Edwardem L. Rownym

23. září 1988 policie odvezla z domu V. H. na Hrádečku spisovatele Jiřího Hanzelku a Miroslava Zikmunda k výslechu do Trutnova

24. září 1988 spolupodepsal prohlášení Výboru na obranu Jaroslava Popelky, odsouzeného k 8 měsícům vězení za údajné pobuřování

24.—25. září 1988 policie znemožnila setkání nezávislých spisovatelů v domě V. H. na Hrádečku u Trutnova

září 1988 napsal pozdravný text k oslavě 70. vzniku Československa pořádané v Mnichově (viz 213—215)

12. října 1988 jako spoluvydavatel Edice Expedice a člen redakční rady samizdatového periodika *O divadle* podepsal prohlášení Výboru solidarity s Ivanem Polanským

říjen 1988 signoval manifest Hnutí za občanskou svobodu *Demokracii pro všechny* (předtím se významně podílel na diskusích předcházejících vzniku manifestu a na jeho definitivní formulaci); manifest byl zveřejněn s datem 15. října 1988

15. října 1988 zúčastnil se schůzky představitelů československých nezávislých iniciativ s prvním náměstkem ministra zahraničí USA Johnem C. Whiteheadem

17. října 1988 signoval žádost přípravného výboru sympozia „Československo 88" předsedovi vlády ČSSR o vyjasnění právní situace kolem připravovaného sympozia

26. října 1988 bylo oficiálně zahájeno trestní stíhání ve věci manifestu *Demokracii pro všechny,* které sloužilo jako zdůvodnění preventivní celostátní policejní represe v souvislosti s oslavami 28. října

27. října 1988 od 6 do 12.30 policejní domovní prohlídka v pražském bytě V. H., jehož policie nezastihla doma; domovní prohlídka pokračovala ve venkovském domě ve Vlčicích; mezi materiálem zabaveným při prohlídce byl také počítač; V. H. byl policií vypátrán a zadržen až ve 21 hodin na jiném místě v Praze a zadržován ve věznici v Ruzyni až do 31. října

5. listopadu 1988 stal se členem nově ustaveného devatenáctičlenného Československého helsinského výboru

8. listopadu 1988 jednal v Úřadu předsednictva vlády ČSSR o sympoziu „Československo 88"

10. listopadu 1988 časně ráno zahájila policie preventivní akci proti nezávislému sympoziu „Československo 88"

11. listopadu 1988 v 8.30 ráno V. H. v pražském hotelu Paříž v přítomnosti zahraničních účastníků symbolicky zahájil nezávislé sympozium „Československo 88" a hned poté byl zatčen; z předběžného zadržení byl propuštěn v pondělí ráno 14. listopadu

14. listopadu 1988 v poledních hodinách v telefonickém rozhovoru pozdravil účastníky paralelního sympozia „Československo 88", jež zasedalo ve Vídni, a zahraničním účastníkům policií znemožněného pražského zasedání se omluvil za potíže způsobené československými úřady

15. listopadu 1988 napsal odvolání proti zákazu sympozia „Československo 88"

28. listopadu 1988 spolu s několika dalšími signatáři Charty 77 poslal pozdravný telegram organizaci „Charter 88" sdružující několik set osobností britského veřejného a kulturního života

29. listopadu 1988 datoval otevřený dopis francouzskému prezidentu Mitterrandovi (viz 365—368)

1. prosince 1988 datoval článek *Vyložené karty* (viz 216—219)

9. prosince 1988 zúčastnil se snídaně, kterou uspořádal pro představitele československých nezávislých iniciativ francouzský prezident Mitterrand za své návštěvy v Praze

10. prosince 1988 promluvil na nezávislé manifestaci v Praze (viz 371—372)

16. prosince 1988 zúčastnil se oslavy k 30. výročí vzniku pražského Divadla Na zábradlí; na výstavě při této příležitosti byl jeden z panelů věnován H. hrám inscenovaným Na zábradlí

prosinec 1988 napsal článek *Pravda a perzekuce* (viz 220—222)

9. ledna 1989 obdržel poštou anonymní dopis, jehož pisatel oznamoval, že se v předvečer výročí Palachovy smrti upálí na Václavském náměstí; V. H. jednal telefonicky bezvýsledně s činitelem Čs. televize a pak napsal prohlášení, jež téhož večera vysílaly zahraniční rozhlasové stanice Hlas Ameriky, Svobodná Evropa a BBC (viz 373—374); od 22 hodin do půlnoci byl vyslýchán policií

12. ledna 1988 se znovu vyjádřil ve vysílání Svobodné Evropy k anonymnímu dopisu, který dostal 9. ledna; městský prokurátor v Praze vyslovil V. H. výstrahu jako „jedné z osob", které se údajně účastní „nelegálního hnutí s cílem destabilizovat státní moc"; noviny *Večerní Praha* otiskly článek *Kam kráčíš, Charto!*, v němž byl osobně napaden V. H. a jeho rodina

16. ledna 1989 v 16.30 byl zadržen Státní bezpečností na Václavském náměstí, odvezen na policii, kde na něho byla posléze uvalena vazba; věznění V. H. a soudní procesy s ním v únoru a březnu vyvolaly vlnu protestů v Československu a na celém světě: ze strany vlád a parlamentů celé řady zemí, demokratických politických stran, kulturních a literárních istitucí a významných osobností politického, kulturního a literárního života v mnoha zemích světa; součástí tohoto hnutí byly protesty nezávislých iniciativ a organizací, jakož i významných osobností v Maďarsku, Polsku a Sovětském svazu

22. ledna 1989 v odpověď na zatčení V. H. uspořádali přední američtí divadelníci a herci v New Yorku „Divadelní večer na protest proti policejní brutalitě a věznění bojovníků za lidská práva v Československu"; v programu byly sehrány scény z jednoaktovek *Audience* a *Protest* a byly čteny texty z *Dopisů Olze*

26. ledna 1989 nezávislé hnutí Iniciativa kulturních pracovníků zaslalo předsedovi vlády ČSSR prohlášení, protestující proti zatčení V. H. a vybízející k zahájení dialogu se společností; v průběhu ledna a února podepsalo prohlášení několik tisíc občanů

29. ledna 1989 americký dramatik Arthur Miller napsal pro pražský nezávislý měsíčník *Lidové noviny* článek k uvěznění V. H., rozsáhle citovaný a komentovaný světovým tiskem; vlivný britský týdeník *Observer* uveřejnil obsáhlý článek o V. H. pod názvem *Keeper of the Czech conscience*

koncem ledna 1989 švýcarský PEN-klub německy píšících autorů (Deutschschweizerisches PEN-Zentrum) jmenoval V. H. svým mimořádným členem

začátek února 1989 ve vzkazu z vězení poděkoval za projevy solidarity

1. února 1989 spolu s bratrem Ivanem v zastoupení JUDr. Josefem Daniszem podal žalobu na šéfredaktora *Večerní Prahy* o tiskovou opravu tvrzení v článku *Kam kráčíš, Charto!*

3. února 1989 poslanci Kongresu USA Dennis DeConcini a Steny H. Hoyer nominovali V. H. na Nobelovu cenu míru za rok 1989; v následujících týdnech a měsících se k tomuto návrhu připojila celá řada významných osobností a spisovatelských organizací z mnoha zemí

17. února 1989 se v Praze ustavil Výbor pro podání návrhu na udělení Nobelovy ceny míru V. H.; návrh podpořila Charta 77 a další nezávislé iniciativy; Výbor ve složení V. Chramostová, E. Mandler, E. Kantůrková a D. Němcová shromáždil k 31. březnu 1989 2 626 podpisů na podporu H. nominace, což oznámil dopisem z 3. 4. 1989 Nobelovu ústavu v Oslu

21. února 1989 obvodní soud pro Prahu 3 (samosoudkyně JUDr. Helena Hlavatá) odsoudil V. H. k devítiměsíčnímu trestu vězení v druhé nápravné skupině pro trestný čin podněcování a ztěžování výkonu pravomoci veřejného činitele; V. H. pronesl závěrečnou řeč a poslední slovo (viz 375—377); odsouzení V. H. vyvolalo v celém světě novou vlnu jak protestů, tak solidarity s V. H. a dalšími politickými vězni v Československu; proti H. odsouzení protestoval i PEN-klub v Německé demokratické republice; v průběhu ledna až dubna byla v mnoha zemích světa (včetně Polska, Maďarska a SSSR) uspořádána veřejná shromáždění na protest proti policejní a justiční zvůli v Československu, zejména proti věznění V. H.

23. února 1989 pražský deník *Rudé právo* uveřejnil rozsáhlý článek *Kdo je Václav Havel*

25. února 1989 se konala obnovená premiéra jednoaktovek V. H. *Audience a Protest* ve varšavském divadle Teatr powszechny; představení se zúčastnil polský ministerský předseda Rakowski i představitelé polské opozice; po představení promluvil o V. H. Adam Michnik

1. března 1989 pražský týdeník pro ideologii a politiku *Tribuna* uveřejnil článek *Za co „bojuje" Václav Havel*

5. března 1989 rakouští divadelníci a herci uspořádali ve vídeňském Volkstheater na počest Václava Havla dvouhodinové matiné s ukázkami jeho dramatické a esejistické tvorby

10. března 1989 byl zvolen čestným členem rakouského PEN-klubu

21. března 1989 městský soud v Praze v odvolacím řízení změnil rozsudek nad V. H. z 21. února na osm měsíců vězení v první nápravné skupině; V. H. pronesl závěrečnou řeč (viz 378—380); téhož dne předseda zahraničního výboru Sněmovny lidu označil ve schůzi Federálního shromáždění Václava Havla za „provokatéra a nepřítele socialismu"

začátkem dubna 1989 byl V. H. eskortován z věznice Ruzyně k výkonu trestu do vězení ministerstva spravedlnosti v Praze-Pankráci

5. dubna 1989 se v Československu ustavil Výbor na podporu žádosti V. H. o podmíněné propuštění z výkonu trestu

9. dubna 1989 americká premiéra hry *Pokoušení* v New York Public Theatre

duben 1989 nezávislý (samizdatový) měsíčník *Lidové noviny* uveřejnil rozhovor s V. H. ve vězení (text odpovědí V. H. byl rekonstruován, nebyl na místě zaznamenán; zveřejněn německy v deníku *Frankfurter Rundschau* 17. dubna 1989)

17. května 1989 samosoudkyně obvodního soudu pro Prahu 5 rozhodla o podmíněném propuštění V. H. z výkonu trestu; zbytek trestu 3 měsíce a 29 dnů mu byl odložen na zkušební dobu 18 měsíců; v den propuštění z vězení přišlo V. H. pozdravit do jeho pražského bytu na 400 přátel a příznivců, mezi nimi Alexander Dubček; událost zaznamenaly sdělovací prostředky na celém světě; počínaje dnem svého propuštění poskytl V. H. interview řadě světových deníků a časopisů, rozhlasovým a televizním společnostem mnoha zemí (včetně Maďarska)

květen 1989 napsal pro červnové číslo nezávislého měsíčníku *Lidové noviny* glosu *Po návratu,* v níž komentoval psaní oficiálního tisku o své osobě a poděkoval za solidaritu v době věznění

9. června 1989 v 10 hodin byla zveřejněna zpráva, že V. H. byl zvolen nositelem Mírové ceny německých knihkupců za rok 1989; rada nadace pro Mírovou cenu zvolila V. H. za laureáta roku 1989 dne 29. dubna 1989, cena byla předána na tradiční slavnosti ve Frankfurtu nad Mohanem 15. října 1989

16. června 1989 policie vrátila V. H. počítač zabavený při domovní prohlídce 27. října 1988

25. června 1989 se zúčastnil schůzky zástupců československých a polských občanských iniciativ na československo-polských hranicích

27. června 1989 předvedla policie V. H. z Hrádečku do služebny v Trutnově, kde mu bylo sděleno, že podle názoru ministerstva vnitra se dopouští trestného činu podněcování a že mu hrozí přerušení podmíněného odkladu trestu; manželce Olze odňaly čs. úřady cestovní pas a znemožnily jí cestu do Rakouska

29. června 1989 spolu s mluvčími Charty 77 odevzdal kardinálu Tomáškovi blahopřání k devadesátým narozeninám (dok. Charty 77 č. 49)

29. června 1989 bylo zveřejněno prohlášení *Několik vět,* které k témuž dni podepsalo 1 800 československých občanů; V. H. se stal jedním ze signatářů textu, jejichž adresy byly zveřejněny k zasílání dalších podpisů; do 24. srpna 1989 podepsalo prohlášení 20 191 čs. občanů

3. července 1989 napsal komentář o situaci v Československu *Testovací terén* pro londýnský deník *The Independent* (otištěn 10. července 1989: *A society at the end of its patience*)

12. července 1989 západoněmecký ministr zahraničí Genscher za oficiální návštěvy v Praze pozval V. H. k rozhovoru o situaci v Československu

23. července 1989 navštívila V. H. na Hrádečku u Trutnova skupina poslanců Solidarity; při té příležitosti byl pořízen záznam rozhovoru V. H. s Adamem Michnikem

25. července 1989 datoval na Hrádečku text proslovu určeného k slavnostnímu odevzdání Mírové ceny německých knihkupců 15. října 1989

1. srpna 1989 policie zadržela V. H. cestou na schůzi, kde byla oficiálně obnovena činnost českého centra PEN-klubu; po třech hodinách výslechu se dostavil na schůzku, kde byl zvolen za člena čtyřčlenného výboru českého PEN-klubu

2. srpna 1989 byl zadržen policií cestou na oběd, k němuž ho pozval velvyslanec Spolkové republiky v Praze; zadržení trvalo 11 hodin a výslech se týkal především provolání *Několik vět;* policie dala V. H. na srozuměnou, že bude zadržen, kdykoli se v průběhu srpna 1989 objeví v Praze

14. srpna 1989 datoval vyjádření k výročí srpnové intervence roku 1968, jež bylo vysíláno zahraničními rozhlasovými stanicemi

POZNÁMKY PRO ČTENÁŘE KNIHY DO RŮZNÝCH STRAN

Účelem tohoto sborníku je soustředit v jednom svazku eseje, články, komentáře a další pro různé příležitosti napsané příspěvky Václava Havla z let 1983—1989, vydané dosud jen časopisecky nebo v různých zahraničních publikacích, a tím usnadnit širšímu okruhu čtenářů jejich systematičtější studium; mnohým z nich pak, kteří neměli přístup k samizdatovým a exilovým časopisům, umožnit, aby se s Havlovými myšlenkami z posledních let seznámili vůbec poprvé. Tato kniha je odpovědí na jednu důležitou a aktuální společenskou potřebu: chce vyhovět explozi zájmu mladých lidí v Československu o dílo autora, který se pro ně stal symbolem odporu proti životu ve lži a touhy po životě v pravdě, jak potvrzuje skandované volání při každé pouliční demonstraci v Praze.

Kniha *Do různých stran* navazuje na podobný sborník Havlových textů z let 1969—1979 *O lidskou identitu;* byla ostatně původně koncipována jako jeho pokračování.

Aby nepřišlo zkrátka první období Havlovy tvorby, kdy se jeho hry uváděly v československých divadlech a kdy jeho texty vycházely v Československu v masovém nákladu, jako například v roce 1968, rozhodl se pořadatel tohoto sborníku v dohodě s autorem přiřadit k textům z let 1983—89 oddíl Dodatky, který obsahuje pět textů z let 1965—69, malý výběr z toho, co Havel v oněch letech řekl a napsal o literatuře, politice a společnosti. (V knize *O lidskou identitu* vyšel jen jeden článek toho druhu, polemika s Kunderovou předvánoční úvahou z roku 1968.) Zmíněné texty Dodatků, které si autor přál mít vytištěné výrazně menším písmem, aby se odlišily od ostatního textu (čemuž však bylo obtížné vyhovět a nepoškodit přitom čtenáře), jsou zároveň myšleny jako doplněk četby *Dálkového výslechu;* o všech těchto textech se v *Dálkovém výslechu* mluví, aniž tam byly citovány nebo publikovány.

Sborník *Do různých stran* pomáhá tedy sklenout oblouk, který spojuje začáteční a současnou fázi Havlovy esejistické a publicistické tvorby, a vytváří lepší předpoklady ke zkoumání vývoje i kontinuity v jeho přemýšlení o člověku a jeho odpovědnosti a o krizi současného lidství, vývoje i kontinuity v jeho kritice neosobní moci a analýzy předvojů této moci — soudobých totalitních režimů, vývoje i kontinuity v jeho úvahách o kultuře, literatuře, divadle a politice.

Název knihy *Do různých stran* nebyl zvolen náhodou. Mělo jím být zdůrazněno, do kolika světových stran, na kolik adresátů doma i v zahraničí se Václav Havel obrací, ke komu mluví a kdo všechno mu — doma i ve světě — stále pozorněji naslouchá. Autor sám plédoval pro název co nejstřízlivější a nejvěcnější; zcela odmítl můj původní návrh „Do všech světových stran" a také skromnější varianta „Do všech stran" mu stále ještě připadala příliš domýšlivá a ambiciózní. Jestliže byl nakonec ochoten souhlasit s „různými" stranami, mělo to zvláštní důvod.

Když jsme komunikovali o koncepci obsahu sborníku a o návrhu rukopisu, který jsem autorovi předložil (pojal jsem knihu spíš jako „sebrané spisy" než jako úzký výběr), projevil autor obavu z toho, že v takto koncipovaném souboru textů se mnoho myšlenek v různých variantách opakuje a v různých podobách a souvislostech znovu a znovu vrací. Měl pocit, že říká stále dokola takřka totéž, protože situace, v níž publikuje — doma samizdatem, v textech do zahraničí pokaždé do jiné země a do jiného jazyka —, nedovoluje, aby to, co jednou řekne a napíše, bylo pak už přístupné všem, kdo umějí a chtějí poslouchat a číst; a že je tedy obětí situace, kdy musí věci opakovat znovu, protože je pokaždé říká někomu jinému.

„Volání do různých stran" bylo pro Havla „opakovaným voláním týchž věcí do různých stran"; smiřoval se s tím zpočátku jen proto, že — jak nakonec usoudil — takto koncipovaná kniha, z níž se nebude nic vynechávat, i když jsou v ní opakování a překrývání, bude-li čtena souvisle od začátku do konce, stane se také výpovědí o jeho osobním „příběhu", o příběhu člověka, který je nenormálními okolnostmi nucen volat do různých stran stále totéž.

Byly to zbytečné obavy: ze situace, kterou cítil jako prokletí, vytěžil Havel maximum a naopak jí využil ve prospěch toho, o čem psal a píše. Ve skutečnosti nejde o žádné opakování, pouze jsou tu táž témata uchopena pokaždé z jiné strany, v jiné souvislosti; proces jejich ohledávání a úsilí co nejlépe vyjádřit to, co bylo řečeno při jiné příležitosti, vede k všestrannější a plastičtější reflexi skutečnosti, k hlubšímu a mnohovrstevnému rozboru společenských fenoménů, o něž jde; výsledkem je stále přesnější pojmenování a stále srozumitelnější artikulace toho, co ostatní pouze „cítí ve vzduchu", ale čeho podstatu chápou teprve v okamžiku, kdy tomu Havel dá správné pojmenování ve výkladu, někdy na první pohled jakoby pedantském.

Kniha *Do různých stran* není určena k pouhé četbě tak říkajíc od první do poslední stránky. Je to dokumentace, studijní pramen, příručka, s níž je nezbytné se nejdříve obeznámit a zjistit, co všechno je možné se z ní dovědět; každý v ní bude zajisté hledat nejdříve to, co je právě předmětem jeho hlavního zájmu; při nezbytných návratech k ní a na její stránky je však dobré nechat se znovu a znovu překvapit: jednou tím, že objevíme hlubší význam už jednou přečteného, podruhé nalezením nových souvislostí, potřetí postřehem, který nám předtím unikl.

Každý z textů byl psán pro určitou příležitost a pro určitého adresáta či okruh čtenářů, jednou doma, podruhé v zahraničí, pro periodika samizdatová i exilová, pro zahraniční knihy, časopisy a noviny. Na tyto vnější okolnosti, které často určovaly způsob výkladu či podání látky, upozorňují ediční poznámky; údaje v chronologickém přehledu mohou poskytnout dodatečné informace, v jakém dobovém kontextu či v jaké autorově situaci příslušný text vznikl, co jiného případně psal v téže době a nebo čím jiným než psaním se tehdy ještě zabýval.

Pro snazší orientaci čtenáře jsou texty rozděleny do několika oddílů (v jejichž rámci jsou seřazeny chronologicky podle data vzniku), avšak je to rozdělení pomocné, omezující se na vnější hlediska. I v textech zdánlivě se zabývajících jen jednou knihou, divadelní hrou, literární událostí, v pozdravné adrese zahraniční organizaci nebo v protestním prohlášení k určité příležitosti nalezneme takřka vždycky konkretizaci a upřesnění nebo novou, propracovanější variantu některého z aspektů velkých témat, o nichž se pojednává v esejích nebo rozsáhlejších článcích.

Do různých stran neobsahuje všechno, co Havel napsal nebo řekl v letech 1983—86. Kromě knihy *Dálkový výslech* a kromě dramatické tvorby (tří celovečerních her, jedné mikrohry a jedné aktovky uváděné v Československu bez autorova jména), které patří k Havlově tvůrčí bilanci uplynulých šesti let (mezi propuštěním z vězení na začátku roku 1983 a novým uvězněním v roce 1989), zůstaly při výběru textů pro tuto knihu stranou pozornosti také tři oblasti jeho publicistické a politicko-analytické činnosti a duchovního působení, jež jsou tak či onak spojeny s psaným či vyřčeným slovem: jde o četná interview pro zahraniční sdělovací prostředky a improvizovaná sdělení pro rozhlas, o rozsáhlou soukromou korespondenci a o jeho autorský podíl — v řadě případů klíčový —na formulování mnoha skupinových prohlášení a významných textů Charty 77 a dalších nezávislých občanských iniciativ.

Václav Havel si nepřál, aby byl uváděn jako autor textů, které prošly diskusí a staly se posléze společným stanoviskem nějakého společenství. Stejně tak nebyl nakloněn myšlence, aby se šíře pracovalo s jeho dopisy, i když uznává, že obsahují mnoho důležitých informací; hlavním důvodem zde byla obava z porušení privátna, v němž byly dopisy původně psány, a z toho, že narychlo koncipované formulace nejsou dosti propracované.

V podstatě byl i proti tomu, aby se publikovaly jeho interview nebo aby se o důležitějších z nich aspoň jednotlivě referovalo v životopisném chronologickém přehledu (až na obsáhlý rozhovor poskytnutý Erice Blairové-Johnu Keanovi). Obával se, aby kniha nebyla příliš rozsáhlá, a vycházel z toho, že pro poučenějšího českého čtenáře nejsou takové rozhovory příliš zajímavé, protože se v nich opakuje — s ohledem na zahraničního čtenáře nebo televizního diváka obvykle poněkud zjednodušeně nebo polopatisticky — to, co už zná, anebo co si může ve vytříbenější formě přečíst v esejích a článcích.

Jedinou výjimkou v tomto směru jsou interview z roku 1983, první rozhovory po návratu z vězení, které podle Havlova názoru vymezovaly stav jeho ducha a horizont hlavních zájmů na začátku povězeňského období. Tuto dobu považuje za novou éru ve svém životě, oddělenou zřetelnou cézurou od všeho předchozího, a souhlasil s tím, že má smysl připomenout, co tehdy považoval za důležité, tím spíš, že v oněch několika rozhovorech byly formulovány některé jeho základní postoje a naznačena hlavní témata mnoha článků zahrnutých do sborníku.

Příběh této knihy, kdyby se četla od začátku do konce, není jen oním voláním do různých stran, o němž už byla řeč, je to také oblouk klenoucí se přes šest let života na svobodě, začínající bezprostředně po příchodu z vězení a končící opět ve vězení, třebaže naštěstí na dobu mnohem kratší než předtím. K tomuto osobnímu příběhu knihy a jednotlivých textů v ní obsažených patří vnější okolnosti, za nichž byly sepsány. Bylo by třeba je „vytknout před závorku" anebo vypsat do pomyslného záhlaví stránek této knihy; nikoli ovšem proto, aby se na ně bral ohled při posuzování těchto textů — není na nich znát, na jaké době byly vyvzdorovány.

Takřka o každém z rozsáhlejších textů této knížky by bylo možné napsat příběh plný napětí, buď o tom, jak se autor musel skrýt před světem, aby mohl esej vůbec napsat, nebo o tom, co všechno bylo nutné podniknout, aby rukopis nebyl zabaven policií a včas došel na místo určení. K demonstraci jedné kategorie těchto okolností použiji autentického svědectví, jež vydal Havel v době, kdy psal jeden z textů, na nichž mu zvlášť záleželo. Šlo o *Dálkový výslech*, jehož rukopis v definitivní, pro tisk určené verzi dokončil a odevzdal k odeslání do zahraničí na začátku června 1986. Doručení se zdrželo, a tak jsem stále nebyl s to autorovi telefonicky potvrdit, že je rukopis v bezpečí. Pak jsem s šestitýdenním zpožděním rukopis přece jen dostal a spolu s ním dopis datovaný 14. června 1986, v němž mi autor sděloval důvody své paniky.

„Čím jsem starší, s tím větším nervovým vypětím píšu, a čím déle jsem

‚disidentem', tím větší je můj disidentský strach o rukopis. Je to choroba z povolání a z osudu. U téhle knížky kulminovala z několika příčin: za prvé proto, že je to po delší době můj větší a závažnější text zřetelně politický a zřetelně ‚podvratný'. Za druhé proto, že je pro mne nezvyklý tím, že v něm poprvé v životě píšu souvisleji sám o sobě, což je dost velká psychologická zátěž. Za třetí proto, že jsem do toho — byť ve zkratce — vložil informaci světu o svém celoživotním konání, což jsem udělal poprvé a naposled: znovu bych už nikdy nebyl schopen sám o sobě a celém svém životě psát, a tu knížku chápu tak trochu jako osvobození od povinnosti psát za dvacet let své paměti... Trvalý pocit, že nevím, co se stane a co bude zítra, mne nutí na zítřek nic neodkládat, se vším spěchat a chytat raději vrabce do hrsti než spoléhat na holuby na střeše. Čtvrtou příčinou mého chorobného strachu o rukopis byl zcela vnějškový fakt, že jsem při závěrečné práci na tom textu měl ostrahu, která se chovala trochu jinak než normální ostrahy a vzbuzovala podezření, že se na mne cosi šije. Plížil jsem se vždycky ráno lesem a ukrýval čerstvě v noci dopsané stránky do skrýše ze stupidní obavy, že sem ráno vtrhnou a všechno mi seberou. Charakteristická příhoda: jsou dvě hodiny v noci, píšu v těch svých ‚pamětech' zrovna o onom chorobném disidentském strachu o rukopis a pokouším se ho analyzovat; v tom do mého pokoje vstoupí Olga a informuje mne o divném chování naší ostrahy a o *svém* strachu o můj rukopis! Přičemž ona na rozdíl ode mne vůbec žádná panikářka není! Zkrátka a dobře, nebudu psychicky v pořádku a ani schopen něco dalšího psát, dokud tahle věc nebude v bezpečí. A bezpečí není pro mne žádná lesní skrýš, bohužel..."

Tato kniha má svou historii, první koncept vznikl už v únoru 1986, kdy možná polovina jejího dnešního rozsahu nebyla ještě ani napsána. Na této historii je dnes podstatná už jen jedna okolnost: kniha vznikla jako společné vydání domácí samizdatové řady Edice Expedice a exilové ediční řady Acta creationis Čs. dokumentačního střediska nezávislé literatury (ČSDS). V tomto případě nejde o proklamaci platonického úmyslu bez věcného podkladu, ale o realizaci pokusu o skutečnou koprodukci, snad vůbec prvního v takovém rozsahu. V průběhu první poloviny roku 1988 byly napsány na počítači v Československu všechny texty Václava Havla datované do června 1988 a diskety byly k další práci poslány do ČSDS. Zde pak byl rukopis doplněn, napsány ediční poznámky a další aparát sborníku, počítačově zpracována sazba a provedeny celkem trojí korektury textu.

Radou nebo pomocí se na přípravě knihy k vydání podíleli Erik Janouch (počítačová sazba), Xenie Klepikovová (korektury), Peter Larsson (doplnění informací o švédských publikacích textů V. H.), Lubomír Martínek (rešerše v samizdatových a exilových časopisech a další práce na přípravě rukopisu), Ludmila Šeflová (konzultace bibliografie). Všem upřímně děkuji, stejně jako přátelům z Československa, kteří psali rukopis na počítači, opravovali jej a v dohodě s autorem provedli jazykovou úpravu. Za všestrannou podporu při práci na knize jsem zvláštním díkem zavázán Janu Vladislavovi.

Srpen 1989

Vilém Prečan

OBSAH

VÁCLAV HAVEL
DO RŮZNÝCH STRAN
Eseje a články z let 1983—1989

Uspořádal, ediční, bibliografické i biografické údaje a poznámky pro čtenáře napsal Vilém Prečan
Poznámku O životě a díle Václava Havla napsala Eda Kriseová
Obálku navrhl a graficky upravil Karel Haloun
Foto Miloš Fikejz
Vydaly Lidové noviny ve spolupráci s Čs. střediskem nezávislé literatury jako 1. svazek edice Knihovna Lidových novin
Praha 1990
Redaktorka Eva Lorencová
Vytiskl TISK, knižní výroba, s. p., závod 6, Brno, vazbu provedly Nitranské tlačiarne, Nitra
Vydání třetí (v ČSFR druhé)
Náklad 40 000 výtisků
79-015-90 13/33 528 str.
Cena 41 Kčs